माखनलाल चतुर्वेदी
रचनावली

वाणी प्रकाशन

8

माखनलाल चतुर्वेदी रचनावली

सम्पादक :

श्रीकान्त जोशी

परामर्श :

स० ही० वात्स्यायन 'अज्ञेय'
धर्मवीर भारती
शिवमंगल सिंह सुमन
जगदीश गुप्त

वाणी प्रकाशन

4695, 21-ए, दरियागंज, नयी दिल्ली 110 002

शाखा

अशोक राजपथ, पटना 800 004

फ़ोनः +91 11 23273167 फ़ैक्स: +91 11 23275710

www.vaniprakashan.in

vaniprakashan@gmail.com

MAKHAN LAL CHATURVEDI RACHANAWALI-8

Ed. by Shrikant Joshi

ISBN : 978-93-5000-856-0

Rachanawali

प्रथम संस्करण 1995

द्वितीय संस्करण 2003

आवृत्ति 2011

मूल्य : सम्पूर्ण सेट (दस खण्डों में) : ₹9000

महक ऑफसेट, दिल्ली में मुद्रित

वाणी प्रकाशन का लोगो मक़बूल फ़िदा हुसेन की कूची से

प्राक्कथन

इस खण्ड में माखनलालजी के उपलब्ध हो सके पत्रों में से कुछ पत्र प्रकाशित किये जा रहे हैं।

पत्रों के दो वर्ग हैं, एक में वे पत्र हैं जो उन्होंने स्वयं अपने समकालीनों को समय-समय पर लिखे और दूसरे में वे पत्र हैं जो समकालीनों द्वारा समय-समय पर उन्हें लिखे गये।

चतुर्वेदीजी द्वारा लिखा गया पहला पत्र डा० मुंजे के प्रति है। यह 25.9.1919 को लिखा गया था, कर्मवीर के प्रकाशन की योजना के साथ ही। डा० मुंजे द्वारा 'संकल्प' पत्र के प्रकाशन की योजना भी बन चुकी थी। कर्मवीर की योजना में पं० विष्णुदत्त शुक्ल एवं पं० माधवराव सप्रे जैसे, उस युग के मध्यप्रदेश की महान् विभूतियों का हाथ था। बाद में सोचा यह गया कि 'कर्मवीर' ही प्रकाशित हो। दो पत्रों को एक साथ निकालने से शक्ति का विघटन हो जायेगा और अपेक्षित परिणाम की प्राप्ति नहीं होगी। डा० मुंजे ने 'कर्मवीर' के पक्ष में 'संकल्प' की योजना स्थगित कर दी और 'संकल्प' की ग्राहक-सूची और अन्य आवश्यक वस्तुएँ 'कर्मवीर' को सौंप दीं। पत्र इसी प्रसंग से जुड़ा है।

ये पत्र इस तरह के अनेक अज्ञात अथवा अल्पज्ञात प्रसंगों को प्रकाशित करने की वजह से बहुत महत्त्वपूर्ण हैं। इनका संग्रह-रूप में यह प्रथम प्रकाशन है।

इन पत्रों में माखनलालजी के समग्र व्यक्तित्व की जो झाँकी मिलती है वह अन्यत्र पा सकना सहज नहीं है। अपने से बड़ों, अपने बराबरी वालों और अपने से छोटों के प्रति उनके शील, सौजन्य और स्नेह के जाने कितने उदात्त क्षण यहाँ गिरफ्तार हो गये हैं।

पं० बनारसीदास चतुर्वेदी को लिखे गये उनके पत्रों में हमें स्वतन्त्रता-संग्राम के सेनानी, चिन्तक, प्रकृति-प्रेमी, कवि, गद्यकार, पत्रकार, सुहृद् और अपने समय के अत्यधिक संवेदनशील आस्था-पुरुष की झाँकी, अपने प्रकृत स्वरूप में उपलब्ध होती है। पं० बनारसीदासजी का आग्रह था कि चतुर्वेदीजी राजनीति का अग्निपथ छोड़कर शुद्ध साहित्य के उपासक बनकर रहें और अपने समय को व्यक्त करने वाली रचनाओं के स्थान पर अमर साहित्य का सृजन करें, किन्तु माखनलालजी का सोच कुछ दूसरे प्रकार का था। उन्होंने अत्यन्त नम्रता से उन्हें सैंट्रल जेल जबलपुर से लिखा, "अमर साहित्य के निर्माण में सामयिकता की जरूरत नहीं है, (मैं) यह नहीं मानता।" (1930)।

यह कथन आज की हमारी विचारधारा से जोड़कर देखा जाना चाहिए, जबकि लेखन में अपने समय और अपनी जमीन से जुड़ने का आग्रह ही हमारे आधुनिक होने की पहचान बनता जा रहा है। श्री जयशंकर प्रसाद को लिखे गये अपने प्रथम पत्र में उनका शील-आकलन और प्रतिभा-नमन शब्दों की सीढ़ियों पर बढ़ता हुआ मनुहार के दरवाजों पर ठिठक कर खड़ा हो गया है :

"विश्वनाथ के देवालय से, नर्मदा और सतपुड़ा बहुत दूर हैं, मैं जानता हूँ। भूगोल मैं पढ़ा हूँ। प्रवास करके कार्यवश देखा भी है, किन्तु आप तो उस दुनिया के उन्नायक हैं जहाँ पास रहने वाले लोग भी काफी दूर दीखते हैं और नक्षत्रों की दूरी पर रहने वाली वस्तुएँ भी बहुत पास। शायद तब काशी से खण्डवा, मेरा सौभाग्य हो तो, बहुत दूर न माना जाये।" (7.12.31)

युवा पीढ़ी के प्रति तो उनका सम्पूर्ण जीवन ही समिधा बन चुका था। उस युग की तरुणाई ने सम्भवतः अपने समय का सबसे बड़ा और सबसे विनम्र और सर्वाधिक स्नेहार्द्र, स्वीकार, उनमें प्राप्त किया था। यह भी कहना चाहता हूँ कि आज जब कि वे नहीं हैं, तो भी इस युग की प्रतिभाएँ उनके पत्रों में अपने लिए एक कभी समाप्त न होने वाला प्रेरणा-स्रोत पा सकती हैं। तरुणों को लिखे गये उनके पत्र संघर्षों से जूझने का भीतरी सामर्थ्य प्रदान कर सकते हैं, जिजीविषा को उद्दीप्त करते हैं। 17 नवम्बर, 1946 को उन्होंने श्री ओंकार शरद् को लिखा था : "अस्तित्व से आँख मूँदने को उत्सव क्यों कहा जाये ?"

ये पत्र एक ऐसे निश्छल व्यक्तित्व का परिचय-पत्र हैं जिसकी आत्मीयता का कोई छोर नहीं था—नम्रता, प्रखरता, आग्रह, मनुहार, संवेदना, समर्पण, उद्बोधन, और उत्सर्ग की उदात्त भावनाओं से सराबोर माखनलालजी के ये पत्र आने वाली पीढ़ियों को उनकी वसीयत की तरह उपलब्ध हैं।

बार-बार की तलाशियों में उनका बहुत-सा साहित्य और उनके बहुत-से पत्र

ब्रिटिश जमाने में हस्तगत कर लिये गये थे। इनमें महात्मा गांधी, प्रेमचन्द, महावीरप्रसाद द्विवेदी और सुभाषचन्द्र बोस जैसे युग-पुरुषों और जाने कितनी विभूतियों के पत्र थे। कुछ पत्र आत्मीय जनों के पास अभी भी सुरक्षित हैं पर उन्हें प्राप्त करने में मुझे सफलता नहीं मिली—कुछ और भी पत्र होंगे, उनका संचयन और संकलन हमारा उत्तरदायित्व है!

अनुक्रमणिका

पत्र : माखनलाल चतुर्वेदी के

पत्र माखनलाल चतुर्वेदी को

पत्रावली

पत्र : माखनलाल चतुर्वेदी के

डा० मुंजे

श्रीगोपाल

M. L. Chaturvedi. जबलपुर, सी०पी०

जननी जन्मभूमिश्च स्वर्गादपिगरीयसी

आश्विन शुक्ल 2/76
25/9/19 (1919)

श्रीमान् डाक्टर मुंजे महोदय की सेवा में,
नागपुर

श्रीमान् महोदय,

सादर प्रणाम !

उस दिन से, जब से कि मैं आपकी सेवा में होता हुआ वर्धा गया, आपका आज तक कोई कृपा-पत्र नहीं पाया। यद्यपि मैं इस बात की आशा में रहा। और उस दिन से अत्यन्त अधिक जब से कि मैंने और श्री सप्रे जी ने आपकी सेवा में अपना हस्ताक्षर-युक्त पत्र भिजवाया। आशा है, अब आपका विस्तृत पत्र पाऊंगा।

श्री शुक्लजी आ गये, संवाद मिल गया। यहाँ भी मैंने, गत 22 सेप्टेम्बर को कर्मवीर प्रेस और पत्र का डिक्लेरेशन दे दिया और वह स्वीकृत हुआ।

अब कार्य की तैयारी और आरम्भ का समय है। प्रेस का सामान मँगवाने, खरीदने और प्रेस को स्थापित करने तथा कार्यकर्त्ताओं को नियुक्त करने की चिन्ता में ही आजकल का समय व्यतीत होता है। जो दो-चार कार्यकर्त्ता नियुक्त हो चुके हैं उनका वेतन भी प्रारम्भ हो गया है। (यहाँ पत्र फटा है) प्रायः कुल रु० 325 सवा तीन सौ (…फटा है) ऐसी अवस्था में यह आवश्यक हो गया है कि प्रेस शीघ्र ही स्थापित हो जाय और कुछ कमाई करने लगे।

इसीलिए, आज आपकी सेवा में अपने वयोवृद्ध मित्र श्रीयुत अयोध्याप्रसाद जी को भेजता हूँ ताकि ये सज्जन आपके निकट उपस्थित होकर, प्रेस-सम्बन्धी उस सब सामान की लिस्ट ले लें; तथा उसे देखकर आपकी आज्ञा और सहयोग

पाकर उसमें से जितना सामान कृपापूर्वक आप उचित समझें, उसे पैक कराके जबलपुर रवाना करें। मैं श्री शुक्ल जी की मार्ग-प्रतीक्षा में था और उनके आते ही उनसे सम्मति लेकर यह कार्य प्रारम्भ किया है। श्रीमान् सप्रे जी के विस्तृत पत्र के अभी तक दर्शन नहीं हुए हैं। आशा है, आप सब सामान की लिस्ट प्रदान करेंगे, और शीघ्र भिजवाने योग्य सामान भिजवा देंगे और उन ग्राहकों की लिस्ट भी भिजवा देंगे, जो अगाऊ वार्षिक मूल्य देकर आपके शुद्ध 'संकल्प' के ग्राहक हो चुके हैं।

यदि अनुचित न हो तो आपके और श्री सप्रे जी के द्वारा सामयिक पत्रों में भेजे हुए सन्देश या समाचार की एक प्रति तथा उस पत्र की एक प्रति भिजवाने की कृपा भी करें जो आपने 'संकल्प' के ग्राहक सज्जनों को लिखा है।

मैं इस सेवा को आपकी आज्ञा और इच्छा की पूर्ति के रूप में स्वीकृत कर चुका हूँ और आपके सहयोग और कृपा का मीठा स्वप्न ही उत्तरोत्तर इस कार्य को पवित्र राष्ट्रीय (पत्र फटा है) में प्रेरित कर रहा है।

आशा है आप प्रसन्न होंगे। योग्य सेवाओं से सूचित करें। और कृपा-पत्र दीजिये। श्रीयुत अयोध्याप्रसाद जी आपसे चर्चा करेंगे। मैंने इन्हें शीघ्र लौटाने का अनुरोध किया है (···पत्र फटा है)

आपका सेवक
माखनलाल चतुर्वेदी

One copy of this letter was sent to Shree Shukulji[1] and one to Shree Sapreji[2] on 26-9-1919.

Sd/—Pyarelal
26.9.1919

श्री अब्दुल गनी

[1]

बनापुरा, सी० पी०
(संभवत: 1822-23)

प्यारे गनी[3],

तुम्हारी चिट्ठी जबलपुर से लौटकर अभी मिली। मैं पिताजी[4] के स्वर्गवास

1. श्री विष्णुदत्त शुक्ल।
2. श्री माधवराव सप्रे।
3. भाई अब्दुल गनी सुप्रसिद्ध स्वतन्त्रता-सेनानी हैं और सागर की 'देहाती दुनिया' का सम्पादन करते रहे हैं।
4. पं० नंदलाल चतुर्वेदी, जिनका निधन दिसम्बर 1921 में हुआ था।

के बाद उनका वार्षिक चरण-वन्दन करने/वार्षिक श्राद्ध) करने यहाँ आ गया हूँ।

हाँ, मैंने कर्मवीर प्रेस छोड़ दिया है। मित्रों के जो व्यवहार मेरी गैरहाजिरी में कर्मवीर प्रेस के लोगों के साथ हुए, उससे मैं अत्यन्त दुखी हुआ हूँ। जिन लोगों ने मेरे जेल में रहते हुए नित्य 250 की मृत्यु-संख्या के बीच बड़े कुछ प्राणों पर खेलकर कर्मवीर चलाया हो, उनका पुरस्कार गालियाँ, अपमान और अत्याचार न थे। अस्तु !

तुमने यह शंका क्यों की कि मैं प्रदेश की सेवा से जरा भी पिछड़ूँगा ? मुझे अपने पुण्य-प्रदेश और उसकी तुम जैसी सन्तान का अभिमान है, और रहेगा। कर्मवीर प्रेस दे देने पर भी कर्मवीर पत्र का डिक्लेरेशन मैंने अभी किसी को नहीं दिया। प्रेस कायम करके कर्मवीर या कोई नवीन सजीव और देश के निकट प्रदेश की आवाज बन सकने वाले पेपर के चलाने के लिए भगवान् की आराधना में लगा हूँ। इसके बाद ही शीघ्र काम में लगूँगा। तुम्हारे इस पत्र ने मेरे हृदय को सुखी किया, ऐसे ही पत्र प्रदेश के चार-पाँच स्थानों से आ गये हैं, हालाँकि यह खबर अभी पत्रों में प्रकाशित भी नहीं हो पायी है। मेरी ओर से अपने साथियों को भी यह खबर हो कि परमात्मा की कृपा और प्रदेश के तरुणों तथा देश पर मरने वालों के प्रयत्नों से प्रदेश में शीघ्र ही एक राष्ट्रीय पत्र प्रकाशित होगा। वे धैर्य रखें।

शेष फिर। मैं चाहता हूँ कि भगवान् मेरे उन मित्रों को सुखी रखे, जो निष्कारण कर्मवीर संस्था पर वज्र बरसा बैठे।

तुम्हारा

मा० ला० चतुर्वेदी

यह पेपर आफिस-कापी रहे। इसकी प्रति मेरे हस्ताक्षर लेकर गनी को भेजी जाय।

[2]

कर्मवीर, खण्डवा, सी०पी०

17.11.1947

प्यारे गनी,

जय हिन्द।

कार्ड अभी मिला। प्रसन्नता हुई। देहाती दुनिया मुझे मिल रही है। पढ़ता भी हूँ। मैं देहाती दुनिया की राष्ट्रीय नीति से बहुत प्रसन्न हूँ। तुम्हारे जैसे बलवान, मस्ताने और नेक 'देशभक्त' में साम्प्रदायिकता का अधिकार न कभी हो सका, न कभी हो सकेगा।

भागे हुए मुसलमान, मेरा विश्वास है, लौट आवेंगे। मैं शर्मिन्दा हूँ कि लीगी मित्र कुरान की कसम खाकर भी भारतीय राष्ट्र के प्रति दगाबाज साबित होते

जा रहे हैं। वे पाकिस्तान पा जाने के बाद भी जो कुछ करने पर उतारू हुए हैं, उसे देखकर सन्देह होता है कि उनका उद्देश्य पाकिस्तान पाना नहीं, योरोपियों के लिए, भारत की सीमा में झगड़े बढ़ाये रखना है।

मेरे योग्य सेवा लिखते रहो।

तुम्हारा नम्र
माखनलाल चतुर्वेदी

पता :

श्रीयुक्त अब्दुल गनी मास्टर,
खुरई, सी० पी०
जी० आय० पी० रेलवे

पं० बनारसीदास चतुर्वेदी

[1]

'कर्मवीर' कार्यालय
जबलपुर 13.7.20

श्रीमान्, सादर प्रणाम।

आपका कृपा-पत्र पहुँचा। वह ता० 9 का लिखा हुआ है। कोई डेढ़ घण्टा हुआ तब पहली डाक में मिला। पत्र को मैं आदर की चीज समझता हूँ, जिसमें 'कर्मवीर' की और मेरी आलोचना है। मैं इस सम्मान को सिर पर धरता हूँ, पर मुझे निवेदन करने ही दीजिये कि जिन लेखों को अंग्रेजी में स्थान मिलता है और हिन्दी में नहीं, उसके कारण का निश्चय सहसा इस प्रकार कर डालने में अन्याय हो जायगा। यह अवस्था अन्त्यज जातियों की स्थिति से कुछ-कुछ मिलती-जुलती है। कृपापूर्वक, यह कठोर निर्णय न दीजिये। इसका उचित उत्तर, कार्यालय की कुली-प्रथा का वह भुक्त-भोगी दे सकेगा, जो मानसिक रूप से भावों में, नैतिक रूप से परिस्थितियों में और साधारण रीति से सांसारिकता में फँसा हुआ है, अंग्रेजी पत्रों के पाठक दूसरे होते हैं, हिन्दी के दूसरे। हिन्दी के पाठकों में जो सम्मति देना जानते हैं उनमें से कुछ तो परिष्कृत और परमोपयोगी विषयों तक अपना सिर ऊँचा ले जा सकते हैं किन्तु जिन्हें अपने दस्तखत भी भले से करने नहीं आते, वे उन्हीं बातों की परवा अधिक करते हैं जो उनके आसपास बीतती हैं और जिनसे उनके हृदय का निकटम सम्बन्ध शीघ्र हो सकता है। हाँ, इस विषय में सम्पादकों को स्वयं ही ऐसे उपयोगी विषयों की ओर पाठकों का हृदय आर्कषित करना चाहिए। मेरी क्षीण शक्तियाँ वह न कर सकीं, यह मैं बिना आगे-पीछे

सोचे मानता हूँ, इसके लिए अपनी कमजोरी स्वीकार करता हूँ और अत्यन्त चिन्तित हूँ कि इसे शीघ्र हटा सकूँ।

आपके Private (प्राइवेट) वाले भाग ने मुझे सुख पहुँचाया। हिन्दी संसार का मस्तक ऊँचा होगा कि उसने उस बलिवेदी पर, जहाँ अभी उसका कोई सुपुत्र आगे न बढ़ा, अपने एक कर्मवीर हृदय को जाने की तैयारी करते देखा और देखा कि उसने आज-कल करते अपने कठोर किन्तु प्यारे पथ में प्रवेश किया। पर इस संवाद ने मुझ जैसे दुनियावी को चिन्ता भी कम न दी। आप बाहर-भीतर एक-से हैं, और घर के अमीर भी नहीं। कुटम्बियों ने खासकर पत्नी ने और बच्चों ने (यदि हों) यह कठिन संकल्प जिसे वे समझ भी नहीं सकते माना होगा। ऐसी मेरी धारणा नहीं। मेरी प्रार्थना है, आर्थिक प्रश्न को किसी स्वरूप में सुलझाइयेगा।

कुटुम्ब को निराधर छोड़ जाना मैं पाप समझता हूँ और जगत् की छाती पर एक निन्दनीय उदाहरण भी। मैं कर्मक्षेत्र मैं आपका पूजक हूँ पर इस मग-विरोध के लिए······यदि सम्भव हो तो क्षमा किया जाऊँ।

आपका अपना

मा० ला० चतुर्वेदी

[2]

बनापुरा, सी० पी०

7.10.25

श्रीमान् साधुवर चतुर्वेदीजी, प्रणाम।

आपको मैंने पत्रों के जवाब नहीं दिये यह मेरा अपराध है। मैंने जान-बूझकर ही यह अपराध किया है। बात यह है कि मैं आपसे डरने लगा हूँ। आप एक देहाती तलैया में स्नान करने के अधिकाधिक उत्सुक होते जाते हैं। मैं यह नहीं सोचता कि स्नान का नाम लेकर आप उस तलैया का मजाक उड़ाना चाहते हैं। यद्यपि यदि आप ऐसा करते तो अनुचित न था, किन्तु मैं यह जानता हूँ कि आप सच्चे भाव ही से भैंसों के लोटने और जलकीटों को उत्पन्न करने वाली देहाती तलाई में डुबकी लगायेंगे। मेरा ऐसा विश्वास है कि आपको अपनी कृति पर कुछ समय पश्चात् पछताना हो, इसीलिए मैं उसके डुबकी लगाने के मन और प्रयत्न से डर रहा हूँ। मेरा मन मुझसे कहता है कि मेरी ये पंक्तियाँ दंभ से खाली नहीं हैं, किन्तु मुझे अपने हृदयगत भाव आप पर प्रकट करने के लिए इन शब्दों के सिवा दूसरे पाखण्ड-रहित शब्द ही नहीं मिले। जो कोठे में हो, सो दुकान पर आये। मेरा जी आपके प्रयत्नों और साजिशों के बदले उमड़ता है। कभी-कभी मैं इतना बड़ा आदमी बन जाता हूँ कि उस समय मुझे कुछ नहीं सूझता। आप कदाचित् इस पर विश्वास करें न करें, परन्तु मेरे देवता, मेरे पतन के द्वार की कुंजी मुझी से

माँगते हो ? मैंने संसर्ग में जाकर देखा है—ऐसे लोगों के संसर्ग में जाकर देखा है जिन्हें मैं पूजने की चीज समझता हूँ—पर मेरे छिद्र बढ़े ही । फूटा बर्तन था, चाहे जैसे मीठे कुएँ में जाता, आखिर खाली तो लौटना ही था । आप कुछ नये छेद पाड़ कर, इस गये-गुजरे 'टीन-पॉट' की सुन्दरता बढ़ाना चाहते हैं । मैं तो समय रहते आपसे 'सावधान' ही कहना चाहता हूँ ।

आपने किलीमंजारो की महान् वस्तु न जाने कहाँ फेंक दी है । वह मूठ का हीरा हो, पर वह रहेगी सदैव मेरे पास । तब तक, जब तक मैं स्थायी और पराधीन जीवन में उसे सम्हाल कर रख सकूं । आप जानते हैं, मेरी पत्नी नहीं है और जेल में जाने पर बहुमूल्य वस्तुएँ भी छोड़कर ही जाना होता है । मैं जीवन के इतने वर्षों के पश्चात् भी अभी तक कोई अपना ऐसा मित्र नहीं बना पाया जिसके निकट मैं माता के समान खुला हुआ, पिता के समान विस्तृत भावपूर्ण और पत्नी के समान जिसके हाथों में मैं अपने आपको सर्वथा सौंप सकूँ । ऐसी अवस्था में किली-मंजारो जैसी आपके जीवन की एकमात्र धरोहर का भी मैं अधिकारी हूँ या नहीं, स्वयं सोच लीजिये ।

यह चिट्ठी लेख बनी जा रही है, अतः बस यहीं खत्म करता हूँ । मैं आपसे एक ही बात चाहता हूँ और यदि आप उत्तर 'हाँ' में दें तो उस वस्तु का नाम एक पोस्टकार्ड में ही लिखकर भिजवा दूंगा । वह मेरा डर दूर कर देगी और मुझे आपके पास पहुँचने में आकर्षण पैदा कर देगी ।

मैं यह पत्र केवल आपको लिख रहा हूँ । आशा है, लड़कपन के इन विचारों से आप नाराज न होंगे ।

आपका
माखनलाल चतुर्वेदी

[3]

कर्मवीर कार्यालय, खण्डवा
13.12.26

प्यारे चतुर्वेदीजी,

आपके आविष्कार में सच्चाई है, कहिये तो आपको जगदीशचन्द्र बोस कह दूं ? मैं चुनाई की हलचल में इतना फँस गया कि पत्रों के उत्तर तक न दे सका । यों सुस्त तो सदा का हूँ । एक पत्र तो ऐसा आया था जिससे मैं नाराज हो उठा था, वह था क्षणिक आय वाला । श्री स्वर्गीय राजा लक्ष्मणसिंह जी की जयन्ती मनाने के समय के पत्रों को भी मैंने देर से उलटा-पलटा, इसी से विलम्ब हुआ ।

मेरी भी इच्छा कुछ दिनों काम छोड़ भागने की हो रही है । आपके साथ समय बिताने से सुख मिलेगा । श्रीकृष्णदत्त जी के साथ भी रहने को (मिलेगा)

परन्तु मेरे भाग्य अवकाश पाने योग्य नहीं।

गरीब जीवन की तपस्या की समाराधना में आपको रत देखकर चित्त और भी आपके पास रहने को चाहता है। क्या आपकी 'जर्नलिज्म' वाली सेवा में, मैं भी कुछ सेवकाई कर सकता हूँ ?

यह अत्यन्त उचित है कि आप भी नरदेव जी शास्त्री का बोझ अपने कन्धों पर लेकर सम्पादक के लिए उद्योग करें ?

मेरी तुकवन्दियाँ आपकी सेवा में उपस्थित कर दूंगा। यदि न करूँगा, तो आप, आप अपनी तुलना किसी वणिक से करने लगेंगे। जेल का संग्रह तो मेरे पास है, परन्तु उसमें से बहुत-कुछ छप चुका—प्रताप (विशेषांकों समेत), विद्यार्थी (प्रारम्भिक दो, तीन वर्ष), प्रभा, कर्मवीर (पुराना), कर्मवीर नया, माधुरी, मनोरमा आदि में।

सब कूड़ा-करकट मिल जाएगा। पुराने चित्रमय जगत्, स्वदेश, राजस्थान-केसरी और न जाने कहाँ-कहाँ सारी मनहूसी बिखरी पड़ी होगी। दिनोंदिन यह खोज की (अस्पष्ट) हो रही है, ऐसी अवस्था में मैं स्वयं क्या भिजवाऊँ, आज्ञा का कैसे पालन करूँ, बताइये ! कभी-कभी सुधि लेते रहिये।

आपका

माखनलाल

[4]

निजी पत्र

कर्मवीर, खण्डवा

(संभवतः फरवरी 29 या 30)

श्री प्रियवर, सादर नमन

आज बहुत दिनों बाद आपकी सेवा में अपनी एक रचना भिजवा रहा हूँ। यह उसी 'साहित्य देवता' नाम की पुस्तक का एक भाग है जिसकी 'साहित्य-देवता' शीर्षक रचना सबसे प्रथम 'विशालभारत' में छपी थी। उसके पश्चात् इसकी दो लिखावटें और प्रकाशित हुईं—एक 'विश्वमित्र' में जिसका शीर्षक था 'मुरलीधर' और दूसरी लाहौर की 'भारती' में जिसका शीर्षक था 'अंगुलियों की गिनती की पीढ़ी।' इस तुच्छ लिखावट में, शायद आपको अपने 'कस्मै देवाय' प्रश्न का भी कहीं या सर्वत्र उत्तर दिखाई दे जाय। इन लिखावटों का अधिक काम मैं जबलपुर-जेल में कर सका। इधर दो 'पीस' इस रचना के और लिखे रक्खे हैं। एक है 'महत्त्वाकांक्षा की राख', जिसमें समालोचना करते समय हमसे होने वाले···और आडम्बर की चर्चा है, दूसरे का शीर्षक है 'शस्त्र-क्रिया' जिसमें योग्य समालोचक, किन कष्टों में या किन वेदनाओं में समालोचना करने के लिए बाध्य होता है, इस विषय की चर्चा है। मैं सुस्त तो हूँ परन्तु किन राजनैतिक

कष्टों में रहता हूँ यह तो आप मेरे पास आकर ही जान सकते हैं। आपको यू. पी. और कलकत्ता में घूमने की लत है, बिहार में भी घूम लेते हैं क्योंकि वह युक्तप्रान्त से कलकत्ता जाने के रास्ते में पड़ता है, किन्तु आप कभी मध्यप्रदेश के जंगलों में आना नहीं चाहते। तब आप यह कैसे जानें कि मेरी बेबसी क्या है ? काम से अब मेरी तबीयत भी ऊब उठी है, परन्तु बैठूं कहाँ ? यहाँ बैठूं तो लोग मुझे चैन न लेने देंगे और बाहर कहीं छुपकर कुछ दिन बैठने की जगह मेरे लिए दिखती नहीं। यहाँ तो मुझे जंगलों में लोग जा पकड़ते हैं।

तीन तुकबन्दियाँ और लिखी रखी हैं परन्तु इधर कुछ भी न लिखने लगा हूँ, और मैंने मन-ही-मन न जाने कैसे जाना कि मेरे गीत आपको कदाचित् पसन्द नहीं हैं। मैं आपके पास हृदय खोलकर कह दूं, मैं स्वयं तो अपने उन गीतों में ही रहना चाहता हूँ। किन्तु यह आपसे कहने की बात है, सबसे कहने की नहीं। यदि समालोचक बन्धु इस बात पर गाली देंगे तो बस, मैं सुनता ही रहूँगा, कुछ कहूँगा नहीं। किन्तु गालियाँ दिलवाने का पुण्य आपके पल्ले पड़ेगा। इस पत्र में तुकबन्दी भेजने की बात न थी, परन्तु चि० जमनाप्रसाद[1] ने कहा कि एक तुकबन्दी जरूर रख दूं, उसे रखने के कारण ही विलंब हो रहा है।

इधर साहित्य में मुझे एक व्यक्ति खूब भा रहा है; वह है अख्तर हुसैन रायपुरी। वे अपनी कलम पर अपना हृदय लेकर उतरते हैं और युग की माँग के खिलाफ उसे बेतौल नहीं होने देते। साथ ही वे दूर तक देखते हैं। मैं उनका पता नहीं जानता, उन्हें मेरा आदर पहुँचा दीजिए। हाँ, कृपया श्यामसुन्दर[2] जी की पोथी भिजवा दीजिए, कुछ लिख दूंगा। उन्हें लिखने के लिए जरा तंग करते रहिए। आखिर प्रिंस क्रोपाटकिन पर आपने लिखना प्रारम्भ कर दिया। अच्छा हुआ। श्री बृजमोहन जी से कहिए, मैंने उनके 'कलाकार रायचौधरी' को दो बार पढ़ा। इधर-उधर की अगड़म-झगड़म लिखने के बजाय उन्हें ऐसी बातें लिखने दीजिए। श्री वर्माजी की हिमायत यदि उस लेख के साथ और होती तो वह लेख निहाल हो जाता। एक बार श्री मुजफ्फर हुसेन शमीम की एक कविता विशालभारत में छपी थी। शीर्षक कुछ था "कुछ याद सी तेरी आती है" या ऐसा ही कुछ, मुझे बहुत पसन्द आई थी। सोचता था और भी ऐसी कविताएँ आप उनसे लिखवा लेंगे, परन्तु आप बहुधन्धी आदमी, शायद भूल गए। आप उनसे कुछ लीजिए। सागिर से भी कुछ लीजिए। इन दोनों कवियों से कहिये कि हिन्दी-संसार में ये लोग अपनी चीज की तरह अपनाये जायेंगे।

मेरी कविता-पुस्तक क्या है ? मेरी तुकबन्दियों में ऐसी शायद थोड़ी ही हैं

---

1. निजी सेवक।
2. श्री श्यामसुन्दर खत्री।

जिनकी प्रति आपके पास न हो। हाँ, मैं अब अपनी 'दाता' शीर्षक रचना आपके पास भिजवाना चाहता हूँ। महीनों हुए, शायद धन्यकुमारजी ने उसकी माँग की थी परन्तु उसकी कापी कौन करे ? आप तो 'कस्मै देवाय' लिख देते हैं, किन्तु कस्मै देवाय मेरी तुकबन्दियाँ और लिखावटों की जब कापी कर दें ? खैर, यदि कापी हो गई तो मैं 'दाता' भिजवा दूँगा। एक गीत भिजवा रहा हूँ जिसका शीर्षक है 'मृत्यु'। दूसरी तुकबन्दी भी शायद भेज रहा हूँ जिसका शीर्षक होगा—'नजर लग जाएगी' या कुछ ऐसा ही। इन सबको एक ही संख्या में न छाप दीजिए। जो पसन्द न आए उसको फाड़ फेंकिए, किन्तु 'नीलाम' को फाड़कर न फेंकिए, उसे लौटा दीजिए। पत्र लम्बा हो गया, इसके लिए क्षमा कीजिए। आप पर होने वाले आक्रमणों में आपको जिस तरह शान्त खड़ा देखा, सुख पाया। हाँ, यह तो लिखिए कि श्री जोशी बन्धुओं का नाम मासिक विश्वमित्र पर से क्यों गायब हो गया ? क्या बात हो गई ? क्या श्रीरामजी इधर आपसे रूठ गए हैं ? विशालभारत में लिखते क्यों नहीं ? उनसे कहिए कि वे शिकार ही पर लिखते रहें। लेखक-जीवन के कुंभीपाक में न आवें, शिकारी ही बने रहें। जब वे और कुछ लिखते हैं तब ऐसा मालूम होता है मानो खीर खाते-खाते उसमें कहीं सुपारी का बड़ा-सा टुकड़ा कंकड़ की तरह मुँह में खड़बड़ा उठा हो। यदि वे मेरे इस कथन से नाराज हों तो उनकी गालियाँ मेरे पास भिजवा दीजिएगा।

इधर हिन्दी में 2-3 तरुण मुझसे कविता लिखने आ रहे हैं। मुझे उनमें 'दिनकर' खूब भाते हैं। उनकी कलम का खिलवाड़ हृदय पर तरंगित भी होता है, इतिहास से छेड़छाड़ भी करता है और गरीबों के हृदय के आँगन में खेलने भी लगता है। ये तरुण तपस्वी इतना ही खयाल रखें कि कविता में इन्हें गद्य की याद न आ जाय। इन्हें अपने को अपनी वस्तु में और वस्तु को अपनी वाणी में छुपाकर रखने की आदत रहे। 'छन्द' के मानी ही यह हैं। हाँ, इतना छुपा दें कि लोगों की चाह की जीभ उनकी वस्तु के पास तक पहुँच भी न पावे। वे ऐसा छुपाते भी नहीं हैं। इनकी हिमालय और बुद्ध वाली रचना पर मेरी ओर से बधाई दीजिएगा। लोग न जाने क्यों हरिऔधजी के रसकलश में शस्त्र-क्रिया करके मिठास ढूँढ़ते हैं···ब्रजभाषा में लिखा, परन्तु कस्मै देवाय की सी उसमें कोई बात नहीं है। किन्तु शायद बूढ़े हरिऔधजी पर कुछ लिखना मेरे लिए उचित नहीं। आप ही ने शायद मुझे मि० शास्त्री की यह बात बताई थी कि वे उम्र के आदर करने की बात कहते हैं। कृपया लिखिए, श्रीयुत हरिशंकरजी शर्मा आजकल क्या कर रहे हैं ? परन्तु आप इतने फालतू तो हैं नहीं। मेरी किन-किन बातों का जवाब देंगे ?

अच्छा, अब पत्र बन्द करता हूँ। आपका अपना,

मा० ला० चतुर्वेदी

[5]

कर्मवीर कार्यालय, खण्डवा

25.1.30

प्रिय चतुर्वेदीजी, सादर प्रणाम।

कृपा-पत्र मिल गया था। गत महीनों से मेरा स्वास्थ्य इतना खराब है कि सँभलकर मैं कुछ भी नहीं कर पाता, अस्तु, विशालभारत के लिए मैं लिखता न होऊँ, सो बात नहीं। मैं तो यह भी चाहता हूँ कि यदि आप एक-दो दिन के लिए जंगलों में मेरे गाँव पर पधारें तो विशालभारत, तुकबन्दियाँ आदि समस्त विषयों की चर्चा हो। भाई, मुझे नहीं मालूम, आपने कैसे समझ लिया है कि मैं तुकबन्दियों के संग्रह का अधिकार चि० शंकरराव सप्रे को देना चाहता हूँ। मैंने तो ऐसा कभी नहीं लिखा। भविष्य में भी आप ऐसी कल्पना अपने मन में न होने दें। मैं तो उन तुकबन्दियों को आपको दे दूँगा। आप चाहें रामानन्द[1] बाबू से चर्चा करें या किसी से। विशालभारत के विषय में, यह सच है कि तुकबन्दी लिखने में मैं घबड़ा गया। मैं भी कला की सरलता का कायल हूँ, किन्तु मैं जैसी तुकबन्दियाँ लिखता हूँ वे सचमुच मिडिल स्कूल के बच्चों की समझ में नहीं आ सकतीं। तब मैं तुकबन्दी भेजकर, आपके संकोच पर अधिक बोझ लादने का साहस कैसे करता? मैं जब खुद ही यह मानता हूँ कि मैं कविता लिखने में श्रेष्ठ नहीं, तब मैं आलोचक···को जवाब भी क्या दूँ? मेरा पागलपन तो मेरी अपनी ही वस्तु है। वे सच्चे हैं जो मुझसे पूछते हैं कि अपनी यह सनक औरों पर क्यों लादता हूँ। किन्तु मेरे इस उन्माद को औरों पर लादते हैं मेरे ही अपने सुहृद्। तब मैं क्या करूँ? मैं तो अपनी पंक्तियों को अपनी लज्जा की तरह छुपाता रहा हूँ, किन्तु अब मेरी बेशर्मी की उम्र भी 24 वर्ष की हो चुकी है, अब तो मैं घर के कोने से निकलकर हाट का दूकानदार बन गया हूँ और बना भी दिया गया हूँ, तब फिर ग्राहकों की···माल न पहुँचने पर गालियों का हकदार क्यों न होऊँ? आपकी आज्ञा का उल्लंघन इसीलिए करता हूँ कि मेरे लिए, और मेरे कारण हिन्दी-साहित्य का समय और शील बर्बाद न हो। शेष कुशल।

(पुनश्च) यदि आप यहाँ आ जावें तो आपको समझाकर मैं तुकबन्दियाँ संग्रह में से रोक लूँगा, न आने पर वे सब आपके पास भेज देनी होंगी और मैं-आप इन विषयों पर चर्चा न कर सकेंगे। आशा है, आप कुशलपूर्वक होंगे। मेरा निवेदन है कि विशालभारत को अवश्य···ही होना चाहिए। मैं यदि कलकत्ता पहुँच सका तो इस विषय पर आपसे चर्चा करूँगा।

आपका अपना,

मा० ला० चतुर्वेदी

---

1. श्री रामानन्द चटर्जी

[6]

सेण्ट्रल जेल जबलपुर से लिखा गया चतुर्वेदीजी का एक अधूरा पत्र

यह विषय लिखने के लिए तो और भी अधिक परन्तु इस पत्र के बढ़ाने से, दूसरी सब चिट्ठियाँ रह जाएँगी। कैदी को अपनी परिमितताओं का स्मरण रखना जरूरी है।

'विशालभारत' मेरे नाम पर, यदि आप कर सकें तो, द्वारा सेण्ट्रल जेल, जबलपुर, इस पते पर मेरे नाम पर पोलिटिकल प्रिजनर लिखकर भिजवाने की कृपा करें। इसी तरह मेरे नाम पर 'माडर्न रिव्यू' भी भिजवाने का प्रबन्ध कर दें। 'माडर्न रिव्यू' का मूल्य खण्डवा से भिजवाने के लिए श्री लोंडेजी से कह दिया है। इसी तरह से पुस्तकें आप मेरे नाम पर भिजवा दें। मेरे पास से जो कुछ लिखा आपके पास पहुँचे, उसमें यदि वह कोई लेख या आलोचना हो, तो उसके नीचे सिर्फ 'कैदी' लिख दें, गद्य की कोई रचना या कहानी हो, तो उसमें 'वनवासी' लिखें, और तुकबन्दी रहे तो उस पर 'एक भारतीय आत्मा' लिख दें। जेल में, काम करने के कारण लिखने तो कहाँ पाऊँगा परन्तु यदि समय, सूझ और वक्त पा सका तो कर्मवीर, प्रताप, विशालभारत और···के पास पहुँचा दूंगा। मैं यहाँ प्रसन्न हूँ। मेरे साथी बाबू गोविन्ददासजी, पं० द्वारकाप्रसादजी मिश्र, श्रीयुत रविशंकरजी शुक्ल आदि सज्जन भी प्रसन्न हैं।

इस वर्ष मैं बीमार अधिक रहा था, अतः मेरा वजन 110 पौण्ड से घटकर 92 पौण्ड तक हो गया था। पिछले डेढ़ महीने में वह 96 पौण्ड तक हो पाया है। बस, इसके बाद जेलखाने में आ गया।

आप जानते हैं, हम लोगों ने कौन-कौन से अपराध किए हैं?

1. कानून तोड़ने के लिए षड्यन्त्र, 2. राजद्रोह, 3. राज-विद्रोह का कानून-भंग, 4. नमक का कानून भंग और 5. जंगल-कानून भंग करने का षड्यन्त्र।

आशा है, आप कुशलपूर्वक होंगे। समाचार-पत्रों पर जो सरकारी सेंसर आया है, आशा है आप तथा अन्य सज्जन जो हिन्दी के पत्रकारों की हित-रक्षा में यत्नशील हैं, अवश्य हिन्दी-पत्रकार जगत् को एक खास गतिविधि के लिए तैयार कर लेंगे।

यह न लिखें कि ये बातें आपने मेरे पत्र से पायीं।

[लेखन-काल संभवतः जून-जुलाई, 1930]

[7]

सेण्ट्रल जेल
जबलपुर, 1930

प्रिय भाई चतुर्वेदीजी,

आप उस अंग्रेज कवि की बात की दाद देंगे कि केवल लोहे के सींखचे, ऊंची काली दीवारें, दरवाजों पर लगे हुए ताले, तंग कोठरियाँ और चौबीस घंटे श्वास की तरह साथ रहने वाले पहरे किसी भी स्थान को जेल नहीं बना देते। यदि ऐसा हो, तब तो फिर हम लोग, इस जेल की अपेक्षा बाहर भी जेल ही में थे।

आपकी शिकायत की ओर मैं ध्यान न दे सका, मैं जानता हूँ, आप चाहते थे कि मैं शान्तिनिकेतन की ओर जाता, किन्तु मैं आपके शब्दों में, बढ़ता गया आनन्द-भवन की ओर। मैंने शान्तिनिकेतन नहीं देखा, किन्तु मुझे अपना अपराध स्वीकृत करना चाहिए कि मैं शान्तिनिकेतन के योग्य नहीं हूँ। मैं तो यह भी मानता हूँ कि जब तक कवीन्द्र की रचनाओं पर सामयिकता की मुहर लगी हुई है, तब तक वे उस वास्तविक शान्तिनिकेतन की वस्तु नहीं हो सकते, जिसकी ठण्डी लहरों में शायद आप ज्वार का अभाव मानते हों। मैं तो कवीन्द्र की रचनाओं में ज्वार का अभाव नहीं देखता। हाँ, मैं यह अवश्य मानता हूँ कि वह ज्वार मस्तिष्क से उतर कर या हृदय से चढ़कर अंगुलियों तक ही आता है, वह भुजदण्डों पर नहीं आता। किन्तु मैंने सुना है कि कवीन्द्र अपने नाटकों के स्वयं ही अभिनेता भी होते हैं। क्या यह सच नहीं है ? यदि सच है और भावों के उस उस विधाता का नाट्यशाला में यह आतम-प्रकटीकरण समर्थनीय और सत्य के अत्यन्त निकट माना जाता है, तो फिर अन्य गरीब भावों के पुजारियों का अपने रूप में, मानव-परिमितताओं की विनोदी नाट्यशाला छोड़कर, विश्वनियन्ता की नाट्यशाला में, अपना अभिनय ईमानदारी से पूरा करने लगना गुनाह कैसे है ?

मुझसे आपने यह कितनी बार नहीं कहा कि मैं सामयिकता से उपर उठकर स्थायी साहित्य लिखना स्वीकृत करूँ, जो आगे भी जिन्दा रहे। यह बात मुझसे मेरे अपने आस-पास के निजी मित्रों ने भी खूब कही है। किन्तु मुझ गरीब से ऐसी बड़ी आशाएँ तो मेरे साथ बिना जाने किया गया विनोद मात्र थीं। मैं यह मान लेता हूँ कि साहित्य यदि भारत के छोटी उम्र के बच्चों की तरह मरे, तो यह सचमुच बुरी बात है। किन्तु अमर साहित्य के निर्माण में सामयिकता की जरूरत नहीं है, यह नहीं मानता।

आपका
माखनलाल चतुर्वेदी

[8]

खण्डवा (सी० पी०)

4. 7. 31

श्रीमान् भाई बनारसीदासजी, सादर प्रणाम !

आपका एक कार्ड कुछ पंक्तियाँ लिये हुए, कुछ दिन पहले मुझे मिला था। बहुत कठोर समाचार से वह भरा था। आपका अपनी मातृ देवता का खो देना और हृदय देवता को भी खो बैठना, आपको विधि की ऐसी कड़वी मार है कि आप-जैसे धैर्यशील और सात्त्विक जीवन के लोग ही उसे सहकर हँस सकते हैं, और लोग कदापि नहीं। उक्त दैवी प्रहारों में एक का मैं भुक्त-भोगी हूँ और मैं जानता हूँ कि जिस समय आपके हृदय की मधुर स्मृति जग उठती होगी, उस समय वह हृदय तोड़कर, न जाने भूतकाल की किस-किस दुनिया में ले जाती होगी और भावी की आशाओं के महलों को असमय खँडहर बन जाने पर, उनके भग्नावशेषों पर बैठकर, आपका मौन रोदन न जाने क्या-क्या गाता होगा ? यहाँ के कर्त्तव्य-कुंभीपाक से कुछ दिन छूटकर यदि मैं उन आँसुओं की घड़ियों में आपके साथ बैठ सकता तो···पर मैं परिस्थिति का गुलाम राजनैतिक-नरक में विवश होकर ही क्यों न हो—विचरने वाला आपकी स्मृतियों की मधुर दुनिया में खोये हुए को ढूंढ़ने वाले जीवन के पास जब पहुँच सकूँ तब न। आपके कार्ड ने कितनी बार प्रायः तीन बार मुझे रुला दिया ? मेरे भी हृदय था, हृदयेश्वरी भी थी और थीं आशाएँ, दीपक-सी स्पष्ट, सुवर्ण-सी चमकीली और हाँ, आँसुओं-सी मैली पर तरल, चंचल पर द्रवित। आपके इन सुखों ने भीजी हुई साधना और उम्र-प्राप्त अनुभव पर अपने चरण-चिह्न छोड़ दिये हैं। आपके कष्टों का क्या कहना, पर भाई, शाब्दिक उठाईगीरा आपके हृदय को धैर्य कैसे दे, जिसने उपकारी के प्रति भी अपकार ही सोचे हों, त्याग में भी तृष्णा जिससे छूट न पाई हो, जिसका रुदन उसके पतन में हो और जिसकी वीरता उसकी जबान में हो और जो कीर्ति के मदिरा-पान के लिए अखबारों के कालमों पर मक्खियों की तरह भिनक सकता हो, उस मुझ जैसे नगण्य के पास न स्नेह का अमृत हो सकता है, न लय का जादू जो आपके हृदय-तल को छूकर आपके हृदय को सेहत दे सके। मैं जानता हूँ, आत्म-निन्दा आत्म-प्रशंसा ही की तरह नैतिक दुनिया में दण्डनीय है। किन्तु मेरी कमी, मेरे जीवन का कड़वा साथ है, आत्म-निंदा नहीं। तिस पर भी आपसे यह तो कह ही सकता हूँ कि भाई, जब मौन होकर आँसू बहाना, तब शोक न करने के लिए, आपसे मनुहार करने वाले एक नगण्य प्यारे की भी कल्पना कर लिया करना। और माँ के लिए क्या कहूँ, माँ तो आपने भी खोयी, आपके बच्चों ने भी। इन दिनों मातृहीनों में किसे समझाया जाय ? माँ पर तो पीछे कभी कुछ लिखूँ तो लिखूँ। मेरे लिए तो माँ

मेरे जीवन का काव्य है, मेरी उदासीनता का पुरुषार्थ, मेरी बेचैनी की सेहत, मेरी रूखी रोटियों की मिठास। फटी चिंदियों की शोभा और टूटी झोंपड़ी पर चढ़ी हुई कल्पवृक्ष की वल्लरी। जब भगवान् दूर दिखने लगते हैं तब मैं माँ की ओर देख लेता हूँ। जब मुझ पर विधाता रूठता है, तब मैं एक बार माँ की गोद में सिर रख लेने की इच्छा करता हूँ और जब मुझे अपने सुखी दिनों पर सन्तोष का मुकुट चढ़ाना होता है तब मैं माँ को चिढ़ाकर उसके मुँह की दो-चार गालियाँ खा लिया करता हूँ। मैं अपने भाव से आपके अभाव की माप करता हूँ तब जी घबड़ा उठता है। क्या खो बैठे आप ?

गणेश (स्वर्गीय गणेशशंकर विद्यार्थी) क्या खो गये, मेरे जीवन का तो सब-कुछ खो गया। विश्व में चार प्राणियों को चिढ़ाया करता था। एक मेरी माँ, दूसरे गणेश और तीसरे आदमी का नाम आपको बताना नहीं चाहता, चौथे प्राणी में में मेरी स्त्री थी। खैर—

डाक आ गयी, मेरा प्रणाम लीजिये !
छोटे भाई को मेरा शुभाशीष पहुँचाइये,
और छोटे बच्चे-बच्चियों को प्यार !

आपका
माखनलाल

[9]

'कर्मवीर' कार्यालय, खण्डवा
12.12.31

श्री प्रियवर, सादर प्रणाम !

जेल में हमें गद्दार समझकर अलग-अलग रखा गया था। मेरे सब साथियों को भी। जब सब साथी चले गए, तब लगातार गिरफ्तारियों का ताँता लग गया। मेरा निश्चय था कि मैं जेल में भी खद्दर ही पहनूंगा। अतः जेल में मुझे अलग ही रखा गया, अपने साथियों के पास न जाने दिया गया। इस खुली बैरक में मई की गर्मी और फिर रोज सारे कपड़े छीनकर 'दिशा-रूप वस्त्र' कर दिए जाने की धमकियाँ। उन्हीं दिनों, रात को जेल की दीवार से दिखने वाले एक आम के झाड़ की शाख पर कोयल बोली। शुक्ला सप्तमी का चन्द्र डूब गया था। कोयल की इस (कूक को) सुनता मैं 4 बजे प्रातः तक बैठा रहा। उसी प्रातः यह तुकबन्दी लिखी गई। इस लम्बी कैफियत को आप अपनी ही जान की जेब में रखें। इसकी दूकान न कीजिये।

आपका अपना
मा० ला० चतुर्वेदी

हाँ, यह कह हूँ कि खद्दर की लड़ाई में सफलता मिल गई थी। खद्दर मुझे भी मिला और साथ ही प्रान्त के दूसरे उन ए० और बी० क्लास के कैदियों को भी, जिन्होंने खद्दर को अपना व्रत बताया।

[10]

उज्जैन

दिनांक 28. 1. 32

श्रीमान् भाई चतुर्वेदीजी,

आपका-शान्ति निकेतन पहुँचने का न्यौता यहाँ मिला। मैं स्वयं उस स्थान को देखने के लिए बहुत उत्सुक हूँ और इधर आनन्दभवन की अपेक्षा शान्ति-निकेतन का वातावरण मुझे अधिक खींचने लगा है। किन्तु चारों तरफ ज्वाला जल रही है। आज एक जेल जा रहा है, कल दूसरा। ऐसे समय जेल से बाहर रहना मुझे उस तरुणाई का अपमान करना प्रतीत होता है कि जिस जेल में भिजवाने का खेल शासन खेल रहा है। तो भी मन इधर-उधर खिंच रहा है। यदि आ सका तो खबर दूंगा। यों मेरे मन की विजय हुई तो मध्यप्रदेश की कोई जेल ही मेरे लिए शान्तिनिकेतन बनेगी।

अभी उस दिन कोई 10-12 दिन पहले सतपुड़ा के एक ग्वालिन डोह नामक झरने पर गया था। दोनों तरफ पर्वतमालाएँ थीं। बीच में राजगति से झरने महाशय जा रहे थे। उस समय जब मैं एक कऊ के झाड़ के नीचे से झुककर निकल रहा था, एक तरुण ने मेरी आँखों को थोड़ी देर के लिए प्रकृति के उस आनन्द से गैरहाजिर देख लिया। उसने पूछा, "तुम इस समय क्या सोच रहे हो दादा?" मैंने कहा, "मैं चाहता हूँ मेरे साथ इस समय बनारसीदासजी, प्रो० रामकुमारजी, प्रो० सद्गुरुशरणजी अवस्थी होते।" इसके पश्चात् और चर्चाएँ हुईं जिनको यहाँ देकर उन चर्चाओं के आधारों को बाजार में नहीं रखना चाहता।

जबलपुर-जेल से भी कुछ लिखकर लाया हूँ और फिर से भी जाने की तैयारी हो रही है। क्या आप लिखेंगे कि संग्रह के कार्य में आप क्या कर रहे हैं? जबलपुर-जेल से 'तरुण कलिका' शीर्षक जो रचना आपके पास भेजी थी, मैंने झाँसी में पढ़ दी थी। यदि आप कहें तो वह पूरी रचना आपके पास भिजवा दूं?

क्या आपने तय किया है कि आप अपत्नीक ही रहें? बड़ी इच्छा थी कि आप झांसी में मिल जाएँगे। किन्तु आप वहाँ नहीं आये। मेरे कलकत्ता आने में तो बड़े पहाड़ आड़े हैं, तिस पर भी यदि भाग आ सका तो देखूंगा, किसी समय, किसी तरह।

आशा है आप कुशल से हैं। कृपया निम्न दो पतों पर विशालभारत भिजवाने की व्यवस्था कर दीजिये। मुझे जेल में पढ़ने को मिलता रहेगा।

1. संचालक, सेवा-सदन विद्या-मन्दिर, हिरनखेड़ा, वाया इटारसी, जी० आई० पी०।

2. ए०जी० शेवड़े, द्वारा श्री देअसकर, हाइकोर्ट वकील, धंतोली, नागपुर।

एक काम मेरा आपसे और है। मैं चाहता हूँ, 'माडर्न रिव्यू' की बँधी हुई या खुली हुई पुरानी जिल्दें मुझे मिलें, जेल में। मैं उन्हें एक-एक कर पढ़ना चाहता हूँ किन्तु मैं उन्हें खरीदना चाहता हूँ। यदि बाबू रामानन्द चटर्जी मान जायें, तो वे जिल्दें आप मेरे पास उक्त हिरनखेड़ा के पते पर चि० रामदयाल के नाम पर भिजवा दें। पैसा मैं किश्तों में चुका सकूंगा। तीन या चार किश्तों में। यदि यह काम आपसे हो सके, तो आप अवश्य कर दें। मैं इस काम में 100 रुपये तक खर्च कर सकूंगा। अधिक लगेंगे तो भी खर्च करूँगा। पत्नोत्तर आने पर मैं रु० 25 पच्चीस भिजवा दूंगा। मुझे यदि पत्र लिखने का आप अवकाश पावें, तो पत्र पर रामदयाल का पता लिखकर हिरनखेड़ा के उक्त पते पर डलवा दें। मेरा पता कहीं भी न लिखें। यदि मैं बाहर रहा तो वह पत्र मुझे मिल जाएगा। अभी तो मिल ही जाएगा। भीतर रहा तब भी सम्वाद पा लूंगा।

आपका अपना

मा० ला० चतुर्वेदी

[11]

'कर्मवीर' कार्यालय,

जबलपुर

भाई चतुर्वेदीजी,

आप प्रवास करते हैं, महज्जनों से मिलते हैं। यह आपको शोभने वाली बात है। पर कहाँ आप मेरे पापी जीवन का स्मरण करते हैं, यह मेरे उस जीवन के लिए जिसमें अपनी बातों पर लालच पड़ने के पापी भाव काफी तादाद में अभी भी मौजूद हैं, बुरी बात है।

मैं बेहूदा पथ का एक निर्बल पथिक हूँ। यदि यों कठिन परीक्षाओं में डाला जाऊँगा तो बहुत सम्भव है गिर जाऊँ। हाँ, जानता हूँ, मेरे आप और श्रीगणेश जैसे हृदय से अपनाने और कुछ महान् हृदय कृपा करने वाले हैं, पर मैं जानता हूँ इस सब कुछ का मैं अधिकारी नहीं हूँ।

मैं यह जानकर हर्षित हूँ कि पूज्य एंडरूज महोदय श्री कविरत्न सत्यनारायण-जी के तैलचित्र का उद्घाटन करेंगे। और मैं यह भी जानता हूँ कि एंडरूज साहब यह सब-कुछ आपकी प्रेरणा से करने के लिए तैयार हुए होंगे।

मैंने जो लकीरें कभी-कभी लिख दीं, उन पर आप फिदा हैं, क्योंकि कदाचि आप नहीं चाहते कि कोई हृदय ऊँचा उठकर इन लकीरों को नगण्य कर दिखाये।

यह आपका स्वार्थ है।

मैं हिन्दी जगत् के ऐसे जीवों का विरोधी हूं। महाराज, इन लकीरों को तुच्छतम सिद्ध करते रहने वाले भी हैं, प्रसिद्धि चाहिए नहीं और सामयिकता का उन्हें अवसर नहीं मिला। इसीसे आपका यह सब-कुछ 'अव्यापारेषु व्यापार:' चल रहा है।

मैं आपसे एक विनती करना चाहता हूँ, आप उसे मान लें। यदि मान लें तो लिख भेजूंगा।

मैंने जब-जब जो लकीरें लिखीं, उनका अधिकार श्रीयुत पं० शिवनारायणजी मिश्र को दे दिया है, उन्हें आप जो चाहें करें, और इस सम्बन्ध में उन्हीं से पत्र-व्यवहार करें।

मेरे भाग्य में अभी शान्तिनिकेतन पुण्यस्थल के दर्शन नहीं दीखते। जिस दिन हों, भगवान् की बड़ी कृपा का वह दिन होगा। शेष बातें फिर कभी लिखूंगा, यह पत्र अधूरा लिखकर ही बाहर चला गया था। आज इसे भिजवाता हूँ।[1]

लेखक

मा० ला० चतुर्वेदी

[12]

खण्डवा

17 फरवरी, 1933

प्रिय चतुर्वेदीजी,

चिट्ठियाँ मिल गयीं। यह फार्बिसगंज क्या बला है ? आखिर आप मुझे हकीम बनाये बिना न मानेंगे। श्रद्धामयी आर्यभावना में यह तो होगा ही कि मुझ-जैसे सड़क के पत्थर को पास रखकर उस पर सिन्दूर चढ़ाया जाय और फिर उसी पर यह बिना सोचे कि यह पत्थर है सिर झुकाना प्रारम्भ कर दिया जाए और घण्टी बजा-बजाकर ऐसे पथरे के आसपास भक्तजन बटोरे जाँय।

गाय का दूध अधिक पीने के कारण मेरा स्वभाव पूजा चाहने वाले शिव-वाहन···स्वाभाविक ही है, किन्तु आप में यह अवगुण क्या ओवलटीन ने ला दिया ?

आर्डर मिला, लिखूंगा। शेष दूसरे पत्र में। द्विवेदीजी वाले लेख का उल्लेख 'विशाल भारत' में कीजिये। उस पर द्विवेदीजी का बड़ा करुणापूरित पत्र आया है। मेरी तो आँखें भर आईं। श्री वर्माजी और श्री बृजमोहनजी को वन्दे !

आपका अपना

मा० ला० च०

1. संभवत: कभी 1932 में लिखा गया (फरवरी या मार्च में)

[13]

रंगमहल, इन्दौर

26.3.33

आपके कृपा-पत्र मुझ पर खूब उधार हो गये हैं। मोटर की कृपा से कमर में चोट आ गई थी। उसी का इलाज कराने यहाँ आया हूँ। मैं रेल से चलता हूँ, मेरी बेबसी कार में चलती है, परन्तु मेरा शारीरिक स्वास्थ्य मजे में छकड़ा-गाड़ी में चलना चाहता है।

लीजिये, अब विशालभारत को संख्या में हाजिर रखिये। मैं अपना कूड़ा-करकट भिजवाता हूँ। सुनता हूँ, मेरी 'जेल का साथी' कहानी पर 'सरस्वती' में कोइ महाशय बिगड़ पड़े हैं। मैंने 'सरस्वती' नहीं देखी है। संयोग देखिये। मुझसे सरस्वती में लिखने के लिए तकाजे किए गए। आप जानते हैं, अपनी चीज छपवाने के लिए उत्सुक हूँ, सो इधर मेरी चुप्पी हुई, उधर 'सरस्वती' में कृपा हो गयी। सरस्वती के दोष-दिग्दर्शन में यदि कुछ नसीहत हो गयी होगी, तो सीखूंगा और कृतज्ञ हूँगा।

हाँ, श्यामसुन्दरजी की पुस्तक पर कुछ लिख दूंगा। आपकी यह इच्छा है कि लोगों की···चाहे भले बिगड़े, पर आपके मित्र का नाम वहाँ आ जाना चाहिए। न जाने श्यामसुन्दजी जैसे लोग आप पर विश्वास ही क्यों करते हैं? जी मिलने को चाहता है। निपटकर कलकत्ता आऊँ या आप इधर आवें। जब बद्रीप्रसादजी[1] मिलें तब उनसे वन्दे कह दीजिएगा और पत्र न देने पर मेरी ओर से क्षमा-प्रार्थना कर दीजिएगा। उत्तर इंदौर ही के पते पर दीजिएगा।

आपका अपना

मा० ला० चतुर्वेदी

[14]

'कर्मवीर', खण्डवा

11.1.35

श्री प्रियवर, सादर नमन!

मैं अपना साहित्यिक कूड़ा-करकट लेकर कुछ दिनों के लिए कलकत्ता आ रहा हूँ। जिससे आपको न वैराग्य लेने की जरूरत पड़े, न गुरु करने की। भाई श्यामसुन्दरजी की पुस्तक पर भी या तो वहीं आकर लिखूंगा या यहीं से भेज दूंगा। 42वीं वर्षगाँठ पर मैं आपको स्नेह पूर्वकबधाई देता हूँ। गालियाँ आपके

---

1. संभवतः श्री बद्रीप्रसाद वर्मा

सरल जीवन के पुरस्कार हैं, उन्हें आप ग्रहण करें।

42 वर्ष में बुढ़ौती की ओर मुझ पर आप न रूठते शोभते हैं, न बोलना या लिखना बन्द करते। कृपया लिखिये, मैं कब आऊँ? वहाँ जाड़ा तो अधिक नहीं पड़ता? मैं 15 दिनों पश्चात् कभी भी चल सकूंगा। आशा है मेरा यह पत्र पाकर आपके क्रोध का पारा कुछ कम हो जायेगा। बाकी मैं वहाँ आकर अनुनय-विनय कर लूंगा। हाँ, वर्माजी से कहिये कि कलकत्ता आकर भी मैं विशाल-भारत आफिस में न आऊँगा, यदि उनका कोई पत्र न आया, श्री धन्यकुमार जी से मेरा वन्दे कहिये।

मेरी यह खबर आप श्री विष्णुदत्त जी को भी भिजवा दें तथा Arminian स्ट्रीट-निवासी सहृदय श्री बद्रीप्रसादजी को भी। तारीख तथा समय निश्चित करना आप पर रहा।

आपका अपना

मा० ला० चतुर्वेदी

[15]

कर्मवीर, खण्डवा

8.7.35

श्रीमान् चतुर्वेदीजी,

'मुझको कहते हैं माता' शीर्षक तुकबन्दी आपकी सेवा में भिजवाता हूँ। इसकी नकल ही इस तरह की गयी है जिस तरह इसे छपना चाहिए। जहाँ-जहाँ एक विचार दो पंक्तियों में चला हुआ है, वहाँ दो-दो पंक्तियों को अलग छापा जाय। जहाँ दो से अधिक पंक्तियों में एक ही विचार व्यक्त किया गया है, वहाँ वह एक पैराग्राफ की तरह अलग छापा जाय। जहाँ-जहाँ कापी में एक-एक पंक्ति छोड़ा गयी है, जगह छोड़ने के लिए पैराग्राफों में भी इसी तरह जगह छोड़ने के लिए लकीर छोड़कर संकेत किया गया है। एक स्थान ऐसा भी है जहाँ पैराग्राफ तो पाँच रहेंगे, परन्तु उन पैराग्राफों के बीच की जगह नहीं छूटेगी, क्योंकि माता और उसकी सखी के बीच की बातों का विचार एक ही है। किन्तु उसमें भिन्न-भिन्न बातें कही गयी हैं। जहाँ से यह विचार शुरू हुआ है, वहाँ से जहाँ यह विचार खतम हुआ है, वहाँ तक बीच में। इन पैराग्राफों के बीच में जगह न छोड़ी जाय। केवल प्रारम्भ करने की जगह···होने पर ही जगह छूटे।

आपका अपना

मा० ला० चतुर्वेदी

[16]

कर्मवीर, खण्डवा
29.6.35

श्रीमान् !

कृपा-पत्र मिला, या यों कहूँ कि मिले। एक बार आपने लिखा था कि मैं कविताओं का संग्रह आपके पास नहीं भेजना चाहता। अब आपने लिखा है कि मैं श्री श्यामसुन्दरजी की कविता पर कुछ नहीं लिखना चाहता। यदि आप भी राजनीति के भारवाहकों में एक होते और "थक्यौ बोझ ढोबो करें, शीत घाम समझें न" वाले प्राणी की सी आपकी हालत होती, तो कदाचित् यह वाक्य न लिखते। मुझे तो अपनी योग्यता दूरबीन से देखने पर भी कहीं न दिखी, फिर वह कौन-सा भाग्य है, जिससे मैं श्यामसुन्दरजी की कविता पर 'नाचीज' कहकर ···उत्तर भारत के एक तरुण और विद्वान् मित्र ने मुझसे इजाजत चाही कि वे अपना सुन्दर कविता-संग्रह मेरे पर अर्पित करें।

मैं अपने में वह योग्यता ही नहीं ढूँढ़ पाया कि उनको स्वीकृति भेज सकता। मेरी कठिनाई यह है, मैं कोई बात लिखूँ, तभी श्यामजी की पुस्तक के सफेद पत्रों पर कालिमा पोतूँ। जब तक कहने की कोई बात नहीं सूझती, तब तक मैं अपने ही सामने परवश रहता हूँ, किन्तु किसी मित्र को यह बात इसलिए भी नहीं लिखता, क्योंकि इसमें वे आडम्बर मानेंगे। किन्तु जब मेरी बेबसी ही मेरी उपेक्षा मानी जाती है, तब मैं यह कैफियत लिखने को बाध्य हूँ। आप श्यामसुन्दरजी से मेरी ओर से निवेदन कर दें कि वे मुझे गलत न समझें, मैं उनकी कृतियों में अपने को ढूँढ़ा करता हूँ।

'हाँ', आप 'मुझको कहते हैं माता' शीर्षक तुकबन्दी छाप लें। मेरे पास जो प्रति आपने भेजी थी, वह तो नहीं मिलती। मेरी कविताओं पर आपका एकछत्र राज्य है। जो चाहें सो करें। इस माता वाली कविता के छापने में, आप दो-दो पंक्तियों का क्रम रखें। हाँ, जहाँ एक ही विचार कहीं-कहीं 12 या 18 पंक्तियों में समाप्त हुआ है, वहाँ एक पैराग्राफ अलग रख दें।

यदि उसकी प्रति न मिली हो तो फिर से कापी कराके भिजवाता हूँ। इस तरह का आज्ञापालन आप चि० हरिप्रसाद के पते पर भेजा करें। अब कविता-संग्रह के सम्बन्ध में एक निवेदन है। उसमें 'दुलार', 'ब्याह' तथा दो तुकबन्दियाँ और हैं जिन्हें मैं संग्रह में नहीं देना चाहता। यों संग्रह में से मुझे आशा है बहुत-सा कूड़ा-कचरा आप कम कर देंगे। हाँ, वह महाराष्ट्रीय युवा आपके पास अभी काम करते हैं या चले गये ? विश्वास है आप प्रसन्न हैं।

आपका अपना
मा० ला० चतुर्वेदी

[17]

कर्मवीर, खण्डवा
ता० 2.8.35

भले आदमी जी,

शान्तनिकेतन से भेजा हुआ आपका कार्ड मिला। क्या जबर्दस्ती है? आपसे कहा किसने कि आप मेरे दिमागी कूड़े को यहाँ-वहाँ लिये घूमें? तिस पर 'ब्याह', 'श्री-पूजा' और 'दुलार' ये तुकबन्दियाँ मेरी अपनी वस्तु हैं, मैं उन पर न छापेखानों की कीलों के दाग लगने देना चाहता हूँ, न उनके द्वारा किसी हृदय को दुखाना ही चाहता हूँ। परन्तु चि० हरिप्रसाद ने कहा कि चतुर्वेदीजी के पास तो अब सब-कुछ भेज दिया गया है। आप उन्हीं को लिख दें, कौन-सी कविता नहीं छापी जायेगी। चूँकि संग्रह आपके पास जा चुका था अतः मन मारकर बैठ रहा। अब आपने मेरे उन्हीं निजी कमजोर हिस्सों को लेकर न जाने कौन-कौन 'अव्यापारेषु व्यापारः' शुरू कर दिये हैं? आप उक्त तीनों तुकबन्दियों को संग्रह से बचाइये। उनमें इतिहास है और वह मेरे पास रहने ही के लिए है। नहीं तो मैं लड़ पड़ूंगा। आजकल श्यामसुन्दरजी की कविताएँ पढ़ रहा हूँ। मैं उनकी पुस्तक की भूमिका में अपनी गालियों का बदला आपसे चुका लूंगा।

शेष शुभ। कृपया 'विशाल भारत' का वह लेख पुनः भिजवा दीजिये, जिसमें आपने श्यामसुन्दर पर लिखा है।

सदैव आपका,
मा० ला० चतुर्वेदी

[18]

कर्मवीर
22.8.33

श्रीमन्!

एक सज्जन मेरे पास बैठे हैं। विद्वान् हैं, उद्योगी हैं, उत्साही हैं, मराठी-भाषी हैं। इनका पूरा नाम है श्रीयुत गंगाधर केशव किरालकर। ये इन्दौर राज्य के स्कूलों के डिप्टी इन्सपेक्टर हैं। ये जो कुछ चाहते हैं, कुछ इनकी भी तो सुनिये। मैंने सुना है, आपके नक्कारखाने में इनका पत्र ही गायब हो गया। इन्हें कुछ ऐसे बंगाली सज्जनों के नाम-पते दीजिये, जो बंगाली भाषा में बंगाली कविता की विस्तृत समालोचना लिख दें।

ये इसी भावी मराठी साहित्य सम्मेलन के समय अनुवाद करके पढ़ावेंगे आपके साहित्य-परिचय के लिए। आप इस कार्य के लिए श्रीमान् सुनीतिकुमारजी

को कष्ट क्यों न दें ? उनका लेख छपेगा, यहाँ बँगला में, पर लिपि होगी देवनागरी। फिर मराठी-अनुवाद होगा। कृपया आप इन्हें सूखा ही न लौटावें। शेष फिर।

'माता' वाली कविता छाप दी आपने। क्या कृपा के लिए धन्यवाद दूं! कृपया 'विशालभारत' की इस संख्या की पाँच प्रतियाँ मेरे पते पर भिजवाने का दण्ड सहें।

आपका अपना
मा० ला० चतुर्वेदी

[19]

कर्मवीर, खण्डवा
2.10.35

श्री प्रियवर,

कृपा-पत्र मिल गये। श्री महादेवीजी वाला लेख 'कर्मवीर' में छाप दिया गया है। मैं भी इस विषय में कुछ अवश्य लिख दूंगा। आखिर लाठी-चार्ज रोक भी नहीं सकता। किन्तु लाठी-चार्ज की यह स्तुत्य दिशा है। हमारी बहिनों और बेटियों के सम्बन्ध में इसमें हृदयहीनता-पूर्ण जो उपेक्षा है, उसी का परिणाम है कि हमारे साहित्यिक वातावरण में गुंडई उपदेशिका बन जाती है। अब इस विषय में हिन्दी संसार में जितना किया जा सके, कम है। पर मैं तो गाली खाने का ऐसा आदी हो गया हूं कि गाली देने को तबीयत भी नहीं चाहती। हाँ, स्त्रियों के सम्बन्ध में तो मैं भी चुप न रह सकूंगा। आशा है आप प्रसन्न हैं।

आपका अपना
मा० ला० चतुर्वेदी

[20]

कर्मवीर, खण्डवा
ता० 30.10.37

भाई बनारसीदासजी, सादर प्रणाम !

मैं बिस्तरे पर हूँ कोई 3 महीने से। 33 दिन तो केवल मुसम्बी के रस पर रहा। पेट का आपरेशन हुआ था। अभी भी बिस्तरा साफ, सुविधाजनक, सुरक्षित सा है। आपने कलकत्ता एकदम ही क्यों छोड़ दिया ? कुछ भी नहीं लिखा। इधर मैं कहानियाँ लिख रहा हूँ। सोचा था, आपको 3-4 कलकत्ता भेज दूंगा, प्रन्तु अब वे मेरे ही पास रहेंगी।

कविता-संग्रह मिल गया। आपने लड़-लड़कर लिया था, और मैंने भेज दिया

था। आपने लौटा दिया है। मैं उन्हें सुरक्षित रख देता हूँ।

'विशालभारत' में वर्माजी से 10 मिनट मिला था और अज्ञेयजी को भी पढ़-सुनकर जानता हूँ। पहले ही कम लिखता था, अब आपके वहाँ न होने पर और उक्त सज्जनों के निकट परिचित न होने के कारण मैं शायद ही लिखूं।

आप सतपुड़ा-विन्ध्या के अंचल में अवश्य आवें। कहिये, कब आ रहे हैं, थक गया हूँ, अब फिर लिखूंगा। 'विशालभारत' छोड़ने का कारण लिखिये।

आपका विनम्र

मा० ला० चतुर्वेदी

[21]

कर्मवीर, खण्डवा

30.7.38

श्रीमान् चतुर्वेदीजी

कृपा-पत्र दो मिल गये। दूसरा आज ही मिला। मुझे आश्चर्य हुआ कि 'कर्मवीर' आपके पास नहीं पहुँच रहा है। लोग कहानी की तरह कहते हैं कि अमरकोष के रचयिता अमरसिंह नीबू के झाड़ के नीचे बैठकर अपना कोष लिख रहे थे और अपने कोष के वनौषधि वर्ग में वे नीबू का ही नाम लिखना भूल गये।

हमारा प्रान्त आजकल खूब नेक-नाम हो रहा है। त्याग को जीने देने और भोग की भर्त्सना करने की शक्ति, ज्यों-ज्यों हमारे आदमी कांग्रेस में खोते गये, त्यों-त्यों कांग्रेस अपना नैतिक प्रभाव खोने लगी। बड़े-से-बड़े नेताओं के आस-पास जो वातावरण देखा जाता है, उसमें शुभ के प्रति अशुभता और अशुभ के प्रति शुभ की गन्ध आती है। जिस तरह पराधीनता की जंजीरें तोड़ने के लिए शासन की जंजीरें···करनी और पहननी होती हैं, उसी प्रकार परम शान्ति की उपासना में भी, एक व्यवस्था माननी होती है। व्यवस्था···की तरह द्रुत परिवर्तन न भी हो, तो भी अजगर की तरह करवट लेकर बदलने वाली तो होती ही है। और उसकी उसी धीमी-धीमी परिवर्तनशीलता में सुख और अकर्मण्यता को समानार्थी बना लेनेवाले बहुजन समाज की आशा जीवित रहा करती है।

अस्तु! आपको क्रान्ति का स्पष्ट हिमायती पाकर आज मेरा आपके प्रति रहने वाला गर्व अधिक जवान और स्फूर्ति-प्राण हो आया है। यों विचारों का सूत कातने और मोटा-झोंटा खद्दर बनानेवाली मेरी वृत्ति तो वही है जो थी। मैं तो व्यवस्था के बीच परिवर्तन का उपासक रहा हूँ। इसी गति, इसी पगडंडी को मैं क्रान्ति की ओर जानेवाली मानता आया हूँ। सी० पी० का झगड़ा...मुझे तो बिछड़ते हुए मीलों का एक पत्थर भी नहीं मालूम होता। इस नित्य प्रकटीकरण

में भी मैं इस प्रान्त की नवीन तरुणाई की भावी विजय की रूपरेखा देखता हूँ।

मैंने आपके अन्दर का कवि देख लिया है। अतः मेरे सामने कीड़े-मकोड़े की गिनती गिनाकर आप किसकी तस्वीर बना रहे हैं? क्या हम दोनों की? मेरी तस्वीर कीड़े-मकोड़ों से भले बन जाय, किन्तु आपका 'विशालभारत' तो खूब खूबसूरत है। आपकी उँगालियाँ तो उपनिवेशों तक पहुँची हुई हैं। कहीं इतना लम्बा-चौड़ा भी किसी ने कोई कीड़ा देखा है?

मेरा स्वास्थ्य? हाँ, अच्छा है। यमराज को धोखा दे-देकर जीने की करामात में सफल होता जा रहा हूँ। वनमाली की यह वनकुंज के पत्तों की पूंगी जै दिन बजती चली जाय।

इस बजने में स्वर की कड़वाहट मेरी हो, किन्तु श्वास-वायु तो प्रभु की है। इस तरह यह जीवन तो राम-रावण युद्ध है, या यम-यदुपति संग्राम है। मैं तो उम्र की रेलगाड़ी में बिना टिकिट के यात्री की तरह बैठ गया हूँ और मजे से देखता हूँ कि लोग कहते हैं कि मैं फी घण्टा न जाने कितने मील की दौड़ से दौड़ा चला जा रहा हूँ। किन्तु 'हम सज्जन' जानते हैं कि केवल साँसों, मित्रों और अन्न-पानी की कृपा से, रेल के डिब्बों में बिना एक फर्लांग चले उम्र की मंजिल की सैकड़ों मील की यात्रा, यह पूरी होती चली जा रही है।

आप-जैसे कुली-प्रथा-विरोधी से डर मालूम होता है। मजे का आनन्द-भवन छुड़ाकर आप न जाने किस शान्ति-निकेतन से ईंट-पत्थर जोड़ने में लगा दें।

इस तरह मैं अच्छा हूँ। मेरी पीठ पर न साहित्यिक पुस्तकों का बोझ है, न राजनैतिक पहुँच, प्रभुता और युद्धों का। मेरी पीठ तो अपनी ही अकर्मण्य साँसों के बोझ से बोझिल है।

हाँ, एक बार आपको पकड़कर खण्डवा लाना तो है। सी० पी०[1] भी दिखाना है। नर्मदा, ताप्ती, बेतवा, महा नदी, विन्ध्य, सतपुड़ा, पँचमढ़ी और हमारे अन्नदाता ये गौंड-भील गँवारों का यह गढ़ एक बार देख लें। गँवारों की यह माँग आपको स्वीकार करनी है। देखें, कब यह सुयोग आता है! उत्तर दीजिये।

विनम्र

मा० ला० चतुर्वेदी

[22]

कर्मवीर, खण्डवा

3.9.39

श्री प्रियवर

कृपा-पत्र मिला। किसे कहूँ···

अधिक ईमानदारी की बात होगी। गत 26 जनवरी से बीमार हूँ। आप-

1. पुराना मध्यप्रदेश।

रेशन टालने की 4 महीने कोशिश करने के बाद आखिर ता० 22 मई को खण्डवा अस्पताल में आपरेशन हुआ। फिर मवाद आ जाने से ता० 9 अगस्त को तीसरी बार आपरेशन हुआ है। दूसरा ता० 25 जून को हुआ था। गरब की जगह अब गरीबी ने ले ली है। खूब तकलीफ में रहा हूँ। अब तक डर में ही अपनी कठिनाइयों को कम-से-कम बोल सकता था। मैं आपकी श्री चगताई वाली छोटी-सी आज्ञा पालन न कर सकने के लिए बहुत शर्मिन्दा हूँ। प्रभु पर विश्वास करता हूँ, अतः उसकी 'रजा' में नजीर की नजर से राजी हूँ।

इन प्रदेशों में तो आपको घूमना ही पड़ेगा, हाँ, आज दाँतों के वक्त चनों का गायब होना जरूर अखरता है।

भाई, समय...मेरे काबू से बाहर उल्टी करवट अभी ले बैठे, और मैं चिट्ठियों द्वारा जाहिर न कर पाऊँ तो नाराज होने की जगह दया, स्नेह करना।

अस्पताल में हूँ। डाक्टरों से सुनता हूं कि अब अच्छा हो गया। मैं तो घर पर पहुँचकर और अपनी पट्टियों के बन्द होने पर ही अपने को अच्छा समझूंगा। निराशा के कारण नहीं, यथार्थता के कारण।

विशाल भारत में कुछ लिखूं? जरा ठहरकर लिखूंगा। पत्रोत्तर न देने पर श्रीराम जी से अवश्य मेरी ओर से क्षमा-प्रार्थना कीजिये। मैंने उनकी गणेश जी वाली टिप्पणी पढ़ी थी। आँसू के अर्घ्यदान का ही आजकल पात्र हूँ। वही किया।

कठोर म०...वादी हो गया हूँ। उद्दण्ड आशाओं पर डोलता हूँ और... चढ़ाने वालों के सपने देखता हूँ—अस्पताल के बिस्तर पर।

इस बीमारी का इलाज, महात्मा वाला तो अब असर नहीं करता। कोई और इलाज है? चौबेजी को, खाने की कोई बात तो लिखी ही नहीं। हाँ, जब मेरे जंगली सूबे में आइये तो हवा खाने आयें—खूब अच्छी, ताजा, मानसून की या मौसमी, जैसी आप चाहेंगे, मिलेगी।

आपका अपना
मा० ला० चतुर्वेदी

[23]

कर्मवीर, खण्डवा
15.9.39

श्रीमान् चतुर्वेदीजी

क्या अब आपके मौन रहने का मुहूर्त आया है, जो आप उत्तर न देकर बदला चुका रहे हैं? मेरा स्वास्थ्य अब कुछ अच्छा होता जा रहा है। परसों मेरे डाक्टरों ने मुझसे मजाक करते हुए कहा, "आपका इतना पुराना साथी रोग आपसे बिदाई चाहता है, उससे 'गुडबाई' करने की तैयारी कीजिये।" मैंने कहा, "कहीं

वह आपकी तरह 'गुडमार्निंग' न कर बैठे, इसी से उस रोग से मैं नहीं बोलता। अस्तु।

एक बात ! कर्मवीर के लिए कुछ लिखकर भिजवाइये। यदि न भिजवाइयेगा तो फिर विशाल भारत वाला सौदा नहीं पटेगा।

आशा है आप प्रसन्न हैं।

आपका अपना,

मा० ला० चतुर्वेदी

[24]

खण्डवा

23.1.40

श्री प्रियवर,

राजगिरि से भेजा पत्र पहुँचा। किलोमंजारो-सा स्वाद उसमें ढूंढ़ना बेकार है। हाँ, मैंने राजगिरि अभी तक नहीं देखा, किसी समय दिखा दीजिये। पधारिये किसी भी दिन, पर खबर देकर, नहीं तो आप यहाँ और मैं कहीं बाहर। मालूम होता है, आजकल आपकी लिखास बहुत कम हो चली है, यह क्यों ? आपकी नौजवानी पर आपको बधाई ! चाहे वह यात्रा-भर के लिए ही क्यों न हो ? अब तो मिले बहुत दिन हो गये, डर है, इसी बीच आप कहीं बड़े आदमी होने का अभिशाप न पा गये हों। 'विशाल भारत' में लिखने लगूंगा। अज्ञेयजी के युग में विशाल भारत में न जाने कैसी दूरी दिखने लगी थी, सोचता था, इससे जरा और दूर रहूँ तो अच्छा। परन्तु श्रीरामजी ने, अपने और श्री हरिशंकरजी ने बाँसुरी बजाकर फिर मेरी क्षुद्रता को बाँबी से बाहर आ जाने के लिए उकसाया है।

मेरा प्रणाम !

आपका

मा० ला० चतुर्वेदी

[25]

खण्डवा

1.9.41

श्री प्रियवर चौबेजी महाराज, जै गिर्राज जी।

ता० 11.4.41 का कृपा-पत्र और लेख मिला था। मैं 18.8 को काशी और जबलपुर होकर लौटा। लेख तो छप गया, आपने देखा होगा।

महाकवि रवीन्द्र की महायात्रा, निश्चित वस्तु होकर भी असह्य हुई। मेरे एक तरुण मित्र ने अपने द्वारा सम्पादित अपने अंग्रेजी साप्ताहिक में लिखा है,

"विश्व-विधाता के लिए भी यह सरल और शायद सम्भव नहीं है कि वह अपनी इतनी अनोखी वस्तु को तोड़कर इसे पुन: बनाने में सफल हो सके।" जब ता० 7 को मैं काशी में था, मुझे भी उस भेंट की याद आयी। अच्छा हो, आप अपने नोटों पर से कुछ लिख लें। लिखकर एक प्रति मुझे भी भेज दें। मैं शीघ्र ही लौटा दूंगा।

आखिर ग्वालियर में आप यह क्या कह आये? घासलेटी साहित्य जो कुछ किया है, आपने किया है। वह आपकी ही तपस्या थी। अब उसके खिलाफ आप कुछ भी बोलने को बाध्य नहीं। आगे मर्जी!

नर्मदा-तट पर आपका आना, अब नाटक देखने वालों के द्वारा कहा जाने वाला 'वन्स मोर' कहने योग्य हो गया। आप कहें कि मैं नर्मदा-तट पर आता हूँ और मैं कहूँ कि फिर एक बार कहिये। आखिर आइये भी, यह क्या विलम्ब लगा रखा है! इतना दरबारी स्वभाव है? इतना धीमा? टीकमगढ़-निवास का ही यह परिणाम दिखता है। शेष कुशल।

आपका,

मा० ला० चतुर्वेदी

[27]

कर्मवीर, खण्डवा

6.4.43

प्रिय भाई बनारसीदास जी,

सादर प्रणाम!

कृपा-पत्र दोनों मिले। यदि आपकी जानकारी और मेरे अज्ञान, आपकी कर्मण्यता और मेरे धीमेपन, आपकी दौड़-धूप और मेरी स्थिरता और आपकी चर्चा और मेरे चुप्पेपन को त्रैराशिक पर चढ़ाकर परिणाम पर पहुँचा जाय, तो मुझे बिना वरण के, सम्मेलन की वरमाला पहनने के लिए आपका गला आगे कर देना चाहिए।

आपने भी मुहूर्त साधकर देरी से सूचनाएँ की हैं। मेरे एक राजनीतिक मित्र, जो प्रान्तीय सरकार के एक बड़े पद पर थे, जब किसी शहर में जाते, तब अपने कुछ मित्रों के घर उस समय पहुँचते जब वे घर में न होते और अपना भेंट-पत्रक (विजिटिंग कार्ड) घर पर छोड़ आते। परिणामत: उनकी हाजिरी तो बेचारे मित्र के घर लग जाती, किन्तु मित्र उनके आगमन का लाभ न उठा पाता। न उधार सद्भावनाओं को लौटाने का अवसर पाता। आपकी बहुत देरी से आयी हुई सूचनाओं में एक भी ऐसी नहीं जो पहले से न आ सकती थी। देरी का कारण भी न था। यदि चाय के जोश में लिखी गई हैं तो चाय के आप आदतन भोक्ता है ही, फिर बकौल आपके ही एक पत्र (19. 6. 39) के अनुसार हम लोग कुल 20

घण्टे के फासले पर हैं, और अपरिचित भी नहीं। किन्तु आपकी समय-सूचकता का जो सूचीपत्र है, उसमें साबरमती आश्रम में, महीनों चूल्हे पर रहनेवाले एक चाय के लोटे का मुझे पता है, अतः आपसे कुछ पूछने का साहस करना उसी रेल को ठहराने जैसा पहलवानी का या जाने कैसा (?) काम है, जिस रेल को साबरमती-स्टेशन पर पाने के लिए, आप चाय का उबलता लोटा छोड़कर भागे थे।

मेरा खयाल है, 'हिमकिरीटिनी' के 'देवपुरस्कार' हेतु आपको बधाई भेजने वाले सज्जन को दोष तो नहीं दिया जा सकता। क्योंकि हिमकिरीटिनी की कुख्याति पर जितना कोलाहल संवादरूप में पत्रों में प्रकाशित हो रहा है, उस संवाद के सिर पर 'टीकमगढ़' यह तो छपा ही रहता है। और मेरे-आपके पिताजी द्वारा हमारे जो नाम रखे गये हैं, उन्हें यदि धीरे से हटा दिया जाय, तो दोनों नामों का पुच्छ-भाग, यानी उपनाम, यानी चतुर्वेदी शब्द समान रूप से शेष रह जाता है। परिणामतः उक्त सज्जन ने देव-पुरस्कार के 'प्रदान' की जगह को 'दान' की जगह समझ लिया, सो अच्छा ही किया। और यदि साहित्य सम्मेलन की अध्यक्षता आपको मिल सकती हो, तो दो हजार रुपयों की तो मजे से टीकमगढ़ में वापसी कुलाँट खिलाई जा सकती है।

खैर, आपकी सूचना के अनुसार मैं कुछ सज्जनों को लिखने की बात सोच रहा हूँ। भिन्न-भिन्न जनपदों के विषय में भी मैं आपसे चर्चा करना चाहता था। आज जो सामान आपने भिजवाया है, उसे पढ़कर तो मैं बहुत अधिक जानकारी नहीं पा सका। गुजराती, मराठी, बँगला आदि भाषाओं में ऐसी विभिन्नता मैं नहीं देखता, तब हिन्दी में ही यह चीज सफल कैसे होगी? "और क्यों न विभागीय संघर्षों"—यह हिन्दी जगत् की सर्वशक्तिमत्ता के लिए हानिकर वस्तु हो जायेगी, किन्तु एक दूसरा कारण है जिससे यह पत्र उपयोगी हो सकता है। उसकी चर्चा मैं करना चाहता हूँ। तब तक कृपया मेरे लिए, आप कुछ मित्रों को लिखकर वह सामान प्राप्त कर दें, जिसका आप उल्लेख करते हैं। क्या मेरे नाम की आशिकी आपसे यह कार्य तुरन्त ले सकेगी? तो 55 वर्ष के बूढ़ों की आशिकी, शृंगार इसके कौन से भेद में आयी, यह बृजभाषा-माधुरी के पण्डित से पूछना पड़ेगा।

आशा है आप प्रसन्न हैं। उत्तर तुरन्त दीजिये, बिना विलम्ब—और आप क्या कर चुके, इस बात की सूचना भी।

भवदीय

माखनलाल चतुर्वेदी

नोट :

इस पत्र के साथ उनके ता॰ 28 व 31 मार्च के दो पत्रों की नकल भी भेजी गयी।

[28]

कर्मवीर, खण्डवा

24.10.46

धन्यवाद !

उधर आप मेरा भरतपुर वाला भाषण ढूंढ़ रहे होंगे, इधर मैं भी ढूंढ़ रहा था। जनाब, दो महीने हुए, वह भाषण मिल गया। उसकी कापी भी हो गयी। कोई स्थान 60 मील हो, आपकी सहृदयता पर तो सैकड़ों मीलों का असर पड़ता है। मेरे बड़े दादा अफीम खाया करते थे। बड़े दादा यानी पिताजी के बड़े भाई। छोटा-सा, जब मैं वृक्षों पर पक्षियों का बोलना सुनकर रुक जाता और देर से घर पहुँचता, तथा मेरे कारण घर-भर को देरी होती, तब बड़े दादा कहते कि अफीम तो मैं खाता हूँ और नशा तुझे आता है, जो कि झाड़ों की तरफ पागल-जैसा देखता खड़ा रह जाता है। क्या तू ने चिड़ियाँ और तोते कभी देखे नहीं हैं या आज ये नये हो गये हैं? स्वर्गीय बड़े दादा का त्रैराशिक उधार लूँ तो, भले ही स्थान विशेष श्रीराम जी के जिले में हो, किन्तु उसकी याद 'श्रीमान्' को ही आई। खोजने से भाषण मिल गया, अतः बलिया, होशियारपुर, भोपाल, 'मूढ़ापार (जिला होशंगाबाद सी० पी०) में किसी के आजमाने की जरूरत नहीं।

उत्तर में मैंने दूसरे मसले का उत्तर प्रथम दे दिया है। पहले मसले के तिलों में कोई तेल मुझे नजर नहीं आता। किन्तु मेरा यह मत छापने के लिए नहीं है। प्रेमी जी के अभिनन्दन-दिवस पर एक सज्जन हुकुमचन्द भाई नागपुर जा रहे थे। मैंने उन्हें ही अपना पत्र दे दिया। वे आज लौटकर मेरा पत्र दे गये यह कहकर कि जिनसे मिलना था वे आकोला स्टेशन पर मिल गये। पुनः वे नागपुर नहीं गये और पत्र श्री यशपाल जी को न मिल सका। नागपुर वाला पत्र मैंने ठीक समय पर मिल जाने की ही आशा से उन्हें दिया था।

विनम्र

मा० ला० चतुर्वेदी

[29]

कर्मवीर, खण्डवा

18. 4. 47

प्यारे भाई चतुर्वेदीजी

कृपा-कार्ड मिला। वह टीकमगढ़ की मुहर खा कर चला है। आपने उसे 14.4 को लिखा है। मुझे कलकत्ता 18.4 को मिला है। उसमें आपने 'शेष स्वस्थ होने पर' लिखकर मजमून पूरा किया है, यही चिन्ता का कारण हुआ है।

कृपया लिखिए, अस्वस्थता क्या है और कब से आप बीमार हैं ?

श्री हरगोविन्द जी की रचना तथा श्यामसुन्दर जी की रचना दोनों रखी हैं। शीघ्र ही भिजवा दूंगा। श्री हरगोविन्द जी की रचना पर मैंने जो लिखा था, उसकी प्रति आपको भिजवा दी थी। आपने उस पर अपना मत ही नहीं भिजवाया, कृपया भिजवाइये। श्यामसुन्दरजी की रचना पर भी कुछ लिख रहा हूँ, बहुत छोटा-सा। अच्छा होता, आपके Introduction के पश्चात् मैं लिखता। आप तो दिल्ली में थे, पुनः टीकमगढ़ कब आ गये ?

मेरे योग्य सेवा व स्वास्थ्य का हाल किसी से लिखवाइयेगा।

आपका

मा० लाल चतुर्वेदी

[30]

खण्डवा,

23.1.56

(निजी)

भाई बनारसीदास जी, सादर प्रणाम !

बिना तारीख पड़ा, आपका कृपा-पत्र मिला। कृतज्ञ हूँ। आप अपनी तीस वर्ष पुरानी प्रतिज्ञा पूर्ण करने जा रहे हैं, यह जानकर प्रसन्नता होना कितना स्वाभाविक है, कैसे कहूं ! किन्तु मुझे तो आपके आने में तब तक सन्देह रहेगा, जब तक आप खण्डवा रेलवे स्टेशन पर पहुँच न जायें, और मेरे गरीबखाने तक न आ पहुँचें ! जी हाँ, आपकी अस्वस्थता के समाचार पढ़कर दुखी हुआ, अब कैसे हैं ? कृपया लिखिए। चूंकि आपके कृपा-पत्र पर तारीख नहीं है, मेरा पत्र मैं आपके दिल्ली ही के पते पर भिजवाऊँ, यही ठीक लगता है।

खण्डवा पहुंचकर आप जो सुनावेंगे, वह सब सुनूंगा। आप एक बार यहाँ आ तो जायें। कृपया लिखिये, कौन-सी तिथि निश्चित रही ? या फिर से आप 'तिड़ी' देंगे ?

आपके विषय में दो शब्द लिखकर हिन्दी जगत् में कोई आज उऋण नहीं होता। आप बहुत कर चुके, बहुत सुन चुके, बहुत सह चुके। अब तो लोगों को बहुत लिखना चाहिए। क्या कभी श्री जैनेन्द्र जी आपको मिलते हैं ? उनके गृह-जीवन के शुभ समाचार कभी-कभी अवश्य दें। फिरोजाबाद में कौन-कौन है ?

आपका

मा० ला० चतुर्वेदी

[31]

खण्डवा
12.4.58

श्रीमान् भाई चौबे जी, सादर सप्रेम प्रणाम !

आपको मेरे लिए कितना करना और सहना पड़ा। किन्तु एक मैं हूँ, सत्तर वर्ष की उम्र तक कुछ कर ही न पाया। दुखी हूँ, क्षमार्थी !

आपके दोनों कृपा-पत्र मिल गये। एक कार्ड, दूसरा लिफाफा। सब हाल जाने। रहस्य इससे भी थोड़ा-सा आगे है। जब कभी दर्शन होंगे, रूबरू इजहार करूँगा। यह तो लिखिए कि आपका स्वास्थ्य अब कैसा है ?

आपको कष्ट न हो तो, एक बात कृपा कर कर दें। मैंने कानपुर की एक चिट्ठी से जाना कि चि० बालकृष्ण दिल्ली में बीमार हैं। मेरे पत्र का वहाँ से कोई उत्तर नहीं आया। कृपया उन तक मेरे प्रणाम-भरे आशीष पहुँचा देवें और मेरी ओर से उन्हें धैर्य दें। मैं इतना अपाहिज न हो गया होता और चलता-फिरता होता, तो अभी तक चि० बालकृष्ण को देखने और चि० भैया की खबर लेने पहुँच जाता।

उन्हें क्या शिकायत है ? अब कैसी हालत है ? आप खण्डवा कब तक तशरीफ ला रहे हैं। सचमुच आ रहे हैं ? सचमुच आ रहे हैं या यह भी पुराने बुतों का नया संस्करण मात्र है ?

रही बधाई, उसके लिए मैं आपसे क्या कहूँ ? आपमें तो अभी एक से दो, और उससे आगे शायद एक से अनेक हो-हो उठने की उमंग हैं। धन्य हैं आप ! जय-जय गिर्राज[1] की।

मैंने सुना है दिल्ली आजकल बड़ी ही आकर्षक हो गई है। क्या यह सच है ?

कोई डेढ़ वर्ष प्रथम, आचार्य चतुरसेन शास्त्री के दो-एक दिन खण्डवा में दर्शन हो गये। पुराने लोगों में दिल्ली के क्या हाल हैं ? कष्ट न हो तो कृपया उत्तर दीजिएगा।

विनम्र
मा० ला० चतुर्वेदी

[32]

कर्मवीर, खण्डवा (म० प्र०)

(सर्वथा निजी) 2.11.59

मान्य भाई चौबेजी, सादर प्रणाम !

क्या कहूँ ? कैसे कहूँ ? पर आप हैं कि लिखे जा रहे हैं। जनाब ! मैं 1932

---

1. गिरिराज।

के दिसम्बर में या 1933 की जनवरी की पहली-दूसरी तारीखों को आपसे किताब माँग कर लाया था। वह ब्रिटिश शासन का युग था। उसके पश्चात् कितनी ही बार मेरी तलाशियाँ हुईं ? और ये यूनिवर्सिटियों के लड़के बला के होते हैं। ये लोग पुस्तक देखते-देखते उड़ा देते हैं। जनाब, ये किसी की किसी तलाशी से कम थोड़े ही होते हैं। किन्तु आप भी क्या पहली एप्रिल की-सी बातें करते है ? इन तरुणों ने हिन्दी को क्या नहीं दिया ? फिर जरा इन 26 वर्षों के पुरानेपन पर ध्यान दीजिए। जिस पर आपकी तरह विधुर जब जेल गया, तब झोपड़ा अल्ला-मियाँ के लिए छोड़ गया सो महर्षिवर, तकाजे न कीजिए। कहीं किसी प्रकाशक के पास उक्त पुस्तक मिल जाय तो ले लीजिये। भला दिल्ली की किसी लाइब्रेरी में आपको वह पुस्तक नहीं मिली ?

किमाश्चर्यमतः परम्। अच्छा नमोनमः। हाँ, मेरे नाम की वी० पी० करके किताब मँगा दीजिये, यदि कहीं मिल जाय। पर वह शायद ही मिले।

विनम्र

माखनलाल चतुर्वेदी

[33]

कर्मवीर, खण्डवा

10.11.59

प्यारे चौबेजी, सादर सप्रेम नमन !

दैनिक हिन्दुस्तान में आप पर पं० गोपाल व्यास का लेख देखकर प्रसन्नता हुई। मेरे यार ने कहा, पर बहुत कम कहा। हाँ आपका शेर जरूर अच्छा है। यदि दैनिक हिन्दुस्तान के कालमों का बन्धन न हो तो आपकी मरम्मत खूब की जानी चाहिए। हिन्दी को आप जैसा पुत्र (?) देकर भगवान् ने बहुत दिया है। कृपा रखें।

विनम्र

माखनलाल चतुर्वेदी

[34]

कार्यालय

कर्मवीर, खण्डवा (म० प्र०)

5.6.60

प्यारे भाई श्री पण्डित बनारसीदासजी चतुर्वेदी,

सादर प्रणाम !

बहुत दिनों के पश्चात् आपकी मेरे पास भिजवाई हुई मेरी तुकबन्दी 'राष्ट्रीय

झण्डे की भेंट' लौटा रहा हूँ, हिन्दी दैनिक प्रयाग पत्रिका के दर्शन तो नहीं हुए हैं, शायद इस तुकबन्दी के छपने के पश्चात् हो जायँ।

निःसन्देह नर्मदा की शहीद-संख्या का मैं स्वागत करूँगा। आप तो प्रयाग-पत्रिका में मेरी रोज-रोज खबर लेने वाले थे, वह पत्रिका क्या हुई ? कृपा रखिये, कृपा-पत्र के सद्भावों के लिए मेरे नम्र नमन, शेष फिर कभी।

विनम्र
माखनलाल चतुर्वेदी

[35]

कर्मवीर, खण्डवा
23.12.60

श्रीमान् चतुर्वेदी जी, नमोनमः !

अभी-अभी 'साप्ताहिक हिन्दुस्तान' में आपके 69वें वर्ष पर लिखे आपके लेख को पढ़कर बहुत प्रसन्न हुआ। परन्तु औघड़दानी यह क्या किया ? मेरा और मेरी बहिन महादेवीजी का नाम आपने क्यों दे दिया ? क्या ईमान से कह सकते हैं कि मैंने आपको पत्र नहीं लिखे ? यों तो मैं विनोबा के इस कथन को मानता हूँ कि आत्म-निन्दा आत्म-प्रशंसा ही की तरह त्याज्य है, किन्तु इस लेख को पढ़कर तो तुलसीदास की इन पंक्तियों का उद्धरण देने की इच्छा हुई—

"प्रभु सप्रेम पछितान सुहाई।
हरहु भगत मन की कुटलाई॥"

खैर, अपनेको दोषी बता-बताकर आजके दिन अपनी खैर मनाइयेगा ? कोई आपकी आत्म-निन्दा को मानने से इन्कार कर दे तो उसका आप क्या कीजियेगा?

अस्तु ! मैं बिस्तरे पर हूँ और वहीं से आपके उनहत्तरवें वर्ष पर आपको बधाइयाँ भिजवा रहा हूँ। कृपया स्वीकृत कीजिये।

विनम्र आपका अपना
माखनलाल चतुर्वेदी

श्री रामप्रसाद मिश्र

[1]

The District Congress Committee, Cawnpore.

Dt/-8th September, 1922

Pandit Makhanlal Chaturvedi,

C/o To Hindi C.P. Congrss Committee,

Jubbulpore, C.P.

Revered Sir,

It has been decided to hold the Political District Conference at Cawnpore on the 20th and the 21st instant; and Tyagmurti Pandit Motilal Jie Nehru has been requested to preside. The Reception Commettee has decided to request you kindly to grace the Conference with your presence and advice. At this Stage of our struggle it is most essential that the country receives advice from leaders of all shades of openion in the Nationalist Camp, and we are sure that you will make it convenient for you spare a little time for our Districts also, which is by the way, one of most important districts in these provinces. I am, therefore, sure you will kindly intimete your acceptance by wire immediately, as the time left is very short.

Eagerly awaiting to have your acceptance.

Yours most obediently,

Ram Prasad Misra

Chairman,

Reception Committee.

1. यह पत्र व इसका माखनलाल जी द्वारा भेजा गया प्रत्युत्तर संदर्भगत महत्ता की वजह से एक साथ दिया गया है ।(संपा०)

[2]

जब्बलपुर

16 सितम्बर, 22

भाई साहब,

वन्दे !

आपका कृपा-पत्र पहुँचा। मेरा सौभाग्य है कि आपने मुझे अपनी जिला कान्फ्रेन्स के समय स्मरण किया। इसके लिए मैं आपको हृदय से धन्यवाद देता हूँ। जिला कान्फ्रेन्स में जिन विस्तृत विचारों को सामने रखकर, आप अपने और दूसरे प्रदेश की शक्तियों का आह्वान करने में लगे हैं, इससे मुझे हर्ष है। यदि मैं समय पाता तो जरूर आपकी आज्ञानुसार उक्त परिषद में उपस्थित होता, समय मिलने पर फिर प्रयत्न करूँगा, ताकि मैं उन दिनों किसी प्रकार कानपुर पहुँच सकूं।

किन्तु एक बात के समझने में मैं असमर्थ हूँ। समाचार-पत्रों तक कानपुर के आपसी झगड़ों ने पहुँचना जरूरी समझा है, ऐसा पता नहीं, क्यों हो रहा है। कान्फ्रेन्स की सफलता के पथ की यह बाधा, यदि हट सकती, तो मैं यहाँ बैठे-बैठे आप लोगों के मेल की भावना और तपस्याओं के प्रभाव से स्फूर्ति पाता। मैं इस पत्र के द्वारा दोनों पत्रों के चरणों में नम्र निवेदन करता हूँ कि देश को इस संकट-काल में आजादी और उसके विमल सिद्धान्तों की विजय के लिए, चाहे जो कीमत चुकाकर एक होना पड़े, एक हो जाइये। हम पराये पत्थरों को, अपने कष्टों से पिघलाये जा रहे हैं, क्या अपने प्रयत्न अपने को अपना नहीं बना सकते ? मेरा आपके हृदयों पर विश्वास है।

मैं घटनाओं से अपरिचित हूँ। जरूरी समझकर ये लकीरें लिख दी हैं। क्षमा कीजियेगा।

आपका भाई और सेवक

माखनलाल चतुर्वेदी

श्री रामप्रसाद मिश्रा,

कानपुर

श्री वियोगी हरि

[1]

कर्मवीर, खण्डवा (म० प्र०)
दिनांक 5.5 1925

क्र० 542

प्यारे हरिजी,

मेरे अन्धकार की सीमा का तो मुझे संकेत नहीं, पर आपको गालियाँ दिये बिना जी नहीं मानता, भूले-भटके आज अनुराग नाटिका में दुर्भाग्य से मन निकल गया। "मो अँखिया गड़ि गई गँसीली पिय चितवन आनि आकरे" की मिठास पर कौन ठहरने देता है, वह गुनगुनाता है : सरबस सौंपि जु यौचख भरि पिय छबि आसव व्यारो।" इतनी मादक पंक्तियाँ लिखने का पागलपन न जाने आपके सिर क्यों सवार हुआ ? कैसे ?

आपका
सही/माखन

[2]

कर्मवीर, खण्डवा (म० प्र०)
23.5.59

श्रीमान हरिजी,

सादर नमन !

पुस्तक और कृपा-पत्र दोनों समय पर मिल गये। उत्तर जरा देर से दे रहा हूँ, क्योंकि पुस्तक पढ़ने का लोभ संवरण न कर सका। आपकी आज्ञा शिरोधार्य है। मुझे इस कार्य में कुछ समय लग जाय, ऐसी सम्भावना है। आशा है, आप इस विलम्ब की ओर ध्यान न देंगे।

कभी इस ओर आइये। आपके इधर पधारने से हरिजन-प्रयत्नों को ही बल नहीं मिलता, लोक-जीवन में भजन के प्रभाव को लोग प्रत्यक्ष देख लेते हैं।

कृपा रखिये।

विनम्र आपका
सही/माखनलाल चतुर्वेदी

[3]

श्रीमान हरिजी,

सादर सप्रेम नमन !

आपके दो कृपा-कार्ड और दोनों तार मिल गये। स्टेशन पर छोटे भाई तथा बच्चे और अन्य लोग भी गये। किसी कारणवश आप न आ सके। कोई विशेष कारण हुए बिना आपका आगमन रुक नहीं सकता, यह मैं जानता हूँ। अतः कोई विशेष कारण आने पर ही आप रुके होंगे। उसकी खबर भी आ जाती तो हम लोगों को यहाँ निश्चिन्तता होती। अतः कृपया एक कृपा-कार्ड भिववा दीजियेगा।

यहाँ के लोगों से, खासकर म्यु० सि० और अन्य केन्द्रों से मालूम हुआ कि आपके ··· ···प्रवास की तिथियों में शायद कुछ परिवर्तन हो गया है। गाँवों के लोग हैं, दीपावली आदि त्यौहार विशेष रूप से मनाते हैं। यही कारण शायद तिथियाँ बदलने का रहा होगा। और जब जीवन में रस-रूप आप-जैसे व्यक्ति स्नेह भाव से तिथियाँ ऐसे अवसर पर न बदल दें, यह सम्भव कैसे हो सकता है ? अस्तु।

आशा है, आपकी कविता वाली प्रति भी अब छप गयी होगी। कृपया उसको दो प्रतियाँ मेरे पास भिजवा दें। उनमें से एक प्रति मेरी अपनी होगी।

मैंने उस पुस्तक पर जो कुछ लिखा है, सोचकर ही लिखा है। इस समय अस्तित्व और विशेषतः साधारणत्व पर मानो कठिनाइयों के पहाड़ टूट पड़े हैं। ऐसे समय आपने साहस और स्नेह से जो लिखा है, वह युगों-युगों गुँथा रहेगा। मैं तो इस प्रस्ताव पर बहुत प्रसन्न हूँ।

आशा है आप प्रसन्न हैं।

विनीत

सही/माखनलाल चतुर्वेदी

श्री वियोगी हरि,
दिल्ली

श्री जयशंकर प्रसाद

[1]

कर्मवीर कार्यालय, खण्डवा
7.12.1931

श्रीमान सुकवे !

प्रणाम लीजिये।

यह पत्र आज आपकी सेवा में भिजवा रहा हूँ। शायद अपरिचित पत्र

भिजवाने का अधिकारी न होऊँ, पर पत्र तो लिख रहा हूँ। आशा है आप क्षमा करेंगे।

विश्वनाथ के देवालय से नर्मदा और सतपुड़ा बहुत दूर है, मैं जानता हूँ। भूगोल मैं पढ़ा हूँ; प्रवास करके कार्यवश देखा भी है। किन्तु आप तो उस दुनिया के उन्नायक हैं जहाँ पास रहने वाले लोग भी काफी दूर दीखते हैं, और नक्षत्रों की दूरी पर रहने बाली वस्तुएँ भी बहुत पास। शायद तब काशी से खण्डवा, मेरा सौभाग्य हो तो, बहुत दूर न माना जाय। क्या विन्ध्य की बीहड़ वृक्ष-राजि की डालियों पर आपकी कलम का प्रसाद-कोकिल नहीं बोल सकता? यदि हो सके तो, मैं निवेदन करता हूँ कि आपकी रचना-माधुरी ले अपनी श्वाँसें सूंघने के लिए कर्मवीर उन्हें स्थायी रूप से पावे। कृपया कहानी, कविता और नाटक छोटे रूप की इन तीनों ही जागीरों के पाने के लिए यह पत्र लिख रहा हूँ।

अन्तर्मिलन के बावलों की पूजा में, नाम-स्मरण के रूप में न जाने किन-किन का स्मरण कर मैं नर्मदा की रेती में कंकड़ियाँ चुना करता हूँ और बरसों से, उन्हें मानस-पथ के राहगीरों के चरणों में डालता रहा हूँ। अभी भी वही 'अव्यापारेषु व्यापार:' कभी-कभी किया करता हूँ। साहित्य-शिल्पियों का और मेरा यही सम्बन्ध है कि जब प्रदर्शनी में पथिक उन पर रचना के मोती खरीदने जाते हैं, तब मेरी साध रहती है कि जिन पथों से वे जाएँ, वहाँ मुझ मजदूर की कंकड़ियाँ उनके चरणों के नीचे पड़ी हों। आपकी सुकोमल रचनाओं को ये पहाड़ी कंकड़ियाँ गड़-कर भी यदि इस ओ आने दे सकें तो मेरा शय्या पर पड़े-पड़े आपकी रचनाओं के इस झोंपड़ी में पधारने के लिए यह आमन्त्रण है—कर्मवीर के लिए।

आशा है आप कुशलपूर्वक हैं। राजनैतिक और दौड़धूप के 'खून, फाँसी और पानी' चिल्लाने के जीवन में मानवता का मेरे घर दिवाला कढ़ चुका है, यदि कहीं कुछ शेष हो तो उसके समेत---

आपका

माखनलाल चतुर्वेदी

प्रति/कामायनीकार श्री जयशंकर प्रसाद को

[2]

खण्डवा

6.5.37

मान्य धन,

मैंने बीमारी के बिस्तरे पर ही पड़े-पड़े सुना कि आपका स्वास्थ्य खराब है। चिन्ता होना स्वाभाविक था। आपकी अँगुलियों के संकेतों और खिलवाड़ों ने हिन्दी जगत् की तरुण प्रतिभा पर जो लिखा है वह तरुण है, हरियाला है, अमर

है। कृपया सम्भव हो तो लिखें अब आपका स्वास्थ्य कैसा है।

कर्मवीर की ओर से भी एक शब्द। जब आप अत्यन्त सरलता से अपने प्राण-कोष की खैर बटोरने लगें तब उसके वरदानों का कर्मवीर को भी हकदार समझें। हकदार न सही, कर्मवीर के लिए कुछ भिजवा दें। अपने संग्रह में से कुछ भिजवा सकें तो भिजवा दें।

इस समय तो मैं अस्वस्थ ही हूँ। केवल बुखार चला गया है। परन्तु स्वास्थ्य ठीक होते ही, सोचता हूँ, काशी पहुँचकर आपके दर्शन करूँ। शायद अगस्त या सितम्बर तक।

प्रभु करें, आप शीघ्र ही स्वस्थ हों और अपने वरदान भारती के मन्दिर में समर्पित करते रहें।

आपका अपना

माखनलाल चतुर्वेदी

प्रति।

श्री जयशंकरप्रसाद, काशी

श्री नर्मदाप्रसाद खरे

[1]

कर्मवीर कार्यालय, खण्डवा

19.8.32

नर्मदा,

शुभाशी!

चिट्ठी मिली। लेख में अशुद्धियाँ रह गयीं। एक मास के लिए स्वामी सत्यदेव यहाँ आ रहे हैं, काव्य-चर्चा ही के लिए। महीना होगा अक्तूबर-नवम्बर का। यह पत्र मैं अखबारनवीस नर्मदाप्रसाद जी को नहीं लिख रहा। यदि उनसे भिन्न 'नर्मदा' नाम की कोई वस्तु हो तो उसे लिख रहा हूँ। अच्छा, तो क्या उस समय अपना आना तुम उचित समझते हो? न आ सको तो कोई बात नहीं। भवानी महाशय (भवानीप्रासाद मिश्र) का यह एफ० ए० का अन्तिम वर्ष है। यह समाचार उनके लिए कुपथ्य से भी बढ़कर कुपथ्य है—उन्हें खबर मत देना।

कुछ पंक्तियाँ जबलपुर में लिखी गयी थीं। शायद तुम्हें रुचें, इसीलिए यहाँ लिखता हूँ। भवानीजी को बता देना। हकदारी का झगड़ा न हो। ये पंक्तियाँ छपने न दी जायँ:

सुलझन ही उलझन है,
कैसी दीवनी-दीवानी।
पुतली पर चढ़कर गिरता,
गिर कर चढ़ता है पानी।

क्या भूतल के पागलपन
का मल धोने आयी हैं ?
प्रलयंकर शंकर का—
गंगा-जल होने आयी हैं ?

बूंदें, बरछी की नोकों-सी
मुझसे खेल रही हैं।
पलकों पर कितना जीवन
का ज्वार ढकेल रही हैं।

अब क्या, रुनझुन से छुमकेगा
आँगन ग्वालिनिया का ?
बंदीगृह के वैभव पर
आँखें डालेंगी डाका ?

और कहने को है ही क्या ?
थी खामुशी बयान से अच्छी,
बात खो दी जुबाँ हिलाने ने।

तुम्हारा
मा०

[2]

खण्डवा
3.2.33

प्रिय नर्मदाजी,

चिट्ठी मिली। मैं नाराज नहीं हूँ, तुम्हारे बचपन के अधिकार और अनधिकार दोनों पर नाराज होने की चिन्ता करने की जरूरत नहीं है। हाँ, कविता मिल गयी, नोट भी मिला, लिखा करो, प्रसन्न हूँगा।

मैं जो कुछ हूँ, जीवन की कमजोरियों के रूप में अपने को खूब जानता हूँ। यह तुम्हारी सुपूती है—तुम्हारी गुणज्ञता है—जो तुम अपनी कवि-कल्पना से

मुझ पर गुणों का आरोप करते हो—और फिर अपनी ही कल्पना की पूजा करने लगते हो। वह पूजा तो तुम अपनी ही करते हो, मेरी और मेरी कमजोरियों की नहीं।

विनोद में, सरल भाव से कहे हुए विशेषणों को चुन कर, उनकी माला न बना लिया करो। मैं चुप रहने पर प्यार करता हूँ—बोलने पर नहीं। जब झरने के प्रवाह की तरह बेअख्तियार बहने लगता हूँ, तभी बोलने लगता हूँ। अब से सावधान—बोला करूँ ?

प्रसन्न रहो, इतने प्रसन्न कि चहकती चिड़ियाँ, चटखती कलियाँ और झरनों की बहती धाराएँ सकुचा जायँ। किन्तु संयत रहो, इतने संयत कि तुम्हारी ध्वनि-धारा में से सुनने वालों को मिलन-बिंदु, विकार-बिन्दु और विद्वेष-बिंदु न मिलें। उस ध्वनि-धारा में अश्रु-बिंदु, श्रम-बिंदु और रक्त-बिंदुओं की त्रिवेणी में मज्जन करना नसीब हो।

अब मैं अपनी रचनाएँ बाजार और पत्रों में रखने का लालची नहीं—चिट्ठयों को भी। अत: यह पत्र तुम्हीं पढ़ना।

कहो, अब तो मान गये कि मैं नाराज नहीं हूँ। लिखो !

तुम्हारा
मा०

[3]

कर्मवीर प्रेस, खण्डवा
17.6.40

चि० नर्मदा,

मैंने ब्यौहारजी को लिख दिया है कि मैं 'नक्षत्र' के लेखकों में नहीं रहूँगा। इसी प्रकार की सूचना मैं 'कर्मवीर' में भी प्रकाशित कर रहा हूँ। मैं तो पहले ही चाहता था कि विषय-विवेचन-चर्चा पुस्तक लिखी जाने के पहले न हो। हुई, उसके परिणाम भी हुए। मैं इन झंझटों में, जबलपुर से इतने दूर रहकर, पड़ नहीं सकता था। मेरी रुचि से सर्वथा खाली पुस्तक में मेरा लेखक होना···ईश्वर के लिए यह सर्वनाश तो न करो। हाँ, दूर रहकर मैं उस पुस्तक का स्वागत करूँगा। मेरे जैसे 'चुप' आदमी से पुस्तक को लाभ ही होगा, हानि तो होने से रही।

मेरा यह अन्तिम निर्णय है कि उस पुस्तक का लेखक मैं नहीं हूँ। कृपया, बिना किसी प्रकार की बेसमझी पैदा हुए, मेरा नाम पुस्तक पर से हटवा दो।

तुम्हारा,
माखनलाल चतुर्वेदी

नर्मदाप्रसाद खरे, जबलपुर,

श्री वीरेन्द्रकुमार जैन

खण्डवा (सी० पी०)
14.10.33

बीरेन,[1]

अभी पन्नालालजी स्टेशन गये हैं। पूछते थे, आप किसीको पत्र तो नहीं लिखेंगे ? वीरेन्द्र को ? मैंने अभी ही ना में उत्तर दिया है और अभी ही लिखने बैठ गया हूँ। इसका कारण है, तुम्हारे पत्र का आना। तुमने अपने आने में आर्थिक चिन्ता पिताजी के आगे क्यों रखी ? खैर, भविष्य में जब आने का प्रश्न उठे तो खण्डवा ही आना।

इस वर्ष मैं चाहता हूँ, मध्य भारत के कुछ तरुण साहित्य-सम्मेलन में दिल्ली जायें, इसकी तैयारी अभी से हो। वहाँ वे अपनी छोटी-छोटी-सी रचनाएँ सुनावें। वे पहले से ही तैयार कर ली जायें।

हाँ, तुम अपनी कहानी भिजवा दो। कितना अच्छा हो, यदि कहानी के साथ ही तुम खुद आते और कहानी में नुक्ताचीनी होने पर वह 'हंस' में भेज दी जाती। अस्तु !

तुम्हारे पत्र लिखने के सम्बन्ध के प्रश्न का मेरा उत्तर यह है कि यदि हृदय की ज्वाला ईमानदार है, तो पत्रों की रुकावट से समाज के प्रति होने वाला विद्रोह भी, हृदय में एक भावों की सरग-नसेनी गढ़ता रहता है। उस अनुभूति को लिखना, यथार्थ जीवन-सन्देश का लिखना है। उस सन्देश को दीवाने लोग पढ़ें और अपनी आकुलता को 'औसार्ध' पा लें। मैं तो स्पष्ट पत्र लिखने में भी कोई हानि नहीं समझता, यदि वह अस्थिर यौवन के उतावलेपन का अंधा तूफान साबित न हो। अंधे तूफान में भी मिठास होती है, यदि उस मिठास के प्रति मरोर पैदा हो तो फिर समाज के सम्मुख उसका मूल्य चुकाने में भी झिझक नहीं होनी चाहिए। मीरा और ताज ही ने नहीं, तुलसी और सूर ने भी अपने स्वरों में ऐसा ही किया है। किन्तु अभी यौवन का बचपन है, आँखें परिस्थिति के आर-पार देखने की अभ्यस्त नहीं, अत: उन अंगारों को हृदय-पट में बार-बार बाँध कर, चटक और चिनगारियों की दुनिया बनाओ, उसे कलम के घाट उतारते रहो और उस मुसुकते विश्व में सिसक, और सिसक से मुसुक करते रहो।

तुम्हारे नन्हेंपन पर मस्तानगी की चढ़ाई देख कर कितनी ही बार मैं उस मस्ती के अस्तित्व पर अविश्वास करने लगता हूँ। यदि मस्ती के अस्तित्व को मानता हूँ तो सूर्य, चन्द्र और अन्य किरणों से परिवर्तन की तथा ऋतुओं से उसमें

1. वीरेन्द्रकुमार जैन

अस्थिरता की कल्पना करता हूँ। इसी से डर जाता हूँ। काव्य जीवन-बिन्दुओं में आग बनकर उभरने वाला अमर उल्लास तो है, परन्तु मैं उसे जीवन की बूंदों का खिलवाड़ नहीं मानता। मैं बाल-पथ के जीवन को समझ सकता हूँ, किन्तु जब मैं जीवन के तितर-बितर हो जाने का भय खाता हूँ तब मैं समझता हूँ कि अस्तित्व अब डूबा, अब डूबा, ऐसे समय कंधों का बोध उतारने के लिए कंधों तक बढ़े हुए, अपनी जीवन की लकड़ी और गोद के धन के लिए जो चिन्ता एक माँ को होती है, उसकी तस्वीर मेरी आँखों में आ जाती है। पुष्प किसी की अमर देन है, दूर से देखने, और उससे उड़ने वाली महक से प्राण पाने की वस्तु है। लोग उन्हें तोड़ना चाहते हैं, खेद, फिर उन्हें मसलना भी चाहते हैं और जब उनकी हड्डी-पसलियों की मृदुता या क्रूरता नसों से बाहर प्रवाहित हो पड़ती है, तब उन्हें उठा कर दूर फेंक देते हैं। मैं पुष्पों से कहता हूँ, दूर अनजाने में, कँटीली डालियों के मस्तकों पर लहराते रहो, पर गला कटवाकर पैरों में रौंद कर फेंक दिये जाने की चीज न बनो। कितने पुष्पों में आकर्षण के गहने बनने का लालच नहीं होता ? उस समय वे उल्लास के नाम पर बधिक का घर ढूंढ़ते फिरते हैं। उसी समय मैं खतरे का घंटा बजाना चाहता हूँ। परन्तु इसीलिए नहीं बजाता, क्योंकि उस समय मैं अपने दुख ही को नहीं सम्हाल पाता। काव्य के कोमल विश्व में हुंकार करने को जी नहीं चाहता। अस्तु !

मैं तुम्हारे नवीन काव्य की स्नेह से प्रतीक्षा करूँगा। सतह ऊँची हो, लोग उसमें तुम्हें पकड़ने न दौड़ें। परन्तु सत्य के बहुत निकट हो, लोगों को अपने दिनों की दीवानगी जवान बना दे। आँखों में दिलें पड़ी हैं न ?

मैंने मनोवृत्ति के विश्लेषण और अध्ययन के विषय में क्या कहा था, मैं सब भूल गया; याद के डोरे जुड़ नहीं रहे। फिर कभी मिलो, तब पूछना।

वहाँ पत्र लिखने में तो लोक-लाज की कोई खास बात नहीं, परन्तु यदि तुम्हारा केवल एक ही पत्र जा पावे और दूसरा जाने न दिया जाय, तथा पत्रों के पाने वाले अपराधी को तुम्हारा यह वरदान श्राप हो, तो पत्र लिखना उचित नही। यदि परिणामों का स्थायी स्वागत करते हुए गति बिना रुकावट की रह सके तो एक बार, दो बार, तीन बार सोच लो, फिर पत्र लिखो। नहीं तो ज्वार को संचित होने दो। उसका संचय भी काव्य है, मिठास है। वीरेने, आज इतना ही।

तुम्हारा

मा०

श्री मुरलीधर गर्ग

श्री द्वारा/जमनालालजी बजाज

वर्धा, 23.1.34

प्रिय भाई मुरलीधर,

तुम्हारे सब पत्र मिल गये। मेरा स्वास्थ्य खराब होने से उत्तर न दे सका। महज फार्म भरने के लिए धन खर्च करना उचित नहीं। कुछ दिनों में मैं आता ही हूँ। हाँ, यह मैं अवश्य चाहता हूँ कि यह फार्म मेरे सामने भरा जावे।

सेठजी रायपुर गये हैं। घर जाके तुम्हारा प्रणाम कह दूंगा। डा० जगन्नाथजी की भगवान् ने बड़ी कड़ी परीक्षा ली है। मेरा हृदय बहुत दुखी है।

कुशल-पत्र दो !

तुम्हारा

सही/मा० ला० चतुर्वेदी

श्रीयुक्त मुरलीधरजी गर्ग
हरसूद, डिस्ट्रिक्ट निमाड़
(जी० आय० पी० रेल्वे)

श्री रामचन्द्र बिल्लौरे

[1]

खण्डवा

12.8.34

चि० राम,

शुभाशीष !

हमारी 'शेरिफ' कलम Fountain Pen रह गई। तुम्हें भी याद नहीं रहा। उसके बिना हमारा काम नहीं चल सकता। एक लकड़ी के डब्बे में बन्द करके रजिस्ट्री से हमें भिजवा दो। या, हाँ, श्रावण पर ले आना। मैं 11 बजे रात को सकुशल आ पहुँचा। आज अन्न भी लिया है। कुछ कार्ड लिखूंगा।

तुम्हारा

दादा

श्री रामचन्द्र के० बिल्लौरे,
सेकण्ड-इयर स्टूडेण्ट
क्रिश्चियन कॉलेज, इन्दौर।

[2]

बगिया मनीराम, कानपुर
2.11.42

चि० राम जी,

शुभाशीष !

तुम 30 या 31 को चल कर खूब आये ! अरे भाई, एक कार्ड से तो सूचित कर देना चाहिए कि तुम नहीं आ रहे हो। अपनी इस विषय की आदत को इस पत्र के पहुँचते ही बदल डालो। यदि कहीं अपने अपाइंटमेण्ट्स पर पहुँच न सको, तो तुरन्त समय रहते खबर दे दिया करो कि तुम नहीं आ रहे हो। यह आदत बहुत बुरी है। खैर,

आशा है, तुम्हारी तबियत इन जाड़ों में सुधर जावेगी। कोई उपचार तो जरूर होना चाहिए। आश्चर्य तो यह है, कि शायद पिताजी को छोड़कर सारा घर ही अस्पताल बना हुआ है। तुम आते तो यहीं इलाज कराया जाता।

तुम कर्मवीर जॉइन कर लो। किन्तु तुम स्वयं कोई झिझक, तकलीफ, संकोच और भविष्य की चिन्ता अनुभव न करो तो ! यों मैं शीघ्र ही तुमसे मिलूँ, ऐसी मेरी इच्छा है। चि० बृजबाबू से भी कह देना।

माताजी के स्वास्थ्य के हालचाल लिखना। पिताजी पढ़ाने जाते हैं ? चि० बहूरानी का स्वास्थ्य कैसा है ? चि० रामू को खोते ही दुनिया कैसी दूर-सी दिखने लगी है कि भगवान की माया पर आश्चर्य भी होता है, और दुःख भी। लाचारी भी मालूम होती है।

माताजी और पिताजी को हमारा प्रणाम कहना। मैं मिला कि तुम्हारा इलाज तो प्रारम्भ कर ही दूंगा।

सुना है, व्यास जी महाराज ने जबलपुर में देश-भक्ति का पथ पकड़ा है। बाइबिल का अवतरण "जितना शैतान देता है, उतना देवदूत नहीं।"

खैर, मेरा स्वास्थ्य सुधरता जा रहा है।

तुम्हारा
माखनलाल चतुर्वेदी

श्री आर० पी० बिल्लौरे,
बी० ए०, एल० एल० बी०
हरीगंज, खण्डवा

[3]

कर्मवीर, खण्डवा
26.2.43

चि० राम जा,

पत्र अभी मिला, हाँ, बीच में एक दिन तबीयत खराब हो गयी थी। अब अच्छा हूँ। शायद यह पत्र और मैं साथ-साथ इन्दौर पहुँचें या पत्र पीछे मैं पहले। श्रीमन् किबे साहब का पत्र मिल गया है। वे प्रतीक्षा कर रहे हैं। वे चाहते हैं कि हिन्दी साहित्य सम्मेलन वाला भाषण मैं वहीं बैठकर लिखूँ।

चि० राधाकृष्ण का इम्तहान निकट है। उससे कहना कि वह किसी राजनैतिक पागलपन में न पड़े, उसे खूब सावधानी से परीक्षा देनी चाहिए। एम०ए० में उसका डिवीजन लेकर पास होना जरूरी है। किसी जल्दबाज आन्दोलनकारी की अपेक्षा, तुम्हारे जैसे आन्दोलन से दूर तथा शान्त व्यक्ति के कथन का उस पर अधिक असर पड़ेगा।

इन्दौर का जो विवरण प्रान्तीय हिन्दी साहित्य सम्मेलन और उधर पुरोगामी लेखक-परिषद के अधिवेशन के बाद प्राप्त हुआ है, वह कुछ बहुत उत्साहवर्धक नहीं है। किन्तु मैं तो इन्दौर में आकर दो ही काम करूँगा। एक तो अपने को डाक्टर को दिखाऊँगा और विश्राम तथा स्वास्थ्य-लाभ करूँगा; दूसरे, अखिल भारतीय हिन्दी साहित्य सम्मेलन के लिए कुछ पुस्तकें पढ़ूँगा। आशा है, तुम प्रसन्न हो। चि० विद्याजी को शुभाशीः।

तुम्हारा
मा०

श्रीयुक्त रामचन्द्र बिल्लौरे
सर सेठ हुकुमचन्द जी की नसिया,
कमरा नं० 7,
इन्दौर

[4]

कर्मवीर, खण्डवा (सी०पी०)
29.9.46

प्यारे राम जी,

शुभाशीः !

पत्र मिले। प्रसन्नता हुई। आशा है तुम अपने स्वास्थ्य का खब खयाल रखोगे। यहाँ बीच में चि० नन्हें की खाँसी बढ़ गयी थी और छोटी बच्ची को

दस्त आने लगे थे। छोटी बच्ची अब अच्छी है। चि० नन्हें की तबीयत अभी साफ नहीं हुई है। डा० सौ० चि० विद्या के विषय में निश्चिन्तता बताते हैं किन्तु मेरी अपनी जानकारी इस विषय में कुछ भी नहीं। किन्तु जैसी तुम देख गये थे, उससे खराब न होगी। खतरा है वहाँ, अतः तुम अधिक घूम-फिर न सकते होगे। किन्तु कुछ-न-कुछ शारीरिक श्रम तो चाहिए। उचित हो, यदि घण्टे-भर रोज तुम सूत ही कातने लगो। घर से बाहर स्वास्थ्य को खूब सँभाल कर रखने का अभ्यास तो है ही, किन्तु यहाँ तो चिन्ता होना स्वाभाविक है। यहाँ तुम्हारी गैर-हाजिरी में श्री खादीवाले, श्री पन्नालाल जी, चि० अजित, भोपाल के श्री रामचरण वकील, श्री रोले स्वामी, श्री अंचल आदि सज्जन आ चुके हैं। चि० बृज बाबू, चि० बहूरानी, छोटा भैय्या सब मजे में हैं। बड़ी जीजी चार-पाँच दिन हुए, गयी। मँझली जीजी और माताजी अच्छी हैं।

रामजी, तुम वातावरण के ऐसे स्थल में हो जहाँ अपने बलिदानों, विश्वासों और आत्म-नियमनों से, सम्मिलित सेवा के रूप में, सर्वांगीण जन-मन के लिए संगठित आनन्द, पुरुषार्थ-भरा सन्देश, दिया जाता है। वहाँ के जीवन में काव्य हो न हो, किन्तु निःसन्देह वह वातावरण काव्य और कला से सर्वथा खाली नहीं है। अतः मुझे आशा है, व्यापारी के केवल लाभ-हानि के वातावरण से परे, यदि वहाँ का वातावरण कुछ अधिक रक्त-कर, श्रम के रूप में माँगे, तो उसे आशा है, तुम पूजा ही समझोगे, प्रताड़ना नहीं।

यदि मन लगे और स्फूर्ति बचे तो कभी-कभी यहाँ भी लिखकर भेज दिया करो, जिस विषय पर भी लिखने की इच्छा हो।

मुझे दो दिन जुकाम हो गया था, थोड़ा ज्वर भी था, पाँच दिन घूमना बन्द रहा। अब अच्छा हूँ। जुकाम का कोई बड़ा असर नहीं हो पाया था, किन्तु चिन्ता तो पैदा हो ही गयी कि इन्जेक्शन के बाद भी जुकाम हो गया।

तुम्हारे अध्ययन और चिन्तनशील सम्पर्क के बिना यहाँ तरुणों का वातावरण फीका-सा हो गया है। चि० बलराम पगारे गत ता० 27.9 को शाम के 8.40 पर प्रसाद जी की कविता का पाठ बम्बई रेडियो पर कर आये। चि० विपिन बाबू माने[2] हमारे कवि खूब-खूब प्रसन्न हैं। क्या तुमने इधर कोई कविता लिखी है?

श्रीयुक्त त्रिवेदी जी का लेख अभी नहीं मिला। उनसे हमारा सप्रेम नमन कहना। और वहाँ के समस्त वातावरण के प्रति सद्भाव।

चि० नारायण स्वामी पास बैठा है, अपने भैया जी को प्रणाम लिखवा रहा है। शरारती है, बिजली की स्विच चुपचाप ऑफ करके इस पत्र में काफी समय

1. स्व० विपिन जोशी, जो मध्यप्रदेश के जाने-माने गीतकार थे।

खर्च करा दिया। अच्छा, अब मैं घूमने जाता हूँ। राम-राम!

तुम्हारा,

मा० ला० चतुर्वेदी

चिट्ठी लिखते में माँ आ गयीं। वे आशीष कह रही हैं। जरा यह तो लिखिये आखिर अपने यहाँ किस तरह कार्य प्रारम्भ किया।

चि० इन्द्र का पत्र चि० रमण के पास आया है। चि० भारती और चि० महेश का भी। श्री सदगुरु और चि० ामकुमार के भी तथा श्री सोहनलाल के भी। अपने हर पत्र में अपना पूरा-पूरा पता लिखा करो, हर पत्र में जहाँ से भी पत्र दो।

श्रीयुक्त रामचन्द्र बिल्लौरे,
नवजीवन कार्यालय
अहमदाबाद।

श्री हरिकृष्ण प्रेमी

[1]

(वर्ष संभत: 1930)

चि० भाई,

प्रणाम!

पत्र पाया। सुख मिला। पाषाणों में भी प्रभुता का आरोप करने वाली आर्य भावना! परोक्ष में, प्रभु आपको जो-जो कुछ दिखाये, सो थोड़ा।

मेरे पागल, आ क्यों नहीं गये? गरीबी ही मेरे जीवन का वरदान है। उस वरदान के हिस्सेदार बनकर कष्ट भोगने का दण्ड स्वीकृत हो तो आ जाइये। दूर से कल्पना का हरियाला बाग बना रखा होगा, नजदीक आकर उस बाग की प्रतिमा भंग कर लीजिये। आइये, भ्रम के स्वर्ग से उतरकर, प्रत्यक्ष के नरक में निवास करने के लिए।

40 रु० मासिक की सेवा कर सकूँगा। इससे अधिक के योग्य हूँ नहीं। भगवान् दिन दें तो फिर जो हो जाय।

आपका अपना

मा०

[2]

दिनांक 16.3.35

प्यारे प्रेमीजी,

कल आपका पत्र मिला। इधर गत दो-तीन सप्ताहों से, आपके पते का कर्मवीर लौटकर खण्डवा चला आता था। इसलिए चिन्ता हुई; यहाँ-वहाँ यानी मुरार, गुना और सब स्थानों पर पत्र लिखे गये। गुना का उत्तर भी आ गया। कल आपका भी उत्तर मिल गया। पता बदलने की कोई सूचना आपने न दी थी। खैर, इस पत्र के पहले ही आपका एक पत्र मिला था। उसका उत्तर मैंने नहीं दिया था। उसका आशय था आपको खण्डवा की सुधि हो आना और यहाँ आने की इच्छा। पिछले 12 महीनों में, मैं ऐसे पत्रों का एक ही मानी समझा हूँ और वह यह कि मेरे विषय में स्नेहपूर्वक सोचने के लिए जब कोमल हृदय तैयार होता है तब वह थोड़ा-सा आपको बेचैन भी शायद करता है। किन्तु उस बेचैनी की सीमा आपके खण्डवा आने और खण्डवा ठहरने तक नहीं हो सकती। यों मैं भी नहीं चाहता कि आपके हृदय के प्रतिकूल मैं आपको खण्डवा के बीहड़ स्थान में घसीटूँ, गो मेरा स्थायी आमन्त्रण ज्यों-का-त्यों है। मैं तो देहली जाकर भी लाहौर का लोभ न दबा सका, और तुम हरि, खण्डवा स्टेशन पर से गुजर गये। और उस समय जबकि तुम्हारी गति-विधि के विषय में मैं बहुत चिन्तित रहा। असल में तो तुम्हारे हृदय और तुम्हारी साध में संग्राम हो रहा था—

एक ले चली चहल-पहल से
मुझे बनाने राजा।
और दूसरी ने निर्जन का
सुन्दर कोना साजा।

वाली बात है। मेरे लिए तो जहाँ कृष्ण, वहाँ वृन्दावन। तो भी यदि तुम धीरज धरते तो तुम्हारी सब साधें एक-एक कर पूरी हो जातीं, और आश्चर्य करते कि वे एक-एक कर सवाये रूप में किस तरह पूरी हो गयीं। तुम्हारा सिनेमा-ग्रहण मुझे नहीं जँचा। तुम रोजगारी साहित्यिक रहकर वह स्थान न पाओगे, जिसके तुम मुस्तहक ही नहीं हो, जो तुम्हारे लिए तैयार है। पर मुझे तो तुम जहाँ भी रहो, सुख ही सुख है। खैर! अब एक बात लिखता हूँ। शायद इसका तुम तिरस्कार न करोगे। यदि सचमुच ही तुम्हारा मन खण्डवा आने को होता है, खण्डवा आने की बहुत इच्छा होती रहती है, तो इस पत्र को पाकर, छुट्टी लेकर आ जाओ। मेरा स्वास्थ्य खराब-सा है। अतः तुम्हारे आने से सुख होगा। शायद साथ ही एक

दिन के लिए हिरनखेड़ा भी चले चलें। गो, उन झोंपड़ियों और जंगलों का मौसम निकल गया है। तो भी तुम्हारे वहाँ पहुँचने पर एक मौसम जो आ जायेगा। क्या तुम्हें छुट्टी मिल सकेगी ? लिखो। आपसे शुरू करके पत्र 'तुम' को कब लिखा जाने लगा, पता ही न रहा। यदि छुट्टी न पा सको तो वैसा लिख देना।

कर्मवीर कार्यालय की पुस्तकें भिजवा दूंगा। परन्तु तुम जब लिखने में नियमित रह सको। तुम्हारा परिश्रम तो कम्पोजिटरों को सामने खड़ा देखकर, तथा सामने काम में देरी होती देखकर जाग्रत होता है। उसे लिखने की सुध कैसे होगी ? हरि, लाहौर में मैंने देखा, तुम अपनी एक कमजोरी पर बड़ी तेजस्वितापूर्वक विजय प्राप्त कर चुके। यह न कहूँगा—वह कौन-सी है। मैं तो प्रत्यक्ष देखकर प्रसन्न हो उठा था। कमजोरी शब्द ही से न रूठ जाना। मैं तो एक छोटी-सी बात को कमजोरी कहता हूँ— खण्डवा और लाहौर के बीच वह अन्तर दीख पड़ा। अब तुम कहीं-न-कही स्थिर रहना और तय करो। चाहे बम्बई में ही रहो। उसके कुछ वर्ष बीतने पर प्रतिभा की कमान ढीली पड़ने लगेगी। फिर उतरे या उतरते हुए जीवन में नई परिस्थितियों में स्थिर रहने की शक्ति न रह जायेगी। अत: कहीं-न-कहीं स्थिर होना तय करो। यदि मिलिन्दजी घर पर जम चुके हों तो तुम चाहो तो उन्हीं के पास जम जाओ। मैं इसलिए अब लिखना नहीं चाहता क्योंकि तुम्हारे किसी-न-किसी कारण से, यह स्थान तुम्हारे लिए उपयुक्त नहीं है। जीवन में वही व्यक्ति अधिक दूर तक टिकता है जिसके आगे 'अनुगामी' समूहबद्ध हों और पीछे पीठ पर कुछ अनुभवी हाथ हों, साथ ही कुछ बराबरी के मित्रों का, चाहे वे एक-दो ही क्यों न हों, एक बल हो। तुम इस ओर ध्यान दो। समय रहते ही ध्यान देने से लाभ होगा। समय निकल जाने के बाद बेचैनी, उजड़ा इतिहास बनकर, आत्म-निन्दक बन बैठेगी। यदि मेरी ये पंक्तियाँ तुम्हें, मेरी बढ़ी हुई उम्र का चकमा मालूम हों तो मुझे क्षमा कर देना।

आशा है प्रसन्न होंगे, श्रीमान् प्रेमचन्दजी जब मिलें, मेरा प्रमाण कहना।

तुम्हारा

मा०

[3]

कर्मवीर, खण्डवा

दिनांक 29.6.36

प्यारे हरि,

तुम्हारा नागपुर के पते पर भेजा हुआ पत्र भटकते-भटकते आखिर किनारे आ लगा। वह 24-4 का है। एक बिना तारीख का पत्र तो इससे पहले ही मिल चुका था—हिरनखेड़ा में। परिस्थितियों से झगड़ते हुए तुम न जाने क्या-क्या

सोचने लगते हो। मैं नाराज हूँ, अविश्वास करता हूँ, मैं सोचता हूँ कि तुमने मेरे साथ विश्वासघात किया है, और तुम्हीं ने मेरे इस विचार को बढ़ने दिया है आदि-आदि। भला हुआ जो ऐसा सोचते-सोचते तुम किसी पागलखाने में जाने से बच गये। मैं उदासीन तो जरूर हो गया था, यह देखकर कि तुम्हारा जीवन एक अस्थिरता में पड़ गया, और मेरी क्षीण शक्तियाँ तुम्हें उस पथ से रोक न सकीं; वे यत्न करके भी असफल हुईं। मेरी इस कमजोरी पर तो दण्डनीय मैं ही था; फिर मैं तुम्हें कैसे दोष देता? दूसरा विचार मेरा यह रहा कि बड़े शहरों की हवा और बड़ी बातों की कूद-फाँद तुम्हारे कवि का यदि प्राण न ले लेंगी, तो उसके खिलाफ ऐसे विद्रोह करेंगी कि तुम्हारा कवि, मस्तक उठाकर जीने न दिया जाय। इसी विचार से, मैं मिलने पर, तुम्हें कष्ट न हो इसलिए, खूब हँसता-बोलता था, और तुमसे ओझल होते ही रो लेता था। कभी खण्डवा आने की भूल करो, तो शायद तुम्हें इस कहानी के दोहराने वाले भी मिल जायँ। मैं एक बात और मानता रहा; मानता तो नहीं रहा, हाँ, इस बात से भयभीत जरूर रहा कि कहीं मैं तुम्हारे पथ-निश्चय में अपना मत देकर, तुम्हारे और मिलिन्दजी के सुर-दुर्लभ स्नेह-दूध में अनावश्यक और अरुचिपूर्ण कूड़ा न डाल रहा होऊँ— यद्यपि तुम सदैव ही इतने निर्मल निकले कि हर भेंट पर मेरा यह भय धोते चले गये। किसी भय से जिस तरह पहले तुम्हारे नाम पर लिखी चिट्ठियाँ तुमसे भेंट न होने के पहले नहीं डाली थीं, इधर तुम्हारे नाम पर लिखी एक-दो लम्बी-छोटी तुकबन्दियाँ भी नहीं भिजवा सका। सोचता था, कविता लिखने ही के लिए नहीं, कविता पढ़ने के लिए भी तुम्हारे पास अवकाश न होगा। मैं अगर अपराधी रहा हूँ तो इन्हीं विचारों का। और इस अपराध को तुम्हारे सामने स्वीकार करते हुए इतना सुख अनुभव करता हूँ, जैसे तुम मेरे पास आ बैठे हो।

मैं इस बात से बड़ा सुखी हूँ कि तुम छापाखाना खोलने में सफल हुए हो। नागपुर में श्री जयचन्द्रजी से यह जानकर कि उनका भाषण तुम्हारे ही प्रेस में छपा है, बहुत सुख मिला। जो अपराधी बातों से नहीं बनता, हृदय से नहीं डरता, हर शासक ऐसे अपराधी को लोहे-लंगर में बाँधता आया है। छापेखाने के लोह-बन्धनों से बाँधने में, नियति ने भी वही मूल्यवान कार्य इस समय किया है। अब, यह जानकर सुख है कि तुम्हारा कोई पता तो होगा, रहने की कोई जगह तो होगी, बाल-बच्चों के साथ रहने की कल्पना की जा सकेगी, तुम्हारी नोट-बुकें होंगी, तुम्हारी दौड़-धूप और तुम्हारी कद-फाँद की निश्चित सीमा होगी, और सबसे परे यह कि तुम्हारे पास तक कोई पहुँचकर तुम्हारे ही पास जायेगा; किसी अन्य के यहाँ पहुँचकर तुम्हारे पास गया-सा अनुभव करने के लिए बाध्य न होगा। और इस सबके ऊपर होगा यह, कि अब तुम अपने कवि को पनाह दोगे, पेट-भर रोटी मिलने के बाद तो लोग अपने पालतू जानवरों तक की ओर तक ध्यान देते हैं तिस

पर तुम; तुम अब अपने कवि को युग की जरूरत पर दिवाला काढ़ता-सा, और युग की माँग पर रोता-सा या गुमराह होता-सा न छोड़ दोगे। यदि मैं तुम्हारे निकट अधिक दिनों तक रह सकता, जो मेरी परिमितताओं के कारण शायद सम्भव न था—तो 'आँखों में' की भूमिका में लिखे मिलिन्द के मनोभावों को हिन्दी जगत् के सामने, अपने सम्पूर्ण वैभव के साथ उतरते हुए देख लेता, और सुखी होता कि मेरी आशावादिता मात्र नहीं, यह निष्ठुर और गर्वीला सत्य है, जो कवि का सपना चित्रकार की छाया-रेखा ऐतिहासिक का स्वर्ण-संचय और राजनीतिज्ञ की बेचैन घड़ियों की सेहत है। पर बन्दर से एक जगह स्थिर बैठने की आशा? हरि, मैंने तुम्हें धोखा नहीं दिया, मैं तुम्हारी खुशामद भी नहीं करता—मेरा स्पष्ट मत है कि यदि तुम अपने सपनों के खिलवाड़ के धागों को पकड़े आगे बढ़ते चले जा सको, तो तुम्हारा हृदय युग का आराधना-मन्दिर ही और तुम्हारी वाणी, मीरा और उस जैसों की-सी अमरवाणी हो। तुमने मुझे इस पत्र में भी अपने कवि की याद दिलाई है; किन्तु हरि, मैंने यदि किसी के न दुख जाने का भय खाया है तो उसी के; और तुमसे उदासीन रहा हूँ तो केवल उसी के प्रति अन्याय करने के कारण।

अस्तु! मैं न जाने क्या-क्या लिख गया। यदि कोई रूठने की बात मैं इन पंक्तियों में लिख गया होऊँ तो मुझे आशा है, तुम मुझसे रूठोगे नहीं। मेरी इन लम्बे दिनों की उदासीनता तुम बर्दाश्त करते रहे हो। आशा है, इस चिट्ठी को भी सह जाओगे।

मैं लाहौर आऊँ? कितना लम्बा प्रवास। फिर वहाँ आकर तुम्हें कौन-सा निहाल कर चुका हूँ, और तुम्हें कौन-सा निहाल कर दूँगा। क्या तुम भी इस ओर नहीं आओगे?

तुम्हारे पिछले पत्र में, तुमने जिन कोमल भावों को छू दिया है, उन्हें गोद में रखकर, हरि, तुम्हें श्रद्धा में, प्रेम में, और हाँ झिड़की में भी—अपनापन।

तुम्हारा

मा०

क्या तुम तुलसी-उत्सव पर आ सकोगे? एक कविता तो पहले ही अवश्य भेज दो।

वही—

मा०

[4]

12.1.42

प्यारे हरि,

मैं सकुशल खण्डवा पहुँच गया, किन्तु दूसरे ही दिन मुझे ज्वर हो आया।

वह एन्फ्लुएंजा । आज ज्वर नहीं है, कुछ पथ्य भी मैंने किया है ।

लाहौर में मैं तुमसे बातें न कर सका। सो अब जब तुम इधर आवोगे, तब तक के लिए समय टल गया। यों अबोहर में भी तुम बहोत व्यस्त रहे ।

तुम्हारी साहित्यिक ख्याति पंजाब में आज भी खूब अच्छी है। और पंजाब में तुम्हारे लिए खूब श्रद्धा भी है। रही बराबरी वाले मित्रों की राय, सो मेरा विश्वास है कि एक तो हर जगह थोड़ी बेरुखी-सी बिना कारण भी पैदा हो जाया करती है। और यही कुछ कारण हों तो वे प्रायः सब ओर से होते हैं। तो भी तुम्हें सन्तोष मानना नहीं है। प्रयत्न होना चाहिए कि पंजाब के हृदय में घुल-मिल जाओ। और वहाँ की तरुण पीढ़ी और बड़ी दोनों के बीच अपने आपको सज्जनता से रखो। मैंने कभी उपदेश नहीं दिये अतः इसे भी आशा है, उपदेश न समझोगे।

मैं चाहता हूँ कि ऐसा प्रबन्ध हो, जिससे प्रेम की माताजी सुखी रह सकें। उनका सम्पूर्ण अधिकार होना चाहिए कि वे अपने बच्चों समेत सुखी रह सकें, और अब तुम भावुकता के सस्ते सौदागरों से दूर रहकर, ऐसा कुछ कर सको, जिससे कि महान् वैभव नहीं तो कम-से-कम वह आनन्द तो बच्चे पा सकें, जो औरों के बच्चे पाते हैं। आशा है तुम मेरी यह प्रार्थना मानोगे। तुम्हारा लेखन ऐसा उन्नत है कि उसके बल पर यह सपना देखना असम्भव नहीं है।

आशा है तुम प्रसन्न हो। बच्चों को भी, तुम्हें भी तुम्हारे निकट के तरुण पागलखाने को मेरा नमन कहना।

तुम्हारा

मा० ला० च०

श्री अनन्तगोपाल शेवड़े

[1]

दिसम्बर, 1932

प्यारे अन्ता जी,

शान्ति-निकेतन, काशी और प्रयाग से लौटकर कल ही आया हूँ। कल ही पत्र पढ़ा। तुम्हारा यह पत्र 16/12 का है, मैं 16/12 ही को कलकत्ता चला गया था। वहाँ डाक नहीं भेजी गयी।

पत्र पढ़कर सुख पाया। करुण जीवन भरे हुए फव्वारे के भीतरी भाग के समान है। प्रतिभा की सहस्र धाराएँ उसके मस्तिष्क में, उसकी उमंगों की सहस्र-सहस्र तरंगें उसके हृदय में खेलती रहती हैं। विश्राम पर यदि करारा परिश्रम

किया जा सके तो फिर First division में B. A. पास होना कठिन नहीं। मुझे प्रसन्नता होगी यदि मैं देखूंगा कि तुम First division में पास होकर Scholarship पाने के अपने स्वप्न में विजयी हो सके। मन को जितना भी अहिंसात्मक और रागद्वेष तक से पूर्ण खाली रखा जायगा, उतनी ही तुम्हें अपने ज्ञान पथ में, परीक्षा पास करने में विजय मिलेगी।

'बाँसदेवजी' के पढ़ने का मौसम भी तो अब आ गया है, यह फरवरी भी आ पहुँची। उनसे कहो कि जरा मूल्यवान प्राणों पर किताबों के पन्ने उलटने का बोझ गवारा करें।

तुम्हारी Social Gathering में तुमने जो सफलता प्राप्त की और भाषणादि में जो कुशलता दिखायी, वह मेरे सुख की वस्तु थी, प्यार की भी।

ज्ञान की ओर तुम्हारा ध्यान गया। मेरे गर्व का दिन होगा, जब तुम अपने विस्तृत ज्ञान और गम्भीर चिन्तन के लिए भी अपने जमाने की छाती पर लिखे जाने की चीज बनने लगोगे।

तुमने घर की बात भी खूब कही। इस झोंपड़े में कहाँ की महानता? तुम अपने ही शीलमय परिश्रमी जीवन का इस झोपड़े में प्रतिबिम्ब देखते हो और फिर अपने गुणों का इस झोंपड़े पर आरोप करते हो। तुम्हें बढ़ाते जाने वाली झोंपड़ी तुम्हारा हृदय ही है, यह मेरा गरीब-खाना नहीं। तुम्हारे प्यार का गर्व है। जी चाहता है, यह घर तुम्हारे प्यार के योग्य बना रह सके। श्रीमती ताई को प्रणाम लिखो। मैं भी उन्हें पत्र लिखूंगा।

तुम्हारा अपना
मा०

[2]

श्रीगणेश
दि कर्मवीर

खण्डवा
7.6.35

प्यारे भैय्या,

तुम्हारा पत्र मिला। पिछला पत्र भी मिल गया था। तुतलाहट छूटी न थी, कि तुम एक गोद में बेइख्यितार भेज दिये गये थे। वह गोद थी 'शिक्षण' की। सुवर्ण पर होने वाले संस्कारों की तरह तुम्हारे जीवन को भी संस्कृति और सजीवता पाने के लिए, शिक्षण के संस्कारों से गुजरना पड़ा। शिक्षण का दायरा अच्छा या बुरा, यह प्रश्न आज विचारणीय नहीं; कोई भी अपने पिता और माता के दोष-विश्लेषण का इतिहास नहीं लिखा करता। कुछ स्थानों में से गुजरते समय, स्थान

की धूलि पर नहीं, उस मार्ग के मील के पत्थरों पर ही हमारी दृष्टि अधिक होती है और हमारे पीछे आने वालों की हमारे पद-चिह्नों पर, यदि वे समय की जमीन पर काफी उछले हों। मुझे सुख है कि मेरे अनन्त की तस्वीर उसकी प्रत्येक परि-स्थिति पर उछलकर रही। मैं खूब कल्पना कर सकता हूँ कि अभी भी स्कूलों के मास्टरों की अनघड़ सूरतें और छोटे-छोटे स्कूलों के घरौंदे; खण्डवा हाईस्कूल की दीवारें, और लारी होस्टल के कमरे, तथा कालेज की बेदियाँ और उनके सम्मुख तेरी और तेरे हमजोलियों की घूमती-फिरती दुनिया, एक-एक कर तेरी नजर से गुजरती रहती होंगी। समय का अनन्त सिर अनन्त से कहेगा कि तेरा और कालेज का सम्बन्ध है, सन् 1935 का वर्ष अपने आगे कहता जायेगा, तुम पथिक थे, और कालेज वह सराय थी, जिसमें अपने अज्ञान, अपनी चुहल, अपने झगड़ों, अपनी उमंगों, अपनी कमजोरियों, अपनी कुर्बानियों, अपनी पहुँच, अपनी बेचैनी और अपनी परीक्षा की तैयारियों के साथ, तुम्हें पुनः आने का अधिकार नहीं रहा। चार माह पहले तक, एक हजार मील की दूरी से भी कालेज अपना मालूम होता था; अब बीस गज की दूरी से भी तुम पराये हो गये। इसी दूरी ने जिम्मेवारी दी है, ज्ञान दिया है, आदर्श दिया है, और न जाने क्या-क्या दिया है, परन्तु तूने, मेरे धन, कालेज से अपना सम्बन्ध तोड़ना निश्चित नहीं किया। तूने तो केवल 'दीवारें' तोड़कर अपना कालेज बड़ा बना लिया है। और पुस्तकों का कोर्स अध्ययन के लिए, यह पथ छोड़कर, अध्ययन का कोर्स जीवन, और जीवन का कोर्स बलि के लिए तय किया है। अब तो तेरा कॉलेज भी विशाल हो गया। अब तेरा विद्यार्थी-जीवन कुछ मनचलों से भिन्न हो गया, किन्तु देश और विश्व के उन्नत चिन्तकों के साथ हो गया। पहले तेरे आगे ही प्रकाश की एक पीढ़ी दीखती थी, अब तुझे स्मरण रहे कि तेरे पीछे भी एक पीढ़ी चली आ रही है। मैं क्या हूँ, जीवन की असफलता का मोहक स्वरूप हूँ; और मेरा आशीर्वाद ? वह तो मेरी अल्पज्ञताओं और परिमितताओं की ईमानदार आत्म-स्वीकृति मात्र है। तो भी किसी वृक्ष के फल कितने ही कड़वे हों, उसकी छाया तो कड़वी नहीं ही होगी। अतः फलों का खयाल छोड़कर नन्हेपन में जो छाया मिली, उसी को सब-कुछ समझकर मेरी सख्ती की सारी घड़ियों को, मेरे अभिमान, भूल जाना। छाया में भी वृक्ष की कोई विशेषता नहीं होती। सूरज की गर्मी छाया की शक्ल बना देती है, और उसका यश वृक्ष को मिल जाता है। यदि छाया वृक्ष की अपनी चीज हो, और वह सुख स्थायी हो, तो जीवन की रातों में वह सुख कहाँ चला जाता है ? और प्रभु-प्रसाद जैसी वर्षा में उस छाया को कोई दो दमड़ी के लिए भी नहीं पूछता। खैर !

पिछले जीवन में, उत्साह नायक था। जिम्मेवारी अनुगामी। अब दोनों अपना-अपना स्थान बदल लेंगे। और इन बदले हुए स्थानों में तुम सूर्य-प्रकाश जैसे

उज्ज्वल नक्षत्रों जैसे निष्पाप, समुद्री प्रकाश-स्तम्भ जैसे उन्नत-मस्तक पथ-दर्शक, गंगा जैसे पुण्य-प्रवाह और हरियाली दान करने वाले तथा समय जैसे अमर हो सको, मेरी यह साध भगवान् फलवती होने दें, यही उनसे मेरी हाथ जोड़कर विनय है।

तेरा
मा०

[3]

खण्डवा, सी०पी०
18.6.47

प्यारे अन्ताजी,

आज तुम्हारी चिट्ठी मिली। प्रसन्नता हुई। चि० ब्रज बाबू को मैं तुम्हारे पास भिजवा रहा हूँ। इस कार्य में मुझे आशा है, तुम पूरी सहायता करोगे। श्री डा० वर्मा ने तो मेरे विद्यार्थी होकर जिस स्नेह और सपूती से मेरे जीवन की रक्षा की है उनका कार्य होना, तुम्हारा मुझ पर अहसान होगा।

आशा है तुम प्रसन्न हो। चि०. सौ० यमू बेटी और उनकी बेटी को मेरे शुभाशीष।

तुम्हारा
मा० ला० चतुर्वेदी

डा० श्रीनाथसिंह

खण्डवा, सी० पी०
14.5.35

भाई ठाकुर साहब,

मैंने सरस्वती पढ़ी। आप की वह तड़प मुझे अभी तक याद है, जिसे आपने इन्दौर से चलते दिनों व्यक्त किया था। उस रचना के पश्चात् सरस्वती पढ़कर मुझे कष्ट नहीं हुआ। खैर, यदि इसके बाद सरस्वती में भी गालियाँ ही दी जायँ, तो उन्हें भी मुझे चुपचाप स्वीकृत कर लेना चाहिए, क्योंकि मैंने दो पाप किये हैं, एक तो साहित्यिक होने का, दूसरा गालियों पर चुप रहने का।

आशा है, आप प्रसन्न होंगे।

आपका अपना
मा० ला० चतुर्वेदी

श्रीयुक्त ठाकुर श्री नाथसिंहजी
सरस्वती-सम्पादक, इलाहाबाद

श्री नायक

दि कर्मवीर

खण्डवा

(वर्ष सम्भवत: 1936)

श्री नायकजी,

कल मैंने आपके स्थानीय पत्र 'भारत-विजय' में आपका प्रतिवाद पढ़ा। प्रतिवाद इतनी दबी जबान से लिखा गया है कि वह एक प्रकार की Apology हो गया है। तिस पर उस प्रतिवाद के नीचे लगे हुए पत्र के (सम्पादक के) नोट से ऐसा भ्रम होता है कि मुझे गालियाँ देने के कार्य को अभी और जारी रखने के लिए ऐसा प्रतिवाद उस लेख के लेखक के लिए जरूरी था, जिसने 'भारत-विजय' के वे पिछले लेख मेरे विपरीत लिखे हैं।

यों मैं देखता हूँ कि उस सभा में कुछ घटनाएँ सरकारी अधिकारियों से सम्बन्ध रखने वाली भी घटी थीं। परन्तु उन लेखों के लेखक ने सरकारी अधिकारियों से कड़ी बात कहने में अपनी राष्ट्रीयता नहीं दिखाई। उसे मेरे ही भाषण में दोष दीखे।

मेरा मत अभी भी स्पष्ट है। मैं त्याग, तपस्या, बलिदान की कद्र करता हूँ और उनकी विजय को अपनी और कांग्रेस की विजय मानता हूँ। मैं गरीब-से-गरीब व्यक्ति का समर्थक हूँ। परन्तु यदि मैं देखूँ कि कांग्रेस का अमुक उम्मीदवार अपने प्रयत्नों में असफल हो जायगा, तो मैं कांग्रेस की हार की ओर से आँखें नहीं मूँदूँगा। मैं ऐसे कांग्रेसवादी को ढूँढूँगा, जो कांग्रेस के प्रति पक्का रहे, कांग्रेस का विश्वास-घाती साबित न हो, और विजयी हो सके।

एक लाख लेख लिखने के बाद भी मैं कांग्रेस को हानि पहुँचाने वाली कोई बात मानने के लिए तैयार नहीं हूँ। मुझे यह देखकर अचम्भा हुआ कि 'भारत-विजय' के सम्पादक तो त्याग, तपस्या और बलिदान के समर्थक और गरीब कांग्रेस-वादियों के हितू हो गये, और मैं जीवन के सम्पूर्ण प्रयत्नों के बाद उनकी नजर में कांग्रेस, त्यागियों और गरीबों का दुश्मन हो गया। और अपने ही शब्दों को मेरे मुँह का बताकर, झूठा प्रचार भी किया जाने लगा। यद्यपि मैंने उसी सभा में यह भी कहा था कि हरदा के विषय में तो कोई चिन्ता नहीं, क्योंकि यहाँ तो बेनीमाधोजी हैं, दादा भाई हैं, ठाकुर साहब हैं, हमें तो इस विषय में सम्पूर्ण प्रान्त के दृष्टिकोण से विचार करना है।

रही भाषण की बात, सो पिछले 20 वर्षों में तो, मेरे भाषण को ठंडा और

---

1. माखनलालजी मध्यप्रदेश कांग्रेस के पार्लियामेंटरी बोर्ड के अध्यक्ष थे।

मेरे जीवन को गरीबों के खिलाफ कोई नहीं कह सका है। अभी कौंसिल चुनाइयाँ आ रही हैं, और मैं चाहूँगा कि वे लोग जिनका उनके लेखों के लिखने में हाथ है, कांग्रेस के प्रति ईमानदार रहें, और त्याग तथा तपस्यावादी लोगों का साथ दें, तथा स्वयं भी त्याग और तपस्या में आगे बढ़ें। मैं यदि नहीं भूलता हूँ, तो इसी पत्र में म्यु० सि०[1] मामलों में उसके सभापति बेनीमाधोजी पर आक्रमण किये गये थे। क्या उस दिन बेनीमाधोजी त्यागी नहीं रह गये थे? और पिछली कांग्रेस चुनाव में श्री सैयद अहमद, पं० शम्भूदयाल मिश्र और श्री बेनीमाधो अवस्थी में से किसी का, प्रान्तीय चुनाई में आ सकना क्या उनकी त्याग और तपस्याओं का गौरव करना कहा जायेगा या फिर मि० नायक, जिनकी प्रेरणा से वे लेख लिखे मालूम होते हैं, का त्याग, सब लोगों के त्याग से ऊँचा बढ़ गया है और बाकी सबका त्याग दो कौड़ी का है? मैंने जब सभा में स्पष्ट कह दिया था कि हरदा के विषय में हम विचार नहीं कर रहे, क्योंकि यहाँ तो बेनीमाधोजी हैं, श्री दादा भाई हैं, श्री ठाकुर साहब हैं, तब कौन-सा कारण है कि त्याग और कांग्रेसवादिता के नाम पर कांग्रेसी व्यक्ति पर ही कीचड़ उछालने का यह प्रोद्योग किया गया? क्या ऐसा करने से कौंसिल में जाने के उस आदमी के 'चांस' बढ़ गये, जो कांग्रेस के नाम पर हमें गालियाँ देकर और श्री बेनीमाधोजी और श्री शम्भूदयालजा जैसे व्यक्तियों को प्रान्तीय[2] कां० क० से हटाकर, कौंसिल में जाना चाहता है? मि० नायक, इस तरह चांस नहीं बढ़ा करते। मि० नायक, आप मि० नवले और श्री आगरकर तीनों महाराष्ट्रीय भाइयों का मिलकर रूठना इस विषय में शोभा नहीं देता। यदि आप इस विषय में सहायक न हो सकें, तो कम-से-कम गालियाँ तो न दें।

मेरा यह पत्र निजी है। और यह मैं केवल आपको लिख रहा हूँ। इसके बाद अगर आपका पत्र 'भारत-विजय' मुझे गालियाँ देना चाहता है तो वह खुशी से दे। मुझे चिन्ता नहीं।

आपका,

सही/मा० ला० चतुर्वेदी

श्री दादाभाई नायक

हरदा

1. म्यूर्नासपिल

2. कांग्रेस कमेटी

डॉ० प्रभाकर माचवे

[1]

खण्डवा
8.6.36

श्री प्रिय प्रभाकर,

परसों रात को मैं बाहर से आया। चिट्ठी तो बाहर जाने के पहले ही मिल गयी थी, परन्तु उत्तर नहीं दे पाया था। और आखिर तुम्हारे पागलपन का जवाब क्या हो ? सूझ के घोड़े पर बैठे, कि बढ़ते ही चले। आसपास की सारी परिस्थिति पर इल्जाम ही इल्जाम लगा डाले। अस्तु, तुम्हारे इन शब्दों को स्नेह का दावा नहीं, उसकी उद्दण्डता क्यों न मान ली जाय, क्योंकि तुम्हारी निर्मलता, सरलता और सूझ तीनों सन्देह और क्षुद्रता से सर्वथा अछूती वस्तु हैं। पूरे पत्र के जवाब में तो जाने कितना लिखना पड़े। अत: उचित यही है कि ईडियाटिक एक्सेलेंसी यहाँ पधार जाय। खैर, रूठे पागल, यहाँ आ जाओ। छुट्टी खतम ही हुई जा रही है। और आपका डेरा काली सिन्ध में ही जमा हुआ है। भाई साहब से हमारा नमन कहो। पत्र का उत्तर तुरन्त दो।

तुम्हारा,
मा०

[2]

'कर्मवीर', खण्डवा (सी० पी०)
30.8.46

भाई माचवेजी,

सप्रेम नमन।

कृपा-पत्र मिला। कृतज्ञ हूँ। यदि मैं आपके बुलावे पर उज्जैन आता हूँ तो कितना सुखी होऊँ ? कब से मैं उज्जैन नहीं गया। सन् 1940 में गया था एक-दो दिनों को। अब तो इन्दौर तक भी नहीं जा पाता, चाहता बहुत हूँ।

आपकी रचनाओं, कृतियों और आत्म-प्रकटीकरण के कलात्मक रूपों में आपको देखना चाहता हूँ। और बने तो उसी 'माचवे' का 'कहना' मानता रहता हूँ। वक्तृता का लालच मुझ में कभी था, मुझे नहीं मालूम। आज भी नहीं दिखाई देता, यह मैं अत्यन्त स्नेह से आपसे कह सकता हूँ। तो भी एक बार आपके यहाँ तो आना ही है आपके घर। देखें, प्रभु कब, अवसर देते हैं।

अपने विद्यार्थियों को आप समझा लें। वे मेरे लिए जिद न करें। मैं उनके कृपा-पत्र का कृतज्ञ हूँ। प्रभु करे, उनका उत्सव सफल हो और वे अपने भविष्य

जीवन में खूब यशस्वी हों।

करबद्ध

पुनश्च :

श्रीमती सौ० माचवे तथा उनके बच्चों को मेरा शुभाशीष पहुँचा दें।

अगर आपके प्रिंसिपल श्रीमन दिवेकरजी हों तो उन्हें मेरा सादर नमन पहुँचा दें।

विनम्र

प्रो० प्रभाकरजी माचवे, एम० ए०,
माधव कालेज, उज्जैन, सी० आई०

श्री दीपचन्द गोठी

खण्डवा,
ता० 6.5.37

भाई दीपचन्दजी, सस्नेह वन्दे।

मामाजी के पास मैंने वर-वधू के फोटो के लिए लिखा है। रुपया भिजवा दीजिये। आशा है आप प्रसन्न होंगे। श्री सेठ जेठमलजी खूब हिम्मत कर गये।

आप अपना भी एक फोटो अलग भेज दीजिये। कर्मवीर के एक कालम में आ सकने वाली छोटी साइज का बनवा लें तो अधिक समय यानी बार-बार काम में आ सके।

भाई श्री मिश्रीलालजी तथा भाइयों से नमन कहिये। चि० वृद्धिचन्द्र तथा बच्चों को प्यार। आप अपने भाषण की वह प्रति भेज दीजिये जिसे विवाह में आपने दिया था।

मेरा स्वास्थ्य अब अच्छा है। देहली में जो पड़ा सो 26 अप्रैल को उठा।

बैतूल के समाचारों को भिजवाने का उचित प्रबन्ध कर दीजिये। समाचारों की जो कापियाँ हितवाद या अन्य पत्रों को अंग्रेजी में जाती हैं, उन्हीं की एक प्रति यहाँ भिजवा देना तो कठिन भी न जायेगा।

आपका अपना,
मा० ला० चतुर्वेदी

श्री दीपचन्दजी गोठी
बैतूल

श्री नेमीचन्द जैन

खण्डवा (सी० पी०)
7.7.37

चि० प्यारे नेमीजी,

आपका पिछला पत्र मिल गया था। मैंने लगभग 10-11 पृष्ठ का उसका उत्तर उसी दिन लिखा था। पत्र लम्बा था, मनोभावों का आत्म-प्रकटीकरण भी कुछ उसमें था। वह पत्र ऐसा गुमा कि ध्यान नहीं रहा। यदि वह मिल गया तो बिना तारीख बदले और बिना तारीख का खयाल किये, यदि आपकी इच्छा हो तो आपके पास भिजवा दूंगा। यह पत्र भी आज प्रातः मिला।

मेरा स्वास्थ्य पिछले छह महीने से अच्छा नहीं रहा। अब तो सुधरता जाता है, और चिन्ता के लिए जरा भी गम्भीर कारण नहीं दिखायी देता।

आपका मौन बहुत लम्बा रहा, इतने लम्बे मौन की तो आशा नहीं थी। यह बहुत अच्छा हुआ कि आप एफ० ए० पास हो गये। प्रयाग पहुँचते ही आप अपना पता दें।

आपने जो-जो लिखकर रखा है, उसे निःसंकोच भिजवा दें। आपने यह नहीं लिखा कि 'कर्मवीर' आपके पास पहुँचने लगा कि नहीं। मैंने आफिस में पूछा, मालूम हुआ कि जा रहा है।

कला, जीवन की बखेर बेकाबू हुआ करती है। फिर तुम यह कैसे कह सकते हो कि तुम लिखने में सुस्त हो। मेरी यह इच्छा है कि तुम्हारे जीवन का यह प्रतिभा-ज्वार इतना क्षण-स्थिर न हो, जो जवानी के बेताल जीवन के साथ जीवित रहे और उसी के उतार के साथ उतर जाय। प्रतिभा और साँस का सम्बन्ध होना चाहिए। मैं तो एक कदम आगे बढ़ने की बात कहूँगा। प्रतिभा, जीवन और जवानी—इन तीनों के नाम भिन्न-भिन्न भले हों, किन्तु इनका अस्तित्व एक होना चाहिए। क्या उड़ती चिड़िया, बोलती टिटिहरी, रँभातीं गायें और कूदते बछड़े तुम्हारे जी को नहीं गुदगुदाते? क्या बरुआ सागर में गायें नहीं दुही जातीं? क्या दुही जाने वाली मटकियों में, स्तनों का इन्द्र बरसते समय, गर्र-गर्र की मधुर ध्वनि नहीं करता? क्या गाय लगाने वाली बूढ़ी या तरुणी या बालिका के हाथों की चूड़ियों की धीमी ध्वनि, दूध दुहते समय, खनक-खनक कर के नहीं निकलती? क्या उसी समय उसे धीमी-सी हौले-हौले, गवास या गुन-गुनास नहीं लग आती? क्या उस समय, उषा के आनन्द का दिवाला पीट कर प्रकाश नहीं हँसता होता? क्या उसी आनन्द का सन्देश ले कर गाय के दूध के आसपास वह मन्द समीरण नहीं बोलता, नहीं डोलता? और कला, क्या तुम्हारा मन तुमसे नहीं पूछता कि दूध में मिठास कौन घोल रहा है? चूड़ियों की खनक से या गुन-

गुनाहट की धुन से या वायु की छेड़-छाड़ से—कहाँ से दूध में मीठापन आ रहा है ? और अब जब तक हर वस्तु, व्यक्ति और स्थान तुमसे अपनी कहता और तुम्हारी सुनता है, तब तक मुझे मालूम ही नहीं होता कि तुम्हें सुस्ती कैसे आती है। गरीब की टिमटिमदानी में जलाये जाने वाले तेल की तरह, प्रतिभा के लिए सुस्ती बहुत सस्ती चीज भी तो नहीं होगी। सुस्ती, अभाव के अभाव, और भाव के भी अभाव को कहते हैं—ऐसा तुम लोगों से भय होता है। देखो भाई, यदि तुमने अभाव खो दिया तो सब-कुछ खो दिया। जीवन का प्रतिभा-दीप, नदी-दीप की तरह अखण्ड जगमगाने वाले, उसमें आपदाओं और वेदनाओं का तेल खरीद कर पूरा करते हैं। और प्यारा मेहमान तो वही होता है जिसे हम बार-बार बुलावें। अनाहूत आगत को अभ्यागत लोग भले कहें, किन्तु उससे निर्माण की आशा कम की जाती है। अतः अभाव की जरा सुध-सम्हाल कर न्यौता भेजो—प्रतिभा गर्भवती हो उठेगी, मौलिकता गृहस्थिनी हो उठेगी, तारुण्य बेदाग हो उठेगा, अमरत्व सम्भावना के घोड़े पर बैठा इस ओर आ रहा होगा।

मगर तुम कॉलेज के जवान ठहरे। तुम डेढ़ बरस तक मौन रह सकने वाले नटखट ठहरे। तुम लोगों के साथ, स्नेह की स्वाभाविक सतह से, लिखने-पढ़ने की बीमारी पालना ठीक नहीं। मरजी, मनुहार और माँगते-माँगते यदि किसी दिन मस्तक माँग बैठूं, तो कदाचित् तुम्हें लगे कि मैं अपने परिचय का दुरुपयोग कर बैठा। प्रलय में गुँथी हुई प्रतिभा युग का वरदान है। आखिर तुम खण्डवा कभी न आये। क्या भविष्य में आने की आशा है ? अपने पिताजी से हमारा नमन कहो। पत्र दो।

तुम्हारा,
मा० ला० च०

श्री नेमीचन्द जैन, दिल्ली

श्री व्यौहार राजेन्द्रसिंह

[1]

दिनांक 18.7.39

श्रीमान् व्यौहार जी,

आशा है आप सकुशल जबलपुर पहुँचे होंगे। मेरी बीमारी को लगातार सात महीने हो गये। इसमें कुछ मीठे, और कुछ बहुत ही कड़वे अनुभव हुए। कुछ तो शायद महज मतभेद के कारण, ऐसे मित्र निकले जो ऐसे उदासीन दीखे, मानो वे मेरे मृत्यु-समाचार की प्रतीक्षा कर रहे हों। ये, मेरे वे मित्र हैं जिनकी प्रभुता का

जूआ ढोने में मैंने अपने कन्धे काले कर लिये। केवल एक ही गुनाह, मैं इन मित्रों की नजर में करता रहा, वह था—अत्यन्त समर्थन में भी जरा स्वयं-चेता रहने का। और वे स्वतन्त्रता के उपासक इसी बात को स्वीकार न कर सके। अस्तु !

मालूम होता है, आप भी जबलपुर जाकर भूल गये। क्या यही बात है ? लिखिये। मैं जिन कष्टों में से गुजर रहा हूँ और इस लम्बी बीमारी में जो तकलीफें उठा रहा हूँ उनके प्रति आप को तो उदासीन नहीं होना चाहिए। इस पत्र को जरूरी लिखना भी बेकार मालूम होता है। कृपया शीघ्र ही उत्तर दीजिये। और हो सके तो सुध लीजिये। हाँ, मुझे स्वतंत्र-चेता बना रहने देते हुए, सुध ले सकें तो लीजिये।

आपका दुःखभोगी

सही / मा० ला० चतुर्वेदी

व्यौहार राजेन्द्रसिंह
जबलपुर

[2]

श्री

कर्मवीर, खण्डवा

दिनांक 10.4.63

श्रीमान्, सादर प्रणाम।

आपका कृपा-पत्र मिला। धन्यवाद।···आपके इस कृपा-पत्र के लिए अत्यन्त आभारी हूँ। दुःख तो यह है कि आपको पिछले दो महीने के लगभग पटना अस्पताल में काटने पड़े। कृपया लिखिये अब स्वास्थ्य का हाल कैसा है—या किसी से लिखवा दीजिये। आप लिखने की जिद न कीजिये। मुझे केवल आपके समाचार मिलते रहने चाहिए। आशा है हीरा साहब तथा लाल साहब उचित उपचार में जुटे होंगे।

विनत

सही/माखनलाल चतुर्वेदी

प्रति/श्री व्यौहार राजेन्द्रसिंह
साठिया कुआ, जबलपुर, म० प्र०

श्री रतनलाल गुप्ता

[1]

1.42 रात

अब 21 7.39

प्यारे रतनजी,

चिट्ठी मिली। उम्र के बोझ की कठिनाइयों में जब मैं अपने से ही दूर होता मालूम होता हूँ, तब कैसे कहूँ कि मैं तुम्हारे पास हूँ। बन्दर की तरह, मुझे वस्तु को हर तरफ से छू देने की आदत है। उस स्पर्श पर स्नेह या श्रेष्ठता का आरोप होते देख, जरा वैसा सा ही मालूम होता है। आज की तुम्हारी चिट्ठी ने आकर कुछ अच्छा तो नहीं किया। पत्र कल आया था। मैं घूमने जा रहा था। मार्ग में मिला। चश्मा था नहीं। चला गया। लौटने पर याद ही नहीं आयी। अब, जब रात के बारह बजकर चवालीस मिनिट हुए हैं, मेरा मानो कोई सपना जाग उठा। जब पत्र की याद आयी। मैं उठा और कोट की जेब में से पत्र निकाला। पढ़ा। और न जाने कब की सोयी याद, न जाने कौन-सा मोह लेकर जाग उठी।

भैय्या, मानवता के प्रति मैं सीमा-रहित उदासीनता रखना चाहता हूँ। किन्तु तुम्हारा पत्र तो आकर स्वर-भंग किये बिना न माना। दर्शन का रंग प्रदर्शन में आ सकता तो जरूर मैं तुम्हें कुछ लिख देता। किन्तु भावना-लोक में तो टिकिट-लगे लिफाफे नहीं चलते। क्या करूँ ?

जीवन की और समय की आवश्यकताएँ ही मानव-मानव को दूर करती हों, सो बात नहीं। मानव दूरी में सुरक्षा और स्वरक्षा का सपना देखा करता है। इसीलिए स्नेह-समर्पण से और उपक्रम-उन्मेष से दूर-दूर सा होता जाता है। स्नेह में भी स्नेह दूर और उसकी ज्योति कहीं दूर होती थी। किन्तु अब तो बिजली हो गयी जहाँ बिना स्नेह के, खालिस जलन, खालिस रगड़ चमकने लगी। लोग स्नेह नहीं, उसका परिणाम, उसकी जलन, उसकी होली का ही प्रकाश चाहते थे, अतः बिजली की बत्तियों के प्रकाश में अभाव को ही भूल गये। और वे घड़ियाँ कितनी कठिन होती हैं रतन, जब मुझ में अन्तःकरण न हो, और उससे भी कठिन यह कि मुझे यह भान भी न रहे कि मुझ में अन्तःकरण नहीं है ! पानी जैसा जीवन, रंग से रंगीन होता है। परन्तु जिनके आँखें हैं, उन्हें यह जानना चाहिए कि वह रंग तो पानी पर आरोप मात्र है। लोगों ने लिखा कि कृष्ण ने अपने पैर का अँगूठा अपने मुँह में ले लिया था। एक ही कथन में कितनी बड़ी कविता ? और एक ही कविता में कितना बड़ा रहस्य ! बुद्धि की 'जीभ' और 'मन की' 'वाणी' में, जिस दिन पैर का अँगूठा मुँह में लेने जैसा बचपन और वैसा ही भोलापन आवे तो, किसकी कहन की वाचा न फूट उठे ? बिना साहस की सूझ कायरता, और बिना सूझ का

साहस, क्रूरता बनने से रोकें, तो उन्हीं निर्मल हृदयों के पास, जो आँखों से बोला करते हैं और अंगुलियों के पोरों के कानों से, रंग-रंग की 'हेला' सुनकर उसकी अवहेलना नहीं करते।

(अपूर्ण)

[2]

खण्डवा, सी० पी०
ता० 17.5.40

प्यारे रतन जी,

यों भी कोई रूठा करता है ? मैं डरता रहा कि तुम्हारी परीक्षा निबटने तक मैं पत्र लिखकर तुम्हारा समय खराब न करूँ ! और तुम मेरी चिट्ठी से इतने रूठे कि जवाब ही नहीं दिया। देखो, यह तो ठीक नहीं। उत्तर दो। तुम जीवन में चाहे जो पथ लो — अपना सुख, अपनी सुविधा या अपनी जरूरत समझकर। किन्तु मुझ पर व्यक्त न करने की नादानी न करो। मैं सिंहासन पर और यम-यातना में सब जगह साथ रहना चाहता हूँ, यदि तुम विश्वास करो और दूर न होओ। वस्तुओं में प्रभु के अस्तित्व का कारण छुपकर बैठना है, किन्तु वह तुम्हारी तरह वस्तु से उदासीन तो नहीं हो जाता। एक डोरा-सा तो बँधा रहता है जिस पर इरादों समेत अस्तित्व झूलता रहता है। कृष्ण के जेल में और ईसा के अस्त-बल में पैदा होने की कहानी जब से मालूम हुई, तब से किसी भी महानता के आने के लिए कोई महान् पृष्ठ-भूमिका चाहिए—यह विश्वास ही मेरा चला गया। मैं सोचने लगा कि महानता कभी काँटों पर, फूलों से भी सुन्दर लिखी मिलती है। काली जमीन पर हरे पौधे, रंगीन फूल, स्वादीले फलों ने, कितनी ही बार अमर कालिमा में प्रभु, प्रणय, और परम तत्त्व ढूँढ़ने के लिए प्रेरित किया। जब हृदय में से कोई पुकार उठता है, तब उसका स्वर घन-गर्जन से भी तेजस्वी होता है। मैंने मुसकुराहट से दुर्भाग्य और आँसुओं और उसाँसों और कठोर श्रम से सौभाग्य लिखते हुए, विधाता या विधान की अंगुलियों को देखा है। जरूरतमन्द में मुझे कृष्ण दीखता है, और दलित में श्री राधा के दर्शन होते हैं। प्रणय, प्राण और प्रलय के ही दो पहलू मुझे सुख देते रहते हैं। रतन, क्या तुम अब पत्र ही न लिखोगे ? देखो जी, लिखना होगा, लिखो। क्या खण्डवा न आओगे ? एक महीने के लिए आओ, यदि आ सको तुम्हें और तुम्हारी मर्जी को—दोनों को भय से या भ्रम से सताया न जायेगा। लिखो, आओगे !

तुम्हारा
मा०

चि० रामबिल्लौरे का प्रणाम लो।

[3]

प्यारे रतन जी,

सवात्सल्य नमन।

ता० 17.5.40 को मैंने एक पत्र आपके नाम लिखा था, मेरे हस्तलिखित कागजों में उसकी एक फटी-टूटी-सी प्रति मिली है। यदि वह पत्र आपके पास न पहुँचा हो तो उसे आपके पास इस पत्र के साथ भिजवा रहा हूँ। यदि पहले पहुँच गया हो और आपने पढ़ लिया हो तो इसे फाड़ फेंकिये। यों ऐसे पत्र का कोई मूल्य नहीं है। केवल एक समय विशेष का लिखा हुआ है।

आपका अपना

सही/मा०

[4]

ता० 10.1.42

प्यारे रतन जी,

मैं बीमार होकर ता० 13 जनवरी के बजाय ता० 6 की रात को ही लाहौर से खण्डवा आ गया। ता० 5 की 10 बजे रात को भोपाल से पंजाब मेल से गुजरा था। प्लेटफार्म पर उतरा था, घूमकर देखा था, कोई मिला नहीं। देहली में तार देना चाहा था, किन्तु तार वालों ने कहा कि तार 24 घण्टे से अधिक देरी में पहुँचेगा। ता० 4 को 8.30 बजे लाहौर में बैठा और देहली, मथुरा, आगरा, ग्वालियर, भोपाल सबको छोड़ता हुआ सीधा घर आ पहुँचा। जीवन में इतनी लम्बी यात्रा की जोखिम पहली बार ली। स्टेशन पर खण्डवा में उतरते ही चक्कर आ गया। बड़े कष्ट से घर पहुँचा। अस्तु!

भीड़-भाड़ में मैं मिश्रजी की सुध लेना भूल ही गया। लिखो, उनकी तबीयत कैसी है और श्री सुन्दरलाल जी कैसे हैं? मेरा बोझ लेकर ये ही दो सज्जन पहाड़ पर चढ़े थे, मैं ही उनके कष्ट का कारण बना था।

और तुम खुद जनाब! क्या हाल है? सम्राज्ञी आ गयी? या 'उलूकिस्तान' अभी भी अन्धकारमय है? और छोटे बच्चे-बच्ची सबको चुम्बन। आज मैंने दाल का पानी पिया है। शायद बरेली जाते समय भोपाल पर से गुजरने की सूचना दे सकूँ। श्रीराम महाशय की तबीयत कैसी है? उनसे कुछ लिखने का कहो। 'आगामी कल' छपी भी देख ली, सुन तो वहीं ली थी।

ऐसा मालूम होता है, जैसे बहोत-कुछ वह भूल रहा हूँ, जो याद आना चाहता है।

मेरी यात्रा? वह एक लम्बी कहानी है। तुम साथ होते तो बहोत खुश

होते। शायद थक भी जाते।

श्रीराम के पिताजी से मेरा नमन कहना। और उन बच्चियों से कहना कि उनकी कहानियाँ उन्होंने नहीं भेजीं, सो भेज दें।

श्रीराम जी के छोटे भाई से कहना, वे कभी मुझसे मिलें। इटारसी में, खण्डवा में, या इन्दौर में—जब कभी मिल सकें। तुम्हारा पिछला पत्र 1.12.41 का है। रतन, एक बात उस पर कहूँ ? मैं भोपाल जाकर भी तेरे दुख को कम करने जैसा कुछ न कर पाया। प्रयाग के और मेरे दोनों के प्रति अपने हृदय को बनाये रखने में, जहाँ तक मुझसे होगा, मैं कष्ट न दूँगा। किन्तु मुझे थोड़ा और आगे बढ़ना चाहिए। मैं अपनी ओर से, प्रभु के चरणों पर मस्तक रखते हुए, अपने बोझ से तुझे मुक्त करता हूँ। जिससे श्री प्रभाग के प्रति तू खूब कर्त्तव्य-पालन कर सके। मैं इस बात की जाँच नहीं रखूँगा कि तू मेरे प्रति पूर्ववत् या वैसे ही है या नहीं। इस बात के पालन में, जरूरत हुई तो मैं भोपाल आकर तेरे निमित्त वातावरण का उपयोग न करूँगा। हाँ, प्रभाग को कष्ट न हो, इस बात का मैं स्मरण रखता रहूँ, यह बल प्रभु दें। अब भोपाल के मधुर स्वप्नों और कोमल भावों से, तेरे स्वभाव का स्वरभंग, तथा तेरे स्नेह का यतिभंग अभीष्ट दिशा में न होने देने के लिए, मुझे क्षमा कर कि मैं बिदा ले लूँ। तेरे पत्र की इच्छा-पूर्ति में और क्या कर सकूँगा, सोचता रहूँगा। तुझे पाकर शीघ्र बिदा देनी होगी, यह सोचा न था।

भोपाल के मित्रों से निर्मल सौन्दर्य के लिए, उन्हें कृतज्ञता पहुँचाना। उनकी रूह, उनकी आत्मा, उनका ज्वार तू ही है। मेरे योग्य काम बदस्तूर लिखते रहने में तुम सदैव स्वतन्त्र रहोगे।

तुम्हारा सदैव

मा० ला० च०

[5]

कर्मवीर, खण्डवा

28.12.42

प्यारे रतन,

तुम जीते और मैं हारा, मैं सब सह लूँगा जो तुम चाहोगे। तुम सुखी रहो। अपना स्वास्थ्य अच्छा रखो।

मैं इन्दौर शायद ही जा सकूँ। क्योंकि इस बीच तबियत अच्छी नहीं रही।

छोटे बच्चों को स्नेह। बच्चों की माँ को शुभाशीष-पूर्ण नमन।

भोपाल के मित्रों का स्मरण मुझे खूब है। इन्दौर से हो सके तो इधर होकर लौटना।

तुम्हारा,

माखनलाल चतुर्वेदी

[6]

कर्मवीर, खण्डवा (सी० पी०)
25.3.43

प्यारे रतन,

तुम्हारा कार्ड मिला। खण्डवा आने की बात पर तुमने ठीक लिखा कि 'समझ लीजिये', सो मैंने समझ लिया। और मुझे भोपाल 'बुलाने या भोपाल न रुकने पर तुम्हारे नाराज होने के दावे का मूल्य भी समझ लेने में' आ गया। खैर नये शरीफ जो जन्म लेकर आये हैं, उनकी यह शरारत कि आते ही उन्होंने तुम्हारा मेरे पास आना रोक दिया। तुम्हारी हर 'मिहनत' का परिणाम कुछ ऐसा ही रहता है। लिखो, बच्चे की माँ का बुखार अब कैसा है ? रतन, अच्छा होता यदि तुम लड़की होते। जरा-सा संकट आया नहीं कि सबसे पहले तुम्हारा अपनापन पलायनशील होने लगता है। बच्चों की माँ का यह स्वभाव हो तो तुम उनकी मदद करो। तुम्हारे इस स्वभाव पर तुम्हारे लिए कोई चाहिए। बड़ी आफत है। अरे शरीफ, संकटों की यह प्रतिभाहीन कहानी हर घर में फी सदी के अंकों के थोड़े अन्तर से दुहराई जा रही है। उससे घबड़ाना कैसा। तुम्हारी तकलीफें अल्लाहताला ने कुछ खास कारखाने में नहीं बनाईं। वे तो बड़े पैमाने के कारखाने की तरह ढलती हैं और जरूरतमन्दों को पार्सल करके भेजी जाती हैं। कुछ लोग कहते हैं, तकलीफें हमारे माप की नहीं हैं, अतः वह तकलीफ ही नहीं है; दूसरे शरीफ वे होते हैं जो औरों के मापों की तकलीफों की सब टोपियाँ अपने ही माप की कहकर उन टोपियों की दूकान खोलकर बैठ जाते हैं और फिर उनकी आँखें दी थी खुदा ने आँख सोनासूर बन जाती है। बच्चों के बाप न हो गये होते, तो एक चाँटा आपको रसीद किया जाता कि बस, सारा कराहना भूल जाते। खैर, यह काम अभी तो जब तक तुम नहीं आते, मुलतवी रखना पड़ेगा।

तुम्हारा,
मा० ला० चतुर्वेदी

श्रीयुत रतनलाल जी गुप्त
हिन्दुस्तान स्टोर्स, भोपाल

[7]

कर्मवीर, खण्डवा (सी० पी०)
30.4.48

प्यारे रतन जी.

सप्रेम नमन।

आपका पत्र पाकर बहुत सुख पाया। इसलिए कि अभी भी पेराटाइफाइड से

उठने के बाद कमजोर हूँ। मैं पत्र का जवाब न दे सका। यह जानकर और भी प्रसन्न हूँ कि आप 'नई राह' निकाल रहे हैं। चि० अज्ञय जी से मैंने जो-जो कहा है उसमें से जो इच्छा होती आप 'नई राह' के लिए चुन लेते। मुझे 'नई राह' नाम बहुत पसन्द आया।

भारतीय कलम जब शताब्दियों बेबस रही, तब कलम रहन रखकर लिखने वालों के सामने ईमान के हाथों कलम रखकर लिखने वालों की कितनी प्रताड़ना नहीं की गई। उस समय वे बन्धन, रुकावटें, वे दण्ड, वे बिना अपराध की बदनामियाँ, कितने मनस्वियों को हड्डियों का ढाँचा नहीं बना चुकी। आग भी बाहर निकलती थी तो कायर युग उसकी झर झेलते घबड़ाता था और तरुण जाति तो स्वयं मनस्वी अस्थिपंजर जला डालती थी।

और अब जब कलम आजाद हुई तो मानो उस पर आफतों का पहाड़ टूट पड़ा है मानो सारी पुरानी राहें, बन्धशीलता के युग से घिस-घिसकर नये चरण-चिह्नों के लिए बेकार हो गयी हैं। आदर्शों का जो बखान हम कल तक करते थे यदि आज उसे दुहरावें तो स्कूल के बच्चे तक हँसी उड़ाने लगें। यदि बाहदुरी की तेज भाषा बोलें तो गम्भीर क्रियाशीलता हमारा उपहास करे और उद्देश्य-रहित हाथ-पाँव हिलाकर क्रियाशीलता का स्वाँग भरें तो मंजिल और प्रारम्भ का स्पष्ट दर्शन न होने पर हमारा रागी अनुरागी होने से इन्कार कर दे। सो अब आज पुरानी साँसों को भी मानो नए कण्ठों से गुजारकर जीभ पर लाना है। शाश्वत सत्यों से कहना है कि समस्याओं को सुलझाने के निर्भीक निर्माण बनकर आगे आवें। इसीलिए नयी राह मौलिकता की अथवा प्रगतिशीलता की सनक नहीं, वह वाणी के या व्यक्तित्व में पन्द्रह अगस्त के बाद उठाये जाने वाले हर संकेत की लाचारी है।

आशा है आप खूब स्वस्थ हैं। मेरे योग्य सेवा लिखें। चि० प्रभाग भी प्रातः भोपाल गया है। उससे कुछ तुम्हारे हालचाल मिलेंगे।

नन्हें बच्चों को और उनकी सौ० माताजी को शुभाशीः।

तुम्हारा

मा०

श्रीयुत रतनकुमार जी, बी० ए०
सम्पादक 'नई राह'
भोपाल

निरंकारदेव सेवक

[1]

कर्मवीर, खण्डवा
3.11.39

श्री प्रिय,

आपका पत्र आज मिला. बिना तारीख का। मुझे वह ता० 3.11.39 को मिला। प्रसन्न हुआ कि पत्र मिला, दुखी हुआ कि मेरे गीत ने, आपको मुखरित हो उठने तक दुखा दिया।

जब रात-भर की कालिमा प्रातः के पहिले आसमान पर नीलिमा, और जमीन पर हरीतिमा बनने के लिए कपड़े बदलने लगी, जब डूबता हुआ तारा मुझसे सुबह-सुबह कहने लगा, मैं वो आग हूँ जो अनन्त समय के आँचल में लग गयी हूँ और बादलों ने चार महीने बरसकर भी मुझे नहीं बुझाया था, जब उषा का उज्ज्वल अन्धकार तारों को पुनः बुलाने के लिए न्यौते में ओसकणों के डाँवल घनी हरीतिमा पर रखने लगा, तब मेरी जेब में से थर्मामिटर निकालते हुए, आपका पत्र पर भी साथ ही बाहर आ गया। मैंने अपना तापमान देखा, और फिर पत्र पढ़ा। कल तो चुपचाप लिफाफा जेब में रख लिया था। आपने अपने नाम का एक हिस्सा सेवक भी लिखा है। किन्तु मैं तो निरंकार ही लिखा करूँगा। इस शब्द पर, अभी समय की घिसटन के घने निशान नहीं पड़े। सेवक मैं नहीं लिखूंगा। गो, सेवक शब्द को, और शब्दों की तरह, नवीन अर्थ का बोझ नहीं लगेगा, किन्तु मैं अपनी जेब से उसमें मारने-मरने का उपद्रव करने के बजाय निरंकार के बेदाग शब्द पर [फटा हुआ] करना चाहूँगा। यदि मैं भूलता नहीं हूँ, तो शायद आप विहग-कुमार हैं। हैं न ? तो भई, इतना मोह नहीं बढ़ाया करते विहग-कुमार ! पहाड़ दूर से जितना सुहवना होता है, निकट से उतना ही विद्रूप। विहगों से यह बात छुपी नहीं, क्योंकि उन्हें तो वस्तु को ऊँचे से देखने का अभ्यास होता है। वे मनोरम से मनोरम देवत्व के वृक्ष की डालों की अपेक्षा अपने पंखों की हिलन-डुलन पर अधिक भरोसा करते हैं।

बरेली आने की बात आप अभी अलग रखिए। घर आ जाता हूँ, तब बाहर निकलने की तबीयत नहीं होती। मित्रों पर बोझिल होना कठोर दण्ड-सा प्रतीत होता है ! हाँ, आप पत्र लिख सकते हैं। और लिख सकते हैं, मेरे पास अपनी कविता। उस मीठी रिश्वत पर तो मैं चिट्ठी के जवाब भी कभी-कभी दे दूँगा। और अवकाश होने पर, अपने कार्य की बिना हानि किये आ सकें तो कभी किसी समय यहाँ, खण्डवा भी आ सकते हैं। आपकी 'विहग-कुमार' कविता आप ही से सुनने की तबीयत रहती है।

आपका—मा० ला० चतुर्वेदी

[2]

कर्मवीर, खण्डवा

11.11.39

चिट्ठी आज मिली। कविता भी मिली। क्या उसे कर्मवीर में छाप दी जाये ? लिखिये। कविता बहुत अच्छी है।

विन्ध्या के जंगल, वर्षा की समाप्ति से जरा ऊजड़ होने लगे हैं। उस दिन जब मैं झरने को लाँघने लगा, तो बेचारा बोला, घुटने तक कौन चढ़ेगा ? किसमें अब पानी रखा है ? कमर और कलेजे तक होने की तो बात दूर—क्यों अम्बर उठाकर अपना अज्ञान उघाड़ा करते हो ? मैंने जरा शर्माकर बुढ़ापे के अज्ञान को इस तरह छुपा लिया, जैसे नन्हे बच्चे मास्टर से चपत खाने की बात अपने माता-पिता से छुपा लिया करते हैं। और चढ़ चला घाटी की ओर। झरने का पानी अभी भी कल-कल कर रहा था। चढ़ाव का जोश और उतार की दौड़ दोनों खोकर, बुढ़ापे के ब्रह्म-ज्ञान का-सा, लँगड़ाता-लँगड़ाता, चला जा रहा था, चला ही जा रहा था।

मैं जा रहा था। सागौनों ने अपने रूखे पत्ते गिराना शुरू कर दिया था। उनसे अन्य वृक्षों ने पत्ते गिराकर सहानुभूति व्यक्त की थी। पत्तों पर पैर रखने पर 'खर्र-खर्र' आवाज होती थी, गाली-सी गड़ती थी यह आवाज पैरों में, बिना काँटा लगे। घण्टों से गये हुए, मेरे साथी को ढूँढ़ने में मैं ध्यानस्थ चल रहा था। कि इतने ही में पीछे से हल्की-सी आवाज आयी 'खर्र,' मैंने सोचा, साथी है यह मेरा। और घूरकर देखा—बेचारा सेमल का फूल असहाय रूखे पत्तों पर गिरा था धीमी-सी आवाज करके। और उसी आवाज के बाद हवा के जोर पर सारा जंगल गुनगुना उठा। क्या मेरी शर्म पर कि मैंने साथी न पाया ? या उस फूल की बेबसी पर ! अथवा मेरी साथी की खोज पर, प्रकृति का, सेमल के फूल के पतन के रूप में जवाब था—मेरी लाचारी को व्यक्त करने वाला।

मैं देर से लोटा, गाँव सो गया था, मेरे पाँव की आहट पर गिरने वाले पुष्प खत्म हो लिये थे और पुष्पों के अभाव, और मानवों के सोने पर, कुत्ते जाग उठे थे, जो मेरे पाँव की हर आहट का जवाब देने का प्रयास कर रहे थे। जब गाँव के दूसरे छोर पर दूर का एक कुत्ता भौंकता हुआ सुनायी दिया, तब मैंने जाना, मेरा साथी लौट रहा होगा और जंगल में भटककर उस राह आ रहा होगा, किन्तु जब मैं गाँव के उस छोर पहुँचा, तब मैंने जाना, वहाँ साथी न था, यह तो कोने वाले कुत्ते की, भौंकने में अपने साथियों के प्रति दिखायी हुई सहानुभति थी। और तालाब शान्त था; चाँदनी में खजूर के दुबले पेड़ की परछाईं भी उसमें दिखायी दे रही थी। किन्तु किनारे पर तो मैं था --साथी ?—साथी नहीं था। सो विहग-

कुमार ! खोया साथी ही जगत् की सचाई है और उसकी खोज में चले जाना ही अमर काव्य। अपनी यह लाचारी जानते हुए, क्या लिखूँ तुम्हें ?

मैं तारीख 21 नवम्बर को गोरखपुर पहुँच रहा हूँ ! यहाँ से शायद 15-16 को निकल दूँगा। बरेली से गोरखपुर कितने दूर पड़ता है ? क्या तुम गोरखपुर में उस समय होओगे ?

स्वास्थ्य वैसा ही अच्छा है, जैसा अच्छा इन दिनों रहता है, बाकी बातों के जवाब कभी किसी अगली पेशी पर।

तुम्हारा

मा० ला० च०

सर्वथा निजी पत्र

जिसकी न समाचार-पत्रों में चर्चा हो, न जिसका मित्रों में प्रदर्शन हो।

—मा०

पत्र में डालने की तारीख या तिथि डाला करो।—मा०

[3]

माखनलाल चतुर्वेदी — खण्डवा (सी० पी०)

सम्पादक 'कर्मवीर' — ता० 21.12.39

श्री प्रियवर,

आपका एक कृपा-पत्र उत्तर के लिए मुझ पर बकाया था ही कि कल दूसरी याददिहानी मिल गयी। मैं परसों रात को ही युक्तप्रान्त से लौटा हूँ, जरा अशक्त होकर।

मैं तो अपनी परिमितताओं को खूब जानता हूँ प्रिय, अतः यह चिन्ता न करो कि मैं नाराज हूँ। मैं नाराज नहीं हूँ।

अब आपका प्रश्न ! मानव के विषय में, मैंने जाने क्या लिखकर, आपको कष्ट दिया। मानव के 'बहुमत' को आपने देखा है ? कितना फीसदी है, जिस पर आप अर्पित हो सकें ? जो हजार में एक हो, वह तो अपवाद हुआ, मानव नहीं। मैं बहुसंख्यक, उसी प्रतिभाहीन पशु से डरता हूँ। तो भी आप मेरे विचारों का समर्थन करें, यह जरूरी नहीं। आप उन पंक्तियों को प्रेम से फेंक दें। मैंने मेरी धारणा मात्र प्रकट की थी।

आशा है, आप अच्छे हैं। मेरे योग्य सेवा सदैव लिखते रहें। मुझे इसका कम

दुख नहीं कि मैंने आपको सहमा दिया। यह मुझसे सर्वथा बिना जाने ही हुआ है। अस्तु !

आपका अपना
मा० ला० चतुर्वेदी

पुनश्च :

हाँ, चि० रामचन्द्र का स्वास्थ्य अब अच्छा है। गो, वह काफी कमजोर हो गये हैं। वे यहीं हैं, अभी डेढ़ सप्ताह रहेंगे भी। उनका पता है —

आर० सी० बिल्लौरे,
बी० एन० गुप्ता, प्लीडर के मकान के पास,
हरीगंज, खण्डवा (सी० पी०)
(नोट—यह पता अंग्रेजी में लिखा हुआ है।)

[4]

माखनलाल चतुर्वेदी — खण्डवा (सी० पी०)
सम्पादक 'कर्मवीर' — 19.2.1940

प्यारे निरंकार जी,

इस समय तो विश्वविद्यालय की परीक्षा के दिन निकट हैं। ऐसे समय, यह पत्र कहीं कुपथ्य का काम न करे—व्यर्थ आपका समय बर्बाद करके। खैर, लिख तो रहा ही हूँ।

इस वर्ष आम जरा जल्दी बौरे, किन्तु कोयल अभी तक कूकने नहीं आयी ? इसलिए वसन्त ऐसा उदास मालूम होता, जैसे गायक के अभाव में आत्म-निवेदन की आराधना सूनी-सी लगने लगती है। प्रकृति की शिकारिन के पंजे से निकलकर आम्रवनों के उभार-भरे भारों का मस्तक झुकाता हुआ आमन्त्रण उसकी सुधि के दरवाजों तक कैसे नहीं पहुँचा ? क्या तुम बता सकते हो ?

यदि सुगन्धि के फूल पर उसका स्वर नीलाम होने की चीज न था, तो स्वर की मोहताज सुगन्धि के बेकाबू बिखरने की बात का तो उसने स्मरण रखा होता। यह क्षण-क्षण पूजा के भाव से प्रेरित क्षण-क्षण मेरे पास आते हैं। पूछते हैं चिन्तन, वस्तु-वस्तु में अपने अभिमत को देखने का अभ्यास क्यों पूजा में शुमार नहीं है ? कोयल की ध्वनि-धारा में रुकावट करने वाला क्या कोई हिमाचल कोयल के देश में नहीं, जो उसके स्वर को लौटा कर कह दे कि बौरे आम बिखरकर उसकी गैरहाजिरी के चिह्न बनकर अपने फूले वैभव की लाशें बना-बनाकर जमीन पर गिर रहे हैं—धराशायी हो रहे हैं।

एक दिन मैंने उनसे पूछा, तुम्हें यह मीठी-मीठी इरादों की जागीर कौन दे

जाता है ? वे बोले --तुम्हारे प्रति रहने वाला मेरा विश्वास ! विश्वास ? --क्या विश्वास भी चुप रहना नहीं जानता ? और लग गया ताँता इरादों का। और जहाँ मेरा विश्वास छुपा था, वहाँ से आने लगीं जागीरें मेरे इरादों और आँसुओं की ! और इरादों के आँसुओं पर चढ़कर और उसाँसों पर उतरकर आने-जाने से, सिर में या दिल में न जाने कहाँ एक सड़क बनने लगी। साँस, सुगन्धि, सुनने और बोलने में, एक सड़क-सी बनी हुई ही थी, अब इरादों के आने-जाने में भी सड़क दीख गयी। और मेरे पास बैठा जीवन को अखबारों की तरह काटने का रोजगार करने वाला एक भला मानस कह उठा—कला, यह तो तुम्हारी कला है, कलाकार ! कलाकार ? तब मातृत्व क्या व्यभिचार है ? अथवा वह व्यापार है ? ऋतु और मुहूर्त के लिए बिना ठहरे, मेरे जी पर दूखने वाली बातें, जो जब मौसम के लिए बिना रुके मेरे जी पर आयीं, तब कला कहकर उन्हें अमौलिक कहने वाला कौन ? जीवन के प्रकटीकरण की भूख भी क्या 'आदत' कही जायेगी ? ईमान के अभाव का यह अपराध कौन सहेगा ? कौन अपने स्नेह को इसलिए बाजार में रखेगा कि वह कल 'कला' कहलाने लगे ! ठीक है, कहीं-कहीं तो, आँसू भी बटोरकर शीशियों में भर लिये जाते हैं, और वे बाजार दर पर बेचे जाते हैं। सो अब मानव का बेदाग वैभव स्नेह भी बाजार में बैठेगा—और कहेगा-- माल बढ़िया है, सस्ता लगा दिया है, थोड़ा बाकी बचा है—ले लो, लोगो, ले लो !—यह कला है। और क्या निरंकार, इस युग के हम लोगों को, अपने भावों के वैभव को, यहीं लाकर खड़ा कर देना था ?

वे आये और मुझसे मेरी फ़ुर्सत की घड़ियाँ माँगने लगे। और माँगने लगे मेरे भावों के अतिरेक की घड़ियाँ। इन दोनों के हटा देने पर, उन्होंने कहा, एक विशुद्ध उज्ज्वल मानव रह जाएगा। क्या सच ? 'बेफ़ुर्सत' की जिन्दगी में मैं देखने फिर देखने, फिर देखने; और करने, फिर करने और फिर करने के लिए बाध्य हूँ। क्या मुझे मेरी ओर देखने के लिए समय नहीं चाहिए ? फिर उन्हें फ़ुर्सत की घड़ियाँ कहकर कोई गरीब कसमसाहट का अपमान क्यों करे ? कार्यों और दिखावों में पशु मात्र जितना देव बन ले जाया करता है, या अपने को देव दिखा ले जाया करता है, क्या देवत्व की वह वैदेशिक धूल झाड़ने के लिए उसे समय नहीं चाहिए ? फिर साँसों को ठहरकर आगे-पीछे देखने की इच्छा क्यों न होगी ? और जब अनकही, अनदेखी दुनिया जी में कुछ भेज रही हो, तब हिलते हाथों और दौड़ती आँखों उसे कौन सँभाले ? फिर मैं अपने को भी तो देखूँ।

समय लेने के लिए क्षमा करना। पत्र देना। अपने स्वास्थ्य के हाल अवश्य लिखना, मेरी किसी उदासीनता से दुखी हुए होओ, तो भूल जाना।

तुम्हारा
मा० ला० चतुर्वेदी

[5]

द्वारा, प्रिंसिपल हीरालालजी खन्ना
कानपुर
30.10.42

प्यारे निरंकार जी,

मैं महीनों से बीमार कानपुर में इलाज करा रहा हूँ। अब अच्छा हो चला हूँ। लगभग इस मास की मेरी डाक खण्डवा से परसों आयी, तब आपका, मेरे बरेली से लौटने के समय का कृपा-पत्र मिला। उस स्नेह-पत्र का जवाब न दे सकने के लिए आप क्षमा करें।

यदि इधर कभी आना हो, तो मिलिए। शायद मैं 13 दिन यहाँ और हूँ। आशा है, अब आपका गृह-जीवन शान्त होगा। अवसर हो तो कभी खण्डवा भी आइये।

आपका
माखनलाल चतुर्वेदी

[6]

खण्डवा,
25.3.43

प्याले निरंकारजी,

आपका ता० 20-3 का कृपा-पत्र मिला। बधाइयों के रूढ़ पथ को, आप जैसे प्रतिभा के पुजारी ने व्यर्थ ही अपनाया। मैं आपसे दूर कहीं गया ही नहीं, जो बधाइयों से सन्निकटता अनुभव करूँ। आप सम्मेलन में अवश्य चलिए। मेरी इकाई इतनी छोटी है कि प्राइवेट सेक्रेटरी वाली बात पर क्या कहूँ, कुछ समझ में नहीं आता। हाँ, आप सम्मेलन में मेरे निकट-सम्पर्क में रहिये। आप केवल अपना बोझ और अपनी झंझट ही व्यर्थ के लिए बढ़ा लेंगे।

मुझे हर्ष है कि आगरा में एक बहुत सामयिक विषय पर आप डाक्टरेट की तैयारी कर रहे हैं। मैं आपकी सफलता का उत्सुक हूँ।

आप खण्डवा आयें, आपका घर है। पर शिक्षा-विक्षा के नाम पर मेरे पास क्या है? अत: इस भ्रम को छोड़कर ही आप खण्डवा आयें, जिससे अन्त में निराशा न हो। यदि व्यर्थ समय बर्बाद करने के इरादे से आप आये तो, आपको हानि भले हो, मुझे लाभ ही होगा।

आप में जीवनी-शक्ति है—खूब है। मैं उसी का कायल हूँ। आप चाहे जहाँ रहें, चाहे जिस विचार के रहें, और मुझे चाहे जिस दृष्टि से देखते रहें, मैं

सोचता हूं कि आपका अध्ययन और समर्पण मेरे देश और मेरी भाषा के लिए एक दिन कुछ काम का साबित अवश्य होगा। मैंने तो विश्वास की हुण्डी लिख दी। उसे जीवन की साँसों से सिकारना या न सिकारना—यह निरंकार जाने, या उनका देव।

आपका

मा०

[7]

खण्डवा,

5.9.47

प्यारे निरंकारजी,

आपका कृपा-पत्र और कविता मेरी गैर-हाजिरी में पहुँचे, और गत सप्ताह लौटकर मैंने आपका लिफाफा खोला, तब कविता छपने दी। उत्तर में भी इसी कारण विलम्ब हुआ। क्षमा करें। यों आजकल आप बहुत धूम से लिखते हैं और निष्ठुर सत्य को बिना लाग-लपेट के काव्य की धारा पर चढ़ा देते हैं।

ठाकुर साहब का वहाँ रहना, मेरे लिए बरेली आने का बहुत प्रिय आमन्त्रण है। मैं भी चाहता हूँ कि साधन जुटते ही बरेली आऊँ। किन्तु वर्षा में बरेली आने की हिम्मत नहीं होती।

मैं इस बात से पूर्ण परिचित नहीं हूँ कि इधर आपने क्या-क्या लिख डाला। लिखिये कि आपने क्या-क्या लिख डाला। यद्यपि कदाचित् आपको अपने काव्य-शैशव की याद दिलाने से कुछ कष्ट होता हो, किन्तु मैं तो प्रेमी[1] की 'आँखों में' वीरेन्द्र[2] के 'ताजमहल', निराला[3] के 'तुम और मैं' और इसी तरह की मीठी यादों की तरह आपके 'विहग कुमार' को भी नहीं भूल सकूँगा। जिस दिन विहग-कुमार मुझे याद नहीं आयेगा, उस दिन आपका नाम लिखे हुए प्रत्येक कागज के पृष्ठ को, चाह से या अचाह से पलट दिया करूँगा। आपकी कृतियों का पता चलने पर उन्हें चाव से पढ़ने की इच्छा करता हूँ। आशा है, आप दो न होकर अनेक होंगे। और सन् 42 की फरवरी की अपेक्षा अधिक सुखी होंगे।

ठाकुर साहब से मेरा वन्दे कहिये। कभी कुछ समाचार प्रोफेसर साहब के भी दीजिये।

---

1. हरिकृष्ण प्रेमी
2. वीरेन्द्रकुमार जैन
3. महाप्राण निराला

आपकी बकालत कैसी चल रही है ? कुछ कष्ट तो नहीं है ?

शुभैषी
माखनलाल चतुर्वेदी

[8]

मालनलाल चतुर्वेदी
सम्पादक, 'कर्मवीर'

खण्डवा (सी० पी०)
13.1.48

प्यारे निरंकारदेव जी,

सस्नेह नमन ।

आशा है आप प्रसन्न होंगे । आशा थी, आप अपना कथन पूरा करेंगे और राजपूताने से आप खण्डवा आयेंगे । किन्तु आप खण्डवा नहीं आये । आप बम्बई भी नहीं पहुँचे ।

कृपया लिखिये, ठाकुर जमनासिंहजी[1] प्रसन्नता से हैं । उनका स्वास्थ्य तो अच्छा है !

यदि ऋतु सह सकूँ और स्वास्थ्य साथ दे दे तो मैं फरवरी में किसी समय बरेली पहुँचने की इच्छा करता हूँ । कृपया ठाकुर साहब से सलाह करें, और आप भी सोचकर लिखें कि क्या फरवरी का समय उचित होगा ?

आपके पत्र की प्रतीक्षा करूँगा ।

आपका अपना
माखनलाल चतुर्वेदी

श्री रामेश्वर गुरु

[1]

खण्डवा
23.1.40

प्यारे रामेश्वर,

सप्रेम प्रणाम ।

—तो आखिर तुम धड़ाधड़ कविताएँ लिखने लगे । इस बात के लिए तुम्हें बधाई दें कि श्री भवानी(पं० भवानीप्रसाद तिवारी)को ? इस समय जनाब की 'मेरे

1. एक सहृदय केन्द्रीय आई० टी० कमिश्नर ।

अमीर' शीर्षक पढ़ता जाता हूँ, 'प्रजा-पुकार' में और मेरे अमीर तेजस्वी मनोभावों के मेरे अपने अमीर पर खुश होता जाता हूँ। जब सन् 13, 14, 15 में मैं कुछ तुक-बन्दियाँ लिखकर अपनी छोटी-सी देवदारु के तख्तों की छः आने की पेटी में बन्द करके, टीन की साँकल पर पौन आने का अपने आप दबाने से बन्द हो जाने वाला ताला लगाकर निश्चिन्त हो जाता था और उसी निश्चिन्त अवस्था में कहीं खण्डवा से बाहर चला जाता था, तब गैरहाजिरी में गणेशजी (स्वर्गीय भाई गणेशशंकर विद्यार्थी) आते और मेरी पत्नी से उस पेटी का ताला तुड़वाकर, उसका सारा माल-मत्ता लेकर चलते बनते। उसी पेटी से वे मेरी तुकबन्दियों के साथ लछमन (स्व० ठा० लक्ष्मणसिंह चौहान) का नाटक 'कुली-प्रथा' लूट ले गये थे, जिसे छापने से 'प्रताप' से जमानत माँगी गयी और वह नाटक 'प्रताप' में धारा-वाहिक छपने के बाद जब पुस्तकाकार छपा तो उसे जब्त कर लिया गया। खैर, मैं कुछ और कह रहा था। मैं चाहता हूँ, मेरे अमीर का भी ताला तोड़कर, क्यों न उसका भी माल-मत्ता लूट लें? और अब पोस्टकार्ड शरीफ खतम होने पर हैं। अतः पूज्यचरण गुरुजी महाराज से प्रणाम निवेदन करना और भवानी से कहना कि प्रजा-पुकार की छोटी-सी दुनिया पर काफी बड़ा रंग बाँध देते हो बधाई!

तुम्हारा

मा०

[2]

द्वारा, प्रिन्सिपल हीरालालजी खन्ना

बगिया मनीराम, कानपुर

30.10.42

प्यारे रामेश्वरजी,

सप्रेम नमन।

मैं इलाज के लिए यहाँ हूँ। चि० बालेश्वरजी की कविता मैं दे न पाया। साढ़े तीन महीने की डाक जब डाक्टर जी ने यहाँ आने दी, तब कल पत्र देखा। क्षमा कीजिये। मैं पन्द्रह-सोलह दिनों में शायद लौट जाऊँगा। पूज्य गुरुजी महाराज से मेरा प्रणाम निवेदन कीजिये। कभी इस तरफ आना होगा क्या?

आपका अपना

माखनलाल चतुर्वेदी

[3]

कर्मवीर, खण्ठवा, (सी० पी०)

30.11.46

प्यारे रामेश्वरजी,

आपका पत्र मिला, श्री भाई वृन्दावनलालजी वर्मा का उपन्यास 'झाँसी की रानी' आ गया है, आप अपनी आलोचना भिजवा दें।

श्री राजेश्वरजी क्या प्रकाशन के कार्य को स्थिर होकर करेंगे ? मैं चाहता हूँ उनका आयोजन खूब फूले-फले।

श्रीमान डॉ० साहब का आज्ञापालन मैं कैसे करूँ, समझ में नहीं आ रहा। रहा आपका यहाँ आना, सो यह 'एक था राजा' की तरह कहानियों-जैसी दुहराते रहने भर की बात है। जबलपुर में बोझ तुम पर इतने हैं कि कोई कष्ट देते संकोच करता हूँ। क्योंकि मेरी सड़ी-गली पाण्डुलिपियों और छपे कागजों में से कापी करने का 'अव्यापारेषु व्यापारः' पूरा करने का बोझ लेकर, कौन अपने सिर जहमत मोल ले ? और राजाधिराज तो दूसरी बार न देखने की कसम खाकर, लिखने का कूड़ा इकट्ठा करने से लाचार हैं। अतः जब वर्ष-भर अच्छा पानी बरसे, धान के खेत लहरायें, रास्ते के जल-स्रोत प्रवहमान हों, हमारी नवीन गर्भिणी गाय का दूध होने लगे, उसके घी से घर में चगन-मगन हो, रास्तों के गढ़े-गड्ढे पुर जाएँ, और हमारे दरवाजे के पीपल के झाड़ की जड़ जिस दिन हिले, उस दिन अपनी लिखावट के लिए चरण रखिये। गुरुवर्य गुरुजी महाराज से मेरा सादर प्रणाम कहिये।

आपका

माखनलाल चतुर्वेदी

श्रीयुत रामेश्वरप्रसादजी गुरु,
कुमारहृदय,
दीक्षितपुरा, जबलपुर

श्री जयचन्द्र विद्यालंकार

20.6.41

श्री प्रियवर,

कृपा-पत्र और लेख दोनों मिले। लेख कर्मवीर की संख्याओं में दे दिया गया है, आपने देखा होगा।

हाँ, मैं काशी गया था, एक दिन ठहरा भी था। अधिक भी ठहरता, किन्तु काशी की गर्मी ऐसी भयंकर थी कि मैं सह न सका। अब जब भी काशी आऊँगा, आपसे अवश्य मिलूँगा। आपको मैं हिन्दी संसार के मस्तकशीलों का अभिमान मानता हूँ।

काशी की गर्मी अब कम हो गयी होगी, मैं शायद ता० 27 को काशी पहुँचूं।

आशा है आप सपरिवार प्रसन्न हैं। श्रीमती विद्यालंकार से मेरा प्रणाम निवेदन करें। उनका स्वास्थ्य अब अच्छा होगा। योग्य सेवा देते रहें।

आपका अपना
मा० ला० चतुर्वेदी

श्रीयुत जयचन्द्र विद्यालंकार
भारतीय इतिहास परिषद्,
भदैनी, बनारस

सुश्री सुशीला

10.1.42

प्यारी बिटिया सुशीलाजी,

'शुभाषी'।

मेरे बाहर रहने के कारण, मैं आपकी रचना नहीं देख पाया। कृपया आप उसकी दूसरी कापी करके भिजवा दें। लिफाफे पर मेरा ही पता दें, और उस पर 'व्यक्तिगत' लिख दें, जिससे कि वह पत्र सफर में भी कभी मेरे पास पहुँचने में न रुके।

मैं अबोहर हिन्दी-साहित्य-सम्मेलन में और फिर वहाँ से लाहौर गया था। बीमार लौटा हूँ। ज्वर है, बुखार है, शीघ्र ही अच्छा हो जाऊँगा। आप कविता तुरन्त भिजवा दें।

चि० चकोरजी का 'छलने' गद्य-काव्य आपने पढ़ ही लिया होगा। 'कर्मवीर' में छप गया है।

दीवान हाउस, आपका शुभैषी
रतलाम मा० ला० च०

श्री रामनारायणदत्त शास्त्री

10.1.42

प्यारे शास्त्रीजी,

आपका छपा हुआ पत्र मिला।

लिखी पंक्तियों ने सुख दिया। आपका गोरखपुर में मिलन बहुत प्रेरक था। सम्मेलन में अबोहर गया था। देरी क्षमा करें।

मैं सुदर्शन में क्या लिख पाऊँगा— सामग्री, समय, संदर्भ ग्रन्थ, सोचना कहाँ से लाऊँ? हाँ, आपके श्रम के शुभ परिणाम को पढ़ूंगा अवश्य।

मेरा प्रणाम।

आपका

मा० ला० च०

पाण्डेय रामनारायणदत्तजी शास्त्री,
गीता प्रेस, गोरखपुर (उ० प्र०)

श्री शम्भूदयाल शर्मा

10.1.42

प्रिय महाशय,

आपके उस दिन भोपाल में दर्शन हुए थे, किसलिए। मेरा पिछला पत्र आपको मिला होगा। मेरा निवेदन है कि मैं 17-18 जनवरी को भेलसा न पहुंच सकूंगा। या तो फरवरी में भेलसा पहुंच सकता या फिर उसके पश्चात्।

मैं ता० 13-1 को लाहौर से लौटकर भोपाल ठहरने वाला था, किन्तु बीमार होकर मैं ता० 6 जनवरी को लौट अया। इन्फ्लुएंजा है। ता० 19-20 को मैं बिहार में मुजफ्फरपुर जा रहा हूँ, उन्हें पहले से समय दे चुका हूँ। ता० 28 से 31 के बीच कहाँ रहूँ, पता नहीं।

आशा है, आप क्षमा करेंगे। मैं आपके शुभ कार्य में उपयोग न हो सका, इसका मुझे दुःख है।

आपका

मा० ल० च०

श्रीयुत शम्भूदयालजी शर्मा,
प्रधानमन्त्री, साहित्य परिषद्,
भेलसा

श्री सोपानदेवजी चौधरी[1]

10.1.42

प्रिय महाशय,

आपका कृपा-पत्र मिला। प्रसन्नता हुई। धन्यवाद। जिस दिन आप रेडियो पर कविता पढ़ेंगे, पहले से मालूम हो जाने पर कुछ लोग उसे रेडियो पर सुनेंगे। मैं भी सुनूँगा।

आपने बम्बई के भाषण पर जो सद्‌भाव प्रकट किये हैं, उसके लिए धन्यवाद।

मेरा एक कविता-संग्रह प्रयाग से सरस्वती प्रकाशन मन्दिर, जार्ज टाऊन से आगामी महीने में प्रकाशित होगा। एक नाटक भी प्रकाश पुस्तकालय, कानपुर से प्रकाशित हो चुका है, जिसका गाम कृष्णार्जुन-युद्ध है।

आप हिन्दी कविता लिखते हैं, यह जानकर प्रसन्नता हुई।

श्रीयुत सोपानदेवजी चौधरी,
चौधरी बँगलो, आगरा रोड
नासिक, जी० आई० पी० रेलवे

आपका
मा० ला० च०

श्री भगवन्तशरण जौहरी

10.1.42

चि० भगवन्तजी,

वन्दे !

'अर्चना' मिली, समय निकालकर पढ़ूँगा। यों कुछ पढ़ा और कुछ नोट किया, यह तो कल पुस्तक खोलते ही कह चुका हूँ। आपकी कविता में माधुर्य है। जीवन का साथ भी कहीं-कहीं प्रखर और मधु-पद, दोनों स्वरूपों में व्यक्त हुआ है। भई, इस पुस्तक में, स्वर्गीय शुक्लजी को कहीं याद नहीं किया ! क्यों ?

आशा है आप प्रसन्न हैं।

भगवन्तशरण जौहरी
बी० ए०, विशारद
श्यामा कुटीर, उज्जैन

आपका
मा० ला० च०

---

1. विश्रुत मराठी कवि

श्री श्रीराम शर्मा

10.1.42

प्यारे शर्मा जी,

सप्रेम नमन !

मेरे अबोहर चले जाने के कारण, आपका कृपा-पत्र बिना उत्तर दिये अब तक रह गया। याद आता है कि मैंने कुछ लिख तो दिया था, किन्तु पता नहीं, मैं लिख पाया था या नहीं।

हाँ, वह नाइल पर लिखी पुस्तक अभी तक न आयी, कृपया हो सके तो भिजवा दें।

कलकत्ता के हालचाल लिखें। इस समय तो सारे देश में गम्भीर वातावरण दीख रहा है। सम्मेलन के हाल-चाल तो आपने पत्रों में पढ़ लिये होंगे।

आपका अपना

श्रीयुत श्रीरामजी शर्मा, बी० ए० मा० ला० च०

सम्पादक, विशाल भारत,

120/2, अपर सरकुलर रोड,

कलकत्ता

श्री कमलाकान्त पाठक

[1]

10.1.42

प्यारे कमल जी,

पत्र मिला। सुख पाया। उदासीनता के क्षण हर्ष के, तेज के, पौरुष के, चिन्तक के क्षणों के साथ, तह पर तह दे-देकर आया करते हैं जैसे एक प्रिय भवन से दूसरे भवन तक जाने में सुनसान जमीन मिल जाया करती है। और आपकी नम्रता की यह देन है कि आप अपने जीवन के मनोभावों की शस्त्र-क्रिया करने में सजग हैं। आप प्रसन्न रहें, मस्त।

आत्महत्या करने वाला 'गंगराड़े' अन्य युवक था। असिस्टेण्ट कमिश्नर का मातृविहीन पुत्र चि० प्रेमचन्द बहुत प्रसन्न है। वह जबलपुर में पढ़ रहे हैं। पिछले दिनों, जब वे मिले, आपके विषय में खूब स्नेह और चाव से पूछ रहे थे।

मैं आपके लिए किये जाने वाले प्रयत्न में अभी सफल नहीं हो पाया। समय

भी मैंने कम पाया। जो माँगें सामने आयीं वे इतनी छोटी थीं कि मुझे रुची नहीं, अतः विवश रहा।

आशा है आप प्रसन्न हैं।

आपका
मा० ला० च०

श्रीयुत कमलाकान्त जी पाठक, बी० ए०
जौहरी आश्रम, क्रिश्चियन कालेज के पास
इन्दौर, सी० आई०

[2]

(संभवतः 1943)

प्यारे कमला जी,

कृपा-कार्ड मिला। बासी बधाइयाँ ताजे उत्साह से स्वीकार करता हूँ। भाई, तुम्हें खण्डवा आना था। दूर से बैठे-बैठे कार्ड लिख रहे हो? परीक्षा के बाद मिल सको तो अवश्य मिलो। मैं इन्दौर की किसी सभा में सभापति नहीं हो रहा। हाँ, चाहा यह जा रहा है कि मैं होऊँ। किन्तु जा न सकूँगा। विवश हूँ। तुरन्त जवाब दो, अब स्वास्थ्य कैसा है? मेरे नाराज होने की बात तुम्हीं ने गढ़ ली या किसी ने यह गलत बात तुम्हें सुनायी है। तुम खूब प्रसन्न, खूब सजग, खूब प्रतिभामय रहो। मैं नाराज नहीं हूँ।

तुम्हारा
मा० ला० चतुर्वेदी

श्रीयुत कमलाकान्तजी पाठक, बी० ए०
भुवनेश्वरी प्रेस, रतलाम

श्री भानुकुमार जैन

[1]

ता० 12.1.42

प्यारे भानु,

तुम्हारा जन्म-दिन है। जब महात्माजी की साठवीं वर्षगाँठ मनायी जा रही थी, अंग्रेजी के प्रसिद्ध कलाधर जार्ज बर्नार्ड शॉ ने उसका मजाक उड़ाकर कहा था, इतनी छोटी उम्र में कैसी वर्षगाँठ? यद्यपि भारत अलग है, इंग्लैण्ड अलग। यहाँ प्रसाद, प्रेमचन्द, और न जाने कितने साधक हमारे बीच से उठ गये जिन्होंने अपनी 60वीं वर्षगाँठ न देखी।

किन्तु तुम बच्चे हो। तुम्हारी वर्षगाँठ के मेरे निकट बड़े मानी हैं। वर्षों की

लम्बी दुपहरी अभी तुम्हारी उम्र के खाने बकाया है, अतः खूब लम्बे बर्षों तक बम्बई की, हिन्दी संसार की और भारतीय समाज की शक्तियाँ तुमसे मजदूरी लेती रहें और तुम्हें बार-बार अपनाती रहें, तुम्हारी वर्षगाँठ पर मैं यही तुमसे माँगता हूँ। यों इतनी छोटी उम्र में यह कैसी वर्षगाँठ !

मैं अबोहर और लाहौर से लौटकर बीमार हो गया हूँ। आज ज्वर उतर गया है।

तुम्हारा

मा० ला० च०

[2]

बगिया मनीराम, कानपुर

2.11.42

प्रिय भानु जी,

सप्रेम नमन !

कार्ड मिला। खण्डवा पहुँचते ही पुस्तक भेजूंगा ? अभी पण्डित रामेश्वरजी वैद्यराज से मैं अपना उपचार करा रहा हूँ। शीघ्र ही खण्डवा लौटूंगा। मैं कानपुर में हूँ अभी।

लिखो, क्या श्री भाई मुंशीजी और बहिन लीलावतीजी वहीं हैं। दो दिनों के लिए बम्बई आना चाहता हूँ। अपने पिताजी से तथा डाक्टर साहब से मेरा नमन कहो।

तुम्हारा

माखनलाल चतुर्वेदी

श्रीयुत भानुकुमारजी,
अध्यक्ष,
हिन्दी पुस्तक भण्डार
हीराबाग, बम्बई

श्री चन्द्रकान्त वाजपेयी

ड्रीमलैण्ड, कानपुर

चि० चन्द्रकान्त,

शुभाशीष !

तुम्हारे जाने के बाद से तुम्हारा कोई समाचार नहीं मिला। लिखो। मुझे

केवल तुम्हारे स्वास्थ्य ही की चिन्ता है। लिखो, स्वास्थ्य कैसा है?

क्या इधर कभी कानपुर भी आओगे? अपने पिताजी से हमारा नमन निवेदन करो।

तुम्हारा
माखनलाल चतुर्वेदी

श्री चन्द्रकान्त वाजपेयी,
फतहगढ़

श्री केशवप्रसाद वर्मा

बगिया मनीराम, कानपुर
2.11.42

श्री केशवजी,

मैं कानपुर में वैद्यवर रामेश्वरजी से पल्पीटेशन का इलाज करा रहा हूँ। अत: आपका ता० 6.7.42 का कार्ड न समय पर पा सका, न उत्तर ही दे सका। ता० 27.10 को मेरी डाक मुझे दी गयी।

मैंने 'अग्रदूत' की कुछ संख्याएँ देखी थीं। जिस सूझ, लगन और प्रान्तीय आवश्यकताओं को ध्यान में रखकर पत्र निकला, उसे देखकर मुझे विश्वास हुआ है कि वह शीघ्र ही उस प्रान्त की महान् आवश्यकता बन जावेगा।

मेरे योग्य सेवा आप सदैव लिख सकते हैं। मैं 'अग्रदूत' को सर्वथा उपयोगी वस्तु मानता हूँ।

आपका
माखनलाल चतुर्वेदी

श्री केशवप्रसादजी वर्मा
सम्पादक 'अग्रदूत'
रायपुर, सी० पी०
बी० एन० रेलवे

श्री श्यामचरण राय

कर्मवीर, खण्डवा
28.12.42

प्यारे राय साहब,

सप्रेम नमन !

कार्ड आज ही सुबह मिला। इस समय दिन के 2 बजे हैं। भोपाल बिना उतरे निकल जाने का अपराध स्वीकृत है। रात के ग्यारह बजे थे और मेरा स्वास्थ्य यूँ ही सा था, अतः निकल आया। भोपाल के सुख-सम्मान और स्नेह को नहीं भूलूँगा।

···सम्मेलन की मजदूरी का उत्तरदायित्व न जाने क्यों मिल गया। आप लोग खण्डवा क्यों नहीं आये ? आप अपने पिताजी से मेरा नमन कहें और बच्चियों से तथा छोटे भाई से शुभाशीष। जब भी भोपाल आऊँगा, बहुत सुख अनुभव करूँगा।···

सम्मेलन की हर ध्वनि में कहीं आप अपने ही को बधाई न दे रहे हों—और 'अदब' की दुनिया में अपराध न कर रहे हों।

आपका अपना
माखनलाल चतुर्वेदी

श्री श्यामचरण राय,
बी० ए०, एल-एल० बी०,
भ.पाल

श्री ईशनारायण जोशी

कर्मवीर, खण्डवा
28.12.42

श्रीमन् जोशी जी,

नमोनमन !

संस्कृत-गोष्ठी की बधाइयों के लिए नम्र हूँ और अपनी नम्रता गोष्ठी के आगे व्यक्त करता हूँ। गाजे-बाजे और गुणारोप से पत्थर में नम्रता नहीं आती, यह तो मस्तकों का तथा मस्तकशीलों का अनुग्रह है कि वे जहाँ मस्तक दें, वहीं मन्दिर बन जाता है, वहीं देवत्व का निर्माण हो जाता है। मैं 'मील का पत्थर' हूँ, मुझमें बधाई

का बोझ सम्हालने और स्वीकृत करने का बल कहाँ है ? कृपा के लिए अनेक धन्यवाद।

विनम्र

माखनलाल चतुर्वेदी

श्रीयुत पण्डित ईशनारायणजी जोशी,
संयोजक, संस्कृति गोष्ठी (कल्चर क्लब)
भोपाल

श्री राधाकृष्ण तिवारी

कर्मवीर, खण्डवा
28.12.42

चि० राधाकृष्ण,

क्रिसमस में एक दिन को आ जाते तो अच्छा था। सौ० चि० विमला का पत्र मिला था, अकोला के हाल जाने। श्रीमती राधादेवी जी गोयनका जिस स्नेह और कृपा से व्यवहार कर रही हैं, उससे मुझे चि० विमल के विषय में निश्चिन्तता मालूम होती है। तो भी मेरे योग्य जरूरत हो तो चि० विमला अवश्य लिख दे, ऐसा अकोला लिख दें। रुपया दो-तीन दिनों में भिजवा दूंगा।

तुम्हारा

माखनलाल चतुर्वेदी

श्री राधाकृष्ण तिवारी,
सेकण्ड-ईयर (आर्ट्स)
67, क्रिश्चियन कालेज होस्टल, इन्दौर

श्री हृषीकेश शर्मा

[1]

कर्मवीर, खण्डवा
28.12.42

प्यारे हृषी जी

सप्रेम नमन !

आशा है, आप प्रसन्न होंगे। मैं चाहता हूँ कि आप दो दिन का अवकाश

निकालकर खण्डवा आ जावें। हिन्दी साहित्य सम्मेलन के कार्य में आपका सहयोग चाहिए। थोड़ी आवश्यक चर्चा करनी है।

आशा है, बच्चे खूब कुशल होंगे और देवीजी का अध्ययन बराबर सतत जारी होगा।

आप कब आ रहे हैं, कृपया लिखिये। खर्च की चिन्ता न करें, वह मेरे खाते।

आपका अपना

माखनलाल चतुर्वेदी

श्रीयुत पं० हृषीकेश जी शर्मा,
राष्ट्रभाषा-प्रचार विभाग, वर्धा

[2]

कर्मवीर, खण्डवा

श्री प्रिय हृषीजी,

सप्रेम नमन !

31.12.42 का पत्र (······) के उपहार की तरह मिला। वृत्त जाना। स्वास्थ्य गड़बड़ होने से उत्तर शीघ्र न दे सका।

मुझे तमिल, तलगु, मलयालम और कन्नड़ भाषा की साहित्य-सभा के सभी-सभापतियों के भाषणों की और उन्हें सुनने की आवश्यकता है। खासकर भाषणों के उन अंशों की, जिनमें हिन्दी पर अनुकूल या प्रतिकूल विचार व्यक्त किये गये हैं। आप मेरी ओर से इनका संग्रह सुना दें, और फिर तमिल और तेलगु तो आप खुद मुझे सुना दें, कन्नड़ का सिद्धनाथ पन्त जी कष्ट लें, और मलयालम का कुछ और प्रबन्ध हो सके तो अच्छा ! क्या आप यह प्रबन्ध मेरे लिए कर सकेंगे ? कुछ खर्च भी हो तो थोड़ा-सा सह लूँगा। उत्तर दीजिये। मैं उस आन्दोलन के इतिहास में समग्र जाना चाहूँगा, जो श्री राजगोपालाचार्य के प्रीमियर-काल में हिन्दी के विरुद्ध चला। उसकी पृष्ठभूमि क्या थी ? दक्षिण भारत हिन्दी-प्रचार सभा का भूतपूर्व और आज का सम्पूर्ण स्वरूप, शक्ति, उत्तरदायित्व और निस्तार भी पढ़ना चाहता हूँ। इन विषयों में आप मेरी भुजा बनकर मेरे निश्चयों को सफल कर दें।

चि० सौ० शारदाजी तथा बच्चों को शुभाशीष। भाषण और लेखों को लेकर आप 10 दिन मेरे पास रहें।

उत्तर तुरन्त दें।

आपका अपना

माखनलाल चतुर्वेदी

श्री पण्डित हृषीकेश शर्मा
हरि-कुटीर, कांग्रेसनगर
नागपुर, सी०पी०

[3]

खण्डवा (म० प्र०)
24.7.50

प्यारे हृषीकेश जी,

सस्नेह नमन !

कृपा-कार्ड मिला। मेरे जो लेख-आदि छपते हैं, उनमें मेरा अपराध बिलकुल नहीं है। भूत लोग आते हैं, चुनते हैं. नोट-बुकों की नकल करते हैं, चिन्दियाँ इकट्ठी कर पृष्ठ से पृष्ठ मिलाते हैं, और कापी करके ले जाते हैं। बाहर के छपे लेखों पर मेरे लिए तो इतना ही काम बाकी रहता है कि मैं उनके भेजे रुपयों के चेकों को भुना लूँ। यह अपराध तो मैं ही करता हूँ। शेष अपराध मेरे नहीं हैं। मैं कैसे आपसे क्षमा माँगूँ मेरा बूढ़ा होना भी मेरा अपराध नहीं है। मेरी कितनी तीव्र इच्छा है कि भारतीय जब क्षेत्र में पैर रख चुकी है, तब खूब बढ़े। यत्न कर सका तो कुछ भेजूँगा भी। चि० सौ० शारदा बेटी को मेरा नमन। चि० बिटिया भारती को शुभाशीष। बच्चे को भी।

तुम्हारा अपना
मा० ला० चतुर्वेदी

पं० हृषीकेश शर्मा
नागपुर (महाराष्ट्र)

श्री सद्‌गुरुशरण अवस्थी

[1]

कर्मवीर, खण्डवा
29.12.42

प्यारे सद्‌गुरुजी,

सप्रेम नमन !

आपका 15-12 का पत्र मित्रा। ठाकुर साहब से पुस्तक लेकर किसी तरह उसे प्रेस में भिजवाओ। मैं अगस्त में पुस्तक देकर आया था, अब दिसम्बर खत्म हो रहा है। उनसे मेरा नमन भी कह दें।

एक कष्ट और लें। आप श्रीकैलाश बाबू से मिल लें और दिसम्बर के अन्तिम सप्ताह की समाप्ति पर आने वाले 600 (छह सौ) रु० जनवरी के प्रथम सप्ताह में अवश्य भिजवा दें। इसमें विलम्ब न हो।

आप उनसे मिलें तब चर्चा का सारा हाल मुझे लिख भेजिये।

इस पत्र में कहा इतना ही। शेष दूसरे पत्र में। यह पत्र सर्वथा अपने लिए है।

आशा है आप प्रसन्न हैं। परसों श्री अमरनाथ जी झा इन्दौर आ रहे हैं। रास्ता तो खण्डवा ही है। किन्तु मुझे पता नहीं कि वे किस ट्रेन से इन्दौर पहुँच रहे हैं।

विनम्र

माखनलाल चतुर्वेदी

[2]

खण्डवा

1.11.47

प्यारे सद्‌गुरु जी,

सस्नेह नमन !

आपका पत्र अभी मिला। मैं आफ़िस गया, फ़ी लिस्ट देखी, पत्रों की फाइल देखी, और लौट आया। कर्मवीर बराबर जा रहा है। ऐसा न हो कि गड़बड़ वहीं हो रही हो। यदि हो रही होगी, तो ऐसा न हो, कि कुछ और पत्र तक भी जो आपके नाम या कालेज बोर्डिंग के नाम आते हों, टेम्पर किये जाते हों। कृपया देखकर लिखिये।

अपराध और फल-भोग का तो कोई प्रश्न ही नहीं है। मेरे पास तो देने योग्य कुछ भी न था, न कुछ है। आपने अपने परम स्नेह से निबाह लिया, इसे मैं कभी नहीं भूलूँगा। नाराज तो मैं उस समय भी नहीं हुआ, जब मैं हरिद्वार में अकेला पड़ गया था और आप न आ सके। तब अब कोई छोटी बात मुझे नाराज कर सके, ऐसा आपके सोचने को कहाँ से कैसे मिल गया ? इतना तो, आप अपने स्नेह की अदालत में, अधिकार, किसी को भी देंगे कि जब ज्यों-ज्यों मेरे-जैसा कृपा-भजन अपनी उपयोगिता खोता जावे, त्यों-त्यों उसे अपने हाथों अपने अधिकारों का बोझ अपने स्नेह-स्रोत पर से उठा लेना चाहिए। यों संकटों के साथी तो जीवन में कभी भी भूलने की वस्तु नहीं होते। मैं बोझ न होऊँ यह घबराहट कैसे मिटाऊँ, बरसों मैंने आपको पाकर कुछ पाना बाकी नहीं समझा। और आप भी अपने से पूछकर निर्णय कर सकते हैं कि अपनी ठोकर कभी अपने हृदय तक पहुँचने में समर्थ हो सकी है ! मेरी परेशानी उसी समय बढ़ती है जब मैं अपने लिए नहीं, आपके स्वयं के गौरव के लिए, सोचना और कहना चाहकर भी, जाने क्यों कह नहीं पाता। किन्तु इन दैनंदिन धाराओं से तुम्हारे शाश्वत माधुर्य और परमत्व का क्या सम्बन्ध ? अत: चिन्ता क्यों ? मेरे मन को दूख कर रह जाने का काफी अभ्यास

हो गया है। दारिद्र्य, साधन-हीनता और विश्व की दौड़ में दूर खड़े रहने की प्रवृत्तियों के जो अनन्त वरदान मिले हैं, मन के दुख को सह जाने के वाहन पर ही, उन वरदानों का स्वागत किया जा सकता है, ऐसी धारणा मुझ में है। आप इससे अपरिचित नहीं। किन्तु मेरे स्नेह के भीग उठने पर मेरे पास मेरा अपना कभी कुछ रह गया है, ऐसा मैं अपने में पकड़ नहीं पाया। अपने शत-शत उत्तरदायित्व सब-कुछ स्नेह के चरणों में चढ़ाते समय मैंने आँसुओं को उल्लसित और आहों को बड़भागिनी अनुभव किया है।

तब आज ही कहाँ भूल हो गई ?

क्या आपके स्नेहाधिराज की यह घोषणा है कि आपके अपराधी के एकान्त में उसका 'दूख उठना' भी उसका अपना न रहे, मैं इस दण्ड को भी शिरोधार्य कर लूँगा। आप खूब सुखी रहें। कभी न सोचें कि कहीं कोई भूल हुई, और उसका मुझ पर कोई असर हुआ। अपराध किसी ने नहीं किया। फल भी भोगने का प्रश्न नहीं उठता। मैं तो स्नेह और उपकार को किसी रूप में चुकाने योग्य न रहा। मेरा अपना बोझ है, मेरी सीमाएँ हैं—चि० प्रकाश की बीमारी का हाल सुनकर चिन्ता हुई।

कृपया खबर दीजिये, अब उसका स्वास्थ्य कैसा है। बच्चे की सौ० माताजी से सवात्सल्य प्रणाम निवेदन कीजिए। चि० सन्तू को प्यार।

चि० बृज का बच्चा बीमार है। उसे 'इन्फेण्टाइल लिव्हर' की शिकायत है। घर-भर परेशान है, इलाज होते आठ महीने हो गये। अभी विशेष उन्नति नहीं दीखती, उन्नति के भ्रम में धीरज रखकर दिन कट रहे है।

चि० बृज तथा सौ० बृजरानी का नमन।

विनम्र

मा० ला० चतुर्वेदी

[3]

कर्मवीर, खण्डवा

26.12.48

प्यारे सद्‌गुरु जी,

सस्नेह नमन !

मैं उस दिन सकुशल पहुँच गया। यदि दो दिन पहले तार न दे देता तो कोई खण्डवा से कानपुर पहुँचता, क्योंकि ता० 24.12 से मान० शुक्लजी यहाँ आये हैं। और हमारे हाईस्कूल के भवन का शिलारोपण उनके हाथों होना था। पूरा सप्ताह बहुत व्यस्त गया और जुकाम तथा ज्वर ही में काम करता रहा।

चि० मिन्नाबाबू वहाँ दो चीजें भूल आये। एक तो 'ब्राडशा' और दूसरा मेरा

कोसा रेशम का सिर में बाँधने का फेंटा, जो मेरे सिरहाने रखा था। वह पिछले महीने ही खरीदा गया था, नया था। केवल एक ही बार धुला है। वह ऐसा अभय स्थान है कि वहाँ से चीजें कभी नहीं गुमीं। मित्राबाबू का सन्देह कुक (Cook) पर हैं। वे कहते हैं कि मित्राबाबू के पूछताछ करते ही उसका चेहरा उतर गया और अवसर बदल गया। अस्तु, आप इस बात की जरा भी चिन्ता न करें। जो हुआ, मित्रा की लापरवाही से हुआ है। वह केवल पैंतीस के अल्प मूल्य का था, अतः जरा भी किसी नौकर से कुछ न कहें।

श्रीयुत डिप्टी साहब से मेरा सस्नेह नमस्कार कहें। आपके स्नेह के कारण उन्हें मेरे लिए आपने बहुत कष्ट दिया।

एक विशेष बात है। श्री नरेन्द्रदेव जी के हस्ताक्षर से लखनऊ का जुबली के कवि-सम्मेलन के लिए आमन्त्रण आया है। पर श्री नरेन्द्रदेव जी का वाइस चान्सलर के नाते लिखा हुआ व्यक्तिगत पत्र है। साथ ही दूसरा पत्र दीनदयालजी गुप्त का है जिसमें बड़े स्नेह और श्रद्धा से मेरी उपस्थिति लखनऊ में चाही गयी है जिससे विश्वविद्यालय की जुबली सफल हो सके। कवि-सम्मेलन के लिए यात्रा तो समझ में नहीं आती; केवल आचार्य जी के नियन्त्रण का आदर करना चाहता हूँ। जरा स्पष्ट लिखिए, तथा श्री भाई खन्ना जी से सलाह लेकर सब बातें सूचित कीजिए।

शेष दूसरे पत्र में। चि० प्रकाश तथा चि० सत्तू को शुभाशीः। माता जी को नमन। श्री सद्गुरुजी को शुभाशीः।

आपका अपना

मा० ला० चतुर्वेदी

[4]

कर्मवीर, खण्डवा

13.1.49

सर्वथा निजी

प्यारे सद्गुरुजी,

गोया पत्र मिला। ता० 11.1.49 का चला हुआ आज दोपहर को यहां पहुँचा।

सागर वाली बात पर आप तनिक भी विश्वास न करें। मेरे पास विश्वविद्यालयों के अधिकारियों की कोई अधिकृत सूचना आज तक नहीं है। होती तो भी अपने सुहृद् के उस स्नेह का, जिसका उल्लेख आपने अपने पत्र में किया है, मेरे पास अधिक आदर है। और वही एक आदर मैं स्वीकार करूँगा, दूसरा नहीं। अतः 'एक ही वर्ष' का प्रश्न नहीं।

आप तो वहीं बैठे-बैठे इस बात को सोच सकते थे और तदनुसार बरत सकते थे। भाई खन्नाजी से भी निवेदन कर दें। निश्चित रहें। मैं ता० 25 को कानपुर आ रहा हूँ। आचार्य नरेन्द्रदेवजी के आमन्त्रण पर लखनऊ जाना स्वीकार कर चुका हूँ। क्या और कुछ भी लिखूं ?

आपका अपना
मा० ला० चतुर्वेदी

प्रो० सद्गुरु शरण जी अवस्थी, एम० ए०
वार्डन,
बी० एन० एस० डी० कालेज बोर्डिंग
ड्रीमलैण्ड, कानपुर (यू० पी०)

श्री शुभकर्ण चारण

कर्मवीर, खण्डवा
29.12.42

श्रीमन्,

आज आपका कृपा-पत्र प्राप्त हुआ। आमन्त्रण के लिए अनेक धन्यवाद।

मसन्धरा में हिन्दी की ज्योति जगाने में जो कार्य आप सज्जन कर रहे हैं, उसके लिए मैं आपकी और आपके साथियों की प्रशंसा करता हूँ। मसंधराधीश का सहयोग भी मूल्यवान है। मैं आपकी परिघार की पूर्ण सफलता चाहता हूँ। मीरा के जन्म की गौरव-स्थली राष्ट्रभाषा की पुण्यस्थिति बनने की सफलता पावे।

विनम्र
माखनलाल चतुर्वेदी

श्रीयुत शुभकर्णजी बदरीदासजी चारण,
एम० ए० एल० एल० बी०
प्रधान मन्त्री
हिन्दी-प्रचारिणी सभा, जोधपुर

श्री प्रयागनारायण त्रिपाठी

'कर्मवीर', खण्डवा

चि० प्रयाग,

तुम्हारे ता० 28.12, 1-1 और 10-1 के पत्रों का उत्तर न दे पाया।

तबीयत खराब होने की सूचना तो दे दी थी। खैर लिखो, तुम्हारा स्वास्थ्य अब कैसा है? साफ और सच लिखो। तुम रहते कहाँ हो? खाना खाने का प्रबन्ध क्या है? कहाँ खाते हो? भूख लगती है? नींद खूब आती है? यदि लिखास लगे, तो 'वल्लरी' जैसी वस्तुओं का निर्माण करो, वे मधुर और उच्च वस्तुएँ होंगी। मेरा स्वास्थ्य ऐसा है कि डाक्टर साहब को दिखाने के लिए मुझे कब कानपुर आना पड़े, कुछ निश्चय नहीं। किन्तु इस बार मैं वहाँ अधिक ठहरूँगा नहीं, यदि आया तो। यद्यपि अभी तक तो मैं बीमार ही बना रहता हूँ। हाँ, कुछ घूमने लगा हूँ। कुछ लिखना भी शुरू कर रहा हूँ। आशा है, अब तुम्हें कालेज-सम्बन्धी कोई बाधा न होगी। जो नई ट्यूशन है, उसमें मानसिक श्रम अधिक तो नहीं पड़ता, स्पष्ट लिखो। हाँ तुम्हारी परीक्षाओं का क्या परिणाम रहा?

चि० भैया जी ने तुम्हें नमन कहा है। चि० बृजबाबू शायद कागज की कमी का इलाज करने एक-दो दिन में दिल्ली जावें।

तुम्हारी दोनों कविताएँ मेरी फाइल में लग गई हैं। तुम्हारा यह थर्ड ईयर है। अतः स्वास्थ्य को खराब करने की सीमा तक पढ़ाई की गलती न करना।

श्री कल्याण जी से, जब मिलें, शुभाशीष कह देना।

माखनलालजी चतुर्वेदी

श्री प्रयागनारायण त्रिपाठी
के० आ०/श्री मधुसिंहजी,
स्वरूपनगर, कानपुर,

श्री सरदार माधवराव जी किबे

[1]

कर्मवीर, खण्डवा
1.1.43

श्रीमन्त !

सादर नमन !

स्वास्थ्य में कुछ गड़बड़ हो जाने से मैं इन्दौर न आ सका। कृपया क्षमा करें।

मुझे मराठी साहित्य परिषदों के अध्यक्षों के भाषणों और परिषदों के प्रस्तावों की प्रतिलिपि चाहिए। कृपया बताइये, कहाँ से प्रयत्न करूँ? कैसे पाऊँ? आपसे बढ़कर वसीला भी कौन ढूंढूं जो इन चीजों को पाऊँ? कृपया बताइये।

श्रीमती बाई साहिबा को मेरा नम्र नमन। भाऊ साहब को भी सप्रेम नमन।

विनम्र
माखनलाल चतुर्वेदी

[2]

कर्मवीर कार्यालय, खण्डवा (सी॰ पी॰)

15.6.43

श्रीमान् सरदार साहब,

सादर नमन !

आपका 6.6.43 का कृपा-पत्र प्राप्त हुआ। कृतज्ञ हूँ। लम्बी अवधि तक बाहर रहने के कारण, पत्रों का उत्तर और सम्मेलन तथा अन्य कार्यों से सम्बन्ध रखने वाला पंत्र-व्यवहार तथा कार्य मैं अभी पूरा नहीं कर पाया। इसीलिए मैंने सोचा था कि जुलाई शुरू होने पर ही यात्रा प्रारम्भ करूँगा। यों चि॰ ईश्वरचन्द्र जैन, जब उस दिन यहाँ आये थे, तब उनसे मैंने आपके पास यह निवेदन भिजवाया था कि कवि-सम्मेलन के सभापति कोई अन्य महाशय हों, और मैं उसमें आपकी आज्ञा से उपस्थित हो जाऊँ। किन्तु चि॰ ईश्वरजी की ओर से कोई उत्तर न आने से मैं चिन्तित हुआ, क्योंकि आज 15 तारीख हो गई। ता॰ 18 की शाम को यहाँ के महाराष्ट्रीय महिला समाज ने वीरा लम्बीबाई के उत्सव में मुझे बोलने के लिए कहा है। यदि आपकी आज्ञा हो, और मेरा आना नितान्त आवश्यक हो, तो मैं ता॰ 19 को प्रातःकाल की गाड़ी से इन्दौर पहुंचूं ? कृपया उत्तर भिजवाइयेगा।

बाई साहिबा से मेरा प्रणाम निवेदन।

नम्र

मा॰ ला॰ चतुर्वेदी

श्रीयुत सरदार माधवरावजी किबे, एम॰ ए॰,
सरस्वती-निकेतन, इन्दौर

श्रीमती राधादेवीजी गोयनका

कर्मवीर, खण्डवा

4.1.43

मान्य बहिन,

आपका कृपा-पत्र मिला। धन्यवाद। मेरी नगण्य सेवाओं का आपके निकट आदर है, यद्यपि मुझे तो वे दूरबीन से भी देखे नहीं दीखतीं कि वे मेरी कौन-सी सेवाएँ हैं, जिन पर अपने कृपालु मित्रों और हिन्दी संसार को विश्वास है।

बरार-जैसे हिन्दी के लिए कठिन क्षेत्र में जो कार्य किया गया है, उसका मुझे

गर्व है। शहरों में सहस्र-सहस्र हिन्दी-भाषियों के रहते हुए बरार की सीमा में हिन्दी स्कूलों और माध्यमिक शालाओं में हिन्दी की श्रेणियों और अध्यापकों की स्थापना न होती, तो अत्यधिक संख्या रहते हुए भी हिन्दी-भाषियों का कोई स्थान न होता। भाई बियाणीजी ने इन कठिनाइयों का सामना बड़े धैर्य, दूरदर्शिता और सेवा-भावना से किया। इस प्रयत्न में सम्पूर्ण यश आने के लिए, प्रचार के क्षेत्र को, साहित्य के उत्थान में कलात्मक होना चाहिए। आपका हिन्दी-साहित्य में पदार्पण और अकोला को हिन्दी-साहित्य का केन्द्र बनाने की ओर आपकी लगन निस्सन्देह साहित्य की प्रचार पर विजय बनी देखना चाहता हूँ। क्योंकि कला हमारे राष्ट्रीय जीवन की मूर्ति है, और प्रचार उसकी कीर्ति मात्र है। साहित्य हमारे अन्तरतम को व्यक्त करने का गौरवपूर्ण प्रवाह है, वह हमारे आपस के जूती-पैंजार के लिए शब्दों की सुन्दर माल हमारी जीभ या हमारी कलम तक पहुँचाने वाला हमाल नहीं है, न उसे ऐसा हमाल रहने ही देना चाहिए। आपके विकास में ऐसी ही आशा करता हूँ, बरार के साहित्योत्कर्ष में भी।

मेरा स्वास्थ्य पूर्ण सुधरने पर, मैं बरार की ओर, यानी अकोला आने का, प्रयत्न कर सकूंगा। स्वास्थ्य की कमजोरी से उत्तर में विलम्ब हुआ। अतः क्षमा करें।

चि० ललताप्रसादजी की धर्मपत्नी चि० सौ० विमलादेवी की आप सहायता कर रही हैं, यह सुनकर मुझे बहुत प्रसन्नता हुई। श्री अग्निहोत्रीजी से मेरा वन्दे निवेदन करें।

विनम्र

माखनलाल चतुर्वेदी

श्रीमती राधादेवीजी गोयनका, विशारद,
विदर्भ हिन्दी-साहित्य सम्मेलन,
अकोला (बरार)

सुश्री पुष्पादेवी खन्ना

[1]

कर्मवीर, खण्डवा
4.1.43

बेटा पुष्पाजी,

शुभाशीष!

गत ता० 24-12 को मुझे रिलैप्स हो गया था, अतः उत्तर में देरी हुई।

बाबूजी के पैर में गाँठ रह गयी, यह ठीक न हुआ। गो उन जैसा उद्योगी व्यक्ति, संकटों को खेल समझने में अपने अस्तित्व की महत्ता मानता आया है। मेरा वजन 92 से 96 हो गया था। रिलैप्स के बाद अभी तुला नहीं। आखिर तुम्हारा न तो सूरदास वाला लेख आया, न कोई और लेख। अगर तुम मुझे अपने द्वार पर पड़ा हुआ 'पड़खाऊ' न समझतीं तो तुम अवश्य मेरी आज्ञा का पालन करतीं, और लेखों का लिखना जारी रखतीं। यों मैं चाहता था कि तुम्हारा चौकन्नापन, बुढ़ापा और सुस्ती इनको कम करके, मैं तुम्हारे बचपन को लौटाता। किन्तु कदाचित् मैं इस योग्य साबित नहीं हुआ। खैर। भाई खन्नाजी से मेरा नमन कहिये। चि० नन्दोजी से कहिये, कारखाने का और घर का, दोनों का मूल्य उचित चुकावें। यदि आप अब अवकाश पावें, तो पत्र लिखें। श्री राधेश्यामजी, श्री नारायणजी, श्री प्रेमनारायणजी से मेरा नमन कह दें।

विनम्र

माखनलालजी चतुर्वेदी

[2]

14.3.43

बेटा पुष्पाजी,

आप लोगों का सम्मिलित पोस्टकार्ड मिला। रेडियो एनाउन्सर की भूल का या मूर्खता का जवाब मुझसे क्यों तलब किया जा रहा है? और इन चार दस्तखत करने वालों में, एक नाम राधेश्यामजी और दूसरा नाम श्रीनारायणजी का देखकर अचम्भा हुआ। मालूम होता है, उन दोनों की ओर से किसी ने उनके दस्तखत किये हैं, क्योंकि उक्त दोनों सज्जनों ने तो मुझे कभी नहीं लिखा। शेष रहे चि० पुरुषोत्तमजी और प्रेमनारायणजी सो वे दोनों तो इस बात के जिम्मेदार हैं कि पहले चि० पुरुषोत्तमजी सम्मेलन की परीक्षा के परीक्षाफल की बात बतावें, फिर कुछ बात करें। रहे चि० नन्दोजी, सो उन्होंने पत्र में हस्ताक्षर किये नहीं। फिर आपने अपने पत्र में इतना तूफान क्यों इकट्ठा कर लिया है? अवस्थीजी के स्वास्थ्य के हाल लिखिये। कितने अचम्भे की बात है कि पिछले पत्र में यानी कार्ड में आपने बाबूजी के स्वास्थ्य के विषय में कुछ नहीं लिखा। आपने चि० विमलाजी की ताँगा-दुर्घटना का भी जिक्र नहीं किया। अब लिखिये कि चि० विमलाजी की तबीयत कैसी है? चि० नन्दोजी ने तो कोई पत्र ही नहीं लिखा।

'देव-पुरस्कार' के सम्बन्ध में क्या लिखूं? आपकी तथा मित्रों की आनन्द-वृद्धि ही उस पुरस्कार का मूल्य है। यों तो वह पुरस्कार प्रतिवर्ष किसी-न-किसी

को मिलता ही रहता है। आखिर आपने दूसरा लेख क्यों नहीं लिखा। लिखिये, आप की परीक्षा कब हो रही है? चि० पुरुषोत्तमजी के स्वास्थ्य के हाल भी लिखिये। घर में कौन-कौन नौकर हैं। यहाँ माँगीलाल फिर से काम पर आना चाहता है। चार-पाँच बार गाँव से आ चुका है। चि० ब्रज बाबू कह रहे थे कि आगामी पहली अप्रैल से उसे काम पर ले लेंगे।

आपका स्वयं का स्वास्थ्य कैसा है? आपकी प्राइवेट सेक्रेटरी की परीक्षा हो गई या होनी बाकी है?

श्रीमान् लाला बुद्धूलालजी के प्रति मेरा नमन निवेदन कर दीजिये।

नम्र

मा० ला० चतुर्वेदी

श्रीमती पुष्पादेवी खन्ना
द्वारा प्रिंसिपल श्री हीरालालजी खन्ना,
बगिया मनीराम, कानपुर।

सुश्री साधना

कर्मवीर, खण्डवा
4.1.43

चिरंजीवी नातिन साधना को

प्रेमपूर्ण शुभाशीष!

बेटा, तुम्हारे जन्म का पता तुम्हींने दिया। लोग कहते हैं कि 'पूत के पाँव पालने में दिखते हैं' तो तुम्हारे गुण पालने ही में नजर आने लगे हैं और तुम्हीं ने अपने जन्म की खबर हमें दी। तुमने अपने पत्र में अपनी 'आई' और 'बाबा' का जो गुण-वर्णन किया है वह बिलकुल ठीक है, और तुम बड़ी हो जाओगी, तब तुम्हें और पूरा-पूरा बता दिया जायेगा। लोग एक कहावत कहते हैं कि 'ऊँट की चोरी घुटनों के बल रेंग कर नहीं होती'। तुम्हारे 'पूज्यपाद' माता-पिता ने वैसा ही किया। किन्तु जैसे तुम्हारे माता-पिता के मिलन और उनके सम्मिलन में तुम्हारे आगमन में भी तीन वर्ष लगे। पहली यात्रा की देरी तो समझ में आती थी, किन्तु दूसरी यात्रा की देरी याने तुम्हारे आगमन की देरी समझ में नहीं आई। और तिस पर भी तुम्हारे आने का अवसर उस समय आया, जब तुम्हारे पिताश्री अहिंसा और ब्रह्मचर्य के आधार महात्मा गांधी की आज्ञा से जेल में गये। समझना चाहिए कि तुम्हारे माता-पिता ने, तुम्हारे रूप में, गांधीजी की आज्ञाओं का उचित अर्थ समझा। और इस रूप में तुम्हारा 'साधना' नाम बिलकुल सार्थक है। यदि देश में साधना की यही गति जारी रहे, तो देश का·····और महात्माजी की परम

शुद्ध आज्ञा दोनों का धूम-धाम से पालन हो जाय।

खैर तुम अब आ गई हो। अब तुम्हारी लीलाओं में, तुम्हारी 'आई' अपनी लीलाओं की दुहराहट देखकर खूब खुश होती होंगी। तुम्हारी इच्छा तुम्हारे बाबा को देखने की है यह तो स्वाभाविक है, किन्तु गनीमत है कि तुम्हें कोई अपने बाबा की 'ईसाई बाला' की सन्तान नहीं कहेगा। या यों कहो, कि अब तुम्हारे बाबा के दो…हो गये—पहिली 'ईसाई बाला' और दूसरी तुम। पहिली के बाबा भी तुम्हारे बाबा हैं, और आई भी तुम्हारे बाबा ही हैं। हाँ सच, बिलकुल सच। चाहे तुम अपने बाबा से पूछ लेना। यह बात जो खुद तुम्हारे बाबा ही बतावेंगे कि जो बाबा हो सकता है, वह 'आई' भी कैसे हो सकता है? मैं बूढ़ा आदमी अपनी नातिन को कैसे समझाऊँ? तुम्हारी 'आई' की दौड़धूप को, तुमने रोक दिया। अब वह इधर-उधर भाग-दौड़ न सकेगी। यों कहो कि तुम उसके पैरों की, नहीं उसके हृदय की स्वर्ण-लंगर—सोने की बेड़ी हो गईं। तुम्हारे माता-पिता का यह संयम कितना 'खूबसूरत' है। ऐसा न हो कि तुमने अपने बाबा की तो सिर्फ 'अकल' पाई हो और अपनी अम्मा की सिर्फ शकल। परन्तु तुम्हारे जन्म के बाद भी बेटी, तुम्हारे बाबा तो मुझे अभी भी छोटे-से बच्चे मालूम होते हैं। मैं यह अनुभव ही नहीं करता कि तुम्हारे बाबा, पिता हो जाने से, पुत्र नहीं रहे। मेरे जीवन में तो तुम्हारे बाबा, मेरी आँखों में नन्हें बच्चे ही रहने वाले हैं। उनका ज्ञान मेरी आँखों के गर्व को उतार नहीं पाया। उनकी उम्र मेरे हृदय के बल को कम न कर पाई; और तुम्हारा आगमन भी बेटी, मेरे अटल विश्वास को तिल-भर भी डिगा न सकेगा। वही हाल तुम्हारी 'आई' का है। मैं उसे सागर में देखने गया था, छोटी-सी विद्यार्थी लड़की को। मेरी आँखों में वह नन्हीं-सी लड़की, तुम्हें जन्म देकर भी नन्हीं लड़की ही बनी रहेगी। तुम्हारे बाबा और 'आई' दोनों बड़े शैतान हैं—दोनों की चोरी करने की आदत अभी तक कायम है। देखो, तुम्हारे जन्म के कितने दिन बाद, मुझे खबर दी है! यदि तुम भी यह चोरी की आदत अपनी आई से सीखो तो कोई एक अगले जमाने का माखनलाल चतुर्वेदी, किसी स्कूल में, किसी यमूताई की सहायता से तुम्हें देखने आवेगा, और फिर बरसों तुम्हें भी अपनी चोरी के परिणाम के लिए कहना न पड़े।

खैर, अब लिखना बन्द करना चाहिए। उपनिषद् में एक कहावत है कि जो लोग बिना देखे, बिना ज्ञान प्राप्त किये लिखते हैं, वे मूर्ख हैं। सो पहले मुझे तुम्हें देखना चाहिए, तुम्हारी शकल-सूरत और वातावरण का ज्ञान प्राप्त करना चाहिए। इसलिए अधिक अज्ञान को अब बन्द करता हूँ।

तुम्हारा

बेटी साधना, मा०

द्वारा श्री ए० जी० शेवड़े, नागपुर।

हिन्दी साहित्य सम्मेलन

कर्मवीर, खण्डवा
17.1.43

श्रीमान् मन्त्री महोदय,
हिन्दी साहित्य सम्मेलन, प्रयाग

महोदय,

मुझे नीचे लिखे कागजों की आवश्यकता है। भिजवा सकें तो बड़ी कृपा होगी।

1. सम्मेलन के प्रारम्भ से अब तक के कार्य-विवरण।
2. सम्मेलन की प्रारम्भ से अब तक की लेख-माला।
3. हिन्दी और हिन्दुस्तानी पर सम्मेलन में, या उसकी स्थायी समिति में हुए प्रस्तावों की प्रतिलिपि।
4. पं० अमरनाथ झा का गत वर्ष का अबोहर का भाषण, और
5. अन्य भाषा-भाषियों के पत्र-व्यहारादि की वे प्रति, जिनसे हिन्दी या हिन्दुस्तानी पर मत व्यक्त होता हो।

ये सब कागज कृपया रेलवे पार्सल से भिजवाने की व्यवस्था कर दें। कागजों के आने-जाने का खर्च मैं दूंगा।

कष्ट के लिए क्षमा करें!

विनम्र
मा० ला० चतुर्वेदी

पुनश्च—

महात्मा गांधीजी, वर्धा, से इस सम्बन्ध में जो पत्र-व्यवहार हुआ हो, उसे भी मैं देखना चाहता हूँ। क्या यह सम्भव है?

वही नम्र,

श्रीयुत प्रधानमन्त्रीजी,
हिन्दी साहित्य सम्मेलन कार्यालय,
प्रयाग।

श्री प्रभुदयाल अग्निहोत्री

[1]

कर्मवीर, खण्डवा
17.1.83

श्री प्रिय अग्निहोत्रीजी

नमोनम:!

कृपा-पत्र दोनों मिल गये। कमजोर स्वास्थ्य में उत्तर समय पर नहीं दे पाया, क्षमा करें।

आपने अपने ही सौजन्य से खण्डवा का निवास सुखमय पाया। यह तो आप की ही कृपा है।

इस संख्या में, मध्यभारतीय सम्मेलन वाला लेख छप रहा है। पिछला अंक अखिल भारतीय पत्रकार सम्मेलन की आज्ञा-पालन में अचानक बन्द करना पड़ा। वे सज्जन, जो छुट्टी पर गये हैं अभी नहीं लौटे। वे लौटें तो वह लेख देखूं। वे शायद 24-1 को आ रहे हैं। उनकी गैरहाजिरी से और कामों का भी हर्ज हो रहा है।

श्रीमन् पराडकरजी के प्रति श्री किशनलालजी ने सौजन्य व्यक्त किया है, उन्हें मेरी ओर से धन्यवाद दीजिये। मासिक के लिए यदि मेरी नजर में कोई व्यक्ति आया तो सूचित करूँगा। आप स्वयं तो सुझाइये। सस्नेह नमन। मैं वसंत-पंचमी पर अकोला आ सकूँ, ऐसा पूरा प्रयत्न करूँगा।

आपका अपना
माखनलाल चतुर्वेदी

श्रीयुत प्रभुदयाल अग्निहोत्री
के०/आ० श्रीयुत किशनलालजी गोयनका,
अकोला (बरार)

[2]

कर्मवीर, खण्डवा (मध्यप्रदेश)
14.12.56

श्रीमन् अग्निहोत्रीजी,

'पश्चिमा' की प्रति मिल गई, मेरे नाम की। चि० श्रीकान्त की प्रति शायद उन्हें नहीं मिली। पश्चिमा के गीतों और कविताओं को देखकर मैं बहुत प्रसन्न हूँ।

चि० सौ० शारदा जी को मेरे आशीष। बेटी चि० कुसुम को भी।

यहाँ सब प्रसन्न हैं। आप विवाह में बारात में यहाँ आये-से नहीं लगे। अब कब आ रहे हैं?

विनम्र

ह० माखनलाल चतुर्वेदी

ब्लाक नं० 2, नरसिंहराम बिल्डिंग
गोल बाजार, जबलपुर

[3]

॥ श्री ॥

द्वारा कर्मवीर, खण्डवा (मध्यप्रदेश)
20.12.59

प्यारे भाई,

आपका कृपा-पत्र मिल गया। चि० सौ० शारदाजी को तो अपनी बच्ची को लेकर आ जाना चाहिए। छुट्टियाँ हों तो आप सबके सब यहाँ चले आवें।

मेरा एक निवेदन है। स्वर्गीय पं० लोचनप्रसादजी पांडेय पर आपका एक लेख हो, और वह जरा जल्दी ही, मेरे पास आ जाय।

क्या यह सधेगा?

आपकी सागर वि० वि० सम्बन्धी बधाइयाँ पाईं। धन्यवाद के सिवा क्या दूं?

विनम्र

मा० ला० चतुर्वेदी

पं० प्रभुदयालजी अग्निहोत्री, एम० ए०
आचार्य, संस्कृत विभाग,
रायगढ़ कॉलेज, रायगढ़ (मध्यप्रदेश)

श्री पुरुषोत्तम कपूर

[1]

कर्मवीर, खण्डवा
17.1.43

श्री भाई पुरुषोत्तमजी,

आपके दो कार्ड आ गये, मैं पत्र न दे सका। चि० बृज इधर कागज के कारण काफी व्यस्त रहे। आपका कार्ड आने पर मैंने स्वर्ण-पंचामृत की पुड़िया बन्द कर

दी थी, डॉ० वर्मा की राय से : स्वास्थ्य बुरा नहीं है। बीच-बीच में जब बिगड़ जाता है तब मैं घबरा उठता हूँ। मैं डा० सा० को स्वास्थ्य दिखाने आने वाला था, किन्तु आ न सका।

चेक के उपयोग की जरूरत होते ही, उसका उपयोग हो जाएगा। वैसी ही आपको सूचना दूंगा। यदि कुरता अभी न बना हो तो अब न बनवाइए। खण्डवा में तो वह सर्दी अब नहीं रही। कानपुर का पता नहीं। सम्मेलन के अधिवेशन का भाषण अभी तो तैयार नहीं किया। ईस्टर की छुट्टियाँ अभी दूर भी तो हैं। पुस्तक तो खटाई में पड़ी-सी दीखती है। मैं उसे वापस ही ले लूंगा, ऐसा दीखता है। जब तबीयत खराब होने का भय पैदा होता है, तब उसी समय डा० सा० के पास कानपुर आने की इच्छा होती है। माँ आपकी अक्सर याद करती है। वे आपके स्वभाव की चर्चा और प्रशंसा किया करती हैं। चि० सौ० विमलाजी के पत्र का उत्तर मैंने नहीं लिखा। आप उन्हें शुभाशीष कह दें। संतरे नागपुर में भी 10 रु० सैकड़ा हो गये हैं। शायद बृज ने नागपुर का संदेशा आपको दिया हो, या अब दें। लिखिये, क्या किया जाय ?

डा० सा० की कृपा के लिए उनके प्रति मेरा कृतज्ञता प्रकाशन अवश्य कर दें। अब सौ० लीलाजी तो खूब घूमने-फिरने लगी होंगी। उनका वजन भी बढ़ा होगा। चि० पुष्पाजी ने अपने लेख न भेजे, सो न भेजे। खैर! अब तो वे अपनी परीक्षा में लगी होंगी। चि० नन्दोजी सन्त हैं, अपने कारखाने में बहुत व्यस्त रहते हैं। डा० सा० की पुड़िया से चि० राम का पुराना बुखार और जुकाम चला गया। अब वे खूब अच्छे हैं। आप अपने स्वास्थ्य का हाल लिखें। ईसबगोल यहाँ मिल गयी, अच्छी। डा० राय से मेरा स्नेहपूर्ण वन्दे कह दें।

आपका

माखनलाल चतुर्वेदी

[2]

कर्मवीर, खण्डवा

30.12.43

प्यारे पुरुषोत्तमजी,

सप्रेम नमन !

जिस दिन प्रिय भाई यहाँ थे, उसी दिन से मुझे रिलैप्स हो गया था। भूख गायब, नींद गायब, पेट फूलना आदि शुरू है। आज छः दिन हो गये।

डा० वर्मा साहब यहाँ देखते हैं। मैं अभी पुड़िया लिये जा रहा हूँ। साथ में मगनेशिया मिल्क भी है और (......) है, जो डा० सा० को और आपको भी मालूम है।

डा० वर्मा कहते हैं कि पुड़ियाओं को थोड़े दिन बन्द करना चाहिए, क्योंकि धातुओं के लेने पर जितनी धातु हजम हो जाती है, वह लाभ करती है, और जो हजम होने से बच जाती है, वह (……) पर (……) करने लगती है। थोड़े दिन ठहरने के बाद फिर आरम्भ की जा सकती है। डा० सा० रामनारायण जी यह बात कहने पर कहीं वे नाराज न हों। अतः आप उनसे किसी तरह पूछ लें। वे उचित उत्तर दे सकें। मैं पुड़िया अभी लिए जा रहा हूँ। उत्तर आज ही दे दें क्योंकि पत्र के जाने और आने में एक सप्ताह लग जाता है। खूब अशक्तता मालूम होती है, और पीठ में दर्द है—पसलियों में भी। किन्तु तीन चीजें इस दवा के सेवन से ठीक हुई हैं, वे ये हैं—

(1) स्वप्नदोष बन्द है।
(2) दोनों जून दस्त होता है।
(3) पल्पीटेशन बन्द है।

अतः तुरन्त उत्तर लीजिये। देरी न कीजिये। मैं उसे बन्द करते डरता हूँ। यदि बन्द ही करूँ तो डा० सा० से पूछिये कि कितने दिन के लिए बन्द करूँ।

सौ० विमलाजी से शुभाशीष। लालाजी से नमन कहिये। डा० सा० से मेरा समस्त पूर्ण नमन कहिये। बिस्तर पर पड़े-पड़े ही लिखा है।

यहाँ डेढ़ हफ्ते से बादल और गर्मी है। सरदी खूब कम हो गयी है। मैं भोजन आठ बजे करता हूँ, 10 बजे रात को सोता हूँ। कोई कुपथ्य नहीं किया। छह-सात फरलांग घूमने लगा था।

विनम्र

श्रीयुत पुरुषोत्तमजी कपूर, माखनलाल चतुर्वेदी
कपूर एण्ड कं०,
बगिया, मनीराम, कानपुर

[3]

कर्मवीर, खण्डवा (सी० पी०)
1.5.44

प्यारे पुरुषोत्तमजी,

शुभाशीष !

आपका 26.4.44 का पत्र मिला। हाँ, सम्मेलन मई के तीसरे सप्ताह में हो रहा है। जयपुर में गर्मी बहुत पड़ती है। यदि सह सका, तो सम्मेलन में जाऊँगा। गर्मी तो बहुत है, किन्तु मुझे शायद जयपुर जाना ही पड़े। खण्डवा से तो जयपुर सीधी छोटी लाइन की ट्रेन जाती है। हाँ, लौटते समय दिल्ली होकर लौट सकता

हूँ। क्या जयपुर चि० सौ० विमला को भी ले जाओगे ? अब तो 'लोक-युद्ध' मेरे पास नियमित आने लगा है और मेरे मनोभावों की ऐसी चर्चा करने लगा है कि मुझे अपनी ओर ध्यान देने को बहुत लाचार-सा करता जा रहा है। यदि तुम दिल्ली में हो तो मैं, भी शायद दिल्ली ही चला आऊँ किन्तु किराया व्यर्थ ही बहुत लगेगा। और दिल्ली की गाड़ी भी सुविधा की नहीं है। अस्तु !

गर्मी सह सको तो तुम सम्मेलन हो आओ। यथार्थ में सम्मेलन जाने का समय तो पारसाल निकल गया, जब वहाँ तुम ही तुम होते।

आशा है तुम प्रसन्न हो। मँझली बहू की बीमारी ने मुझे काफी चिन्तित-सा कर ही रखा था। चि० बृज की बहू भी इधर बीमार हो गई है। अब कुछ अच्छी है। घर से एक वर्ष अत्यन्त उदासीन रहा हूँ, अतः कार्यों का बोझ बढ़ गया है। पर आज की महँगाई का भयंकर समय। प्रभु जैसी रख दे।

जयपुर से यदि कुछ दिनों पहाड़ों पर जा सका तो आपको जयपुर से खबर दे दूँगा। भाई सा० से शुभाशीष कहिये। चि० लीलाजी को जरूर पहाड़ों पर रखें।

तुम्हारा

श्रीयुत पुरुषोत्तमजी कपूर — माखनलाल चतुर्वेदी

द्वारा पोस्ट मास्टर,

रायपुर, देहरादून

श्रीमन्नारायण अग्रवाल

कर्मवीर, खण्डवा

19.1.43

मान्यवर श्रीमान्‌जी,

सादर नमन् !

आशा है आप प्रसन्न हैं। मैं पिछले दस महीने से बीमार रहा। अब तबीयत सुधरती जाती है।

इस समय यह पत्र मैं आपको एक कष्ट देने के लिए लिख रहा हूँ। मुझे 'राष्ट्र-भाषा समाचार' और 'सबकी बोली' की पूरी फाइल देखने के लिए चाहिए। तथा राष्ट्र-भाषा प्रचार के कार्यक्रम तथा परीक्षाओं की एक विस्तृत रिपोर्ट भी पढ़ने के लिए चाहिए। यदि कष्ट न हो, तो आप इन चीजों को भिजवा दें।

मुझे हिन्दी और हिन्दुस्तानी पर लिखे गए महात्मा गांधीजी के लेखों की एक प्रति चाहिए। कहाँ से पा सकूँगा, क्या आप बता सकेंगे ? इस कार्य में आप मेरी

कर सकें, तो मदद करें।

मेरी ओर से, अपनी नम्रता से, श्रीमती जानकी देवीजी को नमन निवेदन करें। उनके कार्यों और उनकी तेजस्विता से स्वर्गीय भाई जमनालालजी का गौरव सुरक्षित और सौरभित है।

चि० सौ० मधु को मेरा शुभाशीष। उसके बच्चों को प्यार।

विनम्र

मा०

श्रीयुत श्रीमन्नारायण अग्रवाल, एम० ए०
प्रिंसिपल, सेकसरिया कामर्स कालेज,
वर्धा

श्री बाबूराव विष्णु पराडकर

कर्मवीर, खण्डवा
19.1.43

मान्य भाई पराडकर जी,

सादर नमन !

'आज' छोड़ने की आपकी खबर ने काफी बेचैनी पैदा की। बुढ़ापे में आपका यह साहस प्रशंसनीय है कि आन पर आपने संस्था ही छोड़ दी। 'संसार दैनिक' के दो अंक देखे थे, फिर नहीं देखे। उसे भिजवाने की व्यवस्था कर दीजिये। आज साप्ताहिक में बाबू शिवप्रसाद जी गुप्ता का एक पत्र मय उनके चित्र के छपा है। यह क्या बात है ? आपके 'आज' छोड़ने के बाद श्री शिवप्रसादजी का यह पत्र कैसे ? मेरे एक धनिक मित्र यह चाहते थे, कि आप काशी छोड़कर अकोला में रहें और हरिचरण भजें। वे आपकी नम्र सेवा करते रहेंगे। एक विद्वान् मित्र द्वारा, मेरे संदेश पर यह उत्तर उन्होंने भिजवाया है। अब तो आपने 'संसार' की जिम्मेवारी ले ली है। मैंने खबर दी है कि मैं पू० पराडकर जी से पूछूँगा कि वे काशी छोड़ सकेंगे क्या ? छोटे से 'सम्पादकजी' यानी छोटे भाई के पुत्र होंगे, उन्हें आशीष। चि० चम्पा बहू हो तो उसे भी आशीश। और छोटी बच्ची अब किस श्रेणी में पढ़ती है ? क्या उसके सम्बन्ध की कोई चर्चा आप तय कर चुके ? लिखियेगा। मेरा स्वास्थ्य गत कुछ महीनों से बहुत खराब रहा। अब सुधरता जा रहा है।

मेरे योग्य सेवा निस्संकोच लिखते रहें। कर्मवीर में आज-त्याग की घटना पर कुछ लिखा गया था। उसकी प्रति का वह अंश भिजवा रहा हूँ।

नम्र

माखनलाल चतुर्वेदी

श्री बाबूराव विष्णु पराडकर
काशी

श्री गौतम शर्मा

कर्मवीर, खण्डवा

19.1.43

प्यारे गौतम

शुभाशीः !

आप कहाँ हैं, क्या करते हैं, कैसे हैं, कुछ नहीं जानता। 6.7.41 में एक पत्र लिखने के बाद, फिर आपने भी सुध न ली। यद्यपिं आपके पत्र का उत्तर मैंने भेजा था। मैं आगर के उन स्नेही तरुणों के नाम भी भूल गया हूँ, जिनसे मिलकर मैंने मध्य भारत के तेजस्वी भविष्य की कल्पना की थी। भाई शर्माजी को भी कोई पत्र न लिख सका।

मुझे मध्यभारत के दो-तीन तरुण चाहिए, जिन्हें शुद्ध भाषा लिखने, परिश्रम करने और विश्व की समस्याओं को प्रकृत रूप से देखकर उन्हें सुलझाने की जिज्ञासा हो। मेरे पास तो उन्हें साल-दो-साल ही रहना पड़े शायद, बाद में अपनी तैयारी से वे क्षेत्र ढूँढ़ लेंगे। अधिक दिनों रहने पर, उन्हें अधिक परिश्रम, अधिक ज्ञान और अधिक जिम्मेवारी का भाव सिद्ध करना होगा। खैर, तो मुझे कुछ तरुण चाहिए। यदि उनमें से कोई हिन्दी या अंग्रेजी का या दोनों का टाइपिंग जानता हो, तो और अच्छा। नहीं तो यों भी काम चलेगा। चुनाव, मैं खुद ही, अपने निर्णय से करना चाहूँगा। लिखिये, क्या कोई सज्जन ऐसे हैं जिन्हें मेरे कार्य के योग्य आप जानते हैं ?

मुझे नहीं मालूम कि भाई गणेशदत्त जी का क्या मत है, किन्तु आगर के तरुण समूह को देखकर मेरा मन तो यह हुआ था कि वैसे तरुणों को आगे बढ़ाकर, मध्यभारत में साहित्य की एक बलवती शक्ति कायम की जा सकती है। और यदि अपने प्रति व्यक्तिगत व्यवहारों के करने या गलती करने की बातों को हम क्षमा कर दिया करें तो साहित्य के बलिपंथियों की एक उज्ज्वल शक्ति बलवान स्वरूप में निर्मित हो सकती है। खैर, आप तो यह बताइये कि आप कहाँ हैं ?

यह पत्र मैं आपको 'निजी' लिख रहा हूँ। अतः आप मुझे ही जवाब दीजिये। इस पत्र को आगर की चर्चा का विषय होने से बचाइये।

मेरे योग्य कार्य आप सदैव लिखिये।

आपका अपना

श्रीयुत गौतम शर्मा मा० ला० च०

आगर-मालवा, ग्वालियर राज्य

श्री रामकुमार वर्मा

[1]

कर्मवीर, खण्डवा

19.1.43

प्रियवर,

सप्रेम नमन!

क्यों भाई, पत्र क्या वृक्षों में ही ऊगने और लहराने की चीजें हैं? उनका आपस में आदान-प्रदान सम्भव नहीं? मुझे काँटों में घसीटकर यह चुप्पी कैसी? या फिर कुछ नाराजी है?

थोड़ी-सी अकल उधार दो, तो सम्मेलन के लिए कुछ लिखने की बात सोची जाय? आगामी साल यदि फसल अच्छी आयी, तो लौटा दूंगा। नहीं तो त्रिवेणी का तट है—कहो तो मछलियों को चुगाने के लिए, महँगे कागज पर, राम-नाम लिख लाऊँ?

चि० चन्द्रजी आजकल कहाँ हैं? किस श्रेणी में पढ़ते हैं? और घर में सब कुशल-मंगल है?

मेरा स्वास्थ्य पिछले दस महीने से खूब ही खराब रहा, अब सँभलने लगा है।

उत्तर कालेज जाने के पहले लिखोगे, या कालेज से लौटकर? शेष आगे—

विनम्र

डॉ० रामकुमार जी वर्मा मा० ला० चतुर्वेदी

प्रोफेसर, हिन्दी डिपार्टमेंट

इलाहाबाद यूनिवर्सिटी

इलाहाबाद

[2]

माखनलाल चतुर्वेदी,
सम्पादक कर्मवीर

खण्डवा (सी० पी०)
18.9.47

विद्वद्वर डाक्टर कुमार,

आपका 12.9 का कृपा-पत्र मिला। प्रसन्नता हुई। यह जानकर मुझे दुख हुआ कि आप लखनऊ में बीमार हो गये।

मुझे हीरक जयन्ती की कोई सूचना नहीं मिली, तो भी आपका स्नेह-पत्र सबसे बड़ी सूचना है। हो सके तो आप अपने विश्व-विद्यालय का किसी के द्वारा लिखा हुआ जीवित विवरण, अथवा जीवन-चरित्र भिजवा सकें तो अत्युत्तम हो। वो डॉ० अमरनाथजी झा महोदय की सूचना और आपका तकाजा, दोनों सादर स्वीकृत हैं। और भी·· विश्वविद्यालय की जानकारी से पूर्व कुछ कागज पढ़ने को भिजवा सकें तो अच्छा हो।

अब स्वास्थ्य कैसा है?

आपका
माखनलाल चतुर्वेदी

डॉ० रामकुमार वर्मा,
प्रयाग

श्रीमती महादेवी वर्मा

[1]

कर्मवीर, खण्डवा
19.1.43

मान्य बहिन महादेवी जी,

सादर वन्दे!

आज आपकी एक रचना, उसे कहानी कहूँ या क्या कहूँ, 'भारत' में अभी पढ़ी। जीवन की ऐसी स्मृतियाँ और भी तो होंगी। क्यों न आप उन स्मृतियों को अपनी लेखनी से अमर कर दें?

एक विनय और! उस अपने चीनी-भाई के तीन थान आपके पास शेष हैं, क्या यह ठीक है? यदि ठीक हो, और तीन के उस अंक में कोई विशेषता न हो, तो मैं चाहूँगा कि एक थान मेरे पास रखा रहे। 'यदि ठीक हो' के मानी यह।

शायद स्मृति के लिख जाने, और छपने के बीच की अवधि में उनके भी कपड़े बन चुके हों। कृपया उत्तर दीजिये।

नम्र

माखनलाल

[2]

मान्य बहिन,

सविनय नमन !

आपका नाराजी से भरा कृपा-पत्र मिला। अपराधी हूँ। और कोई 'वचन' तो पालन करने में देर नहीं लगती, किन्तु मेरे भाग्य में तुकबन्दियों का तुरन्त लिख लेना बदा नहीं है। निश्चित विषय पर जिन्दगी में यह मेरी प्रथम तुकबन्दी है शायद। और अन्तिम भी हो तो आश्चर्य नहीं। इच्छा थी कि कुछ ढंग की न लिखी जाय तो न भेजूँ। किन्तु आपके कृपा-पत्र के बाद अब तो उसे फिर से देखने के लिए भी नहीं रोकता। भिजवा रहा हूँ। मुजफ्फरपुर से लौटकर कल मुझे पल्पीटेशन हो गया। लगभग सवा बारह बजे दोपहर को। काफी कमजोर हो गया हूँ। यह कमजोरी कई सप्ताह टिकती है। और मुझे लम्बी यात्रा के और मानसिक श्रम के लिए अयोग्य कर देती है। अतः यदि मार्च के अन्तिम सप्ताह में बंगाल जाने योग्य न हो सकूँ, तो आप मुझे क्षमा करें। स्वास्थ्य ठीक रहा तो मैं आपकी सेवा में लिख दूंगा।

मैं आपकी दृष्टि में वचन-भंग करने वाला साबित हुआ, इसका मुझे कष्ट नहीं। आपका मन दुख गया, इसके लिए नम्रता से क्षमार्थी हूँ।

विनम्र

माखनलाल चतुर्वेदी

(श्रीमती महादेवी वर्मा के नाम पर यह पत्र सन् 1943 में लिखा गया था, जब माखनलालजी ने बंगदर्शन के लिए अपनी कविता भेजी थी। उन दिनों वे, महादेवीजी तथा मैथिलीशरणजी बंगाल की एक यात्रा करने की योजना भी बना रहे थे, जिसका उल्लेख उपर्युक्त पत्र में है।—सं०)

[3]

'कर्मवीर', खण्डवा (सी० पी०)

15.1.45

मान्या बहिन,

सादर अभिवादन !

ता० 10.1.45 का आपका कृपा-पत्र मिला। कृतज्ञ हुआ। यह जानकर दुख

हुआ कि आप अभी तक इन्जेक्शन ले रही हैं, और अभी भी स्वस्थ नहीं हो पायीं।

साहित्यकार संसद की योजना के सम्बन्ध में आपका सुझाव मुझे स्वीकृत है। मैं पिछली बार जब आपको मिलने गया था, तब ही कदाचित् मैंने निवेदन कर दिया था कि आप अपनी योजनाओं में मुझे अपने साथ मानें। इस योजना में क्या करणीय है, यह मुझे निःसंकोच लिख कर भेजें। श्री निराला जी के सम्बन्ध में जो आपने समाचार-पत्रों में लिखा है, वह आपके हृदय की जिस वेदना को व्यक्त कर रहा है, उसके प्रति मैं आपके प्रयत्न की प्रत्येक गति का सम्मानपूर्वक स्वागत करूँगा। यों हिन्दी संसार के मित्रों को मैं आँवले की ढेरी मानता हूँ; वे छूटकर एक-दूसरे से काफी दूर-दूर, निरुद्देश्य और सम्बन्ध-रहित फैल जाते हैं, और अपनी ही क्रिया से अपने उद्देश्यों और आराधनाओं का अर्थ खो बैठते हैं। किन्तु सेवा की सफलता-असफलता, दोनों में क्रियात्मकता के आत्म-सन्तोष और युग के पतन के प्रति उत्थानपूर्ण क्रियात्मकता को जो बल जाग्रत होता है, वही कौन छोटी बात है। आप मेरे योग्य सेवा लिखें। मैं सर्वथा प्रस्तुत हूँ। मैं संसद् की सदस्यता स्वीकृत करता हूँ।

कृपया अपने स्वास्थ्य की ओर कुछ अधिक ध्यान दीजिये और शीघ्र ही यह सूचना पहुँचाने में अपने को सफल सिद्ध कीजिये कि "आपका स्वास्थ्य अब अच्छा हो गया है।"

साथ भेजा हुआ लिफाफा मैं इसलिए काम में नहीं ला रहा हूँ, जिससे भविष्य में आप लिफाफा न भिजवाया करें।

कृपा रखें।

विनम्र

मा० ला० च०

प्रति, श्रीमती महादेवी वर्मा, एम०ए०
प्रिंसिपल, प्रयाग महिला-विद्यापीठ
एलगिन रोड, इलाहाबाद

डा० धीरेन्द्र वर्मा

कर्मवीर, खण्डवा
24.2.42

श्रीमान् वर्मा जी,

कृपया आप अपने शिमला साहित्य-परिषद् के भाषण की एक प्रति भिजवा

सकें, तो बड़ी कृपा होगी। मैंने सुना है, सूबा हिन्दुस्तान पर भी आपने ग्रन्थ लिखा है, कृपा हो, यदि उसकी भी एक प्रति भिजवा सकें। किसी को आज्ञा दे दीजिये वी० पी० कर दे।

आशा है, आप प्रसन्न हैं।

विनम्र

माखनलाल चतुर्वेदी

प्रति, श्रीयुत डॉ० धीरेन्द्र वर्मा,
अध्यक्ष हिन्दी विभाग,
प्रयाग विश्वविद्यालय,
प्रयाग।

श्री प्रयागदत्त शुक्ल

कर्मवीर, खण्डवा
25.2.43

भाई प्रयागदत्त जी,

सादर नमन!

आपका एक कृपा-पत्र, दिन हुए आया था। मैं बाहर था, उत्तर न दे सका। आपका विक्रम सहस्राब्दी पर लेख भी मैंने कर्मवीर में देखा था। कृपया मेरे योग्य सेवा लिखिये। सम्मेलन का काँटों का ताज, मेरा आदर नहीं, आपका, हिन्दी की प्रान्तीय सेवा और शक्ति ही का आदर है।

प्रान्त के लेखकों, ग्रन्थकारों, इतिहासज्ञों, भाषा-ज्ञाताओं और कवियों पर, आप अपना एक नोट लिख कर भेज दें, यह कष्ट मैं आपको देना चाहता हूँ। किन्तु यह वस्तु जरा शीघ्र चाहता हूँ। क्या आप कर सकेंगे?

मुझे पता नहीं, कर्मवीर आपको मिलता है या नहीं? लिखें।

आपका अपना

माखनलाल

श्री प्रयागदत्त जी शुक्ल,
ठकड़ीपुर,
सीताबर्डी, नागपुर

श्री ज्वालाप्रसाद सिंहल

प० सं० 774 कर्मवीर, खण्डवा

6.3.43

श्रीमान् सिंहल जी,

आपका ता० 4 मार्च का कृपा-पत्र मिला। मैं इन्दौर आऊँगा अवश्य, किन्तु मेरे आने में लगातार विघ्न पड़ते जा रहे हैं। अब मुझे मलेरिया हो गया है। मेरे आने पर जो सेवा आप मुझसे लेंगे, उसमें मुझे उज्र नहीं, किन्तु कवि-सम्मेलन का सभापतित्व न कर सकूंगा। हाँ, आपकी आज्ञा पर आ अवश्य जाऊँगा।

आशा है आप कुशल हैं। दोनों बेटियों से मेरा आशीष कह दीजिये। बच्चों की माताजी से मेरा नमन।

प्रोफेसर ज्वालाप्रसाद जी सिंहल
अध्यक्ष, मध्यभारत हिन्दी साहित्य समिति
55 मनोरमागंज, इन्दौर

श्री जैनेन्द्रकुमार

[1]

14.3.43

प्यारे जैनेन्द्र,

पत्र पाकर सुखी हुआ। उज्जैन आकर भी बाला-बाला लौट गये, यह क्यों? इन्दौर भी तो गये थे। अस्तु!

हाँ, अच्छा हूँ। उधर दिल्ली की तरफ इस वर्ष गया ही नहीं। बीमार ही बना रहा। जाता तो अवश्य मिलता। क्या जल्दी ही इस तरफ आना संभव है? संभव हो तो खण्डवा आये बिना न लौटना। मेरे योग्य सेवा लिखते रहना।

नम्र

श्रीयुत जैनेन्द्रकुमार, मा० ला० चतुर्वेदी
7, दरियागंज, दिल्ली

[2]

निजी

प्यारे जैनेन्द्र,

सम्मेलन की तिथियाँ फिर बदल गई हैं। मुझे तो तुम्हें देखकर, पाकर और

साहित्यिक समारोहों में, अपना नम्र-अस्तित्व ईमानदारी से पेश करते देखकर, सुख ही होता है। मुझे तो बीस-इक्कीस वर्ष पहिले का तुम्हारा मेरे पास रहना, तुम्हारी चुहल, तुम्हारा मस्तानापन, तुम्हारी प्रखर त्याग-भावना और सूझें याद आ जाती हैं, किन्तु मैं संस्थाओं के पुनः पुनः नई-नई निर्माण किये जाने की बात पर प्रायः राजी नहीं हो पाया। सी० पी० और सी० आई० में भी, मैं स्थापित संस्थाओं ही का पोषक रहा हूँ; संस्थाओं के नवीन निर्माण को चला ले जाने वाले व्यक्ति तो दीखें। जहाँ व्यक्ति दीख पड़ते हैं, जो अपने को खपा सकें, वहाँ संस्थाएँ चल निकलती हैं। यों स्थायी समिति, इन विचारों का उचित स्थान है। मैं भी, और जहाँ तक मैं जानता हूँ, श्री अमरनाथ झा भी, यह प्रश्नता से चाहेंगे कि तुम सम्मेलन में पहुँचो। श्री बनारसीदास जी का आमन्त्रण उचित है। हाँ, उक्त संस्था के विचार का समर्थन तो बिना लम्बी चर्चा के कैसे हो?

छोटे बच्चों को मेरा शुभाशीष। बहूरानी को नमन। इन्दौर से यहाँ न आने का तुम जवाब न दे पाये। उसे बहाने से टाल रहे हो, क्यों न?

तुम्हारा अपना
मा० ला० चतुर्वेदी

श्रीयुत जैनेन्द्र जी,
7, दरियागंज, दिल्ली

श्री क्षेमचन्द्र सुमन

श्रीगोपाल

कर्मवीर, खण्डवा (सी० पी०)
24.3.43

श्री प्रियवर,

कृपा-कार्ड और आपकी पुस्तक मिली। अपनी प्रारंभिक रचना में भी अपनी सरल बात में, अनावश्यक रूप से दुरूहता मिलाकर, उसे आपने भूल-भुलैया नहीं बनाया, अतः प्रसन्न हूँ। वाणी का उपयोग आपने विचारों के वहन के लिए किया है, गोपन के लिए नहीं, यह गनीमत है। अपकी वाणी में मिठास है।

आपका
मा० ला० चतुर्वेदी

श्रीयुत क्षेमचन्द्रजी सुमन,
हिन्दी मिलाप कार्यालय,
गनपत रोड, लाहौर

श्रीमती यमुनाबाई शेवड़े

[1]

कर्मवीर, खण्डवा
29.3.43

सौ० बेटा यमू जी,

तुम्हारा ता० 26.3 का कार्ड मिला। इसके समेत तुम्हारे दो पत्र हो गये। ता० 26.1 के तुम्हारे पत्र में तुमने मेरे नागपुर आकर रहने का आग्रहपूर्ण अनुरोध किया था। चि० अन्ताजी भी यह कहते थे। किन्तु मैं कुछ ऐसा बीमार और बेचैन रहा कि नागपुर की तरफ न आ सका। नागपुर गर्मी में तो क्या आऊँगा, तुम्हीं को आना चाहिए। हाँ, हो सका तो इस वर्ष वर्षा में वहाँ आने की कोशिश करूँगा। उसी पत्र में जीवन के सम्बन्ध में तुमने जो उदासीनता प्रकट की है, उसका मुझे भी ख्याल है। मैं यह भी मानता हूँ, अनन्त साथी की कमी पूरी नहीं कर सकते। चि० अन्ता जी के जेल से लौटने पर शाला सम्बन्धी चर्चा करेंगे। अब पुन: कहूँ कि इस बार का उनका जेल जाना मुझे पसन्द नहीं आया। जब तुम जेल में उन्हें चिट्ठी लिखो तो मेरा शुभाशीष लिख देना। मैं तो उनके बिना, हिन्दी साहित्य सम्मेलन की यात्रा में अपने को बहुत अकेला अनुभव करूँगा। 'देव पुरस्कार' सम्बन्धी तुम्हारे इस कार्ड पर क्या कहूँ। यह तो प्रति वर्ष किसी न किसी को मिलता ही है। चि० वासू जी को नमन कह देना। अगर जल्दी नागपुर आ सका तो आने की कोशिश करूँगा।

तुम्हारा दादा
मा० ला० चतुर्वेदी

[2]

बेटा यमू,

शुभाशीष !

तुम्हारा पत्र मिला। अन्ताजी का पत्र भी पढ़ा। श्वास को मैं कितनी ही बार कहूँ कि श्वास मेरी है, और कोई कितनी ही बार कहे कि श्वास मेरी नहीं है—तो भी श्वास का और मेरा रिश्ता लिखकर बताने की चीज तो नहीं होता। चि० अन्ता जी की भी वही हालत है। उनका यह आन्दोलन और यह जेल जाना मुझे तो पसन्द नहीं आया। परन्तु अन्ताजी के पिछले 15-16 वर्ष का सुनहला इतिहास मेरी परम धरोहर है, और मेरा विश्वास है कि अन्ताजी का जीवन इस प्रान्त का भी परम उज्ज्वल इतिहास सिद्ध हुए बिना न रहेगा। यों मैं तो उन्हें गालियाँ

ही देता रहा हूँ, और गालियाँ देता रहूँगा।

और तुम्हें क्या कहूँ यमू बेटी। अभी खेलने-खाने के दिन—और तुम माँ भी बन गईं। खैर, अब तो तुमने भी 'आजी' कहलाने का रास्ता बना लिया। केवल कुछ वर्ष ही ठहरना पड़ेगा। केवल 20-22 वर्ष।

लिखो तुम्हारा स्वास्थ्य कैसा है? जचकी में बुखार तो नहीं आया? लड़की के जन्म के पहिले तुम्हारा कितना वजन था? अब कितना वजन है? कहाँ जचकी हुई? अस्पताल या घर? बच्ची की जन्म-तारीख, महीना, समय, सब ठीक-ठीक लिखो! बच्ची का इस समय वजन क्या है? 7 पौंड या इससे कुछ कम-अधिक? मुझे साधना नाम बहुत पसंद है। अखिल भारतवर्षीय साहित्य सम्मेलन का अध्यक्ष होने की मुझे बहुत खुशी नहीं है। तो भी तुम तीनों की स्नेहपूर्ण बधाई मैं स्वीकृत करता हूँ। यद्यपि तुम्हारी बधाई तो मेरी ही मुझे दी बधाई-जैसी हुई।

क्या कभी खण्डवा आ सकोगी? लिखो। अथवा तुम्हारा स्कूल तुम्हें अभी भी छुट्टी नहीं देता?

तुम माँ हो गयीं। आज तुम्हारा तारुण्य, बच्चा बनकर तुम्हारी ही गोद में खेलने आया है। अब तारुण्य, उद्दण्ड और (.........) को विधाता ने, प्रेम के चरणों में बार-बार नीचे झुकाकर, अपने ही पुनर्जन्म को अपनी गोद में बार-बार उठाने के लिए तुम्हें बाध्य कर दिया है। अब तुम दोनों के क्षणिक वियोग को इस बालिका-रूपी सुवर्ण-ग्रन्थि ने वियोग नहीं रहने दिया। तुम साधना की आँखों में अपने किसी की आँखें देख सकती हो।

अस्तु अब पत्र बन्द करता हूँ। प्रसन्न रहो। बच्ची को प्रसन्न रक्खो।

अन्ताजी का जेलवाला पत्र लौटाता हूँ।

तुम्हारा दादा

श्रीमती सौ० यमुनाबाई शेवड़े, बी० ए०
नागपुर

श्री यशपाल जैन

कर्मवीर, खण्डवा
24.3.43

श्री प्रियवर,

कृपा-कार्ड मिला। धन्यवाद! पुण्य-तिथि और जन्मतिथि वाला आपका और श्री चतुर्वेदी जी का सुझाव अच्छा है। किन्तु उसे सफल करने में जनपदों में,

विषेश सद्भावना का वातावरण जाग्रत करना चाहिए। राजनीति, ज्ञान और प्रतिभा के उचित मूल्य मापने की तराज़ और बाँट दोनों को बहुत बिगाड़ चुकी है। मुझे तो रंज है कि जीवन में मैं गणेशजी के प्रति कुछ न कर पाया। श्री चतुर्वेदीजी से मेरा प्रणाम कहने की 'चिट्ठी-रसाई' भी कर दीजिए। अब वे भी काफी दरबारी हो गये हैं। उनके पत्रोत्तर आने में भी कुछ समय पहले प्रसव-वेदना आजकल शायद आवश्यक हो गयी है।

नम्र

श्रीयुत यशपालजी, मधुकर कार्यालय, मा० ला० च०
टीकमगढ़ (सी० पी०)

श्री कमलापति त्रिपाठी

कर्मवीर, खण्डवा (सी० पी०)
29.3.43

श्रीयुत शास्त्री जी,

आपका कृपा-कार्ड मिला। 'देव पुरस्कार' पर आपके स्नेह-भावों के लिए धन्यवाद। हिमकिरीटनी के प्रकाशक अभी तो बाबू शालिग्राम जी वर्मा हैं। उनका पता है, सरस्वती प्रकाशन मन्दिर, जार्ज टाउन, अलाहाबाद। कापियाँ मेरे पास नहीं भेजी गयीं। केवल कुछ संख्याएँ मात्र मेरे पास दस-पाँच करके मेरे खण्डवा न रहने पर आयी थीं। कापियाँ मैंने मँगवाई हैं, आने पर एक प्रति भिजवा दूँगा।

श्रीमती शिवरानी देवीजी से कहिये, मिठाई खाने का अधिकारी मैं हूँ, खिलाना तो उन्हें होगा। उन्हें मेरा प्रणाम।

विनम्र

श्रीयुत कमलापति जी त्रिपाठी, मा० ला० च०
सरस्वती प्रेस, बनारस

श्री ईश्वरचन्द्र जैन

खण्डवा (सी० पी०)
31.3.34

प्यारे ईश्वरजी,

लम्बे अरसे से तुम्हारा कोई पत्र नहीं। क्यों ? स्कूल की छुट्टियाँ कब हो

जाती हैं, लिखो। मैं तो इन्दौर आते-आते रह गया। जरा जाकर चि० अजित, चि० नरेन्द्र और उनकी माताजी के हाल-चाल जानकर मुझे लिखो। और 'कुछ आप-बीती कुछ जग-बीती' भी लिखो। श्री पी० सिंहल जी ने लिखा है कि तरुणों से हमारा मेल हो गया है। किन्तु तुमने इस विषय में कुछ न लिखा। मुझे भी तो थोड़े-से उजाले में रखो। इधर जैनेन्द्र जी के दो पत्र आये हैं। उनकी शिकायत है कि---'आप तो कभी खबर ही नहीं लेते। शायद खयाल है कि बुजुर्ग पिता से जवान बेटे का कर्ज ज्यादा है···' अस्तु! क्या किसी इतवार को तुम खण्डवा नहीं आ सकते? आखिर देखूं तो तुम क्या हो? कैसे हो? किस स्वरूप में हो? क्या बीत रही है? और किस पथ के पंथी हो, आदि-आदि। घर में अपनी माताजी से नमन कहना। बच्चों को शुभाशीष और बहूरानी को सादर शुभाशीः। आओगे कब?

सवात्सल्य

श्री ईश्वरचन्द्र जी जैन
33, खजूरी बाजार, इन्दौर

श्री गजानन माधव मुक्तिबोध

कर्मवीर, खण्डवा (सी० पी०)
14.4.43

भाई मुक्तिबोध जी,

आपका कृपा-पत्र मिला। सुख पाया। मेरा स्वास्थ्य किसी प्रकार पुनः रास्ते पर आ गया-सा दीखता है। परिषद् पर लिखे वक्तव्य के बाद तो शिप्रा, नर्मदा और दिल्ली के निकट की जमना में बहुत पानी बह गया। उस वक्तव्य पर कैफियत पर कैफियत देनी पड़ी। जिन तरुणों की कविताएँ आपने भिजवाई हैं, अच्छी हैं। नये न्यूज कण्ट्रोल ने इतना पराधीन कर दिया है कि कुछ न पूछिये। कविताएँ खूब प्रारम्भिक हैं, आशा है, ये तरुण आगे बढ़ने में ऊबेंगे नहीं। उनकी रचना, भगवान् करे, छोटी-बड़ी कहानी के भेद को समझकर गतिशील रहे और 'खोल दृग अपने सलोनी' कहने वालों से रूठे नहीं, तो वे मैदान मार लेंगे। आशा है, आप प्रसन्न हैं। कभी श्री माचवेजी के हालचाल भी दीजिये।

आपका
मा० ला० चतुर्वेदी

श्री गजानन माधव मुक्तिबोध,
उज्जैन

डा० बलदेवप्रसाद मिश्र

[1]

'कर्मवीर', खण्डवा

प० सं० 773 4.3.43

श्रीमान् डाक्टर साहब,

सादर नमन !

कृपा-पत्र मिला। कृतज्ञ हूं।

(1) मैं तो यहाँ की हिन्दी-प्रगति पर आपका मत चाहता हूँ, यदि थोड़ा विस्तार से लिख सकें।

(2) प्रभाकर परीक्षाओं के विचार को आप प्रस्तावबद्ध लिखवाकर भिजावाने का कष्ट लें। अपने विचार प्रस्ताव के नीचे दे दें, या प्रस्ताव श्यामजी लिख दें, आप उस पर अपना मत भिजवा दें।

(3) सम्मेलन रायपुर बुलवा लीजिये। सन् 1914 में, आमन्त्रण सी०पी० में लाने का मेरा था। स्वर्गीय शुक्लजी ने, जो उस समय प्रयाग-सम्मेलन में उपस्थित थे, समर्थन किया था। इस बार आप सम्मेलन रायपुर में आमन्त्रित करें।

मेरा सभापतित्व तो आप सदृश मित्रों की कृपा-मात्र है।

आशा है आप प्रसन्न हैं। हर्ष है, आपने प्रान्तीय सम्मेलन को जिला दिया। इसे जीवित रखने के प्रयत्न जारी रखियेगा।

मेरे योग्य सेवा लिखते रहें।

विनम्र

[2]

कर्मवीर, खण्डवा

12.5.43

मान्य डाक्टर साहब,

कल 10.5.43. की दोपहर बाद आपका कृपापूर्ण तार मिला था, जिसमें आपने, रायपुर अभिनन्दन के लिए सुविधाजनक तिथि सूचित करने को मुझे लिखा था। कदाचित् आपको पता नहीं होगा कि ता० 15.5.43 को मुझे हरिद्वार पहुँच जाना होगा, क्योंकि ता० 17 के सम्मेलन के अधिवेशन के प्रथम, ता० 16 को स्थायी समिति की बैठक है। इधर मुझे अचानक प्रयाग जाना पड़ा था, अतः मैं उन अधूरे कामों को नहीं निपटा पाया, जिनका सम्मेलन के पहिले निपट जाना जरूरी है। यों यदि मैं ग्यारह की रात को भी यहाँ से चलता तो 12 की शाम को रायपुर पहुँचता और फिर लौटकर मैं ता० 13 को किसी तरह खण्डवा नहीं पहुँच

सकता था कि समय पर यानी ता० 15 को हरिद्वार पहुँच सकूँ। फिर रेलों की देरी और भीड़ के बीच, हर यात्रा में एक-दो दिन अधिक बचत में रखे बिना समय पर कहीं पहुँचना सम्भव नहीं। इन्हीं लाचारियों में मुझे, आपके कृपापूर्ण तार का यह जवाब भिजवाना पड़ा कि सम्मेलन के पहले अपनी असमर्थता के लिए दुःखी हूँ। मैं रायपुर सन् 30 से नहीं गया हूँ। अतः मेरा कर्त्तव्य आपकी आज्ञा मानने को विवश कर रहा था, किन्तु समय बिल्कुल ही न था। अतः मेरी प्रार्थना है कि मेरी लाचारी को देखकर आप मेरी (सम्मेलन से पहले रायपुर न पहुँच सकने की) असमर्थता को क्षमा करेंगे। यदि दो दिन पहिले भी सूचना पाता तो ता० 9.5 की रात ही को रायपुर चल देता और 11 या 12 को लौट आता। किन्तु अभिनन्दन के लिए आप चिन्तित क्यों हो ? मेरी सीमाओं और सेवाओं की नगण्यता ऐसी हैं जिन्हें उच्च हृदयतावश आप क्षमा भले कर दें, उनका अभिनन्दन तो आप-जैसे योग्य सुधी कभी करने की सलाह न देंगे, ऐसा ही मैं सोचा करता था। किन्तु आपके, मेरे प्रति रहने वाले कोमल पक्षपात को मैंने आज इतना बलवान देखा कि अभिनन्दन तिथि निश्चय करने का तार भी आ गया। अपनी कृपा के सुमधुर प्रकाश में, आप मेरे क्षुद्रत्व को बहुत ऊँचे पर चढ़ा देखने का लालच पाले हुए हैं। आप बलवान भी तो हैं। युग उसी को महान् कहने लगेगा जिस पत्थर पर भी आपकी सुसंस्कृत कोमल अभिभावना देवत्व का आरोप कर दे। किन्तु उम्र में बड़ा होने के नाते भी क्या मैं आपको इस पथ से विचलित कर पाऊंगा !

विनम्र

डा० बलदेवप्रसाद मिश्र, मा० ला० चतुर्वेदी

रायपुर

आप हरिद्वार आ सकें, यह मेरा बहुत आग्रह है।

श्री ब्रजभूषण चतुर्वेदी

[1]

गंज बासोदा रेलवे-स्टेशन,

14.5.43

चि० ब्रजबाबू,

शुभाशीः !

ट्रेन मुझे लिये जा रही है। डब्बा इटारसी पर बदल लिया था। बहुत अच्छा दूसरा मिल गया। सीट रिजर्व कर ली। इस समय मैं बीना पहुँच रहा हूँ। भेलसा

पर मैंने 'हिन्दुस्तान' खरीदा था। उसमें स्वागत-समिति ने सूचना निकाली है कि लोग गर्म कपड़े लेकर आवें और मैं तो अपने कोट गर्मी के कारण वहीं छोड़ आया। अतः उन्हें तुरन्त पार्सल से हरिद्वार भिजवा दो। मैं तो तार देता, किन्तु वह समय पर मिल ही जायगा, यह भरोसा न था।

पूज्य माँ से प्रमाण कहना। चि० बहू से शुभाशीष:। लड्डो की बहुत याद आती है। छोटी बच्ची को भूलना भी पिछले 6-7 दिनों से कठिन रहा है। यदि मँझले और बीर छूट जाएँ तो हमें तार से खबर देना।

आशा है, अरझरे भाषण की प्रतियाँ लेकर आ रहे होंगे। हम दिल्ली में रॉयल होटल में ता० 15 को 10 बजे रात तक रहेंगे। शायद ता० 16 को भी रहें। जरूरत हो तो तार दे देना। दोपहरी रेल में निकल गई। अब 6.30 बजा है, शाम का।

कोट रवाना करो। क्या ही अच्छा हो, यदि पेशावर ऐक्सप्रेस से कोट की पारसल चल दे।

तुम्हारा

श्री बी० बी० चतुर्वेदी — मा० ला० चतुर्वेदी

कर्मवीर प्रेस, खण्डवा

[2]

31.10.50

प्यारे ब्रजबाबू,

शुभाशीः !

मैं जिस दिन यहाँ पहुँचा, रेल से उतरकर यहाँ पहुँचते ही एक पत्र लिख दिया था। पहुँचा होगा। यद्यपि चाबी के लिए मैंने बलराम को पहिले ही खूब डाँटा था, किन्तु गलती चि० जगदीश की थी। खैर बात आगे गयी। घर के बच्चों से क्या नाराजी और क्या उसका दुःख। तो भी उन्हें डाँटना चाहिए।

बच्चों के बिना मेरी हालत बड़ी खराब रहती है। तिस पर पुरुषोत्तम जी तो जहाँ पारिवारिक समूह पाते हैं, बच्चों की प्रशंसा करते नहीं थकते। कल रात तो उन्होंने इस काम में पूरे 40 मिनिट लगाए। चि० बिमलाज़ी, चि० लीलोजी और समस्त परिवार चि० ब्रजलता और बच्चों को कानपुर लाने की बात सोचता है।

इटारसी क्यों गये थे, मुझे चिन्ता है। मैं दिवाली के पहले जाने का प्रयत्न करूँगा।

भैया की दवा का खयाल बराबर रहे। छोटे को सुबह गर्म कपड़े पहनाये

जाएँ। अन्ना को चिढ़ाया न जाए। तुम्हारी गैरहाजिरी में लड्डो का हाल अनाथ जैसा हो जाता है, उससे बहुत कष्ट होता है। चि० ब्रजलता बच्चों पर अपने हाथ हमारी गैरहाजिरी में कम आजमावे। स्वयं ब्रजलता और बच्चियाँ घर की चिल्लाहट, पुकार और विकराल स्वरूपसे दु:खी न हों।

माँ को प्रमाण कहना। मेरा स्वास्थ्य अच्छा ही है। केवल भाई खन्नाजी के अभिनन्दन में यहाँ आने की कोई बात नहीं थी। हाँ, पुरुषोत्तमजी सदा की भाँति इतने सेवापरायण हैं कि मुझे सवारी और सुविधा की कोई कमी नहीं है। श्री खन्नाजी तथा श्री सद्गुरुजी के यहाँ तो महमानों का ताँता ही लगा है। स्वाभाविक है।

तुम अकेले हो, यह भावना घर से चलते समय ही कम दु:ख नहीं दे रही थी। आज मैं शीघ्र लौटने की सोचता हूँ। उत्सव खूब धूम से चल रहा है। खन्नाजी के यहाँ पुष्पाजी तथा नन्दोजी ने खूब प्यार से तुम्हारे पत्र का स्वागत किया।

तुम रात को अधिक नहीं जागना। दोपहर-शाम को समय पर भोजन करना। बच्चों को खिलाना।

श्री मुनीमजी याने श्री ब्रजवल्लभजी[1] से हमारा नमन कहना।

श्री वर्माजी से कहना कि यदि वे इस ज्ञान-सूत्र में आते तो बहुत सुखी होते।

यदि मेरा फोन आये तो बड़े भैया को निकट रखना, जिससे बच्चों की बोली हमें सुनाई पड़े। किन्तु उन्हें जगाकर जबरदस्ती न करना।

चि० ब्रजलता फोन पर क्यों बोले ?

तुम्हारा
ह०/मा०

श्री दिलीपचन्द वेदी

कर्मवीर, खण्डवा (सी० पी०)
(संभवत: 1943)

श्रीमान् वेदीजी,

आपका 19.5.43 का पत्र मुझे यात्रा ही में मिल गया था। आज घर लौटकर उत्तर दे रहा हूँ। विलम्ब के लिए क्षमा करें।

मैं खण्डवा (मध्यप्रदेश) में रहता हूँ। दिल्ली से जी० आई० पी० की जो गाड़ी बम्बई जाती है, खण्डवा उसके मार्ग में पड़ता है।

---

1. श्री दादा के बाल-मित्र।

आपकी बड़ी कृपा होगी, यदि आप नीचे लिखी जानकारी मेरे पास भिजवा सकें।

(1) हिन्दी-भाषी गायकों के नाम, चाहे वे किसी भी जाति, धर्म या समाज के हों।

(2) गीतों के प्रकार, पक्के गीत गाते हैं या के संत-साहित्य के स्थिर गीत गाते हैं।

(3) यदि स्थिर गीत गाते हैं, तो कौन-कौन-सी रागें उन्हें सधी हुई हैं ?

(4) कौन से वाद्य सधे हुए हैं, किस वाद्य में विशेष निष्णात हैं ?

(5) चलत् राग यदि गाते हैं तो संगीत के अनुसार या सिनेमा के तरीकों से तोड़-मरोड़कर भी ?

(6) गायक की उम्र।

(7) गायक का परिवार और उन पर बोझ।

(8) गायक का निवास-स्थान, संक्षिप्त परिचय और पूरा पता।

(9) गायक का गुरु-स्थान।

(10) क्या गायक हिन्दी भाषा पढ़े-लिखे हैं ?

(11) वे अपना पत्र-व्यवहार अधिकतर किस भाषा में करते हैं ?

(12) वे किस धर्म के अनुयायी हैं ?

(13) वे किस जाति के हैं ?

(14) अपने गायन के कारण वे कहाँ-कहाँ आदर पा चुके हैं ?

आपका कृपा-पत्र पाकर मुझे हर्ष हुआ है। मैं आपका सहयोग पाकर कुछ करने की कोशिश कर सकूँ, यह इच्छा है। कृपा-पत्र के लिए पुनः धन्यवाद।

विनम्र

श्री दिलीपचन्द्रजी वेदी, संगीत-सेवक — मा० ला० चतुर्वेदी

मार्फत प्यारेसिंह कम्पनी,

नई सड़क दिल्ली

श्रीमती मदालसा अग्रवाल

कर्मवीर, खण्डवा

4.6.43

बेटी मदालसाजी,

शुभाशीः !

गत 13.5 का आपका पत्र मुझे गत 1.6.43 को खण्डवा लौटने पर मिला।

मैं ता० 14.5 को सुबह ही हरिद्वार चला गया था। श्रीमन्‌जी की ओर से जो बधाइयाँ आपने भिजवायीं, वे सिर-आँखों पर। किन्तु श्रीमन्‌जी मेरे हृदय के इतने निकट हैं कि उन्हें शिष्टाचारवश धन्यवाद देते भी संकोच होता है। यथार्थ में तो तुम्हारी 'बालबुद्धि' उचित ही करती है, जब वह 'अभिनन्दन की भारी भाषा को व उसके लेन-देन के प्रतिष्ठित व्यवहार को' समझ नहीं पाती। अस्तु। जब श्रीमन्‌जी जेल से लौटें, तब उनसे निवेदन करना कि आप दोनों एक बार खण्डवा आवें। आखिर चुराये हुए आनन्द का भी, चोरी पकड़ी जाने पर, मूल्य तो चुकाना ही होता है न ? जब पत्र लिखो, तब मेरी स्नेह-भावना, श्रीमन्‌जी तक शीघ्र पहुँचा देना। मुझे हरिद्वार में उन्हें न देखकर बहुत खेद हुआ। क्योंकि अबोहर में वे मेरे साथ थे। बेटी, यदि कभी विनोबा को पत्र लिखने का अवसर मिले, तो उन्हें मेरे प्रणाम भिजवाना न भूलना।

विनम्र

मा० ला० चतुर्वेदी

श्रीमती मदालसाजी अग्रवाल,
श्री बजाजवाड़ी, वरधा

श्री भवानीदयाल संन्यासी

कर्मवीर, खण्डवा (सी० पी०)
27.6.43

श्रीमन् संन्यासीजी,

नमोनमः !

कृपा-पत्र के लिए कृतज्ञ हूँ। आपका मुझ पर जो स्नेह रहा है, वही आपके कार्ड से व्यक्त हो रहा है।

हिन्दी भाषा और नागरी लिपि को सामने रखकर यदि उपनिवेशों में कोई प्रयत्न हुए हों, तो उनका मुझे पता दीजियेगा। अभी सम्मेलन की सेवा-वश मैं बाहर जाऊँगा, उस समय उन बातों का प्रसंगवश उल्लेख करूँगा।

मुद्रित भाषण की प्रतियों की माँग पूरी न कर सकने पर मैं स्वयं दुखी हूँ। सुनता हूँ, उसका कोई सज्जन पुनःमुद्रण करा रहे हैं। यदि ऐसा हुआ और मुझे प्रतियाँ मिलीं, तो मैं आपकी सेवा में भिजवा दूँगा। मेरे योग्य सेवा लिखते रहें।

विनम्र

मा० ला० चतुर्वेदी

श्रीमान् भवानीदयालजी संन्यासी,
प्रवासी भवन, आदर्शनगर, अजमेर

श्री सियारामशरण गुप्त

कर्मवीर, खण्डवा (सी० पी०)
27.6.43

श्री भाई सियारामशरणजी,

सप्रेम नमन !

कृपा-पत्र मिला। आपके प्रशस्त लेख से सम्पूर्ण हिन्दी जगत् का दिशा-दर्शन होता है।

सम्मेलन का सभापति अपने साथ अनेक दुर्भाग्य लेकर भी हरिद्वार पहुँचा था, उनमें, उसका लम्बा भाषण और कागज के अकाल का युग, ये दो दुर्भाग्य भी थे। भाषण की प्रति भेज सकूँ इस यत्न में हूँ। सफल न हो सका, तो मेरे पास की प्रति भिजवा दूंगा। पढ़ने के बाद, आशा है, आप अपने सब विशेषण वापस ले लेंगे।

श्रद्धेय गुप्तजी से मेरा सादर प्रणाम निवेदन करें।

विनम्र
माखनलाल चतुर्वेदी

कविवर श्री सियारामशरणजी गुप्त,
चिरगाँव (झाँसी)

श्री देहानकर

कर्मवीर, खण्डवा (सी० पी०)
10.7.43

श्रीमन् देहानकर साहब,

सादर नमस्कार !

आपका ता० 28.6 का कृपा-पत्र प्राप्त हुआ। हरिद्वार के भाषण के सम्बन्ध में, आपकी बधाइयों के लिए, धन्यवाद स्वीकृत कर कृतज्ञ कीजिये।

पूज्यवर सप्रेजी के सम्बन्ध में, जो पंक्तियाँ आपने लिखी हैं, उनका आदर करते हुए, मैं आपसे निवेदन करता हूँ कि यदि श्रीयुत मावलीप्रसादजी सप्रेजी महाराज का जीवन-चरित लिख चुके हों, तो कृपया मुझे सूचित कीजियेगा। वह ग्रन्थ हरिद्वार में बनी समिति की सहायता के बिना भी अवश्य छप जायगा। इसी तरह, यदि सप्रेजी महाराज की लेखमाला तैयार हो गयी तो वह भी शीघ्र ही छप जायगी। जो सत्रह वर्ष बीत गये, वही देरी बहुत हो गयी। अब कृपया यह कार्य शीघ्र सम्पन हो जाय तो अच्छा। सप्रेजी महाराज की जीवन-घटनाओं और उनके

साहित्य-संग्रह का खजाना मेरे पास नहीं हैं। श्री मावलीप्रसादजी और रायपुर के मित्र ही इस विषय में संग्रह-कार्य करें तो यह कार्य शीघ्र सम्पन्न हो सकता है।

साथ ही मेरा निवेदन है कि स्वर्गीय पं० रामदयालजी तिवारी की जीवन-घटनाओं का संग्रह भी सामयिक होगा। और हिन्दी साहित्य-सेवियों के लिए परम आवश्यक भी।

पूज्य पाद सप्रेजी महाराज का जीवन-चरित तैयार हो चुका हो, तो कृपया मुझे आप शीघ्र सूचना दें।

श्रीयुत प्यारेलालजी गुप्त को मेरा स्नेहपूर्ण नमन कहें।

आपका अपना,

श्रीयुत देहानकर, मा० ला० चतुर्वेदी
रायपुर

श्रीमती इन्दिरा गुप्ता

कर्मवीर, खण्डवा
9.11.43

बेटा इन्दिराजी,

गीत मिले, कर्मवीर में छपने दे दिये। वे क्रम-क्रम से छपेंगे। मैं यहाँ न था। इन्दौर से लौटकर मैं प्रयाग, कानपुर, जबलपुर, पूना, बम्बई, सूरत, माथेरान, लोनावला—कहाँ-कहाँ नहीं गया। ता० 28·10 को जब लौटा, तब आपका पत्र पढ़ा।

स्वास्थ्य अच्छा है। यात्रा कर लेता हूँ। चैन से रहने नहीं पाता। समय से पहले इन्दौर भी इसीलिए छोड़ा कि तीन-तीन भाषण एक दिन में देने की हिम्मत न थी, और इन्कार करने पर स्नेही मित्र अपमानित अनुभव करते थे। इसीलिए चुपचाप मह चला आया और यहाँ से ट्रेन में बैठा।

आशा है आप प्रसन्न हैं। आप अपने देवता से मेरा नमस्कार कहें, अपने पिताजी से मेरा नम्र प्रणाम भी कहें।

विनम्र

श्रीमती इन्दिरा गुप्ता, मा० ला० चतुर्वेदी
दिलपसन्द, इन्दौर, सी० आई०

श्री भदन्त आनन्द कौसल्यायन

प० सं० 1091 कर्मवीर, खण्डवा

22.11.43

मान्य आनन्द जी,

सादर प्रणाम !

मुझ पर आपके दो पत्र उधार हैं। स्थिर न हो सकने के कारण उत्तर नहीं दे पाया। नागपुर में आपसे भेंट होगी। तब आपसे सुनूँगा—अपनी सुनाऊँगा।

एक महीने पश्चात् सम्मेलन के नये सभापति के चरणों में यह उत्तरदायित्व रख देना है, अतः कुछ मजदूरी कर लेना चाहता हूँ। सम्मेलन के सामने लेखा-जोखा देने योग्य कुछ तो हो सकूँ।

गुजरात और महाराष्ट्र हिन्दी-प्रचार के पथ में अपनी समस्याएँ रखते हैं। उन स्थानों का कार्य सावधानी से चलाना होगा। श्री मुंशीजी तो ऐसी किसी बात के अस्तित्व का गुजरात में बढ़ना नहीं मानते जो राष्ट्रभाषा के स्वरूप को बदलना चाहे। वे हिन्दी के राष्ट्रभाषा स्वरूप के परम समर्थक हैं।

शरीर आपके आशीर्वाद से सकुशल ही कहना चाहिए। ताँगे का घोड़ा जब तक वह किसी भी रफ्तार से मजदूरी करता रहे, तब तक वह घोड़ा ही है। और ड्यूटी का घोड़ा है।

आशा है आप प्रसन्न हैं। मेरे योग्य सेवा लिखें।

विनम्र

माखनलाल चतुर्वेदी

श्रीमान् भदन्त आनन्द कौसल्यायनजी,
राष्ट्रभाषा प्रचार समिति,
वरधा Vardha

श्री हीरालाल खन्ना

हिन्दी साहित्य सम्मेलन कार्यालय, प्रयाग

20.12.43

श्रीमान् भाई खन्नाजी,

सादर नमन !

कल मैं आपकी प्रतीक्षा में रहा, इतवार था। जो बात लिख रहा हूँ, वह प्रत्यक्ष ही करना।

एक अपराध की क्षमा माँगनी है। मैंने आपकी गैरहाजिरी में टेलीफोन पर प्रयाग का ट्रंक-काल उस दिन किया था, जिस दिन मैं यहाँ आ रहा था। 'क्षमार्थना' से अधिक कुछ और भेजूँ तो फिर भय है कि नये सिरे से आपकी नाराजी पर क्षमार्थना करनी पड़े।

मैं शायद कानपुर होकर घर लौटूँ। यहाँ श्री अमरनाथजी झा साहब नहीं हैं। अतः मेरा अधिक उपयोग यहाँ दिखाई नहीं देता। पं० श्रीनारायण चतुर्वेदी भी बाहर हैं। आया था, उस दिन मिल गये थे, उसी दिन बाहर चले गये।

श्री अवस्थीजी से निवेदन करें कि उनकी सेवा बजा दी गयीं। परिणाम क्या होता है, देखें।

विनम्र

मा० ला० चतुर्वेदी

प्रिंसिपल श्री हीरालालजी खन्ना,
बगिया मनीराम, कानपुर

रामधारीसिंह 'दिनकर'

[1]

कर्मवीर, खण्डवा

1.1.44

प्यारे दिनकरजी,

कृपा-पत्र मिला। कृतज्ञ हूँ। मैं परसों ही प्रयाग से लौटा हूँ। अतः उत्तर देरी से दे रहा हूँ।

श्री कृष्णकिंकरप्रसादसिंहजी को हिन्दी-धारा से जब कुयांग (चीन) जाते देखता हूँ, तो मुझे अद्भुत आनन्द मालूम होता है। वे पूर्वीय एशिया के सच्चे संस्कृति-दूत हैं। चीन और भारत का, भाषाओं के रूप में यह मिलन जितना ही सुखद है, उतना ही उत्तरदायित्व से भरा हुआ है। 'कृष्णकिंकरजी' को हिन्दी के एशिया के विस्तृत क्षेत्र में पहुँचना है, और भारतीय साहित्य-प्रेम को चीन के बन्धु-भवन में पहुँचाना है। विश्व की भौगोलिक पुस्तिका में और प्राचीन सभ्यताओं की सांस्कृतिक पुस्तिका में, चीन और भारत, विश्व के अध्ययन-स्रोत के निर्मल और तेजस्वी साधन रहे हैं। हिन्दी भारत के 18 करोड़ों की भाषा है जो धर्म, जाति, रूढ़ि, सामाजिक विषमता, सबके परे उसे अपनी भाषा कहते हैं, और दक्षिण भारत के लाख-लाख निवासी उसमें पारंगत हो रहे हैं। मुझे आशा है, किंकरजी उसका योग्य प्रतिनिधित्व करेंगे, और चीन का सांस्कृतिक संदेश हिन्दी में भारत की ओर

भिजवाते रहेंगे। योगी के लिए जो लिख सकूँगा, होली के पहले भिजवा दूंगा।

आशा है आप प्रसन्न हैं।

आपका

मा० ला० चतुर्वेदी

[2]

खण्डवा, म० प्र०

25.3.1956

प्यारे भाई दिनकरजी,

आपका कृपा-पत्र समय पर मिल गया था। मुझे इन्फ्लुएंजा हो रहा था, अतः उत्तर न दे सका। यूँ मैं अब इतना कमजोर हो गया हूँ कि खण्डवा में भी घर से बाहर किसी सवारी पर बैठकर नहीं जा पाता। डाक्टर कहते हैं कि मैं एक-दो महीनों में केवल सवारी पर खण्डवा में बाहर निकलने लगूँगा। किन्तु डाक्टर लोग यह बात पिछले चार महीनों से कहते चले आ रहे हैं। यदि मैं बाहर खण्डवा में भी आने-जाने लगूँ, तो सवारी में बैठकर, मन्दिर में दर्शन तो कर आया करूँ।

इस समय तो आप ही को, जरूरी मशविरे के लिए मुझसे मिलने का समय निकालना है। कब निकाल सकेंगे? लिखिये। अच्छा होता तो मैं दौड़कर आपके पत्र पर बिहार आ पहुँचता। लिखिये, आप कब तक खण्डवा आकर मेरी बात सुन सकेंगे?

विनम्र

माखनलाल चतुर्वेदी

श्री रामधारीसिंह 'दिनकर'
उदयाचल, आर्यकुमार रोड, पटना-4

श्री कृष्णकिंकरप्रसाद सिंह

प० सं० 1169

कर्मवीर, खण्डवा (सी० पी०)

26.1.44

प्रिय महोदय,

आपका कृपापत्र मिला, धन्यवाद। आपके चीन जाने की तिथि मैं धन्य दिन मानता हूँ। चीन में वहाँ के विश्वविद्यालय के किसी विद्यालय में हिन्दी का अध्ययन

प्रारम्भ होना, राष्ट्र-भाषा और राष्ट्र के लिए गौरव की बात है। चीन के यूनान प्रान्त के उस कुमिंग शहर के विद्यालय की हिन्दी शिक्षा की ओर परिणामों को देखने के लिए हिन्दी जगत् की आँखें लगी रहेंगी। हिन्दी जगत् के उन सहस्र-सहस्र लोगों में मैं भी एक होऊँगा।

कृपया आप अपनी एक चिट्ठी प्रयाग के पते पर मुझे भिजवा दें। तब यदि आप उचित समझें तो मैं हिन्दी के प्रकाशकों के नाम एक अपील भेज दूँगा। मेरी अपनी पुस्तकें जो कुल मिलाकर न कुछ तीन उपलब्ध हैं—प्रयाग से ही आपके पास भिजवा दूँगा। मिल गयीं तो शायद कल खण्डवा से ही भिजवा दूँ।

मेरे योग्य सेवा लिखें। आपकी चिट्ठी मिलने के पश्चात् कर्मवीर में जो लिखा गया है, उसकी एक कतरन पत्र के साथ भिजवा रहा हूँ।

चीन पहुँचने पर यदि आप पत्र-व्यवहार रखेंगे, तो आपकी और भी आवश्यकताओं और आज्ञाओं पर साहित्य भिजवाने का मैं मित्रों से अनुरोध करता रहूँगा।

मेरी नम्र परिमितताओं का प्रतीक मेरे छोटे-से शुभाशीष के साथ।

आपका

माखनलाल चतुर्वेदी

पुनश्च :

प्रिय श्री दिनकरजी ने भी इस सम्बन्ध में मुझे लिखा था, उन्होंने कुछ और सज्जनों को भी लिखा होगा। क्या परिणाम रहा, कृपया सूचित करें। आपके जाने का साधन क्या होगा ? पुस्तकें किस तरह आपके साथ जायेंगी ? उनके जाने की सुविधा किस तरह होगी, कृपया लिखें। चीन पहुँचने पर एक छपा हुआ पत्र उन प्रकाशकों तथा व्यक्तियों को भी भिजवा दें, जिनकी पुस्तकें चीन ले जाने के लिए आपके पास पहुँचें। या किसी मासिक पत्रिका में चीन पहुँचने के पश्चात् लेख लिखकर प्राप्ति स्वीकार कर लें।

वही

मा० ला० चतुर्वेदी

श्रीयुत कृष्णकिंकरप्रसाद सिनहा
चाइना भवन,
पो० शान्ति-निकेतन,
बंगाल।

सौ० विमलादेवी कपूर

पत्र-संख्या 1151 कर्मवीर, खण्डवा

8.1.44

सौ० चि० बेटा विमलाजी,

कृपा-पत्र मिला। 'पूर्णरूप से सन्तुष्ट' भी पारिवारिक जन हो जायेंगे। बीज बोने और फसल आने इन दोनों समयों में थोड़ा अन्तर तो होता ही है, थोड़ी देर तो लगती ही है। अतः तुम अपने पारिवारिक सेवा के व्रत से उदासीन न होओ, उसे गौण स्थान भी न दो।

दूसरा प्रश्न तुमने बड़ा ही अच्छा उठाया। रुचि और कर्त्तव्य में जब संघर्ष आये तब कर्त्तव्य रुचि से ऊपर ही स्थान पाता है। तो भी मैं यह अवश्य कह दूँ कि मैं भी तुम्हारे जीवन को व्यर्थ आबद्ध किये रहने का पक्षपाती नहीं। हाँ, मैं यह अवश्य मानता हूँ कि एक स्थान से जिम्मेवारी छोड़कर, दूसरे स्थान की पूरी करने लगना उत्तरदायित्वों का अदल-बदल मात्र है, वह पालन नहीं है। विकासशील जीवन में अधिक-से-अधिक उत्तरदायित्व सँभालने का बल आता है। यों, भी 'समाज में जाकर काम करना' बड़ा मोहक शब्द है। 'कुछ नवीन पथ' मानव की ऐसी प्रतिभाहीन माँग है कि वह हर समय नवीन से नवीनतर का पागल होता है। जो नवीन शोध करते हैं, वे ज्ञान देते हैं; जो नवीन-नवीन कहकर आँखों की चकाचौंध में दौड़ते हैं' उनमें अनावश्यक अस्थिरता आ जाती है। हवाई जहाज के पाइलट के जहाज में चाहे जितनी तेजी आ जाय, किन्तु उसका मन और उसका शरीर काफी स्थिर और दक्ष होता है। परिवार की जिम्मेवारी तुम्हारी सन्निकट आवश्यकता है, सार्वजनिक जीवन तुम्हारी महत्त्वाकांक्षा की जीवन-यात्रा। ये दोनों ही ग्रहण किये जाते हैं, आपस में बदले नहीं जाते। घर में कुछ प्रकाश होते हैं, जो इधर-उधर दौड़ाये जाते है, किन्तु कुछ प्रकाश बड़े स्थिर होते हैं। यदि स्थिर प्रकाशों को कोई चलता-फिरता बनाये, तो घर में सतत प्रकाश रहने के बजाय, हिलते-डुलते प्रकाशों वाले घर में कभी तो खूब प्रकाश होगा, कभी खूब अन्धकार। अतः सतत प्रकाश के कर्त्तव्य-दान से परिवार को वंचित रहने का स्वप्न न देखो। एक दिन देखोगी कि अपने आप ही यही कर्त्तव्य विश्व-सेवा में बदल गया। शर्त यह कि हर सेवा को, गृह-सेवा को भी, हम विश्व-सेवा का अंग मानें। साथ ही समाज में जो अन्धकार है, उसे छोड़ने का तरीका समाज छोड़ना नहीं है। समाज की उपेक्षा करना भी नहीं है। समाज में रहकर ही अपने सावधान और साहसी परिवर्तन से समाज में नया उदाहरण उपस्थित करना है। किंतु जो विकृत समाज को, ठण्डे मन से, सुकृत नहीं कर सके, उन्हें समाज को कोसने

का हक ही नहीं रहता। साथ ही यदि समाज विकृत न हो, तो फिर समाज-सुधारकों की आवश्यकता ही क्यों पड़े ? मैं स्वयं रूढ़िवादी नहीं हूँ किन्तु हर कर्त्तव्य को रूढ़ि कहकर छोड़ते जाना रूढ़ि का विरोध नहीं है। रूढ़ि का विरोध तो रूढ़ि की नाशकता को अनुभव कर उसको मानने से, हँस-हँसकर जुड़े हाथों, झुके मस्तक, बिना शक्ति छोड़े किन्तु बिना रुके और बिना झुके इनकार करते जाने में होगा। समय को आने दो। यदि धीरज से काम लोगी, तो सहिष्णु शीलवान साधिका के नाते, समाज में गहरे परिवर्तन कर सकोगी। यदि ऊब उठोगी, तो हल्ला भले मचे, किन्तु समाज का परिवर्तन उतना ही धीमा हो जायगा। सोचो, मार्ग बनाओ। चि० पुरुषोत्तमजी से शुभाशीः।

तुम्हारा हितैषी
मा० ला० चतुर्वेदी

श्रीमती विमलादेवीजी कपूर,
बगिया मनीराम, कानपुर

श्री नगीनचन्द सहगल

कर्मवीर, खण्डवा
20.1.44

चि० नगीनजी,

शुभाशीः। तुम्हारा 18 जनवरी का पत्र मिला। जिस परीक्षा के कारण पत्र न लिख सका, उस परीक्षा का फल क्या रहा, लिखो। प्रत्येक विषय के अंकों समेत उत्तर दो।

सिनेमा देखने के कारण हानि होने का कारण नहीं। कारण कहीं और ही होगा। तो भी जब तुम अपने स्वास्थ्य और संयम के प्रति सजग रहोगे तो भविष्य में ऐसे समय कम आवेंगे। लिखो, संयम की यह भूल तुम्हारे द्वारा नींद में अपने आप हो गयी या उसमें तुम्हीं उत्तरदायी हो ? अपने आप होने वाली अड़चनों में बद-हजमी, बुरे विचार, जागरण आदि ही कारण होते हैं, जो मनुष्य के शरीर को हानि पहुँचाते हैं।

मैंने पत्र कम लिखने का तुम्हें इसलिए नहीं कहा चूँकि मेरे पास समय नहीं है। जितनी निर्मलता से तुमने यह पत्र लिखा, उसी निर्मलता और धरातल के पत्र भेजते रहो। यह तो तुम्हारे पत्रों पर ही अवलम्बित रहेगा कि मुझे पत्रों का उत्तर देने का समय रहेगा या नहीं। यदि बहुत आवश्यक न होगा तो मैं पत्र न दूँगा। आवश्यक होने पर पत्र का उत्तर लिख दूँगा।

इस पत्र में तुमने यह लिखा ही नहीं चि० इन्द्र कल दिल्ली से प्रयाग या गोरखपुर चला गया। चि० इन्द्र के पत्र का उत्तर मैं इसीलिए नहीं दे सका कि वह कहीं ठिकाने से पहुँच जाय तो उत्तर दूँ।

कालिज और उसकी पुस्तकें। जानते हो, दुख किस चीज का नाम है ? यदि गुलाब के जीभ हो, और यदि उससे पूछा जाय तो क्या वह कानी कलियों से भरी सी अपनी टहनियाँ कभी कलम करने दे ? फिर गुलाब का सुख किस बात में है ? (कलम होने में !) बिना कलम का गुलाब कुछ दिनों बाद कानी कलियों वाला जंगल का घास हो जाएगा। कौन उसे बाग में ले जाएगा ? कोई माली उसके चरणों पर अमृत बरसायेगा ? कौन उसे देवता के मस्तक पर चढ़ावेगा ? कौन उसे पूजा की अंजलियों में रखेगा ? सुख और रुचि, ये एक ही वस्तु के दो नाम नहीं, दो अलग-अलग वस्तु हैं। सुख का भ्रम यह है जिस पर हमारी रुचि की मक्खियाँ मौसम और बेमौसम भिनकती रहें। कभी वे खाद्य पर भिनकती हैं, कभी अखाद्य पर। और जहाँ हम, हमारी रुचि का कथन मानने से इन्कार कर अपने निर्माण की यात्रा किया करते हैं, वहाँ यथार्थ सुख का पथ है। वह पथ सुख का नहीं, जहाँ कदम रखते ही यह हमारी रुचि बाग-बाग हो उठे। सुख तो मंजिल की यात्रा के परिणाम को कहते हैं। कालिज में किताबों का श्रम तुम्हें जिस दिशा को ले जायगा, वहाँ से गुलामी भी निकट पड़ती है और ज्ञान भी पराजय भी निकट पड़ती है, पहुँच भी। क्या तुम उन पुस्तकों में से ज्ञान का वह पथ न पा लोगे जिसे पाने ही के लिए लोग ज्ञान के पथ में सिर के बल जाया करते हैं ? कालेज की पुस्तकें अभिशाप इसलिए हैं, चूँकि उन्हें तुमने नहीं चुना—वे तुम्हारी रुचि की नहीं। किन्तु सारा विश्व तुम्हारी ही रुचि के माप से तो नहीं बनाया गया। मेरे विचार से जहाँ तक तारुण्य का बेकाबू उभार सिर पर अभिशाप-जैसा बरसता दीखे और जहाँ तक हमारी रुचि, हमारे कर्त्तव्य के विपरीत मन को, जीवन को, खींचती दीखे, तहाँ तक रुचि के झगड़ने में भी एक साधक को सुख होता है। इस सुख के तुम हकदार और हिस्सेदार होगे ? पुस्तकों में अरुचि और जीवन में असंयम—कभी-कभी ये एक ही रोग के लक्षणों ही तरह होते हैं। अतः सुख के क्षणों की अपेक्षा श्रम के कणों और क्षणों में सुख मानने का अभ्यास डालोगे, तो तुम अपने को मेरे मन के बहुत पास पहुँचाने में सहायक होगे।

यों तीन दिन की छुट्टी में भी खण्डवा आ सकते हो बशर्ते कि मैं यहाँ होऊँ। आर्थिक चिन्ता की जरूरत नहीं। अपने पिताजी से हमारा नमन कहो। बच्चों को प्यार।

तुम्हारा
मा० ला० च०

श्री नगीनचन्द्र सहगल,
4578, कूँचा लालमन,
दिल्ली गेट, दिल्ली

श्री ज्वालाप्रसाद ज्योतिषी

कर्मवीर, खण्डवा (सी० पी०)
1.2.44

प्यारे ज्वालाजी

सप्रेम नमन !

पत्र भी मिला। तार भी अभी। कल ता० 9 को सुबह कानपुर पहुँचने का तय है। और ता० 8 फरवरी से पहले छुट्टी नहीं पाऊँगा। तो भी यत्नशील हूँ, जाते या आते सागर आने का यत्न करूँगा।

चि० विनय की पुस्तकें भेंट होने पर दे दूंगा, उनका शीघ्र-से-शीघ्र छप जाना अच्छा है।

चि० रामरतनप्रसादजी द्विवेदी भी चि० वृद्धिचन्द्र (श्री दीपचन्दजी गोठी के भतीजे) व चि० विनय के सन्निकट मित्र हैं। इन्होंने मेरे पास कविता के नोट बुक अभी लगभग 8-10 दिन पहले ही भेजे हैं। मैंने उन्हें भी पत्र लिख दिया है। उत्तर आता ही होगा।

सम्मेलन का कार्य खूब अच्छा हो रहा होगा। लिखो, सम्मेलन की तिथियाँ कब रख रहे हो ? फरवरी या मार्च में ? और किन तारीखों में ?

ता० 10 के पश्चात् मुझे प्रयाग के सम्मेलन के कार्यालय के पते पर पत्र देना। उससे पहले यहाँ। बच्चों को शुभाशीष।

तुम्हारा
मा०

श्रीयुत ज्वालाप्रसादजी ज्योतिषी, एम० ए०
सागर, सी० पी०
जी० आई० पी० आर०

श्री हरिशंकर विद्यार्थी

कर्मवीर, खण्डवा (सी० पी०)
1.2.44

भैया हरीजी

सप्रेम, शुभाषीः !

मैं शीघ्र ही प्रयाग आ रहा हूँ। तुम्हारे पत्र के उत्तर में मैं स्वयं एक दिन कानपुर में होऊंगा। तब विशेषांक की मजदूरी एक दिन बैठकर पूरी कर दूंगा।

साहित्य सम्मेलन के झगड़ों में लोग कभी भी सम्मेलन की उन्नति या प्रस्तावों की पूर्ति पर सुझाव पेश नहीं करते। झगड़े सदैव व्यक्तियों के नामों पर उठें और सम्मेलन की तथा समाचारपत्रों की शक्तियाँ उनमें उलझ गयीं। हरिद्वार में श्री नन्ददुलारेजी और श्रीमती चन्द्रावतीजी पर झगड़े हुए थे। प्रयाग में श्री भागीरथप्रसाद दीक्षित पर दंगल मचा। अब सभापति के रूप में श्रीमन् इन्द्र जी का नाम लेकर झगड़े होने लगे। पत्रों में 'अमुक का नाम क्यों नहीं' के झगड़े काफी अरसे तक चले। प्रभु की कृपा है कि हम हिन्दी-भाषी साहित्य-सम्मेलन में साहित्य की गतिविधि पर चाहे कुछ न सोचें, किन्तु 'नामस्मरण' के महत्त्व को समझ गये हैं।

कर्मवीर तुम्हारी अपनी वस्तु है—वह बुरा-भला जैसे हो। शेष भेंट पर,

तुम्हारा

मा० ला० च०

[2]

कर्मवीर, खण्डवा (सी० पी०)

20.12.44

प्यारे हरिजी,

आपका पत्र मिला। सचमुच यह समय देशी भाषा के पत्रकारों के लिए बड़ा कठिन है। उनका संगठन अवश्यभावी वस्तु होनी चाहिए। तिस पर हिन्दी के पत्रों के सम्मुख एक कठिन समस्या यहाँ के धनिक अथवा धनिक द्वारा पोषित-संचालित पत्र हैं। धीरे-धीरे सारे हिन्दी दैनिक उसी श्रेणी में जा रहे हैं। जो शेष हैं, उनके सामने बड़ा कठोर जीवन-युद्ध है। हमारी दूसरी समस्या गरीब श्रमजीवी पत्रकार है, जो पत्र का संचालक नहीं है। उसके परम हित के लिए यह आवश्यक है कि उसका दृढ़ संगठन हो, और उसकी शक्ति के निर्माण में, किसी प्रकार की बाधा न डाली जाय। हमारी तीसरी समस्या देशी भाषा के पत्रों का, देश की सरकारों तथा संस्थाओं पर प्रभाव है। जिनके अपने अंग्रेजी दैनिक चलते हैं, हिन्दी दैनिकों की समस्या उनसे भिन्न है। हिन्दी पत्रकार को सरकार के साथ सीधे सम्पर्क बढ़ाने चाहिए, और अपने कार्य की सतह ऐसी ऊँची उठानी चाहिए कि जनता के प्रभाव में, तथा व्यक्त किये जाने वाले विचारों में उन्हें अंग्रेजी पत्रों की जूठन न समेटनी पड़े। चौथी समस्या पत्र-व्यवसाय के नियमों का निर्धारण करने की है, हमारी पत्र-संस्थाएँ शीघ्र नष्ट होने की वस्तु न रह जायें।

यदि मेरी शरीर-स्थिति साथ देती तो मैं अवश्य कानपुर आता। आज आपके तार के एम० ओ० को मैंने लौटा दिया है। पत्रकारों की सेवा करते समय मैं तो

स्वतः ही आता। मेरी अनुपस्थिति क्षमा की जाय। मैं परिषद् की पूर्ण सफलता चाहता हूँ।

विनम्र

मा० ला० च०

प्रति, श्रीयुत हरिशंकरजी विद्यार्थी, प्रताप-सम्पादक,
मंत्री, अखिलभारतीय हिन्दी पत्रकार संघ
कानपुर

श्री धीरेन्द्रस्वरूप 'रवि'

कर्मवीर, खण्डवा (सी० पी०)
27.4.44

श्री प्रियवर,

कृपा-पत्र मिला। कहानी भी। यह आपका बहुत ही प्रारम्भिक प्रयास-सा है। कृपया आप लगातार लिखें। आस-पास के वातावरण से वस्तु ग्रहण कर खूब कहानियाँ लिखी जा सकती हैं। ऐसी चीजें लिखकर आप मेरे पास भेज सकते हैं।

आशा है आप प्रसन्न हैं। बरेली मैं सन् 42 की फरवरी में गया था।

योग्य कार्य लिखें।

आपका

मा० ला० चतुर्वेदी

श्री धीरेन्द्रस्वरूप रवि
मार्फत श्री बेनीबहादुर वर्मा
बाबू रतनलाल पोस्ट-मास्टर
पंजाबी टोला, नया गणेशगंज,
लखनऊ

श्रीमती शान्ताकुमारी

खण्डवा, सी० पी०
17.5.44

श्री बहिन शान्ताकुमारीजी,

नमन!

किसी भी देशी राज्य के लिए यह चिन्ता की बात है कि उसकी सीमा में,

भाषा की उचित माँगों के लिए 'हत्यांक' निकालना पड़े। भाषा से झगड़ा करने के मानी अस्तित्व से झगड़ा करना होगा। निजाम राज्य में जिस पद्धति का अनुकरण किया जाता है, उतनी अधिकता करने की माँग तो हिन्दी भाषा की नहीं है। हम तो अन्य भाषा के साथ हिन्दी को भी राज्य में उसके उचित स्थान देखा चाहते हैं। यदि निजाम राज्य अधिकता-तर्क पर उतारू है तो काश्मीर क्या औचित्य से भी इन्कार करेगा? मैं दरबार के शिक्षा-विभाग से निवेदन करता हूँ कि वह हिन्दी के साथ छेड़-छाड़ न करे।

तुम्हारा

मा० ला० चतुर्वेदी

श्रीमती शान्ताकुमारीजी,
सचिव भारती
जम्मू (काश्मीर)

ओ गोपाल

कर्मवीर, खण्डवा (सी० पी०)
10.6.44

चि० गोपाल,

तुम्हारा पत्र (2 जून का) आज मिला। तुम्हारा एक पत्र मुझ पर और उधार है। गर्मियाँ खूब कठोर गयीं। अब मौसम सुधर रहा है।

गनीमत है, तुम आँख का इलाज करा रहे हो। इस विषय में अवहेलना नहीं करना।

मेरे जीवन का अभिशाप है कि लोग स्वीकृति के बिना ही मेरा उनके यहाँ आना घोषित कर देते हैं। बिना मूलधन का उनका यह व्यापार वर्षों से चला जा रहा है— और मैं विवश हूँ कि उसे रोक नहीं पाता। गर्मियों में मैं कहीं नहीं गया; मैंने कहीं जाना स्वीकार ही नहीं किया था।

जैसे नीला चश्मा लगाने से, दुपहरी में भी बादल-से आये दीखने लगते हैं, और आँखों को फैल कर सेहत पाने की इच्छा होती है, वैसे ही रानीखेत का पता पढ़ने से होता है। गत वर्ष का मंसूरी का मौसम, रानीखेत के नाम के बाद याद आ जाता है।

तुम्हारे लिटरेरी सर्किल (Literary circle) में तुमने आधुनिक हिन्दी साहित्य पर जो पढ़ा, उसकी प्रति भिजवा देना। संकोच की जरूरत नहीं है और यदि तुमने बोलने की बेवकूफी की है तो उसे लिखकर भिजवा देना। यों आजकल

अवहेलना, काहिली, लीचड़पन यही तो तुम्हारे कोष के अवतरण देने योग्य शब्द रह गये हैं। किन्तु मैं विश्वास नहीं करता कि इन गुणों का तुम पर अधिकार है। चाह की तीव्रता और चित्रण की बेचैनी, जितनी ही जीवन में कम या अधिक होती है उतना ही मनुष्य अपनी विभिन्न दिशाओं में शिथिल या क्रियाशील हुआ करता है। अतः तुम्हारे शिथिलता के मानी मेरे ही वातावरण की ज्ञानमय जागरूकता की कमी हो सकती है।

इन गर्मियों में तो रानीखेत छोड़ने की जरूरत नहीं है। हाँ, जुलाई में प्रयाग पहुँचने के बाद कभी अवकाश मिले तो खण्डवा आ जाना। किन्तु दो बातें तुम्हारे सामने रहनी चाहिए। तुम्हारे फाइनल (Final) वर्ष का परिणाम अच्छा रहना चाहिए और तुम्हारा कुछ 'लिखना' प्रारम्भ होना चाहिए।

हाँ, तुम्हारे चित्रकार कहाँ हैं ? क्या उन्होंने इधर कुछ चित्र बनाये हैं ?

चि० इन्द्र, जगदीश नगीन, ईश्वर और बड़ी-सी दुनिया चिट्ठियों में अपनी बस्ती बसाये हुए सामने है। सब खुश हैं। केवल नगीन देहली में बीमार हो गया है। एक तरुण श्री भावे ने एक मराठी उपन्यास 'क्रौंच-वध' का हिन्दी अनुवाद किया है। मराठी के प्रसिद्ध कलाकार श्री खाण्डेकर की कृति है।

श्री भावे प्रथम श्रेणी में एम० ए० हैं। श्री कमला अभी नागपुर से प्रथम श्रेणी में एम० ए० हुए हैं।

यदि संघ गया तो क्रौंच-वध कल तुम्हें भिजवा दिया जाएगा। पढ़कर लौटा देना। अनुवादक की मातृ-भाषा भी मराठी ही है। वह मेरे पास रहा है। हिन्दी पढ़ा है।

क्रौंच-वध पर यदि कुछ लिख सको तो लिख भेजना, या फिर पुस्तक ही लौटा देना।

तुम्हारा
मा० ला० चतुर्वेदी

श्री गोपालजी

(हिन्दी साहित्य सम्मेलन, प्रयाग के पेड पर टाइप अक्षरों में।)

श्री पुरुषोत्तमदास टण्डन

[1]

कर्मवीर कार्यालय, खण्डवा
18.12.44

पूज्यवर,

सादर प्रणाम !

मैं इन्दौर गया था, डाक्टर के पास। यह भ्रम हो गया था कहीं मुझे 'गेस्टिक अल्सर' नहीं हो गया हो। ईश्वर के अनुग्रह से वह नहीं है। अपनी अस्वस्थ परिस्थितियों के कारण ही मैं बम्बई नहीं जा सका। अब जा रहा हूँ। ता० 23 को बम्बई पहुँच जाने की इच्छा करता हूँ।

पता : केअर/आफ श्रीयुत के० एम० मुंशी,
रिज रोड, मलाबार हिल्स,
बम्बई।

जो आदेश हों कृपया उक्त पते से दीजियेगा। कठिन परिस्थितियों से परेशान हो जाता हूँ।

आशा है आपका स्वास्थ्य अब अच्छा होगा। श्री मुंशीजी से चर्चा करके मैं लिखूंगा कि राष्ट्रभाषा के सम्बन्ध में उनकी भविष्य की योजना क्या होगी।

पुनः प्रणाम। क्या अलवर से कोई पत्र-व्यवहार हुआ है ?

विनम्र
मा० ला० च०

प्रति,
श्रीमन् पुरुषोत्तमदासजी टण्डन
हिन्दी साहित्य सम्मेलन, प्रयाग
इलाहाबाद

[2]

कर्मवीर, खण्डवा (सी० पी०)
30.12.49

पूज्य बाबूजी,

सादर प्रणाम !

आपका ता० 27.12 का कृपा-पत्र कल ता० 29.12 को मेरे पास पहुँचा। यद्यपि मैं अभी ही लम्बी यात्रा से लौटा हूँ, किन्तु कार्य की आवश्यकता देखकर मैं उस दिन यानी 9 जनवरी को दिल्ली पहुँचने का यत्न करूँगा।

मैं दिल्ली में माननीय बाबू गोविन्ददासजी के पास ही ठहरूँगा। क्योंकि मुझे

पता नहीं कि आपकी क्या व्यवस्था है। कृपा हो, यदि बाबू साहब अपनी मोटर मेरा तार पाकर स्टेशन भिजवा दें।

विनम्र

श्रद्धेय माननीय पुरुषोत्तमदासजी टंडन, माखनलाल चतुर्वेदी
2, टेलीफोन लेन, नई दिल्ली।

श्री वर्माजी

'कर्मवीर' खण्डवा (सी० पी०)
21.12.44

प्रिय वर्माजी,

आपके द्वारा भेजी हुई 28 एकांकी नाटकों की प्रतिलिपियाँ मिलीं। धन्यवाद।

यथार्थ में 28 के बजाय 37 एकांकी नाटक हैं जो सोलह लेखकों द्वारा लिखे गए हैं।

मैं मानता हूँ कि इन नाटकों में जहाँ मौलिक भाव-धारा का उपयोग किया है, वहाँ 'वस्तु' का स्तर हलका हो गया है, और जहाँ ऐतिहासिक का द्रव्य वस्तु-निर्माण में उपयोग किया गया है, वहाँ वस्तु में न कला की मौलिकता तक पहुँचने का यत्न हुआ है, न उन मनोभावनाओं का ही उल्लेख हो पाया जो मानव में विद्यमान हों, या हैं।

कितने ही सज्जनों ने लेखों के विषयों को नाटकों का स्वरूप देना चाहा है, किन्तु उचित कलपना की उनमें बेतरह कमी दिखाई देती है। कुछ सज्जनों ने सड़क के विषय उठाकर साहित्य में रख दिये हैं, यह सोचकर, कि शायद वे इस तरह युग का, समाज के उपयोग का या प्रगति का साहित्य लिख रहे हैं और उन पर से निष्कर्ष ऐसे पुराने और घसीटन-भरे निकाले हैं कि जिनका प्रचार पहले ही समाज में खूब हो चुका है—और इस तरह नाटक लिखने का जाब्ता पूरा करने के सिवा, उनका कोई उद्देश्य नाटक लिखने से नहीं मालूम होता। यों मैं तो ऐसी रचना को भी बहुत पसन्द करता जो उद्देश्य-रहित होकर भी कला में डूबी होती, जहाँ वर्तमान मानव रँगे-हाथों पकड़ लिया गया होता; अथवा समाज की विकृति का असहाय चित्रण होता, अथवा व्यष्टि और समष्टि के सुन्दर-से-सुन्दर प्रश्न-चिह्न होते; अथवा एक ऐसा कथानक होता, जिसकी गति को हम देखते ही रह जाते, और वाणी के कौशल और स्वभाव-विश्लेषण में न जाने कितनों के दुख और उनके उल्लास रचना में प्रतिबिम्बित हो उठते। किन्तु रचनाओं में इस

सब कुछ के लिए मैं तो निराश ही हुआ। कहीं-कहीं कुछ सूझ की-सी चिनगारियाँ तो हैं किन्तु सम्पूर्ण वस्तु की सतह नहीं बन पाई।

एक दुख मुझे और हुआ। कुछ कथानकों में सिनेमा के खेले जा चुके कथानकों से वस्तु ग्रहण की गई है, जो दुर्भाग्यपूर्ण है। हमारा कलाकार सिनेमा की वर्तमान अवस्था को सुधारे! उसका अनुकरण कैसा?

यों जिन रचनाओं पर मैं पुरस्कार देने की बात कहना चाहता हूँ, वे ये हैं—

1. शिवाजी—डा० रामकुमार वर्मा,
2. राधाकृष्ण—आचार्य चतुरसेन शास्त्री,
3. तपस्वी—प्रो० शिवनन्दन प्रसाद,
4. एकांकी—श्री उपेन्द्रनाथ 'अश्क'

खेले जाने की दृष्टि से देखने पर भी मुझे ये चार रचनाएँ अच्छी मालूम हुईं, और मेरी चुनाई की प्रथम रचना ने इस दिशा में मुझे अधिक सन्तुष्ट किया। यद्यपि मौलिक वस्तु के नाते चौथी रचना का प्रयत्न श्लाघ्य है, किन्तु वहाँ एक मानव को रँगे-हाथों पकड़ने के बाद भी सस्ते लैंगिक विषय के उपयोग के कारण मैंने उसे चौथा स्थान दिया है। दूसरे नम्बर की रचना में, भागवत के विषय का मौलिक अर्थदान और खेलने योग्य भाषा और रचना में रस का और अभिनय-कला का परिपाक हुआ है किन्तु वाक्य इतने छोटे हो गये हैं कि समस्या के गाम्भीर्य को उन्होंने कुछ ठेस पहुँचा दी है। यह बात प्रथम चिह्नित रचना में नहीं हुई है। 'तपस्वी' रचना का इनमें समावेश करते समय मेरे मन में कम द्वन्द्व नहीं हुआ, मैंने अनेक रचनाओं को उससे मिलाकर देखा, किन्तु मेरे विचार से यह गलती करने के बाद भी कि रचना के छोटे-से-छोटे मनःपरिणामों का विश्लेषण करना लेखक टाल-सा गये हैं, वस्तु के पेश करने की सतह लेखक के कलम की सिद्धि की द्योतक है, और इसीलिए मैंने इस रचना को चार रचनाओं के चयन में स्थान दिया है। यदि तपस्वी की सतह पर, एकांकी नाटक के सूझ के लेखक, शिवाजी के लेखक का पूर्ण विश्लेषण लेकर, राधाकृष्ण के लेखक महोदय की युक्ति और अर्थ-दान-परम्परा को अपनाएँ, तो एक बहुत सुन्दर वस्तु बने। मेरे विचार से यदि पुरस्कार की रकम तीन सौ ही रहेगी, तो इससे अधिक सुन्दर रचनाओं का प्रोत्साहन, हिन्दी जगत् को नहीं दिया जा सकता।[1]

विनम्र

मा० ला० च०

---

[1] इस पत्र को पाने वाले वर्माजी का पता नहीं चल सका है; जो भी हों, उनका नाम ज्ञात न होने पर भी इस पत्र से स्वयं लेखक की जिस समीक्षकोचित दृष्टि का बोध होता है, वह उल्लेखनीय है।

श्री कन्हैयालाल मिश्र 'प्रभाकर'

कर्मवीर, खण्डवा (सी० पी०)
6.3.45

प्रिय प्रभाकरजी,

सप्रेम नमन !

बीमारी का समाचार जानकार चिन्ता हुई। जरा विस्तार से लिखवाओ। इन दिनों कहाँ रहोगे ? सहारनपुर लखनऊ से कितने घण्टों की यात्रा है, और दिल्ली से कितने घण्टों की ? बिलकुल आराम करना, कोई काम न करना। थोड़े दिनों, विश्राम के दिनों, अपने 'नर'-स्वभाव ही को अपने पर विजयी होने देना, 'वानर'-स्वभाव पर कठोर नियन्त्रण रहे। स्वास्थ्य अच्छा होने पर, उठापटक, दौड़-धूप, सब-कुछ करने को खूब समय है।

यदि मेरी गरीबी का कोई उपयोग हो तो, मेरी तुच्छ आर्थिक सेवा भी प्रस्तुत है। आशा है, अपने संकोच से तुम मुझे अपमानित न करोगे। तुम्हारे जीवन का मूल्य मेरे पास जाने कितना है। तुम शीघ्र चंगे होओ, सुखी रहो। मैं तुम्हारे तूफानों का नहीं, तुम्हारे एकान्तों और चिन्ताओं का हिस्सेदार रहना चाहता हूँ।

प्रति, श्रीयुत कन्हैयालालजी मिश्र, 'प्रभाकर'
विकास लिमिटेड,
सहारनपुर, यू० पी०

तुम्हारा अपना
मा० ला० च०

ठाकुर निरंजनसिंह

16.7.45

प्रिय निरंजन,

यह जानकर प्रसन्नता हुई कि तुम छूट गये। बीते वर्षों में तुमने जो किया, जो सोचा, जो भोगा, उससे मैं देश के साथ अपना मस्तक बहुत ऊँचा अनुभव करता हूँ। दुख यही रहा कि तुम उन दिनों मुझसे नहीं मिले। आज स्नेह के आशीषों से, लाओ, तुम्हारा अभिनन्दन करूँ।

तुम्हारा,
मा० ला० च०

श्रीयुत् ठाकुर निरंजनसिंहजी
(नरसिंहपुर वाले)
मेयो हास्पीटल वार्ड, नागपुर

पं० रविशंकर शुक्ल

[1]

कर्मवीर, खण्डवा (सी० पी०)
20.7.45

मान्य भाई शुक्लजी,

सादर प्रणाम !

आप कारागार से मुक्त होकर आ गये। सादर स्वागत ! अब आप शिमला से लौटकर रायपुर पहुँच गये होंगे। लिखिये, आपका स्वास्थ्य कैसा है ? अपने जेल-जीवन की कुछ विशेष बातें लिखिये। यह मैं न पत्रकार के नाते लिख रहा हूँ, न साहित्यिक के नाते, न राजनीति के दुर्गन्धियों से सुगन्धित सम्बन्ध रखने के नाते। यह मैं आपके त्यागमय वृद्धत्व पर बन्धुत्व के नाते लिख रहा हूँ। यदि अवकाश मिले तो उत्तर दें।

आपका छोटा भाई
मा० ला० च०

[2]

कर्मवीर, खण्डवा (सी० पी०)
11.10.45

मान्य भाई शुक्लजी,

सादर प्रणाम !

कृपा-पत्र मिला। कृतज्ञ हूँ। मुझे भी बहुत आश्चर्य था कि आपका उत्तर क्यों कर न मिला। आपकी भेंट पर वह तो मेरी शिकायत नं० 1 थी।

आपके स्वास्थ्य के समाचारों ने काफी चिन्ता पैदा की। प्रान्त के मित्र, जिनके निर्णय राजनैतिक उत्थान-पतन से नहीं बनते-बिगड़ते, आपकी उम्र का खयाल करके, प्रभु से प्रार्थना करते रहें कि आप सही-सलामत घर लौट आवें। और नियोजित राष्ट्रसेवा में, अपना गौरवपूर्ण दिशा-दर्शन और समर्पण, पूर्णरूप से देते रहें।

इस समय आपके सिर पर कार्य बहुत हैं और 70 वर्ष से ऊपर का कष्ट-भोगी शरीर। खूब सावधानी रखिये। उचित हो, यदि आप अपने साथ शारीरिक स्वास्थ्य के लिए, छोटे बच्चों में से एक को, व्यवस्था सौंप दें।

शेष भेंट पर !

विनम्र,
मा० ला० चतुर्वेदी

मान्य भाई रविशंकरजी शुक्ल, एम० एल० ए०
रायपुर (सी० पी०)

श्री कैलाशपति सिंघानिया

कर्मवीर, खण्डवा (सी० पी०)
25.7.45

मान्य भाई कैलाशपतिजी,

सप्रेम नमन !

कल एक पत्र आपको डाल चुका हूँ। मिला होगा। कृपया उसका उत्तर दें।

आज बम्बई की एक फिल्म कम्पनी ने मुझसे अपनी एक कहानी चित्रित करने की आज्ञा माँगी है। साथ ही मुझसे चाहा है कि मैं चार महीने बम्बई रहूँ। पहले तो आप यह स्पष्ट लिखें कि मेरे पल्पीटेशन में बम्बई मुझे कैसा रहेगा? दूसरे, यों मैं मुंशीजी अथवा श्री अमरनाथजी पोद्दार के पास ठहरता हूँ। किन्तु अधिक दिन बम्बई रहा तो वहाँ रहने और सवारी की व्यवस्था, आप कर दें, मेरा आत्माभिमान यही चाहेगा। यों तो हिन्दी साहित्य सम्मेलन के लिए जब गत एप्रिल में मैं बम्बई गया था, तब सिनेमा क्षेत्र के मित्रों से भी मैंने और टंडनजी ने सम्मेलन के लिए चन्दा लिया था। तब सिनेमा के मित्रों ने सहस्त्रों देकर मुझसे वहां रहने की मनुहार की थी तथा मेरी कहानियों के लिए आग्रह किया था।

यदि सिनेमा से कुछ रुपए मिले तो मैं आपके पास उन्हें डाल देना चाहूँगा; फिर आप उन्हें विद्यार्थियों में बाँट दें, या जो चाहें करें। मैं तो अपने दारिद्र्य पर ही गर्वित रहना चाहता हूँ। यदि मेरा बम्बई जाना मेरे स्वास्थ्य के लिए आप हानिकर समझें तो मुझे तुरन्त सूचना दें। क्योंकि बड़ी कठिनाई से दो वर्षों में वह कुछ ठिकाने आया है। आपका उत्तर आने पर ही मैं बम्बई वालों को जवाब दूंगा।

आपका विनम्र
मा० ला० च०

मुझे कल फिर तकलीफ बढ़ गई थी। डाक्टर बुलवाना पड़ा। अभी प्रातः अच्छा हूँ।

प्रति, श्रीमान् लाला कैलाशपतिजी सिंघानिया
कमला टावर, कानपुर।

श्री रामेश्वर शुक्ल 'अंचल'

कर्मवीर, खण्डवा (सी० पी०)
22.11.45

प्यारे अंचलजी,

कार्ड मिला। सुख पाया। मेरा स्वास्थ्य खूब सुधरता जा रहा है। 15 दिसम्बर तक और भी अच्छा हो जाऊँगा। श्री भाई आगरकरजी के जाने से मेरी कितनी मधुरतर यादों को गहरी ठेस लगी।

चि० भारती के साथ खण्डवा आओ। हर्ष है, भारती का स्वास्थ्य सँभल गया। वह लापरवाह बहुत है। 'चढ़ती धूप' को देखकर, पढ़कर वह बाग-बाग हो गया था। मैं तो बीमारी के कारण उस पर कुछ समय तक लिख ही न पाया।

आशा है आप खूब अच्छे हैं। श्री शुक्लजी महाराज से हमारा नमन कहना न भूलिये।

आपका
मा० ला० च०

प्रो० रामेश्वरजी शुक्ल 'अंचल'
हिन्दी विभाग,
राबर्ट सन कालेज, जबलपुर।

प्रो० राजनाथ पाण्डे

कर्मवीर, खण्डवा (सी० पी०)
1.12.45

प्यारे राजनाथजी,

सस्नेह प्रणाम !

आपने तो लम्बे समय से सुध न ली। कृपया लिखिए, घर में तो सब प्रकार कुशल हैं ? चि० मोदी का एक पत्र आया था, मैंने उसे उत्तर दिया है। आपके कालेज की वह बालिका, जो गतवर्ष आपकी हिन्दी समिति की मन्त्राणी थी, या शायद किसी अन्य पद पर थी, आपके कालेज में अभी पढ़ती है ? या अन्यत्र चली गई ? यह बिटिया तो कुछ लिखने की ओर ध्यान दे, ऐसा मैंने उससे अनुरोध किया था शायद। क्या वह कुछ लिखती है ? आपने श्रीमती राधादेवी गोयनका के सम्बन्ध में कुछ लिखा था। उस विषय में यदि आप दिसम्बर तक खण्डवा आ सकें, तो मैं आपको वहाँ की सारी व्यवस्था से परिचित करा दूँ। श्री श्रद्धानन्दजी आज

कल कहाँ हैं, क्या करते हैं ? मेरा स्वास्थ्य अब सुधर रहा है, और मैं घूमने लगा हूँ—थोड़ा-सा। छोटे बच्चों को स्नेह शुभाशीष। बच्चों की माता को सादर शुभाशीष। मैं अपना यह अपराध भूला नहीं हूँ कि मैं उस दिन उनके घर नहीं जा सका था। घर तो घरनी का ही होता है, तुम्हारा तो वह घर है या नहीं, कहा जा सकता नहीं। उनके स्वास्थ्य के हाल लिखो। क्या चि० मोदी खण्डवा आ सकता है ? ट्रेन तो प्रयाग से सीधे खण्डवा उतार देती है। भाई दशरथ जी को याद दिलाइये कि स्वर्गीय 'हृदय' जी के लिए क्या कुछ कर सके ? जो हुआ हो, उसकी सूचना दीजिये। उन्हें मेरा प्रणाम अवश्य पहुँचा दीजिये। मिश्र जी के भी कुशल-संवाद दीजिए। मुझ देहाती का यह कुसूर मुआफ कीजिए कि मैंने आपके लिए पोस्ट ऑफिस की दौड़ लगाने वाला इतना भारी काम दे दिया। फर्क इतना ही है गोरखपुर आता तो यह सब-कुछ मैं खुद करता। मेरी गैरहाजिरी में, आपको मैं कष्ट दे रहा हूँ। अपने प्रिंसिपल और वाइस प्रिंसिपल साहब से नमन कहिये। छोटे बच्चों को पुनः प्यार। मोदी के गाल पर एक चपत दे दीजिए। तुम्हें प्यार।

विनम्र

मा० ला० च०

श्री प्रो० राजनाथ जी पाण्डे, एम० ए०
सेंट एड्रूज कालेज
गोरखपुर (यू० पी०)

डा० हेमचन्द्र जोशी

कर्मवीर, खण्डवा (सी० पी०)
1.7.46

मान्य डा० साहब,

सादर नमन !

कृपा-पत्र दोनों मिल गये। दोनों एक ही तारीख को लिखे गये हैं। पाकर कृतज्ञ हुआ। कार्य की गुरुता की सराहना करता हूँ। मैं ऐसे किसी आयोजन का बम्बई में होना आवश्यक समझता था। और दुखी था कि बम्बई सौदे-सट्टे की बस्ती ही साबित हो रही है, कोई ठोस हिन्दी जगत और हिन्दी साहित्य वहाँ जड़ नहीं पकड़ पाया। 'एकेडेमी' के श्रेणी के कार्य को मैं देश और साहित्य की यथार्थ सेवा मानता हूँ। मैं 5,000 रुपये की रकम को प्रारम्भ के लिए कुछ छोटी मानता हूँ। मेरा निवेदन है कि प्रारम्भिक स्थापना के लिए और 'एकेडेमी' के विभागों के हस्तलिखित ग्रन्थ-संग्रह तथा विद्वानों के आकलन को निश्चिन्त बनाने के लिए, उनके पास 25000 रु० का मूलधन हो और फिर 5000 वार्षिक की

सहायता होती चली जाय। इसी तरह साधारण परन्तु ठोस प्रारम्भ किया जा सकता है। तो भी इस दिशा में आपने जो श्रम किया है, और सेठ राधाकृष्ण जी ने जो समय के श्रेष्ठ और शान्त पद-चिह्नों को पहिचाना है, उसके लिए आप लोगों की मैं सराहना करता हूँ। हमारा प्रयत्न दो दिनों का तमाशा न होना चाहिए, क्योंकि इससे प्रयत्न करने वालों, धन के सहायकों और चिन्तनशील शोधकों में अश्रद्धा और अविश्वास पैदा होता है। और इस तरह के अन्य स्थानों के तथा भविष्य के प्रयत्नों को ऐसे अविश्वासों से गहरी हानि होती है। अत्यन्त कृतज्ञ हूँ कि इस दिशा में राधाकृष्णजी सोच सके और आप प्रयत्न करने में सफल हुए।। स्थिरता का खयाल रखकर यदि दृढ़ कदम उठाया जायेगा, तो धीमे-धीमे यह कल्पवृक्ष हिन्दी जगत् का अत्यन्त सफल प्रयत्न होगा। मैं प्रयाग, कानपुर और आज अकोला से लौटा हूँ। और कुछ बीमार ही लौटा हूँ, तो भी सेठ श्रीमान राधाकृष्ण जी का पत्र आने पर एक सप्ताह पश्चात् मैं बम्बई आ सकूँगा। आप निश्चय मानें कि कोई प्रयत्न हिन्दी-जगत् के हित का उठाकर आप अकेले नहीं रहेंगे। हिन्दी-जगत् के अनेक व्यक्ति साथ देंगे। किन्तु वे कार्य पावें, ठोस कार्य।

आशा है आपका तथा मान्या श्रीमती हेमचन्द्र का स्वास्थ्य अच्छा होगा। कृपया समाचार-पत्रों में तब तक कुछ न दें, जब तक ठीक रूप-रेखा निश्चित न हो जाय।

इस शुभ सूचना के लिए आपको पुनः धन्यवाद।

विनम्र

मा० ला० चतुर्वेदी

पुनश्च:

यह बात बम्बई आने पर या फिर सब-कुछ निश्चित होने पर ही निर्णय होगी कि संस्था की रूप-रेखा, उसका स्वरूप और उसका नियन्त्रण किस तरह का रहे, मुझे आपकी सूचना अधिकांश में मान्य है। मैं अपने सुझाव भेंट के समय पर रखूँगा।[1]

पू० मान्य डाक्टर साहब,
यही है वह पत्र जो मैंने आपके पास भिजवाया है।
यह उसकी ठीक प्रतिलिपि है।

1. डॉ० हेमचन्द्र जोशी को लिखित।

श्री महेशदत्त दीक्षित

[1]

कर्मवीर, खण्डवा (सी॰ पी॰)
1.7.46

चि॰ महेश,

तुम्हारे सब कार्ड मिल गये। प्रसन्नता हुई। आपके 'अकलमन्दी' से भरे हुए पत्रों में होता ही क्या है, जिसका उत्तर दिया जाय। और श्रीमान्, श्री 'इन्द्र' महाशय का क्या हुआ ? कानपुर बड़ी ढुलकन जमीन पर बसा है। पहले आप ढुलकते थे—प्रयाग से कानपुर पहुँच जाते थे। अब वे महाशय समथर से ढुलके कि कानपुर दाखिल।

आने-जाने के वादों का बैंक तो आपका कब का फेल हो गया। अब आप अपने वादों और शाब्दिक व्यापारों की जितनी ही कम चर्चा करें, उतना ही आप अपने होश की उचित दवा करेंगे।

खस की टट्टी, गुरुदेव, ग्रामसिंहों की तरह जूतियाँ चटखाने के लिए कानपुर की सड़कें, खाने को धूल, सहने को लू और "प्रभु के बाँह उसिसवा सुख के सींव" जैसा श्रेष्ठ सान्निध्य।

"तुलसी कबहुँ न छोड़िये कानपूर के कान।"

बला से कोई सुखी हो या दुखी, तुम तो तीन पैसे के पोस्ट कार्ड से, शब्दों की कुलाटें खा-खाकर, सोच लिया करो कि अब करने को कुछ बाकी नहीं—सब कमियाँ पूरी हो गईं। किन्तु जरा किताबों की धूल झाड़िये। इलाहाबाद यूनिवर्सिटी कुछ आगरा-जैसा कूड़ाघर नहीं है।

कृपा रखिये।

आपका
मा॰ ला॰ चतुर्वेदी

श्रीयुत पं॰ महेशदत्त जी दीक्षित,
ड्रीमलैण्ड,
बी॰ एन॰ एस॰ डी॰ कालेज होस्टल, कानपुर

[2]

कर्मवीर, खण्डवा
29.6.48

चि॰ बेटा महेश और सौ॰ बिटियारानी,

नटखट' का पत्र मिला। गर्मियों की अनुकूल ऋतु पाकर तुम्हारे जैसे प्राणि-समुदाय को यह सुध ही नहीं रही जो तुम पूछते कि आखिर खण्डवा में क्या बीत

रही है ? तिस पर अब चतुर्भुज हो गये। रही-सही कसर भी पूरी हो गई। बूंदों से खोयी बात कहीं फिर हौज से भी वापिस होती है ? सो अब आप पत्र लिखकर झेंप न मिटाइये। आपकी दयानतदारी का पता तो इसी बात से लग गया कि प्रयाग से पधारने पर जो डुबकी आपने लगाई, सो प्रयाग लौटकर ही पुनः सुध ली। बिटियारानी के और तुम्हारे प्रीवियस एम० ए० में पास होने की खबर आपने कितनी शीघ्र दी ! खैर, बिटिया को तो मेरी बधाइयाँ, और तुम तो अपनी पीठ स्वयं ठोक लेने के आदी हो। तुम्हें तो आत्म-उल्लासियाँ ही सन्तोष दे लेती होंगी, बधाइयों की क्या आवश्यकता ?

खैर, अभी यूनिवर्सिटी खुलने के काफी दिन बाकी हैं। यदि आपके पदारबिन्दों की महावर खराब न हो जावे तो कृपया एक-दो दिनों के लिए खण्डवा में तशरीफ लाइये। माना, आप अब बड़े हो गये हैं; मगर इतने ऊँचे न हो जाइये कि बकौल श्रद्धेय गुप्तजी के आपकी बढ़ती की जगह से सूरज भी जुगनू-सा नजर आने लगे। स्वास्थ्य का और दीन-दुनिया का हाल पत्र में लिखा ही नहीं। लिखो। मैं तो तीन महीने बाद आज ही पत्र लिखने बैठा हूँ। गर्मी भर तो जाने कैसी बीती।

आगे का वर्ष बेटा, खूब सम्हालना है। परिणाम देखकर आग-बबूला होना या कायरों जैसे प्राण देने के लिए पागल हुए घूमना मेरी समझ में कभी न आया। मैं तो प्रतिभा, श्रम और ज्ञान की शोभा इसी में मानता हूँ कि समय से बहुत पहले हम लक्ष्य के सूर्य को अर्घ्यदान करने के लिए प्रस्तुत मिलें।

श्री पुरुषोत्तमदासजी कपूर सपत्नीक वहाँ हैं। अपनी पत्नी का इलाज करा रहे हैं। यदि संभव हो तो उनसे मिल आना, दोनों। उनका पता है, स्वास्थ्य-सदन 10 म्योर रोड, प्रयाग।

चि० जगदीश को एक पत्र अलग लिख दिया है। उत्तर तुरन्त दो।

तुम्हारा

श्रीयुत महेशदत्त दीक्षित
20 क्रास्थवेट रोड, इलाहाबाद

मा० ला० चतुर्वेदी

श्री लक्ष्मणसिंह चौहान

कर्मवीर, खण्डवा (सी० पी०)
18.7.46

प्रिय लक्ष्मण,

अभी-अभी तुम्हारा ता० 17.7.46 का, यानी कल का लिखा हुआ पत्र

मिला। अत्यन्त प्रसन्नता हुई। मेरा विश्वास है कि बेटियों की हस्तरेखाओं में, कल का ताजा, नवीन, उन्नत जगत् लिखा होता है। एक अर्थ और दो शब्दों के अमृत-सुधा का धन चिरजीवी हो यही प्रभु से प्रार्थी हूँ। यद्यपि बच्चे के बाप का तो कोई प्रभु है नहीं, वह हजरत कम्यूनिस्ट ठहरे!

आशा है चि० सुधा का यह बच्चा अपने आनन्द से, उसके उन कष्टों को भूल जाने का बल दे, जिन कष्टों में से गुजरकर, नारी-जीवन को मानवता की माता बनने का सौभाग्य प्राप्त होता है।

मैंने पब्लिक प्रासीक्यूटर की जगह मिलने की बात, परसों चि० प्यारेलाल से सुनी थी, मेरी स्नेहमय बधाइयाँ। तुमने चि० प्यारे के बच्चे को मेडिकल में दर्ज करा दिया, बहुत अच्छा किया। सेठ रामदास महादेवप्रसाद का व्यवहार तुम्हारे प्रति बहुत ही अच्छा था। उस स्थान का छूटना कुछ बहुत अच्छा न लगा।

चि० सौ० सुभद्रा जी से कहना, बेटे-बेटियों पर खूब मजे की कविताएँ लिखी हैं। देखूं, नाती पर वह क्या लिखती है।

चि० अमृत जी से मेरा शुभाशीः कहना। छोटे बच्चों को स्नेह।

आशा है सब परिबार प्रसन्न होगा। कितना अच्छा होता, यदि आप के सुख में जीजी हिस्सा लेतीं।

तुम्हारा अपना

मा० ला० चतुर्वेदी

ठा० लक्ष्मणसिंह जी चौहान,
बी० ए०, एल० एल० बी०,
पब्लिक प्रासीक्यूटर,
राइट टाउन, जबलपुर

श्री जगन्नाथप्रसाद मिलिन्द

कर्मवीर, खण्डवा (सी०पी०)
19.7.46

मान्यवर मिलिन्द जी,

ता० 6.7.46 का कृपा-कार्ड मिला। बीमार था, शीघ्र उत्तर न दे सका, क्षमा करें।

मध्य भारत में 'जीवन' की सेवाएँ जितनी प्रखर, उज्ज्वल, निर्भीक और अपने सिद्धान्तों पर खतरों में खेलने की क्षमता रखने वाली साबित हुई हैं, उन पर भारतीय राष्ट्रीयता और मालव की जनता दोनों को गर्व होना चाहिए। आपके

व्यक्तित्व के इस तेजस्वी प्रकाश को प्रभु अजर-अमर करें। उसका अर्द्धसाप्ताहिक रूप सफल हो।

आशा है आप प्रसन्न हैं।

विनम्र

कविवर श्रीयुत जगन्नाथप्रसाद जी 'मिलिन्द' मा० ला० च०
जीवन कार्यालय, ग्वालियर

श्री रेणु

कर्मवीर, खण्डवा (सी०पी०)
7.8.46

बिटिया रानी,

शुभाशीष !

कृपा-कार्ड मिला। कृतज्ञ हूँ। मेरी ओर से श्रद्धेय शर्माजी को मेरी सप्रणाम बधाइयाँ दें, उनके 'साहित्य-वाचस्पति' होने पर। यह उपाधि उन-जैसे मनीषी को खूब शोभती है।

बेटी, माँ भारती के आँगन में, कुछ सेवा करने की तुम्हारी तड़प से मैं परिचित हूँ। सोचता हूँ क्या कुछ कर सकूँ। प्रभु-कृपा से कभी मिलो तो जान सकूँ कि मैं क्या कर सकता हूँ। वह दिन कब आता है, देखूँ।

यह जानकर बहुत प्रसन्नता हुई थी कि राज्य के शासन-निर्णय में दोनों भाई-बहिनों को सदस्यता का गौरव प्राप्त हुआ।

बापू आज्ञा दें तो कभी दोनों भाई-बहिन खण्डवा आओ, मुझे बहुत प्रसन्नता होगी।

विनम्र
मा० ला० चतुर्वेदी

शीलधन बेटी रेणु जी,
केअर/ऑफ साहित्य-वाचस्पति विद्वद्वर
श्री गिरिधर शर्मा जी नवरत्न
नवरत्न सरस्वती भवन
झालरापाटन सिटी, राजपूताना।

श्री बापट

कर्मवीर, खण्डवा (सी० पी०)
16.9.46

प्रिय बापट,

सादर नमन !

आपका पत्र पाकर बहुत प्रसन्नता हुई। सबसे पहले तो यह लिखिये कि अब स्वास्थ्य कैसा है ? यह उचित ही हुआ कि आप जैसे व्यक्ति को इस कार्य के लिए ठक्कर बापा मिल गये। श्रीमन ठक्कर बापा जैसे ऋषि की प्रेरणा का ही यह परिणाम है कि आपने मानवता की इस महान् सेवा में अपने आपको जुटाया।

कर्मवीर में संघ की प्रवृत्तियों को सदैव स्थान दिया जाता रहेगा।

मेरे कुछ लिखने के पहले 'गोंड सेवक संघ' की आज तक की प्रवृत्तियों, प्रस्तुत योजनाओं और भविष्य की आवश्यकताओं के विषय में एक-दो लेखों में पहले आप जानकारी दे दें। मुझे कोई जानकारी इस विषय में कभी नहीं मिली। वहाँ से भेजी ही नहीं गयी। वह जानकारी वाला लेख निकल जाएगा, तब मैं कर्मवीर में उस पर कुछ लिख दूँगा। या मेरे ही पास जरा विस्तार से लिखकर आप भिजवा दें। उस पर से लेख तैयार कर लिया जायेगा।

श्री ठक्कर बप्पा जब पधारें तब आप उनसे मेरा सादर नमन निवेदित करें।

आपका
माखनलाल चतुर्वेदी

श्रीयुत बापट एम० ए०,
गोंड सेवक संघ,
मण्डला (सी० पी०)

श्री रामवृक्ष बेनीपुरी

[1]

कर्मवीर, खण्डवा (सी० पी०)
21 सितम्बर, 46

प्यारे पुरी,

आज प्रातः कार्ड मिला। प्रसन्नता हुई। कोई इतना भी भूला करता है भाई ? एक बार खण्डवा तो आना ही है। कब आइयेगा ? खण्डवा आते समय, समय ही निकालना होगा और सोच-विचार क्या करना है ?

मान्य भाई शिवपूजन सहाय जी से मेरा नमन कहिये। 'हिमा[illegible] को [illegible]

सूझ, श्रम और अध्ययन, इन सबके मैं साथ हूँ, यह प्रतिक्षण अनुभव कीजिये। यों मेरे 'साथ' के मानी शून्य को अंक मानने-जैसा ही है।

बच्चे कहाँ हैं ? यह 'अखाड़े' की जिन्दगी कब तक चलाना है ? बड़ा क्या पढ़ता है ? मैं तो मुजफ्फरपुर तक जाकर भी आपके परिवार और बच्चे को देख न सका। मैंने मुजफ्फरपुर के मित्रों को अपना आग्रह बहुत पहले पहुँचा दिया था कि मैं बेनीपुरीजी के बच्चों को मुजफ्फरपुर में देखना चाहता हूँ, किन्तु वहाँ के मित्र व्यवस्था न कर पाये। यों अब मैं लम्बी यात्राएँ नहीं कर पाता।

इस समय माँ, दोनों जीजियाँ, चि० बृजरानी, उसका नन्हा, चि० रामदयाल के चारों छोटे-छोटे बच्चे सब यहीं हैं। चि० बृजबाबू ने काम सँभाल लिया है। मैं तो प्राय: घर में बच्चे खिलाने वाला नौकर हो गया हूँ। वे मेरे पालतू हैं, मैं उनका। आप भी आयेंगे, तब इन उपद्रवावतार किलकारी नरेशों में दो क्षण अपने को भूल जायेंगे। बिहार मेरे विश्वासों की स्नेहभूमि है। किन्तु समय सब यों ही बीत गया, मैं कुछ न कर पाया। 'दिनकर' की कलम को मेरी ओर से चूम लेना। उनकी कलम ने मेरे गर्व को बेदाग रखा।

और तुम्हें ? प्यार बेनीपुरी।

तुम्हारा अपना
मा० ला० चतुर्वेदी

पुनश्च :

यदि कोई कठिनाई न हो, तो मैं चाहता हूँ 'हिमालय' में वियोगी भी लिखें। उनकी उस प्रथम कलम को मैं नहीं भूलता जो बिहार में काव्य का नया युग लाने आगे बढ़ी थी। मित्रों से नमन।

श्री रामवृक्ष बेनीपुरी,
हिमालय पुस्तक भण्डार,
बाँकीपुर, पटना

[2]

कर्मवीर, खण्डवा (सी० पी०)
27.11.46

प्रिय भाई बेनीपुरी,

दोनों पत्र मिल गये। मैं अपने लेख को आज भेज रहा हूँ। ता० 9 अक्टूबर को वचन दिया था, कल भेज दूंगा। ता० 27 नवम्बर को भेज रहा हूँ। आज भी कहीं रजिस्ट्री में देर न हो जाय, नहीं तो बात कल पर गयी।

खण्डवा तुम्हारा घर है। घर-सा ही स्नेह, घर-सा ही व्यवहार उसे देते रहो। उसकी इतनी-सी इच्छा रहेगी। तुम इस बार बहुत बरसों में आये। यदि प्रयाग

गया तो तुम्हें तार दूँगा, वहाँ मैं उन बच्चों को मिल आऊँगा जिनके भविष्य पर मेरा विश्वास है।

श्री भाई शिवपूजन जी से मेरा नमन निवेदन करना। बच्चों को देखने के लिए तो मैं बरसों से उत्सुक हूँ।

रही बम्बई में साहित्य देने की बात, सो तुम उनसे स्पष्ट चर्चा कर लो। तब मुझे लिखो।

श्री जयप्रकाश जी पर अवश्य लिखूंगा। देर तो लग जाती है, सो लगेगी।

माँ शुभाशीष कह रही हैं। छोटा बच्चा खूब मस्त है। चि० बृज अच्छे हैं। चि० प्रभाग कांग्रेस में गया है, वहाँ मिला होगा।

यह रचना[1] 'साहित्य देवता' जैसे आगामी ग्रन्थ में जायेगी। जिसका नामकरण अभी नहीं हुआ है। किसी-किसी ने उसका नाम 'अभिव्यंजना' दे दिया है किन्तु अभी सब-कुछ अनिश्चित है।

तुम्हारा सदैव,
मा० ला० चतुर्वेदी

श्रीयुत रामवृक्ष जी बेनीपुरी,
हिमालय पुस्तक भण्डार,
हिमालय प्रेस, पटना

सोहनलाल द्विवेदी

[1]

श्री

कर्मवीर, खण्डवा (सी० पी०)
21 सितम्बर, 46

प्यारे भाई सोहनलाल जी,

सादर नमन !

कृपा-पत्र मिला। कृतज्ञ हूँ। मैं आपके साहित्य से, आपके गीतों से, अपने को कभी भी दूर न कर सका। किन्तु आपके जीवन और गीत-पथ के लिए अपने को उपयोग-हीन समझकर, मैं पथ से अलग हो गया। आपकी दौड़ हवाई जहाज की है, और मैं वृक्ष की तरह, अपने छोटे घेरे में ही अपना संचित भूमि पर, युग-भूमि

---

1. 'रंगों की बोली'।

पर फेंक देना चाहता हूँ। मैं सोचता था, आप मुझे गलत नहीं समझेंगे।

'सेवाग्राम' की एक प्रति छपने पर 'प्रूफ' हालत में मेरे पास भिजवा दें। आप मानें, मैं कभी दूर नहीं गया। आज भी 'सेवाग्राम' मेरी वस्तु के नाते ही मेरे पास स्नेह पावेगा। रहे आप, सो आप जरा खराब आदमी हैं। बहुत जल्दी रूठ जाते हैं। अतः आपसे नाराज होने और नाराज रहने का हक मेरे पास सुरक्षित रहने दीजिए। साथ ही मैं 'प्रचार' पर श्रद्धा नहीं रखता। आप प्रचार को जाने क्यों बहुत आदर और स्थान दिया करते हैं। फिर अपने 'प्रचार' को अधिक अपनाना तो मुझे कभी नहीं आया, कभी न भावेगा। मेरी मान्यता है कि कला में, और स्वयं आपकी कला में, अपना परिचय आप देने की महती शक्ति है। खैर, यदि प्रचार की ओर आप ध्यान दें ही, तो फिर आप प्रकृत राजनीति में सीधे जाइये। वहाँ का मनोवैज्ञानिक द्वन्द्व, क्षण-क्षण सन्देह करने वाला संसर्ग और पद-पद पर खतरा खुलकर बर्दाश्त कीजिये। आपके स्वभाव की कोमलता मेरा मूल-धन है मैं उसे खूब प्यार करता हूँ; किन्तु मैं यह क्षण भी नहीं भूलता कि आपके पीछे एक पीढ़ी चली आ रही है, जो आप से वकालत या विनोद नहीं, व्यापार माँगती है। हिन्दी के वर्तमान परिवर्तनशील क्षेत्रों में आपकी वाणी का ओज चाहिए, आपके अपनत्व का समर्पण चाहिए, आपके रथ-पथ की लकीरें साफ दिखायी देनी चाहिए। मैं आपका क्रोध, आपकी नाराजी का कष्ट उठा लूँगा, वह मेरी व्यक्तिगत हानि है, और दो हाथ और एक मत्था जब तक पास है, तब तक एक मेरे-जैसे दरिद्री के पास खोने को है ही क्या? किन्तु मैं आपकी नाराजी के मूल्य पर भी आपको वहाँ देखना चाहता हूँ, जहाँ मेरा भी सिर आपके पास गर्व-पूर्वक झुका सकूँ। केवल कवि-सम्मेलनों में आपको देखकर मुझे कष्ट होता है। युग कवि-सम्मेलनों में न कभी बना है न कभी बनेगा। कवि-सम्मेलनों के पास तो आपको अहसान अथवा अनुनय की तरह ही जाना होगा। आपका स्थान उन सामन्तों में होगा, जो युग के नाज और नखरे, लहर और प्रलय सँभालकर, अपने अस्तित्व को करोड़ बदनामियों, करोड़ बे-समझियों, करोड़ कठिनाइयों में, कार्य-क्षेत्र के प्रति रहने वाले अनहोने गर्व के साथ तिल-तिल खपा रहे हों। मेरे गायक, क्या मैं तुम्हें नायक नहीं देख सकता? तुम मेरे हो अतः मैं तुमसे तुम्हारे अस्तित्व का पथ-परिवर्तन भीख की तरह माँगता हूँ। इसमें मुझे जरा भी कष्ट नहीं। मेरा तो यह गर्व है। और तुम्हारे, हाँ, तुम्हारे बल पर, इस गर्व के साथ जीवन के शेष वर्षों में खुशी रहना चाहता हूँ। बोलो, क्या मैं इस योग्य नहीं कि पा सकूँ?

आप 'सेवाग्राम' भिजवा दें, मैं उस पर लिख दूँगा। उस पर मैं अच्छा लिखूँगा।

तुमने मेरे आँसुओं को गलत समझा। मेरी उमंगों को गलत समझा। मेरी

लाचारियों को गलत समझा और लौटकर देखा ही नहीं कि पग किस ओर बढ़े जा रहे हैं।

विनम्र

मा० ला० चतुर्वेदी

[2]

कर्मवीर, खण्डवा (सी० पी०)

30.9.46

प्यारे भाई सोहनलाल जी,

सप्रेम नमन !

आपका ता० 7.9.36 का कृपा-पत्र मिला। पुस्तक की छपी हुई प्रति मेरे पास भिजवा दें। मैं उस पर अवश्य लिख दूंगा। मैं भूला कुछ भी नहीं हूँ।

मैं आपके हृदय की कोमलता को जानता हूँ। आप मेरा, थोड़े से नाराज रहने का अधिकार क्यों छीनना चाहते हैं। खैर, आप पुस्तक की 'प्रूफ-प्रति' भिजवा दीजिये।

आपका अपना

मा० ला० च०

प्रति,

श्रीयुत पं० सोहनलालजी द्विवेदी

एम० ए०, एल० एल० बी०

इण्डियन प्रेस, प्रयाग

श्री यशपाल जैन

18.10.28

प्यारे यशपाल जी

कृपा-कार्ड अभी मिला। डाक्टर विद्युत-उपचार कर रहे हैं। परसों तक मैं जरा सँभल गया तो आने की भरपूर चेष्टा करूँगा। यद्यपि आज तो मकान के बरांडे से सड़क पर नहीं जा पा रहा हूँ।

श्रीयुत नाथूराम जी 'प्रेमी' का जीवन अपने प्रति ऐसा उदासीन रहा कि उनको पकड़ पाना आसान काम नहीं। किन्तु उसकी शोध-वृत्ति, शीलमय जीवन-चर्या और सन्त के गुणों से विभूषित उनकी निर्मलता ने आप लोगों को उनकी श्रेष्ठता का पता दे दिया। अतः आज का शुभावसर मनाने की सफलता मिली। प्रेमी जी बोले प्राय: नहीं, कृति ही उनके जीवन की साँस रही। वे लेखनी में

बोलते, और संकल्पों में लिखने वाले मनस्वी हैं। वे आदर्शों के प्रति इतने ईमानदार रहे कि हितैषी के सम्पादक, हिन्दी-ग्रन्थ-रत्नाकर के प्रकाशक, और जैन ग्रन्थों के भारतीय शोधक, तीन स्वरूपों में लोगों ने उनकी साधु-चरितता की चर्चा की। संकल्प, साधना और कृति को एक साथ मिलाने में उन्हें जो यश मिला है, वह युग का भूषण है। मैं उनके प्रति अपनी श्रद्धा स्नेह-सम्मान के साथ व्यक्त करता हूँ।

आशा है आप प्रसन्न हैं। क्या लौटते समय खण्डवा आइयेगा? समस्त विद्वानों को मेरा नमन कहें।

आपका

श्रीयुत यशपाल जी, एम० ए०

मा० ला० चतुर्वेदी

केअर/आफ डा० हीरालालजी जैन
मारिस कालेज, नागपुर

श्रीमती सीतादेवी छबीलदास

खण्डवा (सी० पी०)
कार्तिक शुक्ल 1, 2002 वि०
25.10.46

मान्या बहिन सीतादेवी जी,

आज यह जानकर मुझे बहुत प्रसन्नता हुई कि आप पंजाब की धारा-सभा में कांग्रेस सदस्या के नाते निर्विरोध चुन ली गयीं। इस सफलता पर मैं आपको हृदय से बधाई देता हूँ। आप मेरे श्रद्धेय बन्धु की पुत्री तथा राष्ट्र-सेवा-परायणा हैं, अतः मेरे निकट आपका सम्मान है। आतिथ्य से उपकृत तो हूँ ही।

प्रो० छबीलदास जी से मेरा नमन निवेदन कर दें। उनकी विद्वत्ता, शील और सेवा का मैं आदर करता हूँ।

देहरादून में सन् 1943 में बेटी दमयन्ती को देखकर, उनकी कार्य-कीर्ति सुनकर प्रसन्न हुआ था। श्री सत्यभूषण कहाँ हैं? मुझे उनका पता नहीं मालूम है।

विनम्र
माखनलाल चतुर्वेदी

प्रति/श्रीमती सीतादेवी छबीलदास,
एम० एल० ए०,
लाजपतराय भवन, लाहौर

श्री प्रयागनारायण त्रिपाठी

कर्मवीर, खण्डवा (सी० पी०)
6.11.46

चि० प्रयाग,

शुभाशीः ।

क्यों भाई चि० तारा की गोद में पुत्री होना क्या इतना बड़ा अपराध था कि तुमने खबर ही न दी ! और फिर चुप्पी भी ऐसी साधते हो । लिखो, सौ० तारा बेटी का और 'लिटिल टायरंड' तारा की बेटी का स्वास्थ्य कैसा है ? समय कहाँ-कहाँ बँटा रहता है, क्या सनातन धर्म और प्रताप दोनों जगह मुझे यदि आने की सुविधा न हुई, तो क्या तुम्हें भी अवकाश न मिलेगा ? अब तो किसी परीक्षा का भय नहीं रहेगा । और मेरे पत्रों के द्वारा, पत्रोत्तरों की वसूली न हो, तब भी यदि तुम अच्छे बेटा की तरह पत्र लिखते रहो, तो तुम्हारी आदत कहाँ से घिस जाय ? खैर, अब पत्र दो जरा लम्बा । तुम प्रयाग गये थे । वहाँ के भी हालचाल लिखो । जीवन लगातार दंगों में वहाँ अरक्षित होता जा रहा है । किन्तु नये युग में यह अवस्था मुझे कुछ वर्षों तक रहती दीखती है । अतः इस विषय को लेकर जितना जोर लगाया जा रहा है, उसे देखकर जरा कैसा-सा ही मालूम होता है । खैर, गनीमत है, कानपुर अभी इस व्याधि से बचा हुआ है । मेरे पाँव में मोच आ गयी थी, अब अच्छा हो रहा हूँ । बिजली के इलाज से लाभ हुआ है । क्या इधर कुछ लिखा है कविता-भविता ? लिखा हो तो भेजो ।

सौ० तारा बेटी को शुभाशीष । उसकी गोद की नन्हीं को प्यार । आशा है अपनी प्रोफेसरी में और ए० डी० सी में तुमने चि० तारा के तथा अपने स्वास्थ्य को खूब अच्छा रक्खा होगा ।

तुम्हारा,
मा० ला० चतुर्वेदी

प्रो० प्रयागनारायण जी त्रिपाठी, एम० ए०
बागला का बगीचा, बेझावर
कानपुर

श्री बृजवल्लभ व्यास

कर्मवीर, खण्डवा (सी० पी०)
7.11.46

चि० प्रिय बृजवल्लभ,

शुभाशीष।

तुम्हारा कार्ड मिला। प्रसन्नता हुई। बम्बई के दंगे अभी थमे नहीं हैं, अतः अभी शीघ्र वहाँ जाने की कोई आशा नहीं है। लिखो, तुम्हारी परीक्षा हो गयी? यदि नहीं हुई तो यह कब तक होगी? परीक्षा या अध्यापन में हानि उठाकर यहाँ आने के तो कुछ अर्थ ही नहीं होते। अतः जब अवकाश भी रहे और परीक्षादि के कार्य में कोई हानि न हो, तभी आना। भाई चैनरामजी से हमारा नमन निवेदन करना।

आशा है, तुम्हारा स्वास्थ्य खूब अच्छा होगा। पिछली बार जब मिले, तब उतना अच्छा स्वास्थ्य नहीं था।

तुम्हारा
मा० ला० चतुर्वेदी

श्रीयुत बृजवल्लभ व्यास,
4, मल्हारगंज, इन्दौर

श्री पन्नालाल जैन

कर्मवीर, खण्डवा (सी० पी०)
7.11.46

प्रिय भाई साहब,

चि० बेटी शकुन जी का एक कार्ड आया था, जिसमें लिखा था कि मैं यदि नाराज हो गया हूँ तो उसे क्षमा करूँ। किन्तु चि० शकुन का स्वभाव ही इतना अच्छा है कि इस जीवन में उसके गुरुजन उससे नाराज हो ही नहीं सकते। चि० नरेन्द्र बाबू की पढ़ाई, आशा है, खूब अच्छी चल रही होगी। आशा है, आपका स्वास्थ्य अब खूब अच्छा हो गया होगा। इस जाड़े में आप कुछ ऐसी आयुर्वेदिक औषधि ले लें जिससे शरीर को स्थायी लाभ हो। चि० बृजबाबू तो इन्दौर ही गये हैं, वह आपसे मिले ही होंगे। चि० अरझरे भी शायद वहीं होंगे। यों चि० अरझरे ने तो मुझसे कुछ नहीं कहा, किन्तु चि० बृज ने बताया कि चि० अरझरे को इन्दौर में शायद अधिक रहना पड़े। श्री अरझरे के जीवन पर खण्डवा छोड़ने

का असर क्या पड़ेगा यह कहना कठिन है। चि० बृज शायद व्यापार में लाभ होने और श्री अरझरे को सुखी देखने के लिए बेचैन है, वे दोनों ही सलाह कर लिया करते हैं। चि०शीला, बृज और अरझरे, इन तीनों की वर्किंग कमेटी निर्णय किया करती है, हर्ष है, किन्तु आप जरा इन भले आदमियों से इनके उठाये हुए कदमों का लेखा-जोखा पूछ लिया कीजिये। यों श्री अरझरे की स्नेहमय निर्मलता ऐसी है कि वह स्वयं आपके सामने हर बात रखते ही होंगे। यहाँ छोटा बच्चा खूब हँसता-खेलता है, गो उसकी खाँसी अभी है। चि० लड्डू जरा बड़ी हो चली है। चि० सरला अभी अस्पताल में है। चि० फन्दी बाबू तिमाही में सब विषयों में फेल हो गये हैं। माँ अच्छी है। गोमतीबाई कार्तिक-व्रत के कारण आजकल बहुत अशक्त हो गयी है। और छोटी बहू बच्चे की डिलीवरी के बाद अपना पुराना 108 पौंड का वजन न पा सकी। वह जो 93-94 है सो है ही। बच्चों की माँ से मेरा नमन कहें।

आपका,

मा० ला० चतुर्वेदी

श्रीयुत पन्नालाल जी जैन,
38 गौराकुण्ड,'
इन्दौर, सी० आई०

श्री दामोदरदास मूँदड़ा

'कर्मवीर', खण्डवा (सी० पी०)

10.11.46

प्यारे दामोदर जी,

संचालिका श्री शान्ताबाई रानीवाला नाम के छपे कार्ड पर चि० भवानी-प्रसाद का पत्र मिला। आपका पत्र इससे पहले ही मिल चुका था। 'महिलाश्रम' पत्रिका भी देख चुका हूँ। दूसरी संख्या आ जाने पर उस पर कुछ लिखूंगा भी। किन्तु मैंने जो लिखा है, उससे चि० भवानी परिचित हैं। कौन-सी ऐसी चीज है जो मैं भिजवा दूँ। वह लिख दे, तुरन्त भिजवा दूंगा। कितनी ही बार मेरी इच्छा होती है कि मैं मीरा जी की गोद के उस 'नन्हें' सुहावन अत्याचारी को देखूँ और गोद खिलाऊँ, जिसकी मरजी और नामरजी दोनों को सँभालने में उन्होंने अपने को व्यस्त बना रखा होगा। आपके नाम पर पत्र लिख रहा हूँ इसलिए कि कविवर रामगणेश गडकरी के नाटक के एक पात्र के कथनानुसार मेरे इजारबन्द के नाड़े की गाँठ से मेरी स्मृति नहीं जागती, वह तो तब जागती है, जब तुझसे (पत्नी

से) गाँठ पड़ती है। इसी जाति का भवानी है। वह लापरवाह यह भी भूल जाता है कि मेरा कार्ड भी आया है, आप तक सन्देशा पहुँचाना तो दूर।

जब आप साधु विनोबा से मिलें, मेरा प्रणाम कह दीजियेगा। श्रीमन् जी तो मुझसे नाराज होंगे। यह ग्यारहवाँ वर्ष है जबसे मैं वर्धा नहीं आया। एक बार आने की इच्छा है। देखूँ, कब आ पाता हूँ।

माता-पिता और नवागत पुत्र तीनों को मेरा दुलार। चि० भवानी की मस्ती, उसका पागलपन जिन्दा रहे, इस बात की खूब पर्वा कीजिये।

आपका

श्रीयुत दामोदरदास जी मूंदड़ा — मा० ला० चतुर्वेदी

महिलाश्रम, वर्धा

श्री ओंकार शरद

कर्मवीर, खण्डवा (सी० पी०)

10.11.46

प्यारे शरद जी,

कृपापत्र मिला। कृतज्ञ हूँ। सागर का गाम्भीर्य, हिम की शीतलता, प्रलय की उद्दण्डता और क्षण-क्षण की नवीनता की सूझ का उपमान बनकर लहर आये। स्वागत, वह अपने को विश्व की शीतल ज्वाला का प्रतिनिधि सिद्ध करे। संख्या न बढ़ाइये, सतह उठाइये यदि आपके तरुण हाथों यह सध सके, यदि गति को अवरुद्ध करे तो श्रद्धा और श्राप में कोई अन्तर नहीं रह जाता। इन दोनों से बचिये।

श्रद्धा वह जो स्नेह से गति दे; श्राप वह जो चुनौती से गति दे। यह कभी न भूलिये कि लहर की यह लाचारी है कि उसे विलीन होने तक आगे बढ़ना ही होगा। उसे अस्तित्व रहने भर तक जाना ही होगा। 'लहर' पानी की ताकत है, जवानी की ताकत है।

मैं बड़े शब्दों से जितना डरता हूँ उतना बड़े संकटों से नहीं। हाँकने का काम हाँकने वालों की श्रेणी के लिए छोड़कर मस्तक से उतारे हुए लाल आँसू काली बूंदों की प्यालियों में लाइये कि जमाना उन्हें अक्षर कहे। खबरदार, उन पर सस्ती उत्तेजना या पतित मोद की मक्खियाँ न भिनकें। बात ऐसी ऊँचाई से कही जाय, और वह भूमिवासी के हृदय के इतने निकट तक पहुँचे कि वह बात न होकर मानव से नक्षत्रलोक तक साँस की रुपहली सीधी खड़ी रेखा हो। यदि ऐसा न हो तो कोरा कागज क्यों खराब कीजिये। उस पर रामनाम लिखकर, त्रिवेणी के तट पर आटे की गोलियों में मछलियों को चुगवा दीजिये। अस्तित्व से आँख

मूंदने को उत्सव क्यों कहा जाय ? जन्मोत्सव वह, जिसमें कोई ऐसा जन्म लेकर चला आ रहा हो जैसा पहले कभी किसी ने देखा न हो। सूझों का श्रेष्ठत्व हो तो लोग पन्नों को नहीं गिनेंगे। दिये हुए दाम, श्रम और समय की कीमत से घटिया माल मिलने पर लोग कहेंगे कि ठगे गये।

आज का शोध ही कल का साहित्य कहलाता है। केन्द्र में भारतीय सरकार आ गयी है। यदि लोग पूछें कि हिन्दी में क्या है, तो हमें अपने प्रयत्नों को छुपाना न पड़े। यह भी न हो कि लोग हमारी भाषा के भोज-पत्रों से तो बातें करें किन्तु हमारा अस्तित्व उन्हें ऐसा नगण्य दीखे कि किसी पुरुषोत्तमदास के विश्वास दिलाने पर भी उनका विश्वास हिन्दी के अध्ययन-चिन्तन और सृजन की उच्चता पर न हो। आखिर आपके हाथ में 'लहर' तो है ही। फिर तरुणाई की कलम ! कमी क्या है ?

विनम्र

मा० ला० चतुर्वेदी

श्रीयुत ओंकारनाथ शरद,
लहर सचित्र कहानी पुस्तक-माला
99, गाड़ीवान टोला, इलाहाबाद

श्री रमेश सिनहा

कर्मवीर, खण्डवा (सी० पी०)
24.11.46

प्रियवर रमेश जी,

कृपापत्र मिला। जीवन में निरालाजी के साथ कभी रहने को नहीं मिला। मैंने उन्हें केवल मनोविज्ञान के चरणों में बैठकर ही जानने का प्रयास किया। वे गत सन् 1922 में पहली बार 'समन्वय' में काम करते हुए अपने अतुकान्त लेकर मित्रवर शिवनारायण जी काया के यहाँ आये, जब भाई गणेश जी के जेल में होने से मैं और स्वर्गीय भाई शिवनारायण जी मिश्र प्रताप की सेवा के लिए कलकत्ता गये थे। मैंने उसी दिन उन पर विश्वास व्यक्त किया और उनके आगमन का स्वागत किया। वे उस दिन अपने में एक रवीन्द्र गढ़ने के उपासक थे। प्रारम्भ शुभ हुआ। किन्तु उनका 'मतवाला' में जाना कदाचित् उनके जीवन की धारा का विभाजन-कोण बन गया। मैं निराला को प्यार करता हूँ, उनके 'दूर के श्रान्त पथिक' के स्वर को गुनगुनाता भी हूँ। किन्तु समय के द्वारा पहुँच चुकने वाली हानि से बचा सकता, यह सम्भव न हो सका। हर्ष है आप निराला जी का सम्मान कर रहे हैं। आशा है, उनकी सेवा का स्मरण रखकर, क्रियात्मक सम्मान का

कर्त्तव्य भी आप लोग न भूलेंगे ।

चिरंजीवी शान्ता जब चाहे, तब आये, उसका घर है । उन दोनों को आशीष कहे ।

विनम्र

श्रीयुत रमेश सिनहा,
'जनयुग' राजभवन,
सेंडहर्स्ट रोड, बम्बई 4

मा० ला० चतुर्वेदी

बृजेशकुमार गुमाश्ता

कर्मवीर, खण्डवा (सी० पी०)
27.11.46

प्रिय महाशय,

रजत जयन्ती वाले आपकी समिति-सम्बन्धी सब पत्र मिल गये । धन्यवाद !

किसी भाषा के प्रति रोष, किसी विरोधी समूह के प्रति उद्दण्डता अपनी शक्तियों के प्रति अविचारपूर्ण आत्मश्रद्धा और राष्ट्र-भाषा के समस्त उद्योग में परिणाम की गम्भीरता का अज्ञान न हो । यानी देश की भाषाओं के प्रति स्नेह, विरोध के प्रति धैर्य और मनोनिग्रह और बार-बार समझना, अपने किये हुए हर उद्योग के पश्चात् राष्ट्रभाषा की प्रगति में रह जाने वाले धीमेपन के कारणों को अपने ही आत्म-मन्थन से खोजना, और इस बात को कभी आँखों से ओझल न होने देना कि भाषा के मोह के कारण नहीं, राष्ट्र की आवश्यकता और उसके एकीकरण के लिए राष्ट्रभाषा की आवश्यकता है । ये प्रवृत्तियाँ धीरज, खोज, त्याग और अथक परिश्रम चाहती हैं । प्रभु करे, मारिस विद्यालय की हिन्दी समिति अपने अस्तित्व को राष्ट्रभाषा के उन्नति-पथ में निर्माण-शीला साबित करती रहे ।

विनम्र

श्रीयुत बृजेशकुमार गुमाश्ता
हिन्दी साहित्य मण्डल,
मारिस कालेज, नागपुर

मा० ला० चतुर्वेदी

श्री श्रीराम शर्मा

कर्मवीर, खण्डवा, (सी० पी०)
मार्गशीष शुक्ल 6, 2043 वि०
4.12.46

प्रिय श्रीराम जी,

सप्रेम नमन ।

कृपा-पत्र मिला । कृतज्ञ हूँ । जीवन के जो वर्ष शेष हैं, उनमें महज जाब्ते की यात्राएँ करने के लिए क्षण नहीं है । क्योंकि, मुझमें अबउतना बल नहीं है, हैदराबाद आने से पूर्व मैं एक तो हैदराबाद के सम्बन्ध की विस्तृत जानकारी चाहूँगा, दूसरे यह जानना चाहूँगा कि 'प्रचार सभा' की हैदराबाद में कार्य करने की क्षमता-सीमा क्या है । कुछ दिन हुए, हैदराबाद से एक वैद्य महाशय (शायद अक्टूबर के मध्य में) पधारे थे । उनका नाम विस्मृत हो गया है वे क्षमा करें । उन्हें मैंने लिख दिया था कि वहाँ के भौगोलिक, सामाजिक और शासन-सम्बन्धी कुछ कागजात मैं देखना चाहता हूँ । क्या उन्होंने कोई बात आपसे अथवा (अस्पष्ट) जी से नहीं कही ? यों जनवरी में जाड़ा कुछ अधिक रहेगा । हिन्दी प्रचार सम्बन्धी आज तक का साहित्य भी मैं देखना चाहूँगा ।

कृपा रखें ।

विनम्र
मा० ला० चतुर्वेदी

श्रीयुत श्रीरामजी शर्मा,
हैदराबाद राज्य हिन्दी-प्रचार सभा
हैदराबाद-दक्षिण

श्री हरनारायण दुबे

कर्मवीर, खण्डवा (सी० पी०)
26.12.46

चि० डाक्टर साहब,

सप्रेम नमन !

आपका ता० 20.12.46 का कृपापत्र मिला । मैं ता० 19.12 को ही मेरठ-सम्मेलन से लौटा हूँ । और ता० 24.12 से प्रधानमन्त्री माननीय शुक्ल जी यहाँ हैं । अतः उत्तर देने में दो दिन का विलम्ब हो गया । क्षमा करें ।

यह जानकर बहुत हर्ष हुआ कि आप सकुशल स्वदेश लौट आये । अब आपके

उपचार-ज्ञान का स्वदेशवासियों के लिए श्रेष्ठ उपयोग हो सकेगा।

मुझे पुराने उपवास के दो वर्ष बाद इस वर्ष जुकाम और ज्वर बार-बार होने पर डा० शाह साहब ने फिर 5 लाख यूनिट पेनीसिलीन दे दी है। आपके उपवास से उस समय मेरा वजन 94 पौंड से बढ़कर 108 पौं० हो गया था। जाड़ों में मुझे कोई वैद्य-डाक्टर आपकी सूचना के अनुकूल मकरध्वज और मदनानन्द मोदक न दे सका। ये दो वर्षों से खरीदे हुए मेरे पास पड़े हैं। मेरा वजन पुनः 94 हो गया है। वह पेनीसिलीन के पश्चात् 98 पौंड पर आकर ठहर गया है। पेनीसिलीन लेते 6 महीने हो गये हैं। तब आजकल में ही जुकाम हुआ था, ज्वर नहीं था। अब अच्छा हूँ। पूरी हजम नहीं कर पा रहा हूँ। पूरियाँ हजम हो जायें तो मेरा वजन पुनः बढ़ सकता है और स्वास्थ्य बलवान हो सकता है जिससे कुछ वर्ष और सम्हल जाऊँ

आपकी नियुक्ति प्रान्त के किसी बड़े पद पर ही होगी, ऐसी मैं आशा करता हूँ। मैं चाहता हूँ कि आपसे शीघ्र भेंट हो तो जाड़ों के निकलने के पहले कुछ स्वास्थ्य-साधन हो सके और वजन बढ़ सके।

कृपया लिखिये कि आप कहाँ रहेंगे ? मैं वहीं एक बार आऊँ और आपसे कुछ चर्चा करूँ। आपने मेरे स्वास्थ्य में चमत्कारपूर्ण परिवर्तन किया था।

चिरंजीवी शीलवती अरझरे की असहाय मृत्यु हो गयी। कोई भी चिकित्सक अन्त तक रोग न जान सका। कोई मोतीझरा, कोई गर्दनतोड़ बुखार और कोई कुछ बताते रहे।

चि० अरझरे ने आपका पत्र पढ़ लिया है। उनकी दूसरी याने तीसरी शादी बम्बई में हो गयी है। आप भाई कुन्जीलाल जी दुबे से मेरा नमन कहें। अपने बड़े काकाजी से मेरा नमन निवेदन करें।

शुभैषी
माखनलाल चतुर्वेदी

डा० श्री हरनारायण जी दुबे
के/आ पण्डित के० एल० दुबे, वाइस चान्सलर
नागपुर-विश्वविद्यालय, नागपुर

श्री इन्द्रबहादुर खरे

कर्मवीर, खण्डवा (सी० पी०)
8.1.47

प्यारे इंद्र जी,

आपका 5.12 का पत्र मिल गया था। उसके साथ जो कविता आपने भेजी थी, वह तो 2-3 सप्ताह पहले ही 'कर्मवीर' में प्रकाशित हो चुकी है, ऐसा बाबू

भुवनेश्वरी प्रशाद ने मुझे बताया।

यह देख-सुन कर नहीं, यह जानकर सुखी होता हूँ कि आपकी पंक्तियों में रस होता है, उनमे प्राण होता है। लिखावट मीठी, अक्षर सुहावने। आशा है, आप अपने निकट निराशा न आने देंगे।

जीवन को पूरा ही ग्रहण करना होता है। उसकी किश्तें नहीं होतीं, अतः मानवता के संपूर्ण मनोभावों को छूने का ध्यान रखिए। प्राप्ति से असन्तोष अभावों की गड़न जी में देगा, गड़न भावों की पटरानी होगी, भाव सूझ की पनिहारिन से दान ले निर्माता की कला को रसवंती बना देंगे। यह पीढ़ी इसी तरह बनती आयी है, इसी तरह बनती जायगी। खूब मस्त रहो। फूलों के रस-गर्व को कली की कोमलता के दर्प में जन्म मिलता है, यह न भूलो।

विनम्र

श्री इन्द्रबहादुर खरे, माखनलाल चतुर्वेदी

जबलपुर

श्री रामनारायण टण्डन

18.10.46

(12.45 रात)

प्यारे भाई टण्डन जी,

सप्रेम नमन !

कल ता० 16.10.46 की शाम को आपकी शाला के अध्यापक ठाकुर सा० आपका कृपापत्र लेकर आये थे। मेरे पाँव में चोट लगी थी, अतः मैं उन्हें अपने आने का विश्वास न दिला सका। पाँव का इलाज चल रहा है। कुछ समय अवश्य लगेगा।

मुझे मालूम हुआ कि इस वर्ष आपके यहाँ के विद्यार्थी प्रीति-सम्मिलन (सोशल गेदरिंग) कर रहे हैं। उनके इस प्रथमोत्सव की मैं सफलता चाहता हूँ। वे इस समय यह जानें कि—1. पुस्तकें ज्ञान नहीं देतीं, पुस्तकें उनकी जानकारी की पकड़ को उलझाती हैं। पुस्तकें जीवन की ओर संकेत करती हैं। शब्द-कोष के कुएँ में पानी नहीं होता अतः उसमें कोई नहीं डूबता, और शब्द-कोष के एंजिन में शक्ति नहीं होती। किन्तु प्रकृत कुआँ और एंजिन शब्द-कोष से दूर रहते हैं। पुस्तक उनकी ओर संकेत कर सकती है।

2. बच्चे राष्ट्र की सम्पत्ति हैं। माता-पिताओं मात्र ने उन्हें दुनिया को नहीं दिया है, किन्तु प्रभु ने उन्हें माता-पिताओं के द्वारा जगत् को दिया है। अतः

युग-प्रभु के संकेतों का जानना ही जीवन का लक्ष्य है।

3. राष्ट्र-शरीर का हर पुराना कील-काँटा उखाड़ फेंकना क्रान्ति नहीं है। जो कार्यशील नहीं है उसे कार्यशीलता द्वारा बदलना ही उत्क्रान्ति है, क्रान्ति कहते हैं जब हम परिवर्तन की गति, मान-बुद्धि की साधारण पकड़ से तीव्र कर देते हैं।

4. आज के बच्चों को कल के राष्ट्र का उपयोगी अंग बनना है, अतः बुद्धि में, शरीर में और सूझमय नवीनता में उन्हें खूब ही आगे बढ़ना चाहिए।

प्रभु करे, बच्चों का यह शुभ सम्मेलन सफल हो।

आपका

श्रीयुत रामनारायण जी टण्डन — मा० ला० चतुर्वेदी

हेडमास्टर,

म्युनिसिपल हाईस्कूल, इटारसी

श्री दास्ताने जी

खण्डवा (सी० पी०)

17.11.47

भाई दास्तानेजी,

सादर प्रणाम !

ता० 14.11.47 का कृपा-कार्ड मिला। कृतज्ञ हूँ।

प्रिय भाई देवकीनन्दनजी की चिरजीविनी पुत्री के लिए यदि कोई वर मेरी नजर में आया तो मैं अवश्य आपको सूचित करूँगा।

मेरे विचार से इस विषय में कुछ बातें सोचने लायक हैं—

1. यदि ऐसा वर ढूंढ़ना अभीष्ट हो कि जिसमें सर्वथा जाति में ही शादी हो तो इसकी ओर की पूछ-ताछ अभी मुल्तवी रखनी चाहिए।

2. यदि हम धनिक वर ढूंढ़ते हैं तो यह बात कभी न भूलना होगा कि शादी के बाजे-बाजे दो दिन भले ही अच्छे मालूम हों, किन्तु अन्त में स्नेह से पाली हुई बच्ची की ऐसे घर में उपेक्षा होने का भय रहता है जिसे पालक को नहीं, बच्ची को भोगना पड़ेगा।

3. यदि हम अन्त में गरीब वर लेते हैं, तो बच्ची की स्वतन्त्रता तथा स्वाभाविकता को थोड़ा-सा लाभ भले ही दीखे, किन्तु वर का पुरुषार्थ धनिक श्वसुर तथा प्रभाववान वधू पाकर इतना पुरुषार्थ-हीन हो जाता है कि न वर को अपने वैवाहिक जीवन का स्वाद-सुख रह जाता है, न बेटी को ही पुरुषार्थवान पति पाने का आनन्द रहता है।

अतः मेरे विचार से देवकीनन्दन तथा आप सब मित्र ऐसा लड़का ढूंढ़ें, जिसे रूप की प्यास के स्थान पर गुणों का मान अधिक हो, और जो विवाह को कर्त्तव्य समझकर, अपने तथा लड़की के जीवन के प्रति जागरूक रह सके। भले ही भाई देवकीनन्दन जी के धन के आगे बेटी की स्वराज्यप्रियता को, ओजस्विता तथा अनुशासन के सामने क्रमशः झुकना पड़े। गरज यह कि भाई देवकीनन्दनजी, पुत्री देने के लिए कोई तेजस्वी तरुण चुनें। उनके विचार मालूम होने पर मैं भी इधर-उधर दृष्टि दौड़ाऊँगा।

कृपा रखें।

विनम्र
माखनलाल चतुर्वेदी

श्री बालकृष्ण शर्मा 'नवीन'

खण्डवा (सी० पी०)
(वर्ष संभवत:1948)

प्यारे भैया बालकृष्णजी,

शुभाशीष !

तुम्हारा पत्र आया, किन्तु मैं ता० 12 दिसम्बर को अकोला, और फिर बम्बई चला गया। वहाँ से बीमार लौटा हूँ। लोट-पोट कर थोड़े दिनों में अच्छा हो जाऊँगा।

रेडियो वालों का निमन्त्रण मेरे पास पहुँच गया है। वह भी बम्बई से लौटने पर डाक में मिला। तुम्हारी इच्छा-मुझ पर सदैव बन्धन रहेगी। मैं आ जाऊँगा, यदि तुम्हारा यही निर्णय रहा। रेडियो वालों ने मुझे लिखा है कि वे मुझे दो फर्स्ट क्लास के किराये और 51 रु० देंगे। किन्तु मेरे साथ कोई व्यक्ति न रहे, ऐसी स्थिति में मैं घर से कैसे निकल सकूँगा? मैं रेडियो वालों से इन्कार तो इसीलिए करता आया हूँ कि उनके चौखटे में ठीक न बैठ पाऊँगा। क्योंकि खण्डवा से चलते और लौटते, स्वास्थ्य के कारण मुझे मार्ग में दो जगह ठहरना पड़ता है। मेरा पूरा सप्ताह बर्बाद हो जाता है। आजकल एक सप्ताह का अर्थ सरल नहीं होता। फिर अपना यह सारा दारिद्रय सुनाया ही क्यों जाय? अत: मैं सदैव रेडियो के आमन्त्रण टाल दिया करता हूँ। यों जहाँ जाता हूँ वहाँ, चूंकि वर्षों में जाता हूँ, मिलने-जुलने में सवारी आदि में व्यर्थ ही खर्च हो जाया करता है। और अपेक्षा से प्राप्त सुविधा आज भी मुझे स्वीकृत नहीं है अत: जब मैं कभी दिल्ली या लखनऊ तरफ जाऊँ तब यदि रेडियो में भी हो आऊँ तो साध लूँ, किन्तु केवल रेडियो के

लिए घर से निकलूँ, यह जरा कठिन होता हैं ! अन्य संस्थाओं के लिए घर से होने वाले खर्च को मैं पुण्य मानता हूँ, अत: खर्च हो जाय तो बुरा नहीं लगता, किन्तु यह 'गड़हन खाये पाप न पुण्य' मुझे नहीं भाता। फिर रेडियो के सर्वेसर्वा तो दाता और मैं भिखारी। उसे हिसाब समझाता अथवा परिस्थिति बतलाता बैठूं, यह मरण-कष्ट न्यौतने की न कभी तबीयत हुई, न होगी। मेरे आते और जाते के यानी दो फर्स्ट क्लास के किराये मुझ पर अहसान तो हो जाते हैं, किन्तु इस अहसान को मुझे व्यर्थ, और महँगे मोलों खरीदना होता है। यदि रेडियो वालों के, मुझे दिये जाने वाले 51 रु० के दान को भी मान लूं, तब भी लगभग 150 रु० घर से भू-दण्ड दिये बिना, दिल्ली का आना-जाना संभव नहीं। क्योंकि दिल्ली में मेरा कोई काम भी तो नहीं जो छापेखाने या घर के लिए निबटाता आऊँ। अत: तुम्हारा आग्रह शिरोधार्य कर एक बार दिल्ली रेडियो पर आ जाऊँगा। किन्तु यह बोझ मुझसे भविष्य में सधने-जैसा नहीं है यदि वह··· (अपूर्ण)

श्री बालकृष्ण शर्मा 'नवीन'

श्री शिवमूर्ति मिश्र

कर्मवीर, खण्डवा (सी० पी०)
28.2.48

प्यारे भाई मिश्रजी,

अपने तरुण-हृदय और मधुर कवि चि० सभाजित पाँडे 'अश्रु' के देहावसान का समाचार सुनकर बहुत दुःख हुआ। मेरे पास ऐसी सूचना आई थी कि अब वे स्वस्थ हो रहे हैं, और शीघ्र ही खण्डवा आवेंगे। 'अश्रु' और उनकी श्रेणी की लेखनियों को पाकर अपार सुख होता था। यह जानकर कितना कष्ट होता है कि उनकी सूझों की खिलखिलाहट की पहली ही ध्वनियों में उनका यमराज जाग उठा और उस मधुर हृदय को उठा ले गया। कृपया मुझे सूचित कीजियेगा कि उनके परिवार में कौन-कौन हैं ? उनके परिवार या उनकी धर्मपत्नी तक मेरा यह दुःख पहुँचा दीजियेगा। मैं उस देवी को कैसे धीरज बँधाऊँ, जिसने तारुण्य में अपना मृदुलतर और कलापूर्ण सोहाग खोया हो ?

अश्रुजी की चौपदी मेरे पास सुरक्षित है। मैं सोच रहा ही था कि पूज्य बापू वर्धा (सेवाग्राम) लौटें तो उनके पास वह चौपदी ले जाकर कुछ आशीर्वाद ले लूँ। किन्तु अब न बापू है न गरीब अपना 'अश्रु' ही रह गया है। प्रभु की इच्छा।

आप चाहें तो 'चौपदी' छपवाने का प्रबन्ध कर दूं। अथवा ता० 20 मार्च के

पश्चात् जहाँ आप कहें, उस पते पर भिजवा दूँ। मेरे योग्य सेवा लिखें।

पुनश्च : अपेंडिसाइटिस के भय की परीक्षा के लिए मैं एक विशेषज्ञ के पास बाहर ले जाया गया था। परसों ही लौटा हूँ। पत्रोत्तर में इसीलिए विलम्ब हुआ। क्षमा करें।

विनीत,

श्रीयुत शिवमूर्त्तिजी मिश्र 'शिव' मा० ला० चतुर्वेदी

59, ईश्वरगंगा, काशी

श्री माणिकचन्द कटारिया

कर्मवीर, खण्डवा (सी० पी०)

29.2.48

प्रिय मानिक,

शुभाशीः !

मुझे कारणवश अपना शरीर डाक्टर को दिखाने बाहर जाना पड़ा। पेट के अलसर का भय हो गया था किन्तु वह भ्रम था। इसीलिए 'पत्रिका' का अंक देख न पाया। तुम्हारी लिखावट पर नजर रखने की दृष्टि से उसे मैं प्रायः लगातार पढ़ता आया हूँ। मैं ता० 28.2.48 को लौटा हूँ।

रियासतों का राजनैतिक वातावरण अब सर्वथा बदल गया है। महाराजा साहब के द्वारा प्रधान मन्त्री या मन्त्रिमण्डल का निर्वाचन सर्वथा अलग बात है ···किन्तु राजनीति के बदलते हुए इस स्वस्थ युग में श्रीयुत महोदयजी, खोड़ेजी, मिश्रीलालजी गंगवाल और मित्रों के साथ श्रीयुत सरवटे जी जैसे व्यक्ति का मार्ग-दर्शन सर्वथा श्रेष्ठ बात होगी।

विशेषांक में तुम सब तरह की सावधानी लोगे ही। यों इस विषय की चर्चा तो प्रत्यक्ष ही अधिक अच्छी होती। किन्तु पत्रिका के संचालन के चातुर्य से चलाने में निपुण व्यक्तित्व वहाँ मौजूद हैं। और मुझे आशा है कि तुम्हारा यह विशेषांक अच्छा ही निकलेगा। मैं आशा करता हूँ कि कभी तुम्हें समय मिलेगा। किन्तु आने के प्रथम यह अवश्य जान लेना कि मैं खण्डवा ही हूँ।

तुम्हारा

श्रीयुत माणिकचन्द्र जी कटारिया, एम० ए० मा० ला० चतुर्वेदी

'प्रजामण्डल पत्रिका',

इन्दौर (मध्य भारत)

श्री सीताराम सेकसरिया

[1]

कर्मवीर, खण्डवा (सी० पी०)
4.8.48

भाई सेकसरियाजी,

सादर नमन !

आज बहुत दिनों पश्चात् आपका पत्र पाकर मिलन-जैसा सुख हुआ । मेरा स्वास्थ्य इधर काफी खराब रहने लगा है । केवल प्रभु-कृपा पर ही यह कागज की नाव चलते-चलते साठवें वर्ष तक पहुँची है । राजनैतिक जीवन की भाग-दौड़ में तीस दिनों में साठ प्रकार का भोजन, जागरण और दौड़ से जो कुछ प्राप्त हो सकता था, वह प्राप्त है । इसीसे चिन्तन के क्षण जब ध्यानावस्थिति की माँग कर बैठते हैं, तब आज के स्वास्थ्य को ध्यान के बिस्तार का बोझ सम्हालने में भी बोझ मालूम होने लगता है । साँसों की सड़क पर बोझ-लदे जीवन के घोड़े को किसी तरह चलाया ही जा सकता है, उसे आवेगों के हंटरों से भी दौड़ाया तो नहीं जा सकता । यों 'नया समाज' हमारी आज की सबसे बड़ी समस्या है । उसके लिए कुछ लिख पाऊँ, यह मेरी इच्छा है । इसी समय मैं दो बातों के लिए आपको अपनी कृतज्ञता व्यक्त करना चाहता हूँ । पहली तो यह कि आप सम्मेलन के 'सेकसरिया पारितोषिक' को चलाये लिए जा रहे हैं, मेरी विनय है, उसे अद आप युग की आवश्यकता देखकर थोड़ा-सा बढ़ावें । दूसरी कृतज्ञता इसलिए कि आपने साहित्यकार संसद के पुण्य यज्ञ में लगी हुई बहिन श्रीमती महादेवी जी वर्मा को उस प्रयास में सहायता की । राष्ट्र के चिन्तन का बोझ रखकर अपनी विधायक प्रवृत्तियों से समय निकालकर आप साहित्य की ओर ध्यान देते हैं, मुझे प्रसन्नता होती है । उन उजड़े दिनों के बाद अब वर्धा तो मेरे लिए प्रशान्त महासागर जैसा दूर हो गया । कृपा रखें ।

सन् 32 के दिसम्बर में कलकत्ता आया था । आपको कष्ट दिया था । आज 16 वर्ष हो चले ।

विनम्र
माखनलाल चतुर्वेदी

पुनश्च : श्री वियोगीजी जून में खण्डवा आए थे । कोई दो घण्टे घर में चर्चा करते रहे ।

[2]

10 मई, 57

श्रीमान् भाई सीतारामजी,

सादर-सप्रेम नमन !

आपका कृपा-पत्र मिल गया। मैं पहले ही बीमार-सा रहता हूँ, फिर आ गये चुनाव, जिसमें मैं सर्वथा चिन्तामुक्त नहीं रह पाया। इसी बीच एक सज्जन काशी से मेरी जीवन-घटनाओं को लिखने के लिए आ पहुँचे हैं, अतः प्रातःकाल का कुछ समय वे ले लेते हैं, और मैं थक जाता हूँ। इसीलिए मुझे उत्तर देने में विलम्ब हुआ। आशा है, आप मुझे क्षमा कर देंगे।

आपके कृपा-पत्र का अधिकांश, जो लेखक-समाज से सम्बन्धित है, ऐसा ही है जो मेरे विचारों के साथ है। मेरे विचार से इस बोझ को इस समय, समाज, मारवाड़ी समाज भी उठा ले तो बहुत काम हो सकता है। लेखक को उसकी मजदूरी भर मिल जाय, जब तक उसमें लिखने की शक्ति रहे। जब लिखने की शक्ति उसमें नहीं, तब एक तो उसकी सहायता का नियमित प्रबन्ध हो, दूसरे उसके लिखे ग्रन्थों पर उसे समुचित रॉयल्टी मिल जावे। कुछ लेखक गंभीर विषयों पर लिखते हैं। जन-साधारण उनकी पुस्तकों को नहीं खरीदेगा, नहीं खरीद सकेगा। ऐसे लेखकों को पुस्तकों के पृष्ठों से नहीं, उनके वर्ष-गहरे अध्ययन और उनके द्वारा खर्च और जिल्लतों को देखकर उनका मूल्य चुकाना चाहिए। सरकार को लेखकों के—सब भाषा के लेखकों के—क्रम को चुनकर उन्हें एक तो भारत और विदेशों में जाने की विशेष सुविधा देनी चाहिए, दूसरे उनके साहित्यिक परिश्रम को उचित हो तो खरीद लेना चाहिए; तीसरे, यह देखना चाहिए कि वे बेचारे रोटी-कपड़ा और मकान की चिन्ता से मुक्त रहें, बीमार लेखकों को मरने के लिए नहीं छोड़ देना चाहिए—उनका उत्तरदायित्व समाज को लेना चाहिए। हाँ, इस बात के लिए सावधान रहना चाहिए कि शासन या समाज के आस-पास जमघट जमाकर काम निकालने वालों के पास सरकार या समाज के कान और ईमान रहन न हो जायँ। समाज की दृष्टि देश और विश्व के सुदूर कोनों तक जावे और वह यथार्थ श्रेणी के लेखकों को खोज ले।

यह विषय बहुत बड़ा है। केवल प्रश्नोत्तर के रूप में मैं कहाँ तक लिखूंगा। आपने लेखक के गौरव की ओर सदैव ध्यान दिया है। आपके इस कृपा-पत्र को पाकर मैं सुखी हूँ। यदि आज बिना प्रसिद्धि का हल्ला मचाये, ऐसा कोई संगठन स्थापित हो सकता हो तो आप कृपापूर्वक प्रयत्न कर देखें। यह जरूरी नहीं है कि हम यह सूंघते बैठे रहें कि लोग हमारे विचारों का समर्थन करते हैं। हम तो उसी प्रकार उनके सहायक हों, जिस तरह प्रकृति प्रकाश, जल और भूमि को देते समय

पक्षपात नहीं करती।

मैं बूढ़ा हो गया हूँ, साहित्य और समाज की मेरी मजूरी में कोई कमी रही हो तो आप और सब मित्र मुझे क्षमा कर दें। यही निवेदन !

विनम्र

माखनलाल चतुर्वेदी

श्री सीतारामजी सेकसरिया,
'नया समाज',
100 नेताजी सुभाष रोड,
कलकत्ता

श्री मोहनसिंह संगर

कर्मवीर, खण्डवा

4.8.48

प्यारे सेंगरजी,

सप्रेम नमन !

कृपा-पत्र मिला। कृतज्ञ हूँ। भाई सीताराम जी सेकसरिया को लम्बा पत्र लिखकर अपनी लाचारी जाहिर कर चुका हूँ। मेरा स्वास्थ्य अच्छा नहीं रहता है। मैं 'नया समाज' की चर्चा कर्मवीर में करूँगा। कृपया आप उसकी एक प्रति अलग मेरे पते पर एक बार भिजवा दें।

'नया समाज' आज के चिन्तक की सबसे बड़ी आवश्यकता है; उसके निर्माण, संचालन, संगोपन, नियन्त्रण, बलिदान और राष्ट्रनिर्माण तथा विश्व-बल बनने की साधनाओं को स्वरूप दान करना पूज्य बापू के चले जाने के बाद आज की हमारी अस्तित्व के समान आवश्यक लाचारी है। प्रभु करे हमें इस प्रयत्न में इस नई राह का सन्देश-वाहक बनने या बोझ वहन करने की क्षमता प्राप्त हो।

विनम्र

माखनलाल चतुर्वेदी

श्री मोहनसिंहजी सेंगर
कलकत्ता

(एक ही लिफाफे में दोनों पत्र भेजे गए।)

श्री मैथिलीशरण गुप्त

आवश्यक

कर्मवीर, खण्डवा (सी० पी०)
4.8.48

पूज्यवर, सादर प्रणाम !

गत मार्च में प्रयाग में आपके दर्शन हुए थे। मैं वहाँ से बीमार होकर लौटा था। तब से अब स्वास्थ्य कुछ अच्छा नहीं रह पाया।

यह पत्र मैं एक निवेदन के साथ प्रस्तुत कर रहा हूँ। खण्डवा के लोगों की और सबसे अधिक तरुण पीढ़ी की भी यह इच्छा है कि वे आपको अपने बीच देखें। उनकी इच्छा है और उस इच्छा में मेरी इच्छा श्रद्धापूर्वक शामिल है कि आप आगामी ता० 10-11 अगस्त को खण्डवा पधारें। ये लोग आपकी रुचि के प्रतिकूल यहाँ कोई कार्यक्रम नहीं रखेंगे—केवल अपने युग-ऋषि का अभिनन्दन कर कृतार्थ होंगे।

मैंने आपका नाम लखनऊ-रेडियो के कार्यक्रम में ता० 15.8.48 के लिए पढ़ा है। यदि आवश्यक हो तो आप ता० 12 को यहाँ से पधार सकेंगे। सम्भवतः मैं भी आपके साथ हो लूँ।

आशा है आप इन लोगों को निराश न करेंगे। न मुझको ही निराश होना पड़ेगा।

श्रीयुत सियारामशरण जी को सस्नेह नमन।

विनम्र
माखनलाल चतुर्वेदी

श्रद्धेयवर श्री मैथिलीशरणजी गुप्त
चिरगाँव, झाँसी

श्रीमती जमुनाबाई

कर्मवीर, खण्डवा
29.9.48

चि० सौ० जमुनाबाई, शुभाशीः !

तुम्हारा पत्र मिला। राखी भी मिली। तुम्हारे पत्र ने कितने बीते वर्षों को मेरे सामने ला दिया। खुश तो हूँ। जितने वर्ष जीना है, खुश ही तो रहना है। छोटा भैया ठीक से पढ़ता होगा। लिखो, कैसा पढ़ता है। चि० गोपाल का नाम यहाँ छोटा भैया बहुत लेता है। अब तो वह खूब नाचता है, कूदता है। और हम

पर हुकुम छोड़ता है "दादाजी उतो, तुम भी नातो (नाचो)!

दादाजी घोया बनो, हम बैतेंगे।" इस तरह सौ-सौ हुकुम उसके छूटते रहते हैं। दर्जियों के यहाँ की कतरन की चिन्दियाँ लड्डू उठा लाती है, उन्हीं को फूल कहता है। और गर्व करता है कि "अमोल पूपादी (फूफाजी) बम्बई ले लायदें।" कुछ मत पूछो कि वह क्या-क्या नहीं कहता। चि० वीर को दस्त की बीमारी है। वे जबलपुर में वैद्य का इलाज करा रहे हैं। अब आराम शुरू हो गया है। चि० मझले यहीं बीमार हैं। बुखार उतर गया है। आज वो कुर्सी पर बैठे रेडियो सुन रहे और बातचीत कर रहे हैं। अब उन्हें आराम लग जाएगा। किन्तु उन्हें 4-6 इंजेक्शन और लगेंगे। 3-4 दिन से बीमार थे।

बच्चों पर नजर रखना कि वे श्री सोनीराम जी को तंग न करें। चि० छोटे भैया की पढ़ाई ठीक चल रही होगी। चि० बड़े भइया की चिट्ठी आयी होगी। चि० शारदा और सब बच्चे प्रसन्न होंगे। मेरा सब बच्चों को आशीर्वाद। तुम लोगों को भी।

डा० छगनलाल जी के यहाँ मेरा आशीष कह देना। अवश्य, भूलना मत।

तुम्हारा

दादा

सौ० जमुना बाई

के०/ऑफ पं० सोनीरामजी जोशी

59, असिस्टेंट लाइन, बिरलानगर (ग्वालियर)

श्री नन्ददुलारे वाजपेयी

कर्मवीर, खण्डवा,

24.10.48

प्रो० श्रीमन् पं० नन्ददुलारेजी वाजपेयी,

सागर,

सप्रेम नमन !

कृपापत्र पाकर कृतज्ञ हूँ। सागर बहुत दिनों से गया भी नहीं हूँ। विश्वविद्यालय में मैंने अभी दर्शन भी नहीं किये हैं। अतः मेरे मन में सागर आने का लालच स्वाभाविक है। तिस पर आपकी आज्ञा का पालन कर सकूँ तो कितनी अच्छी बात हो। मैं अभी ही दरभंगा से लौटा हूँ और अच्छा स्वास्थ्य लेकर नहीं लौटा। यों ही मेरा स्वास्थ्य बहुत अच्छा नहीं रहता यह आपसे छुपा हुआ नहीं है। यदि इस बार न भी आ सकूँ तब भी एक बार सागर आना चाहता हूँ। इस बार तो आप क्षमा करें। दूसरी बार अच्छा स्वास्थ्य रहा तो मैं आपकी आज्ञा

का पालन कर दूंगा। कृपा रखें। आप अब इस प्रान्त में हैं। आशा है, इस प्रान्त की साहित्यिक प्रवृत्तियों में पक्षपात की दुर्गन्ध नहीं आवेगी तथा अधिक बल आवेगा। आपकी समर्थ लेखनी से मुझे यही आशा है।

विनम्र

माखनलाल चतुर्वेदी

पुनश्च : मैं ओरिएटल कान्फ्रेन्स दरभंगा तक गया था, इससे विलम्ब हो गया। अतः उत्तर आज दे रहा हूँ। क्षमा करें।

मा० ला० चतुर्वेदी

प्रो० नन्ददुलारे जी वाजपेयी,
हिन्दी परिषद, सागर-विश्वविद्यालय,
सागर, सी० पी०,

श्री बंशनारायण तिवारी

कर्मवीर, खण्डवा (सी० पी०)
30.10.48

प्यारे बंसन,

तुम्हारा कार्ड मिला। प्रसन्नता हुई। मैं सोहागपुर अवश्य आऊँगा। किन्तु मेरे आने की तिथि को बाँधो मत। शायद तुम्हारी निश्चित तिथि को न आ सकूंगा। यों मैं जिला हिन्दी साहित्य सम्मेलन में भी शामिल होकर प्रसन्न होऊँगा किन्तु सभापति नहीं होऊँगा। मैं सभापति बनते-बनते 40 वर्षों में ऊब गया हूँ, मैं तो तुम्हारे पास, चि०गणेश के पास, चि०प्रेमशंकर के पास तथा मित्रों और उनके बाल-बच्चों में बैठूंगा। समय पर हिन्दी समिति में भाषण भी दे दूंगा। किन्तु क्या भाषण की फीस वसूल किये बिना मुझे मेरे घर में भी चैन से रहने को नहीं मिलेगा ? होशंगाबाद जिला मेरी भूमि है। और चि०बंसन का घर मेरा घर, मेरा परिवार। मुझे अपने परिवार में ही आने दो। सभापतित्व का डर उसमें न मिलाओ।

चि० बृज, सौ० बृजरानी, पूज्य माँ तथा छोटे बच्चे सब प्रसन्न हैं।

छोटे बच्चों को शुभाशीष।

तुम्हारा

मा० ला० चतुर्वेदी

श्रीयुत वंशनारायण जी तिवारी,
सोहागपुर, जिला होशंगाबाद
जी० आई० पी० आर०

हिन्दी आन्दोलन समिति

एक्सप्रेस डिलीवरी
कर्मवीर, खण्डवा
6.11.48

प्यारे राम जी तथा श्री मथुराप्रसाद जी साहब,

सस्नेह नमन !

आपका एक्सप्रेस डिलीवरी का पत्र अभी-अभी मिला। मेरे भोपाल आने के लिए जब-जब आपके और मित्रों के आग्रह अधिक हुए हैं और मुझे न आ सकने की विवशता व्यक्त करनी पड़ी है, तब-तब मुझे बहुत कष्ट हुआ है। आपके प्रेम के प्रति रहने वाली मेरी कृतज्ञता का और भोपाल के जनमत के प्रति रहने वाले मेरे उत्तरदायित्व का अभाव दोनों इसका कारण नहीं हैं। इसका कारण है मेरे स्वास्थ्य की कमजोरी और मेरी सीमाओं की मजबूरियाँ। भोपाल की सेवा यों तो मेरी हुई ही कितनी सी, जिसे सेवा कहा भी कैसे जाये ? यदि कुछ हुई भी तो मेरे जीवन के वर्ष वन-वे ट्रेफिक (One way traffic) ही में बीत से गए। सोया भोपाल और जागा भोपाल, दोनों निद्रित रहे। एक मेरी प्रार्थना को पकड़ सकने में, दूसरा मेरी लाचारियों को समझ सकने में। तब वैष्णव वृत्ति का वह भाव मुझ में रह गया कि जिस तरह सारे धर्म-ग्रन्थ जल जाएँ, तब भी उपासना का अवलम्बन गोमांस-भक्षी नहीं होगा। इसी तरह भोपाल की सेवा का जो अवसर आता रहे, सेवा करते चले जायें और मैंने शरीर की मजबूरी उन दिशाओं की ओर लगा दी जिन दिशाओं को छोड़ने का मैंने वर्षों अपराध किया था। दिन बीते, वर्ष बीते। अब मैं फिर पुकारा जाता हूँ। किन्तु अब मैं शरीर से दूसरे रास्ते पर दूर निकल आया हूँ। पत्र और प्रेस दोनों आपके, रतन जी के, लालसिंह जी के, और समस्त मित्रों के सेवा के साधन रहेंगे। वे जैसे अल्प और क्षुद्र या जैसे हों किन्तु मेरी लाचारियों को मेरी सीमा-रेखाओं को, मेरी कल्पनाओं को नजरअन्दाज न करें। सभा, स्लोगन, चर्चा, ये सब मेरे निकट समय के वृक्ष से गिरे और हरे से सूखे हुए पतझड़ के पत्ते हैं जिनका शाश्वत समर्पण की ईमानदारी के पथ में कोई सम्बन्ध नहीं मालूम होता। भोपाल कृति देश की कृति से और भोपाल की आवश्यकता देश की निर्माण-तिथि से पिछड़ गई है। और आप मित्रों में क्षमता है कि बड़े से बड़ा सुनहला निर्माण कर भोपाल को उच्च शिखर पर बढ़ाकर छोड़े। इनमें मेरी थकी हड्डियों के समर्पण का स्थान ही कौन-सा है। अत: मैं मुझे भूल जाने की प्रार्थना करता हूँ। आशा है आप मेरी प्रार्थना स्वीकार करेंगे। जन्म भर मेरा यही त्रुटिपूर्ण स्वभाव रहा है कि मैं स्वयं कहीं नहीं लौटा। किन्तु एक बार लौटने के लिए कहा गया, तब उस दिशा पर अपने स्नेह,

सम्मान अथवा किसी भी प्रकार के बोझ का कोई उत्तरदायित्व न डालने की शपथ लेकर मैं अपनी शाश्वत दिशा में चल पड़ा। मुझे भोपाल से, वहाँ के वातावरण से···प्यार है। यह सदैव रहेगा। मैं भोपाल आऊँगा भी, किन्तु किसी वादे की वसूली का गर्व लेकर नहीं। न कोई बोझ लेकर ही। मुझे मालूम है चि० राजाराम को भी भोपाल के स्नेह-कण उपेक्षा से सुखाकर माने। कहाँ है वह ? कहाँ हैं उसकी लिखी बातें ? और कौन कह सकता है कि भोपाल ने अथवा हमारी परम्परा ने अन्यत्र भी यही कुछ नहीं किया।

किन्तु अब नई पीढ़ी आगे आई है, वह सबल है। 'नई राह' की हर अदा में मुझे बलिदान-बल और नये भोपाल के भविष्य की उज्ज्वलता, सुन्दरता और उसके निश्चित भविष्य के दर्शन होते हैं। यह स्वाभाविक भी है। जो प्यार पुत्र अपने पिता से पाता है वह किसी रूप में पिता को लौटाने के बजाय अधिकतर वात्सल्य रूप में अपने बेटे को देता है। प्रभु से विनय यही है कि वह इस तरुण पीढ़ी को बल दे और ऐसा सौभाग्य भी दे कि अपनी नई पीढ़ी से उसे उपेक्षा न माँगनी पडे, उस समय तक जब तक वह शाश्वत, नवीन, मौलिक, बलिपंथी और सेवा-परायण रहे। जो विभूतियाँ भोपाल के उत्थान में लगी हुई है, प्रभु करे, वे पूर्ण सफल हों।

आप नव जवान हैं रामजी ! पर हृदय की बीमारी कहाँ से खरीद ली ? इसे हटाइये। पूर्ण सफलता के बहुत निकट हैं आप लोग। उस समय उत्तर-दायित्व की क्षमता अपने में लीजिए। हृदय की बीमारी को छुट्टी दीजिये।

मैं ता० 16 से बाहर जा रहा हूँ। पहले से निश्चित है। अतः फिर कभी आपकी सेवा में भोपाल आ जाऊँगा। इस बार क्षमा करें। मैं लगभग 12 दिन तक बाहर रहूँगा। कृपा रखें।

परिवार को समस्त पूर्णता से मेरा नमन और आशीष कहियेगा। चि० रतन जी और उनकी रेजीमेंट को तथा रेजीमेंट रानी को मेरी खूब-खूब शुभाशीः।

आपका

मा० ला० चतुर्वेदी

श्री रामचरण रामजी एडवोकेट,
मन्त्री, हिन्दी आन्दोलन समिति,
जुमेराती, भोपाल

श्री फादर सी० बुल्के

कर्मवीर, खण्डवा (सी० पी०)
26.12.48

प्रिय भाई फादर बुल्के साहब,

नमोनमः !

आज आपका ता० 21.12.48 का कृपा-कार्ड मिला। साथ ही फादर एमले (FR. Pamily) की जीवनी भी मिली। इसके प्रथम भी लगभग दो मास पूर्व आपके द्वारा कृपापूर्वक भेजी गयी पुस्तकें मिली थीं। किन्तु मैं बाहर था, और खण्डवा से बाहर इलाज कराने चला गया था। आपका पता प्राप्त न होने से मैं पुस्तकों की पहुँच अथवा उनकी स्वीकृति न भेज सका। कृपया पुस्तकें भिजवाने के लिए मेरे धन्यवाद स्वीकार करें। और उत्तर न दे सकने के लिए मुझे क्षमा करें। मुझे कितना सुख होता है जब मैं यह देखता हूँ कि आप कितने चाव से मेरे पढ़ने के लिए ये धार्मिक ग्रन्थ भिजवाते हैं। इसी तरह कृपा बनाये रहें। चि० भारती ने अपने पत्र में आज आपका पता भेजा है।

चि० भारती आपके विषय में अक्सर चर्चा किया करते थे। दरभंगा उन्होंने मुझे और आपको निकट ला दिया। मुझे बहुत सुख हुआ। आपकी शुभाकांक्षा के साथ।

आपका
माखनलाल चतुर्वेदी

श्री फादर सी० बुल्के
सेण्ट जोसेफ सेमीनरी, 2, एडमिस्टन रोड,
अलाहाबाद (उ०प्र०)

डा० रघुवंश

कर्मवीर, खण्डवा
9.1.49

प्रिय डा० रघुवंश,

आज पत्रों में यह पढ़कर कि आपने 'मध्ययुगीन हिन्दी काव्य में प्रकृति-वर्णन' विषय पर प्रयाग-विश्वविद्यालय से डाक्टरेट पा ली, मुझे बहुत हर्ष हुआ। हर्ष! यह शब्द कितना घिसा हुआ, कितना साधारण, कितने कमजोर मानसिक विकार को व्यक्त करने वाला। आपकी इस विजय पर सर्वशक्तिमत्ता की प्रतिकूलता के रहते आपकी शक्तिमत्ता पर मैं अपनो हार्दिक बधाइयाँ पहुँचाता हूँ। आज आपका

निश्चय अपने विश्वविद्यालय की कीर्त्ति का मीनार बन गया है, मेरा स्नेह, मेरी श्रद्धा, मेरा आदर आपके निकट। लूले देवता, कैसे प्यारे और शक्तिशाली भुज-दण्ड हैं तुम्हारी प्रतिभा के, तुम्हारी कीर्ति के !

आपका

माखनलाल चतुर्वेदी

के/ऑफ डा० रघुवंश, हिन्दी-विभाग,
प्रयाग-विश्वविद्यालय, अलाहाबाद

श्री पूनमचन्द चौबे[1]

कर्मवीर, खण्डवा (सी० पी०)
31.1.49

पूज्यवर, सादर प्रणाम !

कृपा-पत्र मिला। पिछले 13-14 दिनों से बिस्तरा पकड़े पड़ा हूँ। वही पुरानी पेट की शिकायत है। ज्वर साथ हो जाता है। अब थोड़ा विश्राम है, यदि विश्राम स्थायी हो जाय।

आपके पत्र का क्या उत्तर दूं ? मैं आपकी आज्ञा पर उदासीन नहीं हूँ। इस घर में कोई कार्य आपकी आज्ञा अथवा इच्छा के विरुद्ध नहीं हुआ। यहाँ की और वहाँ की दोनों जगह की सर्वोच्चता आपकी है क्योंकि आप बड़े हैं, और यह मेरी 60 वर्ष की उम्र में भी, सबसे बड़ी सुविधा है। आप अपने से अधिक चिन्तित मुझे होने ही कब देंगे। चि० दयाल, हरी, बृज मेरे रहते कभी अधिक चिन्तित कब होते हैं ? वे तो अपने बुढ़ापों तक में सोचते हैं, मानो मैं जीवन भर उन्हें चमचों से खिलाने वाला बुजुर्ग हूँ। फिर मैं अपने आपको ऐसा मानकर सुखी क्यों न होऊँ। अपने को निश्चिन्त क्यों न समझूं ?

पूज्य माँ के पास तथा मेरे पास नहीं इस परिवार भर में सदैव आपकी इच्छा और आज्ञा का आदर हुआ है, वह होता भी रहेगा। आपके पत्र का आशय समझ कर ही मैं यह उत्तर दे रहा हूँ। आपकी आज्ञा ही मेरी इच्छा है। आपका स्पष्ट पत्र आने पर मैं उसका अपने बल की तरह उपयोग करूँगा। पत्र दें।

आशा है चि० अमृतबाई तथा सब छोटे प्रसन्न हैं। उन्हें मेरा आशीष। आप चि० महेश और चि० निदेश दोनों ही के विषय में अकेले चिन्तित न होंगे। मैं साथ हूँ।

सेवक

मा० ला० चतुर्वेदी

श्री पूनमचन्द जी चौबे,
हनुमानताल, जबलपुर

---

1. श्री माखनलाल जी के मामा।

पं० लोचनप्रसाद पाण्डेय

कर्मवीर, खण्डवा (सी० पी०)
28.2.49

सप्रणाम,

सुकवे, यह आशीष तुम्हारा,
रहे तोड़ता सजग, आत्म-मन्थन-रथ पथ की कारा
डाक्टरेट से दूर, निकट मैं रहूँ स्नेह के वर के,
पाता रहे निदेश शील मम, हे वागीश ! तुम्हारा।
वे जी उठे खण्डहर अपने, तुम्हें निरख कर पंथी,
ऋणी रहे, इतिहास स्नेह-धन ले बख्शीश तुम्हारा।
बलि-पथ चुके न, गति-पथ रुके न, रथ-पथ रहे सुनहरा,
पा संकेत, सचेत रहा है, मध्यप्रदेश तुम्हारा।
विमल नर्मदा तट से गूंजे, यमुना के स्वर वाली,
मुरली, प्यारे मुरलीधर की, गूंज उठे स्वर-धारा।

तुम्हारा
माखनलाल चतुर्वेदी

आशा है आप खूब प्रसन्न हैं। मेरे योग्य सेवा लिखते रहें। कृपा रखें। श्री मुकुटधर जी से भी मेरा नमन कहें।

विनम्र
मा० ला० च०

पूज्य पं० लोचनप्रसाद जी पाण्डेय,
रायगढ़

श्री गोविन्द मालवीय

।।श्री।।

खण्डवा (सी० पी०)
21 जून 1949

मान्य भाई गोविन्द जी मालवीय,

सादर नमन !

एक विद्यार्थी को मैं हिन्दू विश्वविद्यालय में भिजवा रहा हूँ। इसका विषय माइन पेटॉलाजी है।

ऐसे पत्र मैं पहले पूज्य मालवीयजी महाराज को लिखा करता था। उनके

महाप्रस्थान के पश्चात् मैंने ऐसे पत्र वहाँ नहीं लिखे, विद्यार्थी का नाम श्री जयवन्त राम जेठालाल दवे है।

मैं अनुगृहीत होऊँगा यदि सुदूर मध्यभारत से आने वाला यह युवक विश्वविद्यालय में उक्त विषय की श्रेणी में प्रवेश पा सके।

कृपा का अभिलाषी,

श्री गोविन्द मालवीय, मा० ला० चतुर्वेदी

काशी

श्री वाचस्पति पाठक

खण्डवा (सी० पी०)

26.9.49

प्रिय भाई वाचस्पति पाठक

सप्रेम नमन !

आशा है आप प्रसन्न हैं। मैं इधर कई दिनों से कानपुर नहीं गया हूँ क्योंकि मेरा स्वास्थ्य लगातार कमजोर रहने लगा है। अतः मेरा एक काम आप कानपुर जाकर करें तो बड़ी कृपा होगी।

मेरा नाटक कृष्णार्जुन-युद्ध प्रकाश पुस्तकालय कानपुर ने 1918 में प्रकाशित किया था। उसके बाद सन् 1937 तक उसके संस्करणों की प्रतियाँ मेरे पास आती रही हैं। उसके पश्चात् उक्त नाटक की कोई प्रति मेरे देखने में नहीं आयी। इधर स्वर्गीय भाई शिवनारायण जी मिश्र के स्वर्गवास के पश्चात् मैंने यह नहीं सुना कि प्रकाशन का काम बच्चे कर रहे हैं। तीस वर्षों में मेरे पास कोई हिसाब भी नहीं आया। कृपया कानपुर में सुहृद्वर पं० शिवनारायण जी मिश्र के बच्चों से आप जानकारी प्राप्त कर लें और उसके पश्चात् आप भारती-भण्डार से उसे छापना प्रारम्भ कर दें। मैं इस समय तकलीफ में हूँ और बीमार रहता हूँ, अतः आप शीघ्र ही यह काम कर लें।

आपका सदैव

माखनलाल चतुर्वेदी

श्री जानकीप्रसाद पुरोहित[1]

प्रिय जानकी,

मैंने तुमसे पैदा होते हुए एक उपन्यासकार की ओर लक्ष नहीं दिया, मानता हूँ। यह भी स्वीकार करता हूँ कि वह कुछ जानबूझ कर भी हो गया था। मैं सोचता था : साहित्य तुम्हारी क्षणिक सनक है। एक पागलपन पुस्तक रूप में करके चुप हो रहोगे, मैं यह भी नहीं चाहता था कि अपनी पहली रचना को सर्वश्रेष्ठ मानने का जो आग्रह अपरिपक्व तरुण में हो जाता है, उसका हिन्दी जगत को गुमराह करने जैसा समर्थन करने की जल्दबाजी करूँ। उत्साह और गौरव-दान से, तरुणाई के हर कार्य का समर्थन करता रहा हूँ, उसका कटुरूप में अनुभव कर चुका था, अतः तुम्हारे सम्पूर्ण के अपनी पर आने की अभ्यर्थना में ठहरा रहा।

आज तुम्हारे 'अवनिका' उपन्यास को देखा, मैं प्रसन्न हूँ। तुमने अपनी कला से एक स्वर्ण-रेखा खींची है। मुझे विश्वास है, हिन्दी जगत में इसका आदर होगा। इस रचना में, कला और कर्त्तव्य दोनों के पथ से तुम विचलित नहीं हुए। मेरा स्नेहमय आशीर्वाद।

श्री जानकीप्रसाद पुरोहित, मा॰ ला॰ चतुर्वेदी
इन्दौर

श्री गिरिजाकुमार माथुर

'कर्मवीर', खण्डवा (सी॰ पी॰)

प्यारे गिरिजा जी,

आपका निजी पत्र मिला। प्रसन्नता हुई। मुझे पिछले तीन-चार दिनों से मलेरिया ज्वर आने लगा है। यों भी वर्षा का मौसम मेरे स्वास्थ्य के लिए अच्छा नहीं होता, अतः इस समय मैं न आ सकूँगा। इसके लिए क्षमा कीजिये। भविष्य में मैं कभी अवश्य लखनऊ आऊँगा—आपकी वर्तमान शर्तों पर ही, किन्तु आऊँगा महज आपके ही नेहमय आग्रह से। रेडियो के दरवाजे की दौड़, मेरे जीवन-क्रम के बाहर की वस्तु है। वह ऐसी ही रहे, प्रभु से ऐसी ही प्रार्थना है। मुझसे यह दौड़ सधेगी नहीं।

आशा है आप अच्छे हैं। आपके कृपा-पत्र के लिए धन्यवाद।

मालवा का बहिष्कार कर दिया है क्या? दिल्ली और लखनऊ में क्या

1. मालवा के जाने-माने उपन्यासकार।

मालवा याद ही नहीं आता ? मेरा तो कभी कोई शायद दावा ही कहाँ ? श्रीमती गिरिजाकुमार से विनय, वात्सल्य, नमन।

विनम्र
मा० ला० चतुर्वेदी

श्री गिरिजाकुमार जी माथुर, एम० ए०
आल इण्डिया रेडियो,
लखनऊ

श्री बार्रालिंगे

खण्डवा
17.6.51

श्रीमान् मान० भाई बार्रालिंगे साहब,

सादर वन्दे !

यह पत्र मैं एक विशेष कारण से लिख रहा हूँ। खण्डवा में डा० बरवे सिविल सर्जन हैं। अभी पत्रों में पढ़ा कि उनकी बदली हो रही है। मेरा निवेदन यह है कि गत वर्ष से यहाँ ऐसा प्रबन्ध हो रहा है कि खण्डवा-अस्पताल का एक नया और इस जिले के लिए एक श्रेष्ठ भवन बने। इस विषय में लोग यत्नशील हैं कि बह भवन बन जाय। जिन लोगों से काम लेना है, उनका परिचय डा० बरवे से है। और नये डाक्टर आकर शायद इस विषय में एक तो दिलचस्पी ही नहीं लेंगे, और यदि लेंगे भी तो उनका परिचय किसी से न होने के कारण शायद सफल न हो सकेंगे। आज तो वर्तमान अस्पताल के भवनों की बिक्री की कीमत 3,00,000 लग चुकी है और स्पर्धा में शायद यह कीमत कुछ बढ़ भी जाय। किन्तु डा० बरवे के जाने के बाद शायद यह योजना पड़ी रह जायगी। पिछले पाँच वर्षों में आने वाले डा० महाशयों ने इधर ध्यान भी नहीं दिया। अतः यदि कोई हानि न हो तो डा० बरवे का ट्रान्सफर आप अभी न होने दें। और नये अस्पताल के काम में शीघ्रता की जाय। यदि नींव पड़कर अस्पताल बनना शुरू हो जाय, तब भी ये चले जाएँ तो हानि नहीं, किन्तु अभी इनका चला जाना अस्पताल-भवन की पूरी योजना को बैठा देगा। अतः मेरा आपसे तथा आई०जी० डा० साहनी साहब से निवेदन है कि लगभग एक वर्ष डा० बरवे को यहीं रहने दें। मेरा विचार है, श्री मंडलोई (एम० एल० ए०) तथा डिप्टी कमिश्नर सा० से यदि आप जानकारी लें तो वे मेरी बात की गम्भीरता स्वीकार करेंगे। यदि योग्य अस्पताल-भवन का बनना सदा के लिए रुक गया, तो मुझे लगेगा कि इस जिले ने बिना कारण एक

गहरी हानि उठायी। अतः कृपया डा० बरवे का जाना अभी रोक दें। कृपा रखें।

विनम्र

सही / मा० ला० चतुर्वेदी

[यह पत्र स्व० चतुर्वेदी जी ने डा० एम० डी० बरवे, सिविल सर्जन, खण्डवा (पूर्व निमाड़) के विषय में श्री बार्रलिंगे साहब (तत्कालीन स्वास्थ्य-मन्त्री, मध्यप्रदेश शासन, नागपुर) को लिखा था। —सं०]

श्री रामप्रसाद त्रिपाठी

खण्डवा (म० प्र०)
7.1.54

विद्वद्वर श्रीमान् त्रिपाठी जी,

सादर नमन !

मुझे सागर-विश्वविद्यालय के कोर्ट का आजीवन सदस्य चुना गया है, इसके लिए मैं आपके प्रति अपनी कृतज्ञता व्यक्त करता हूँ और आपके द्वारा माननीय कुलपति—पं रविशंकार शुक्ल महोदय—के निकट भी अपनी नम्र कृतज्ञता व्यक्त करता हूँ।

इस समय मैं कुछ और भी निवेदन करना चाहता हूँ। आशा है, आप सागर-विश्वविद्यालय तथा माननीय श्रद्धेय चान्सलर महोदय की बात पर थोड़ा-सा अतिरिक्त दृष्टिपात कर मुझे उपकृत करेंगे।

वह बात यह है कि :

अब समय आ गया है कि सागर-विश्वविद्यालय अनुभव करे कि साहित्य अर्थात् हिन्दी साहित्य और उसकी भिन्न-भिन्न रसात्मक तथा आलोचनात्मक प्रवृत्तियाँ भिन्न वस्तु हैं तथा देश, एशिया और विश्व में भारतीय 'राष्ट्रभाषा' की आवश्यकताओं की पूर्ति एक सर्वथा भिन्न वस्तु है। केवल साहित्य के नाते हिन्दी के वे गुरुतर उत्तरदायित्व नहीं हो सकते जो इस देश की राष्ट्रभाषा के हो सकते हैं। साहित्य के नाते देश की अन्य भाषाओं से अधिक संरक्षण हिन्दी अपने लिए नहीं माँग सकती। यही क्यों, हिन्दी साहित्य से अन्य भाषा-भाषियों पर लादा जाने का व्यर्थ विभ्रम उत्पन्न हो जाता है और उसका प्रकट-अप्रकट विरोध भी होने लगता है। किन्तु यदि राष्ट्रभाषा के शिक्षण, संवर्धन और उत्तरदायित्वों का उचित ज्ञान देश के सामने रखा जाय तो इस देश की देशभक्ति अपने देश की राष्ट्रभाषा को कभी अरक्षणीय छोड़ देने के लिए प्रस्तुत न होगी। किन्तु यह तब तक न होगा जब तक हम राष्ट्रभाषा के संगोपन, अध्यापन, दिशादर्शन और

उसके उत्तरदायित्वों की मीमांसा का प्रबन्ध इस देश के विश्वविद्यालयों द्वारा नहीं कर देते। साथ ही हमारे देश की भिन्न-भिन्न भाषाओं के बोलने वाले बन्धु यह आग्रह कभी नहीं करेंगे कि उन भाषाओं का अध्ययन और सम्बन्ध-स्थापन पूर्व और पश्चिम के एशियाई देशों में किया जाय। किन्तु इसकी समस्त भाषाओं के भाषाविद् तथा देशबन्धु यह कभी न सह सकेंगे कि जिस भाषा को वे अपनी राष्ट्र-भाषा की तरह अपनावें, उसमें एशिया के देशों की भिन्न-भिन्न भाषाओं से सम्बन्ध स्थापित रखने की क्षमता न हो। अफगानिस्तान, इण्डोनेशिया और चीन तथा अन्य पश्चिमी देशों में भी भारतीय राष्ट्र-भाषा का अध्ययन शुरू हो रहा है अथवा शुरू होने जा रहा है। ऐसे समय दिशादर्शन-रहित तथा तुलनात्मक अध्ययन-अध्यापन की क्षमता से खाली स्नातक यदि अन्य देशों में राष्ट्रभाषा पढ़ाने गये, तो वे केवल साहित्यिक प्रवृत्तियों मात्र के व्यक्ति होने के कारण न अपने ज्ञान के बूते विदेशों में हिन्दी पढ़ाने के अपने उत्तरदायित्वों को निभा पायेंगे और न ही भारतीय भी राष्ट्रभाषा के गौरव को वहाँ सिद्ध कर पायेंगे। यदि अक्षमता के ये दोष हम अपने देश के भाषाज्ञानपूर्ण स्नातकों पर रखना चाहें, तो यह हमारी भूल होगी। जब विश्वविद्यालयों में हमने विस्तारमयी क्षमता की प्रवृत्ति, श्रेष्ठता, सरलता, विविधता और सामर्थ्य रखने वाली भाषा और हलचल का शिक्षण ही नहीं दिया, तब हमारे देश का केवल साहित्य का ज्ञान रखने वाला हिन्दी ज्ञाता साहित्यिक यह कैसे संभव है कि केवल स्वप्नों और संकल्पों के बल पर आवश्यकताओं की पूर्ति कर सके? हमारे राष्ट्रभाषा के स्नातक की यही क्षमता हमारे देश की भिन्न-भिन्न भाषाओं और साहित्यों में समा सकनें की उसकी योग्यता में वृद्धि करेगी और देश की राष्ट्रभाषा की अन्य भाषा-बहिनों के साथ एक-दूसरे की पूरकभाषा होने का वह आदान-प्रदानमय कार्य कर सकेगी कि जिससे राष्ट्रभाषा के प्रति कभी-कभी उत्पन्न होने वाला सन्देह का वातावरण स्नेहभावना में परिवर्तित हो सके। मेरे नम्र विचार से राष्ट्रभाषा की अभिवृद्धि का दृष्टिकोण रखने वाले ऐसे स्नातक हमारे देश के विश्वविद्यालयों ही में निर्मित होने चाहिए और उन्हें साहित्य के साथ राष्ट्रभाषा के धरातल से शिक्षण दिया जाना चाहिए जिससे वे भारत की भाषा की महत्ता को विश्व के सम्मुख रख सकें, उसे ज्ञान के फैलाने का सुलभ साधन बना सकें, और देश के तथा विदेशों के कार्य-क्षेत्रों में उसकी अनिवार्यता का वातावरण सँभाल सकें। जिस तरह हम इण्डियन एडिमिनिस्ट्रेटिव सर्विस के लिए अपने देश के श्रेष्ठ स्नातक दे पाते हैं, उसी प्रकार सर्विस के ये विद्वान् स्नातक तथा अन्य जन-सेवाओं के विभिन्न विभागों में काम आने वाले स्नातक, राष्ट्रभाषा की दृष्टि रखने वाले हो सकें, ऐसा प्रयत्न इस देश के विश्वविद्यालयों को करना चाहिए। मैंने सुना है कि देश के कुछ विश्वविद्यालय ऐसा प्रयत्न करने जा रहे हैं। यदि सागर-विश्वविद्यालय की शक्तियाँ चाहें तो

आगामी जुलाई से एक स्वतन्त्र विषय के नाते राष्ट्रभाषा का अध्यापन प्रारम्भ करा सकती हैं। सागर-विश्वविद्यालय की यह एक मौलिक आवश्यकता है क्योंकि हमारा राज्य द्विभाषी राज्य है। मध्यप्रदेश राज्य के चीफ मिनिस्टर महोदय ने गत नवम्बर में एक पत्रकार परिषद में राज्य की भाषा-सम्बन्धी नीति पर जो ववतव्य दिया था, वह इतना स्पष्ट, समर्थन, कार्यक्षम और परिणामशील है कि उससे भाषा के विवाद के अनेक सन्देह दूर हो जाते हैं। किन्तु यदि उस वक्तव्य की आत्मा को स्थायी रखना चाहें तो हमें राष्ट्रभाषा के नवीन विषय को अपने विश्वविद्यालय में स्थान देना चाहिए। इससे हम अपने स्नातकों के रूप में राज्य-सरकारों तथा भारत सरकार के सम्मुख राष्ट्र-भाषा की उलझनों को सुलझाने के उदाहरण प्रस्तुत कर सकेंगे। भाई त्रिपाठी जी! मेरी नम्र प्रार्थना यह है कि इस सूचना पर ध्यान देने का केवल समय ही नहीं आ गया है किन्तु ऐसे में विलम्ब लगाना उतना ही हानिकर सिद्ध होगा, जितना शासन-कार्यों में अन्य विषयों के योग्य स्नातकों के अभाव से हो सकता है। राष्ट्रभाषा के स्नातकों के रूप में देश की जन-सेवा के भिन्न-भिन्न उत्तरदायित्वों में ऐसे ही तरुण आगे बढ़ सकेंगे और उनके कार्य और उत्तरदायित्व का समाज के लिए अत्यावश्यक तथा उपयोगी क्षेत्र खुल जायेगा। अतः यदि विश्वविद्यालय की शक्तियाँ मान सकें तो राष्ट्रभाषा के विषय में पाठ्यक्रम, पुस्तकों के अध्यापन का क्रम तथा तुलनात्मक वृत्ति जाग्रत कर स्नातकों की क्षमता बढ़ाने आदि की उपाय-योजना आगामी जुलाई से अवश्य की जाय, यही मेरी प्रार्थना है।

मेरे लम्बे पत्र से जो थकावट जो ऊब पैदा हुई हो, उसके लिए आप मुझे क्षमा करें और योग्य सेवा से सूचित करते रहें।

विनम्र

माखनलाल चतुर्वेदी

प्रति / श्री रामप्रसाद त्रिपाठी

उपकुलपति, सागर-विश्वविद्यालय, सागर

श्री लक्ष्मीचन्द जैन

कर्मवीर, खण्डवा (म० प्र०)

(संभवतः 1957 या 58)

भाई लक्ष्मीचन्द्र जी, सादर नमन!

कुमारी जमीला कुरैशी की पुस्तक 'सूरदास के पदों में राधा' के सम्बन्ध में आपने जो कृपा-पत्र जमीलाजी को भेजा, उसकी प्रतिलिपि मिल गयी। मैंने उस पुस्तक के अधिकांश अंश को सुन लिया था। नारी इस विषय में जितना लिख

सकती है वही तो लिखेगी। उन्होंने अपने धार्मिक विश्वासों से ऊपर उठकर जो कुछ लिखा है वह स्तुत्य है।

आशा है आप अच्छे होंगे।

विनम्र

माखनलाल चतुर्वेदी

प्रति/श्री लक्ष्मीचन्द्र जी जैन,
भारतीय ज्ञानपीठ, साहू जैन निलय,
9, अलीपुर पार्क प्लेस, कलकत्ता 27

श्री श्यामसुन्दर व्यास

खण्डवा (म० प्र०)
19.4.59

प्यारे श्यामजी, शुभाशीष !

आज पत्रों में यह पढ़कर बहुत प्रसन्नता हुई कि आगरा-विश्वविद्यालय ने आपको 'हिन्दी महाकाव्यों में नारी-चित्रण' विषय पर पी-एच० डी० से सम्मानित किया है। मैं इस अवसर पर अपने प्रिय श्याम को हृदय से बधाइयाँ देता हूँ।

तिथियों के हिसाब से आज मेरी जन्म-तिथि है। अतः यह खबर पाकर खूब प्रसन्न हूं।

विनम्र

माखनलाल चतुर्वेदी

डा० श्यामसुन्दर व्यास,
इन्दौर

माखनलाल चतुर्वेदी : मुक्ता राजे

(एक अन्तरंग पत्र-व्यवहार)

[1]

खण्डवा
11.8.59

चिरंजीवी बिटिया रानी,

आजकल चि०···यहाँ है। इस बार वह लगभग दो वर्ष में मेरे पास आ पाया, कदाचित् कुछ अधिक समय हो गया हो तो अचम्भा नहीं। अतः उसके मन को अकेलापन न गड़ जाय, इसलिए मैं चाहता था कि वह मुझसे मिले और शीघ्र

मिलता रहे।

तुम्हारे जीवन की उच्चता और विधाता के उच्च शिखर से प्रदान किये हुए मन के संयम, रस और सौन्दर्य का जो परिचय आज मुझे चि०···से मालूम हुआ, मेरा हृदय भर आया बेटी। जीवन और घर के इस दारिद्र्य में मेरे पास कुछ भी नहीं है जो किसी भी दिशा को चमका सके, तो भी मेरी परिमितता की जानकारी की तरह मेरे आशीर्वाद हैं। वह उस जगह भेज रहा हूँ, जिस जगह गान की पूजा, मान की अवहेलना और प्राण का समर्पण होता है।

मन्दिर, मस्जिद, गुरुद्वारा, गिरजा—मेरा तो सब-कुछ जीवन और मन में निवास करता है। मेरे वही पूजा-स्थल हैं। वे जहाँ हों, जहाँ-जहाँ हों, वे परम प्रकाशित, चरम निर्मल और अश्रु-जैसे कोमल रहें, रहते रहें, रह सकें, यही अपने प्रभु से मेरी प्रार्थना है।

विनम्र

माखनलाल चतुर्वेदी

[2]

खण्डवा

11.8.59

बिटिया,

शुभाशीः !

अभी-अभी एक पत्र समाप्त किया है, और यह दूसरा लिख रहा हूँ। नारद-भक्तिसूत्र में कहीं मैंने पढ़ा है कि आँसुओं, उसाँसों और अविश्वासों के बीच चैतन्य, पुरुषार्थ और प्रेम कैसे जाग्रत रहता है। तुम यह जानती ही हो बेटी, इस देश की ऊँचे पर चढ़ती बेटियों को यह जानना अनिवार्य ही होता है बिटिया।

जीवन कोमलता के प्रखर और उज्ज्वल प्रदर्शन को ही नहीं, दर्शन को कहते हैं बिटिया रानी। यह जीवन बहुत आनन्द का आगार और प्रेम का अवतार है। किन्तु गीता का गायक और यशोदा के आँगन में धूल-धूसरित जिस तरह दोनों एक ही व्यक्तित्व का नाम है, वैसे ही संसार की उथल-पुथल का कारण, निदान और समर्पण तथा वृषभानु के आँगन में बचपन बिताने वाली राधा अनेक दीखते हुए भी एक ही थी मेरी बिटिया रानी! सन् 1921 में जब मैं गिरफ्तार हो गया था चि० सौ० सुभद्राकुमारी चौहान को मैंने हथकड़ी-बँधे हाथों से एक चिट्ठी, जबलपुर से बिलासपुर-जेल में ले जाते हुए, कटनी-स्टेशन पर लिखी थी, उसमें जो कुछ मजमून था वह तो मुझे याद नहीं आ रहा है किन्तु एक छन्द लिखा था, वह कदाचित् यों ही (आपको कदाचित् मालूम न हो कि चि० सौ० सुभद्रा-

कुमारीजी तथा उनके पतिदेव ठाकुर लक्ष्मणसिंहजी दोनों ही मेरे पास थे, ठाकुर साहब उस समय कर्मवीर में, जो उस समय जबलपुर से प्रकाशित होता था, काम करते थे) उस तुकबन्दी में मैंने यह लिखा था—

एक पर एक मर मिटो किन्तु
रहे निज विमल टेक की याद;
प्राण के पथ में पाती रहो
जीवनाधिप के जी का स्वाद !

झुके हो दोनों दोनों ओर
ठगे से हिलमिल झुकते रहो;
उमड़ने न दो हृदय की आग
बावली गति में रुकते रहो !

उठा लो वे चारों करकंज
देश को लो छिगुनी पर तान;
और मैं करने को चल पड़ूँ
तुम्हारी मधुर मूर्ति का ध्यान !

तो अब तुम्हें भी जो लिखूंगा बेटी, उसमें भी मेरी यही भावना रहेगी। प्रभु करें, तुम्हारे सिन्दूर की श्रेष्ठता और सुहाग की निर्मलता की सुगन्धि मुझे वह देती रहेगी, जिस पर मेरा जीवन सुखी और चैतन्य रह सके। और उसमें उसी तरह कोंपल, हरियाली और बौर आते रहें, जिस तरह ऊँचे उठकर बिखरते हुए आम्रवृक्ष में आया करते हैं।

तुम्हारा शुभाकांक्षी
मा०

[3]

कलकत्ता
30 अगस्त, 59

परम श्रद्धेय दादा,

पूज्य चरणों में शत-शत प्रणाम !

आज कलकत्ता वापस आने पर आपका कृपा-पत्र मिला। मैं इलाहाबाद गयी थी, वहीं आपके सब समाचार ज्ञात हुए। पूज्य चरणेषु ! मेरी भी कितनी इच्छा है आपके दर्शन करके चरण-रज लेने की, यह···जी जानते हैं, आशा है, शीघ्र ही वह मेरी इच्छा पूरी करेंगे।

पूज्य दादा ! आपका शुभाशीष मिला, मन-प्राण रसस्नात विभोर हो उठे। पत्र पढ़कर मन-ही-मन आपके चरणों में प्रणाम किये। मन अदम्य शक्ति से भर

उठा। दादा ! आपकी यह बेटी नादान है, नहीं जानती कि वह उन्हें प्यार करती है या नहीं, उनके लिए Stand करेगी या नहीं। वह तो गुप्तजी की विष्णुप्रिया के शब्दों में कहूँ तो, सिर्फ इतना जानती है—

"मेरे भगवान् सबके हों, मैं उन्हीं की हूँ।"

हाँ दादा, केवल यह जानती हूँ कि इस तन और मन का कण-कण जन्म-जन्मान्तरों से बनता चला आ रहा है, निखरता-सँवरता आ रहा है—केवल इनके लिए··· यह समर्पित मन इनके लिए Stand करेगा या नहीं, इस बात को इन शब्दों में जानती नहीं हूँ क्योंकि दादा, मैं अन्य किसी के लिए Stand नहीं करती हूँ। अपने स्वधर्म के लिए Stand करती हूँ और अपने इस स्वधर्म को जन्म-जन्मान्तरों से अपनी आस्था में बसाती आयी हूँ। दादा ! मेरा स्वधर्म, मेरा सत्य, मेरे अस्तित्व की सार्थकता और कुछ नहीं है सिवाय इसके कि इनके आन्तरिक श्रेष्ठतम के विकास के लिए लय हो जाऊँ। अपने अंतर में इस सत्य का, अपने स्वधर्म का साक्षात्कार मैंने मात्र आवेश या अतिशय भावुकता के स्तर पर या केवल कुछ क्षणों की तन्मयता की स्थिति में नहीं किया, वरन् दादा ! अपने सम्पूर्ण विवेक और जीवन के तमाम यथार्थ सत्यों में से उभरकर यह रास्ता मेरे सामने प्रशस्त है। दादा ! मैं जान गयी हूँ कि मैं केवल इसी रास्ते पर चल सकती हूँ, दूसरी अन्य कोई भी पगडण्डी मेरे लिए नहीं बनी। बाकी सब रास्तों पर भटकन है और अपने निज के रास्ते पर कैसे भी कष्ट आवें, मुझे भय नहीं—

अब तो ऐसी ह्वै पड़ी, मनका रुचित कीन्ह।
मरने कहा डिराइए, हाथ सिंध्यौरा[1] लीन्ह॥

सच दादा ! "जिस मरने से जग डरै, सो मेरे आनन्द" अब तन, मन और बुद्धि तीनों ही रास्तों पर मात्र उनकी हूँ और उनके साथ सम्पूर्ण एकात्म्य के लिए मेरा जीवन है, मेरा जीवन में कोई लक्ष्य नहीं, कोई मन्तव्य नहीं, सिवाय इसके कि इन्हें नित्य उन्नति करते देखती रहूँ, इन्हें इस तरह भरती रहूँ कि भावात्मक, पारिवारिक या सामाजिक किसी भी स्तर पर जो इनके प्रियजन हैं, जिनका भी इन पर अधिकार है, उन सबकी आशाओं को ये पूरा करते रहें और अपने श्रेष्ठतम का विकास निरन्तर करते चलें। इनके लिए मुझे जैसी जीवन-पद्धति अपनानी पड़ेगी, अपनाऊँगी। मेरी परम ममता, मेरा चरम स्नेह, अनन्त प्रेम अगाध तन्मयता, अपार भक्ति सब कुछ इन्हीं का तो है दादा !

मेरा मुझमें कुछ नहीं, जो कुछ है सो तोर।
तेरा तुझको सौंपते, क्या लागै है मोर॥

मेरी सम्पूर्ण नियति का मालिक इनके श्रेष्ठतम का विकास है दादा ! और

1. सिंदूर रखने की काठ कीं डिबिया।

कुछ नहीं। नहीं जानती थी कि आपकी बिटिया के मन की यह सहज वृत्ति आपके इतने आशीष और ममता की अधिकारिणी हो जायेगी। कृतार्थ हूँ दादा, आपकी ममता और विश्वास पाकर गद्गद हूँ, विनत हूँ, मुझे विश्वास है कि अब अपने चरम ऐकात्म्य की अनुभूति को एक क्षण के लिए भी न बिसारने की दृढ़ता मुझे आपके आशीषों से मिलती रहेगी।

पूज्य चरणों में पुनः विनम्र प्रणाम।

आपकी अपनी ही बिटिया
मुक्ता राजे

[4]

10.9.59

बिटिया रानी,

पत्र समय पर मिल गया था। बहुत प्रसन्नता हुई। विचार, ऊँची सतह पर समर्पित विचार, विश्व का नियमन करते हैं। जीवन का आशीर्वाद, उनकी भूख, उसकी शोभा ही यह है कि वह विचारों के ऐरावत पर अपने समर्पण को बैठा सके। माना कभी-कभी विचार आत्मताड़ना भी बन सकते हैं किन्तु जीवन में ऊँचे पर जाने के संकल्पों का पथ तो वहीं से है, क्या कीजिये। संतवर विनोवा ने एक एक बार मेरी सब कथा सुनकर कहा था—"फायदे से क्या फायदा? लाभ से क्या लाभ?" उस समय मैं सोचने पर बाध्य ही नहीं हो गया, सोचता ही रह गया, बिटिया रानी! मुझे तो 'विचार' बेचारे पर बड़ी दया आती है; वह दया नहीं, जो हमारी दुर्जनता का सज्जन-स्वरूप है; दया वह जो साथी के संकट में पड़ने पर उसके 'साथ-साथ रहना'-सा जाग्रत करती है।

यदि लोग कहना मान जायँ और बोलना, भाषा, किसीको वापस कर दें, तो शायद पृथ्वी के घूमने के कुछ माने ही न रह जाएँ। यह जो इच्छाओं का मार्ग है यह पहुँच का भोजन भी तो है। अतः रानी बिटिया! विचार को अपना कर आप अच्छा कर रही हैं। विचार तो पानी की तरह ऊँचा-नीचा होकर, वायु की तरह लोट-पोटकर अपना मार्ग बनाता ही आया है, वह मार्ग बना भी लेगा। किन्तु खलील जिब्रान के शब्दों में, "वह दिन उगेगा, जब वह अपना मार्ग, अपना गन्तव्य पथ, अपना साधन, अपना माध्यम हमें बनावेगा।" उस गतिशील समर्पण के चरणों में उस अनन्य भक्ति की दिशा में सौ-सौ प्रणाम। जवान था, तब जीवन शुरू करना भूल गया, जब साँसों में झकझोरा, तब नन्हें-नन्हें बचकाने विचार आये और उनने घेर लिया। समर्पण बड़ी देर में याद आया जो ऐसी वाणी में, इस भाषा में बोलने लगे उसके 'कहाँ चरण, कहाँ माथा' माने उसे निकट से, और बहुत दूर

रहकर भी प्रणाम ही करें। आशा है तुम प्रसन्न हो। उसकी चिट्ठी इस बार शीघ्र दीजियेगा।

शुभाकांक्षी

मा० ला० चतुर्वेदी

पुनश्च : बिटिया, आप लोग यहाँ कब आ रहे हैं ? कब तक, किस तारीख तक ? छुट्टियाँ कब होती हैं ?

मुझे लगता है···की समस्त लापरवाहियों में श्रद्धा, दृढ़ता और सावधानी से काम करने वाला व्यक्ति मुझे आपके रूप में मिल गया-सा लगता है। मेरे बहुत-बहुत आशीष।

मा०

[यह अंश ज्ञानोदय पत्र—अंक भाग 2, परिशिष्टांक, दिसम्बर 63 के पृष्ठ 17 से 21 तक लिया गया है। सन्दर्भगत आवश्यकतावश समस्त पत्र-व्यवहार एक साथ दिया गया है।—सं०]

पत्र : माखनलाल चतुर्वेदी को

श्री राम

श्रीः

अलवर,
16.11.13

प्रियवर महोदय,

कुछ दिन पूर्व 'प्रभा' के दर्शन से चित्त को वर्णनातीत हर्ष हुआ। मासिक पत्र का सम्पादन करना कैसा कठिन काण्ड है, इसका विचार करके मैं आपकी सफलता पर बारम्बार बधाई देता हूँ। जिन विघ्नों का सामना करके आप पत्रिका निकाल रहे हैं, वह सब भगवदनुग्रह से शीघ्र ही दूर होंगे और आप अवश्यमेव पूर्णरूप से कृतकृत्य होंगे, इसमें सन्देह का लेश भी नहीं है। मुझे इन दिनों जैसा व्यग्र रहना पड़ता है उसका वास्तव अनुमान आपको तभी हो सकता है जब कृपा करके मुझे अपने आतिथ्य का सुअवसर दें। शिथिलता का कुछ कारण आपकी सहृदयता में पूर्ण विश्वास भी है। यह दृढ़ आशा है कि यह अपराध क्षम्य होगा एवं लेखों की न्यूनता से पत्र के प्रकाश होने में विलम्ब होता है, इसका नाममात्र को भय नहीं है, नहीं तो लेख क्या, लेख-माला आपकी सेवा में भेज सकता हूँ। अब वास्तव में स्थिति का दिग्दर्शन तो कराइये।

द्विवेदीजी का जीवन-चरित्र एवं चित्र कृपया शीघ्र प्रकाशित कराइये। उतना अंश पुस्तक-रूप से पृथक् भी छपवा दीजिये। 200 सौ कापी बिकना सुगम है, मैं खरीद लूंगा।

क्षमाप्रार्थी
राम

पं० माखनलाल चतुर्वेदी,
प्रभा कार्यालय, खण्डवा

श्री बदरीनाथ भट्ट

इण्डियन प्रेस, फाइन आर्टस् एण्ड पब्लिशर्स
अलाहाबाद,
9.10.1916

श्रीमान् चतुर्वेदीजी महाराज, प्रणाम !

आपका कृपा-पत्र मिला। मैं एक सप्ताह के लिए आगरे चला गया था। इसीलिए उत्तर देने में जो विलम्ब हुआ, उसके लिए आपसे गिड़गिड़ाकर क्षमा माँगता हूँ।

आपका पत्र पाकर मुझे सदा ही बड़ी प्रसन्नता होती है, पर इस कार्ड को पढ़कर तो इतनी खुशी हुई कि दो-चार बार तो कुरसी पर से गिर पड़ने की तबीयत हुई। हँसी नहीं। आशा है आप अवश्य मेरी सहायता करेंगे। आपका यह कहना कि 'बालसखा' की सेवा मुझसे नहीं सँभलेगी, केवल इसी अंश में कुछ ठीक है कि आप रात-दिन देशहित के कामों में ही रत रहते हैं। मैं आपके बारे में सुन चुका हूँ। अहा, आप सरीखे सज्जनों का ही जीवन धन्य है।

प्रेस के पत्र-पुष्पों का आप इतना खयाल न कीजिये। क्या पत्र और क्या पुष्प ऐसे ही स्थान पर गिरते हैं जहाँ वे ठोकरों से ठुकरायें जायँ। लेकिन फिर भी गिरता वही है और वहीं पड़े भी रहने दिये जाते हैं। कृपा बनी रहे।

आपका
बदरीनाथ भट्ट

पं० माखनलालजी चतुर्वेदी,
द्वारा श्री कालूरामजी गंगराड़े, बी० ए०
प्रभा आफिस, खण्डवा

श्री गोविन्दलाल पुरोहित

जबलपुर,
15.6.1919

प्रिय चतुर्वेदीजी महोदय, सादर प्रणाम !

आपका कार्ड मिला। तदर्थ धन्यवाद। शुक्लजी[1] से भेंट होने का सौभाग्य नहीं हुआ। सम्पूर्ण प्रदेशभर की जनता का तथा हम जबलपुरवासियों का संकल्प था कि शुक्लजी ही बड़े लाट की कौंसिल में पुनः भेजे जायें। परन्तु उनने जाना अस्वीकार किया है। इस कारण अब डाक्टर हरीसिंह गौड़ तथा शंकर माधव

1. श्री विष्णुदत्त शुक्ल।

चिटनवीस (भूतपूर्व डिप्टी कमिश्नर) इन दो सज्जनों में से कोई एक जायगा। गौड़ साहेब की अधिक संभावना है। मध्यप्रदेशीय कौंसिल की आगामी बैठक 21 जुलाई को होगी।

"सम्मति में मुझ पर अन्याय हुआ।" इसका अर्थ समझ में न आया। मैं तो आपके कृष्णार्जुन-संग्राम को अ० दत्त व्यास[1], प्र० ना० मिश्र[2] भारतेन्दु[3] आदि के ग्रन्थों से अल्प गौरव का नहीं समझता। फिर आप अतिशयोक्ति न समझ बैठें इस कारण बहुत डरते-डरते मैंने आपको उनके समकक्ष ही रक्खा, पंक्ति में आगे नहीं बढ़ाया। यदि इसे आप अन्याय समझें तो मैं अवश्य कायल हूँ। अन्यथा मैंने आपकी मिथ्या प्रशंसा नहीं की, तथापि शीघ्रता में कुछ अनावश्यक या अयोग्य लिख गया होऊँ तो सूचना दीजिये, मैं उसे सुधार दूंगा। या कि मैं आपको अधिकार देता हूँ, आप मेरी सम्मति को न्यूनाधिक यथोचित कर सकते हैं। आशा है आप आरोग्यता-लाभ करते होंगे।

आपका कृपैषी,

श्रीयुक्त पंडित माखनलालजी चतुर्वेदी, गोविन्दलाल पुरोहित

केम्प, बैतूलगंज

श्री माधवराव सप्रे

श्रीराम

तात्यापारा, रायपुर

29.9.19

प्रियवर माखनलालजी, प्रणाम!

मेरा पहला पत्र आपको मिला होगा। पूर्व सूचना के अनुसार 2 अक्तूबर की प्रातःकाल की गाड़ी से मैं धमतरी और काँकेर की ओर चला जाऊँगा। काँकेर के पत्र से मालूम होता है कि मुझे वहाँ 8 अक्तूबर तक रहना पड़ेगा। इसके चार-पाँच दिन बाद मैं जबलपुर आ सकूँगा। इससे भी पहले जबलपुर आने का प्रयत्न करूँगा। आशा है कि कल और परसों तक आपका कोई पत्र मुझे मिल जावेगा।

जबलपुर में जिन-जिन कामों का प्रबन्ध कर देने के लिए मैंने अपने पहले पत्र में सूचना (फटा है) ओर अवश्य ध्यान दें। नीचे लिखे गये पतों पर पत्र लिखकर कैटलाग अवश्य मँगवा लीजिये।

---

1. अम्बिकादत्त व्यास।
2. प्रतापनारायण मिश्र।
3. भारतेन्दु हरिश्चन्द्र।

1. जॉन डिकिन्सन एण्ड कम्पनी, बम्बई।

2. सूची-पत्र मय कीमत :(फटा है) टाइप के लिए गुजरात टाइप फाउण्डरी और निर्णयसागर प्रेस, बम्बई।

3. कागज के लिए टीटागढ़ पेपर मिल्स, कलकत्ता और बालकृष्ण बाजवा एण्ड कम्पनी, बम्बई और इण्डियन कर्मशियल ब्यूरो, बम्बई।

(फटा है) मालूम होता है कि शुक्लजी (फटा है) चले गये होंगे। रकमों की वसूली के सम्बन्ध में कानून के अनुसार अपनी संस्था के संगठन के सम्बन्ध में और जबलपुर में रहने के मकान के सम्बन्ध में उन्होंने कुछ प्रबन्ध किया या नहीं ? आपके पास काम करने वाले कोई आदमी आ गये हैं या नहीं ?

आपका स्वास्थ्य कैसा है ? स्वास्थ्य की ओर विशेष ध्यान दीजिये। यदि किसी काम में विलम्ब हो जावे तो उसकी विशेष परवा न कीजिये। परन्तु यदि कार्य की चिन्ता और बोझ के कारण आपके स्वास्थ्य में कुछ हानि होगी तो मुझे बहुत खेद होगा।

मुझे विश्वास है कि (फटा है) जबलपुर आऊँगा, उस समय (फटा है) सब कार्यों का उचित प्रबन्ध हो जावेगा। बी० ए० पास एक युवक आपके पास था वह यदि सम्पादकीय (फटा है) में रहना चाहे और (फटा है) योग्य समझते हों तो उसे (फटा है) लीजिये। अन्तिम मंजूरी की कार्यवाई मेरे वहाँ आने पर हो जावेगी।

आपका कृपाकांक्षी

माधव सप्रे

(माधवराव सप्रे)

श्रीमती सुभद्राकुमारी चौहान

थिआसोफिकल गर्ल्स स्कूल, बनारस

16.11.19

पूज्य तथा श्रद्धास्पद, प्रणाम !

आपका करकमलांकित कृपापत्र पाकर मुझे अपार हर्ष हुआ। आशा है कि यह अपूर्व अनुकम्पा चिरस्थायी रहेगी। मुझे भी इसका शोक है कि मैं 1-2 दिन जबलपुर क्यों न ठहर गयी ? इसके लिए मैं बड़ा पश्चात्ताप कर चुकी हूँ। इसके साथ ही साथ उसका परिणाम भोग रही हूँ, अस्तु। अब बड़े दिन की छुट्टियों में मैं जबलपुर आऊँगी—आपके दर्शनार्थ। बड़े दिन की छुट्टी 15 दिसम्बर से हो जायेंगी। आशा है कि मुझे लेने के लिए आप स्वयं निजप्रिय लक्ष्मणजी सहित

आयेंगे या अकेली ही आने की आज्ञा देंगे ? मेरा स्वास्थ्य आजकल फिर कुछ अच्छा नहीं रहता। इसके साथ-साथ पढ़ाई इतनी ज्यादा होती है कि पता रहते मैं सोचती हूँ कि कविता करने में कुछ दिन असमर्थ रहूँ। कर्मवीर जनवरी के पहले हफ्ते में निकलेगा, उसके पहले अंक के लिए मैं एक कविता 12 दिसम्बर को जबलपुर में ही आके बना सकती हूँ। फिर देखा जायेगा।

भारत की सरोजिनी से दो कदम आगे बढ़ने की इच्छा संजीवनी भी रखती है और बढ़ेगी, केवल इच्छा ही नहीं रखती, परन्तु इसके साथ-साथ उसकी इच्छा भी तो बढ़ाने वालों की इच्छा पर निर्भर है। आज पत्र यहीं समाप्त करती हूँ। पत्रोत्तर शीघ्र न दे सकने के लिए क्षमाप्रार्थिनी हूँ। पत्रोत्तर शीघ्र दीजियेगा!

भवदीया कृपाकांक्षिणी
सुभद्रा

[विवाह होकर श्रीमती सुभद्रा कुमारीचौहान जब बनारस में विद्याध्ययन के लिए गयी थीं, तब सन् 1919 में एक पत्र चतुर्वेदी के पास भेजा था। वही हम दे रहे हैं। उनके पति ठाकुर लक्ष्मणसिंह चौहान उस समय चतुर्वेदीजी के साथ कर्मवीर में योग देने के लिए रहते थे। रानी सिमरिया की कोठी, जबलपुर का यह पत्र-व्यवहार है।—सं०]

श्री जगन्नाथप्रसाद शुक्ल

नि० भा० आयुर्वेद महाविद्यालय-समिति **श्रावण कृष्ण 5, सं० 77 वि०**
दारागंज, प्रयाग (सम्भवत: 1920)

प्रियवर महोदय, प्रणाम!

आपने इस सप्ताह के 'कर्मवीर' में वैद्यक का समर्थन करते हुए यह स्मरण कराया है कि कौंसिल के उम्मेदवार यह भी प्रतिज्ञा करें कि वे इसकी उन्नति की ओर सचेष्ट रहेंगे। इसके लिए आपको धन्यवाद है। मुझे प्रसन्नता और अभिमान है कि कम से कम एक हिन्दी सम्पादक तो भारत की उन्नति और आवश्यकताओं की पूर्ति एक मार्ग से नहीं, चारों ओर के प्रयत्नों को महत्त्व देता है। आशा है, एक··· ··· (फटा है) वालों को इस विषय में और भी सूचित करेंगे।

भवदीय
जगन्नाथ

श्रीयुत सम्पादक महोदय,
'कर्मवीर' कार्यालय, जबलपुर (सी० पी०)

डा० रघुनाथसिंह वर्मा

ओ३म्

बोम्बे

9 फरवरी, 20

पूज्यवर, नमस्ते !

दीर्घकाल के उपरान्त आपका कृपा-कार्ड प्राप्त कर.हृदय को बहुत आनन्द हुआ। आशा है, अब भविष्य में सदा ऐसी ही कृपा रखकर सँभालते रहेंगे। पढ़ाई का कार्य साधारणतः ठीक ही चलता है। बहुत-कुछ हो चुका है, थोड़ा-सा हिस्सा बाकी है सो शायद इस माह के अन्त तक हो जायेगा। फिर पुनरावृत्ति के लिए समय दिया जायेगा और अप्रैल के प्रथम सप्ताह में परीक्षा होगी। कोर्स कुछ कठिन अवश्य है परन्तु ऐसा नहीं कि मनुष्य को घबरा डाले। नियमित अभ्यास-क्रम का अनुसरण करने से सरलता से परीक्षोत्तीर्ण हुआ जा सकता है।

स्वास्थ्य की दृष्टि से बम्बई की आबहवा तथा बम्बई का निवास मेरी समझ में ठीक नहीं। यहाँ सदा ही कोई बीमारी रहती ही है। मुझे यहाँ सिर-पीड़ा की विशेष शिकायत रहती है। गये पन्द्रह दिन से तो ज्वर, सिर-दर्द और दाँत में पीड़ा के कारण विशेष कष्ट रहा। अब भी कुछ विशेष अन्तर नहीं है। डाक्टर की औषधि चलती है। इसी तरह से पाँच वर्ष तय करने पड़ेंगे। भोजन की कोई विशेष सन्तोषजनक व्यवस्था अभी नहीं हो सकी है और न निवास-स्थान ही उत्तम स्थान पर मिल सका है। धीरे-धीरे सब ठीक हो जायेगा।

विचारों की दिशा अभी तो निश्चित नहीं हुई है परन्तु विशेषतः सामाजिक सुधार और सांसारिक जीवन में सफलता प्राप्त करने के साधनों पर मन-ही-मन मनन किया करता हूँ।

'कर्मवीर' के सभी अंक मिले। परन्तु पत्र बिलकुल राजनैतिक विचार वाला है, इसमें मेरे समान सामाजिक विचार वाले मनुष्य के लिए विशेष आनन्द नहीं मिल सकता। परन्तु मैं यह मानता हूँ कि राजनीति भी समाज के सुधार की एक बलवान शक्ति है। परन्तु अभी इससे मुझे विशेष परिचय और प्रेम पैदा नहीं हुआ है। आपकी कृपा-दृष्टि के लिए मैं विशेष अनुगृहीत हूँ। कर्मवीर में एक बात फायदे की मेरे लिए यह है कि विस्तृत संसार की आवाज के साथ-ही-साथ कुछ निज के अन्तर की भी आवाज कर्णगोचर हो जाती है। मेरे प्रिय मित्र देवीशंकर के कार्य से आपको सन्तोष मिलता होगा, ऐसी आशा है।

महोदयबन्धु—बद्रीनारायण और जगन्नाथ—कुशल हैं।

मेरे योग्य कार्य के लिए आप सूचित करें, मैं करने के लिए उद्यत हूँ।

पूजनीय सप्रेजी से प्रणाम कहें। मित्रवर देवीशंकर तथा अन्यान्य सज्जनों से

नमस्ते कहें।

कृपा-पत्र से सदा सँभालते रहें। सदा कृपा-दृष्टि रखें।

आपका आज्ञाकारक

पं० माखनलाल चतुर्वेदी — वि० रघुनाथसिंह वर्मा

द्वारा, कर्मवीर कार्यालय, जबलपुर (सी० पी०)

[डा० वर्मा चतुर्वेदी जी के शिष्य, परम आत्मीय और चिकित्सक रहे हैं। चतुर्वेदीजी की आपके उपचार में गहन निष्ठा थी।—सं०]

श्री ब्यौहार रघुवीरसिंह

कान्फीडेंशल एण्ड प्राइवेट

पंचमढ़ी

4.5.20

प्रिय सप्रेजी और चतुर्वेदीजी

कृपा कर शुक्लजी की चिट्ठी को पढ़ लीजिये और उनके पास रवाना कर दीजये। मैं इस समय आप लोगों से मिलना बहुत आवश्यक समझता था, परन्तु खेद है कदाचित् शुक्लजी और सप्रेजी यहाँ न आ सकें और मेरा जबलपुर वापस जाना भी 15 जून के पेश्तर नहीं हो सका। मैं आप लोगों की राय के बाहर नहीं हूँ। कुल काम एक राय से ही होना चाहिए।

आपका

ब्यौहार रघुवीरसिंह

श्री माधवराव सप्रे एवं
श्री माखनलाल चतुर्वेदी,
कर्मवीर कार्यालय, जबलपुर

डा० बेनीप्रसाद

प्रयाग

2.3.23

प्रियवर चतुर्वेदी जी,

आपके यहाँ से लिखा हुआ गणेशशंकरजी का पत्र मिला। संभवतः इस समय तक वह कानपुर चले गये होंगे। पर यदि न गये हों, तो मेरी ओर से जोर देकर कहियेगा कि प्रयाग में कुछ देर ठहरते जायें। उनसे कहियेगा कि शुक्लजी एवं तिवारीजी की भी यही अभिलाषा है। वह यहाँ अवश्य आवें। कुछ देर ठहरकर

कानपुर चले जावें।

यदि गणेशशंकर जी कानपुर चले गये हों तो कृपया उनके भावी मुकदमे के विषय का वृत्तान्त लिखियेगा। मुझसे गणेशजी से भेंट नहीं हुई। आपको बहुत-सी बातें मालूम होंगी। कृपया अपनी सम्मति भी लिखियेगा—गणेशजी को क्या करना चाहिए। उत्तर शीघ्र दीजियेगा।

भवदीय

श्री माखनलालजी चतुर्वेदी बेनीप्रसाद
कर्मवीर कार्यालय, जबलपुर

डा० राजेन्द्रप्रसाद

[1]

Behar Provincial Congress Committee
Tel. Address 'CONGRESS' P. O. Moradpore,
Patna विहारवंक, छपरा
24.11.23

श्रद्धेय पंडितजी, सविनय नमस्कार!

आपका पत्र मुझे कल सन्ध्या को मिला। यह पत्र मैं छपरा से लिख रहा हूँ। प्राय: दो सप्ताह हुए कि मैं यहाँ अमृतसर जाने के लिए आया, पर दुर्भाग्यवश जिस दिन रवाना होना था उसी दिन मुझे दमा का दौरा इतने जोरों से हुआ कि मैं यहाँ ही रह गया और आज तक यहाँ ही बीमार पड़ा हूँ। अब ईश्वर की दया से कुछ अच्छा हूँ पर अभी तक कमजोर हूँ। मैं न तो अमृतसर जा सका न विजयपुर न अहमदाबाद। और यह भी आशा नहीं कर सकता कि आपकी आज्ञा-पालन कर सकूँ। आजकल डाक्टरों ने injection देना शुरू किया है। चार दे चुके हैं और चार अभी और देने का विचार करते हैं, आखिरी ता० 6.12 तक लग जायेगा। मैं इसलिए यहाँ से हटने में मजबूर हूँ। सफर भी लम्बा है और भय होता है कि शायद सर्दी के कारण फिर दुबारा गिरफ्तार न हो जाऊँ। इसलिए आशा करता हूँ कि आप इस समय क्षमा प्रदान करेंगे। मुझे बड़ा खेद है कि आपके पहले अनुरोध को मैं न मानने के लिए इस प्रकार बाध्य हुआ, पर लाचारी है।

इधर एक और अनधिकार चर्चा छिड़ गयी है। कोकनद से तार आया है कि मैं हिन्दी साहित्य सम्मेलन के विशेषाधिवेशन का सभापतित्व स्वीकार करूँ। मैं अपने को धन्य मानता हूँ पर इस फैसला करने वालों को बधाई नहीं दे सकता। हिन्दी के ऐसे-ऐसे धुरन्धर विद्वानों और साहित्य-सेवियों के रहते मेरे-जैसे तुच्छ

व्यक्ति को यह पद देना उचित नहीं हुआ है। मित्रों ने भी बहुत अनुरोध किया है कि मैं इसे स्वीकार कर लूँ और मैंने यह धृष्टता कर भी ली है, पर यह नहीं मालूम होता कि मैं क्या कहूँगा और क्या करूँगा। मैं जो भाषण तैयार करूँगा, उसकी कापी आपके पास भेज दूंगा। और आशा करूँगा कि आप उसे देखकर अपनी सम्मति से अनुग्रहीत करेंगे। मेरा विचार है कि (1) राष्ट्रीयता का साहित्य और भाषा से सम्बन्ध, (2) अन्य देशों तथा इस देश के इतिहास से इसके उदाहरण, (3) हिन्दी भाषा और साहित्य का भारत के राजनीतिक जीवन में स्थान, (4) प्रान्तिक भाषाओं का स्थान तथा (5) राष्ट्रीय भाषा बनने के लिए हिन्दी का क्या रूप और उसमें क्या परिवर्तन होना चाहिए—इन्हीं विषयों पर मैं विचार करूँ। क्या आप यह उचित समझते हैं ? अपनी सम्मति देने की शीघ्र कृपा करें। मैं ता० 30.9 तक पटने लौटने की आशा करता हूँ, आप वहीं उत्तर देने की कृपा करें।

आपका दास

सही/राजेन्द्रप्रसाद

Replied on 5.12.23

[2]

पटना,

19.2.24

सविनय प्रणाम !

आपका कृपा-पत्र मिला। मुझे बहुत दुःख हुआ कि मैं आप लोगों का दर्शन नहीं कर सका। अब कुछ अच्छा हो गया हूँ। कोई चिन्ता की बात नहीं है और आशा है कि आश्विन मास तक ऐसा ही रहूँगा। फिर आगामी कार्तिक में मेरे लिए खराब समय आवेगा क्योंकि जाड़ों के आरम्भ में ही खाँसी होती है और दो-तीन महीने तक बहुत कष्ट देती है। पर बीमारी से अच्छा होकर भी मैं इस समय बेकार हो रहा हूँ। मेरे हाथ में कुछ ऐसा काम है जो किसी काम के लिए प्राय: तीन महीनों तक समय नहीं छोड़ेगा। वह काम भी ऐसा है जिसमें दिल नहीं लगता, पर वचनबद्ध होकर उसे कर देना है। जिस समय असहयोग आरम्भ हुआ, मैं एक मुकदमे में काम कर रहा था। उसमें पं० मोतीलाल जी नेहरू तथा देशबन्धु दास भी काम कर रहे थे। वह इस समय अपील में पेश है। उसमें उसी समय से काम कर देने के लिए मैं वचनबद्ध था। उसको कर देना है, उसी में लगा हूँ। यदि हो सकेगा तो कुछ लिखकर भेज दूँगा, पर जिस संकट में हूँ, वचन देना असम्भव है।

मैं बहुत दिनों से चाहता था कि आप मेरे सूबे में राष्ट्रीय महाविद्यालय के विद्यार्थियों को कुछ शिक्षा देवें। इसीलिए मैंने आपसे नागपुर में प्रार्थना की थी कि कुछ दिनों के लिए आप मेरे सूबे में आयें। पर जब मैं स्वयं ऐसे काम में फँसा हूँ,

आपको लिखने में बहुत संकोच होता है। पर आपकी कृपा देखकर साहस होता है। क्या आप यहाँ आ सकते हैं ?

कृपा-पात्र
राजेन्द्रप्रसाद
[देशरत्न डा० राजेन्द्रप्रसाद]

श्री गणेशशंकर विद्यार्थी

पत्र नं० 1929 'प्रताप' कार्यालय, कानपुर
2.2.1924

प्रियवर, वन्दे !

28 जनवरी के 'प्रताप' के 'अमरकंटक का अंधेर' नाम की एक चिट्ठी छपी थी। उसके लेखक कटनी के नारायण कांत हैं, जिनका पता के०/आ० बाबू जगन्नाथप्रसाद वर्मा, ट्रेन्स क्लर्क, कटनी, है। आज बिलासपुर के वकील मि० के० बी० एल० अग्निहोत्री का एक नोटिस मिला है कि उस पत्र से बाला रामस्नेही का अपमान हुआ है, इसलिए, क्षमा माँगो, 100 रु० दण्ड दो, और पत्र-लेखक का नाम बतलाओ। कृपा करके अब पता लगाइए कि ये कटनी के महाशय अपनी बातों के कुछ प्रमाण भी रखते हैं, या नहीं ? और बिलासपुर में अपने मुख्य-मुख्य मित्र कौन-कौन हैं ? मैं अग्निहोत्री जी को लिख रहा हूँ कि यदि बातें गलत हैं, तो प्रतिवाद भेज दीजिए, या मुझे विश्वास दिला दीजिए। अपना दोष पाते ही हम लोग खेद प्रकट करेंगे। देखिए, वे क्या उत्तर देते हैं।

तनिक आप कटनी और बिलासपुर की खबर लीजिएगा। शेष सब कुशल है। आप अहमदाबाद से लौट आये होंगे। विशेषांक के लिए कुछ अवश्य भेजिए। रामदयाल और अन्य भाइयों को आशीष। माँजी को प्रणाम।

आपका
ग० शंकर विद्यार्थी

श्री बनारसीदास चतुर्वेदी

[1]

फिरोजाबाद
19.10.25

प्रिय माखनलालजी, प्रणाम !

आपका 7 ता० का कृपा-पत्र मिला। आपने लिखा है कि मैं आपसे एक ही

बात चाहता हूँ और यदि आप उत्तर हाँ में दें, तो उस वस्तु का नाम एक पोस्ट-कार्ड में ही लिखकर भिजवा दूंगा, वह मेरा डर दूर कर देगी।

मैं अभी आपसे कुछ प्रतिज्ञा नहीं करना चाहता। न जाने आप क्या लिख भेजें! कहीं आपके शब्दों का तात्पर्य मेरा (अस्पष्ट है) हो। मैं आपका पीछा छोड़ने वाला नहीं। आप शांतिपूर्वक रहिये। मैं अभी आपको 'आप' कहूँगा।

मनुष्य मात्र में दोष हैं, संभवतः आप में भी होंगे, पर क्या दोषों के होने से कोई गुणों को भूल सकता है? महामना ऐण्ड्रूज की नीति ही सर्वोत्तम है : दूसरे के दोषों पर ध्यान न दो। क्या आप जानते हैं कि मैं आपसे अधिक दोषी नहीं? यदि आपके सम्मुख मैं अपना हृदय खोलकर रक्खूँ तो शायद आपको आश्चर्य होगा कि कभी-कभी वह पतन के किस गहरे गढ्ढे में चला जाता है, बात असल में यह है कि मैं अपने अनुकूल अपना वायुमण्डल अब बनाना चाहता हूँ। उसमें आपकी··· ······पंक्तियाँ मुझे सहायता देती हैं, इसलिए उनका उपयोग करने से आप मुझे रोक नहीं सकते।

ईश्वर के रचे हुए प्रत्येक व्यक्ति में कुछ-न-कुछ विशेषताएँ हैं, फिर आप ही अपने को उस विशेषता से क्यों वंचित समझते हैं? 'हृदय' की अमर कविता-कली जिस हृदय-सर में खिली थी, मैं उसका सम्मान करता हूँ एक सिपाही-जैसी सुन्दर कविता करते हैं। आपकी राजनैतिक बातों में मुझे कुछ भी दिलचस्पी नहीं। मेरा तो विश्वास है, आप विवादग्रस्त राजनैतिक विषयों के लिए बनाये ही नहीं गये। नगरों के कोलाहल से दूर ऐसे स्थान में जहाँ (लेख अस्पष्ट है) की दुर्गन्ध न पहुँचती हो, प्रकृति माता के निकट जहाँ सुन्दर वृक्ष और निर्मल नदी हो। अपने सहृदय मित्रों के साथ रहते हुए जो स्थायी साहित्य-सेवा आप कर सकते हैं, वह निस्सन्देह अमूल्य सिद्ध होगी।

अगले मास में प्रयाग जाने का विचार है। वहीं रहना चाहता हूँ। सम्मेलन पर आपके दर्शन होंगे?

आपका

बनारसीदास चतुर्वेदी

[2]

'विशाल भारत' कार्यालय,
120/2 अपर सरकुलर रोड, कलकत्ता
28.4.32

प्रिय माखनलालजी,

आज आपकी सेवा में पैकट द्वारा लाला हरदयाल-लिखित क्रान्तिकारी कार्ल मार्क्स का जीवन-चरित्र भेजा जाता है। पुस्तक आप पढ़ेंगे ही, अतएव उसके विषय

में विशेष कहने की आवश्यकता नहीं, पर इतना निवेदन अवश्य करना चाहता हूँ कि आजकल जबकि भारत में श्रमजीवियों के संगठन का प्रयत्न हो रहा है, इस पुस्तक के प्रचार से कुछ सेवा होने की सम्भावना है।

पुस्तक के अन्त में श्री ए० के० लिखित एक निबन्ध भी जोड़ दिया गया है, जिससे साम्यवाद का अब तक का संक्षिप्त इतिहास मालूम हो सके।

अत्यन्त कृतज्ञ होऊँगा, यदि आप इस पुस्तक की आलोचना अपने पत्र में प्रकाशित कर दें।

विनीत

बनारसीदास चतुर्वेदी

[3]

टीकमगढ़

25.7.41

प्रिय माखनलालजी, सादर प्रणाम!

आज रजिस्ट्री द्वारा दो पुस्तकें आपकी सेवा में भेजी जाती हैं। एक तो 'एकलव्य' और दूसरी 'स्रोतस्विनी'।

'एकलव्य' के लेखक के विषय में आप 'कर्मवीर' में छाप ही चुके हैं, 'स्रोतस्विनी' के लेखक श्री 'दिव्य' जी भी आपकी कृपा के अभिलाषी हैं।

'साहसी', 'एकलव्य' और 'स्रोतस्विनी' इन तीनों पुस्तकों की भूमिका मुझे ही लिखनी पड़ी। जो काम आपको करना चाहिए था वह मुझे करना पड़ा। भला कविता से और मुझसे क्या सम्बन्ध? 'साहसी' और 'स्रोतस्विनी' दोनों ही काव्य-ग्रन्थ हैं।

दस वर्ष बाद बुन्देलखण्ड को अन्तिम प्रणाम करने जा रहा हूँ। इस भूमिका से मैं अत्यन्त ही ऋणी और कृतज्ञ हूँ। 11 वर्ष बंगाल + 6 वर्ष मालवा (इन्दौर) + 4 वर्ष गुजरात (साबरमती) और दस वर्ष बुन्देलखण्ड में बिताये हैं। इस प्रकार इस क्षुद्र जीवन के 55 वर्षों में 31 वर्ष ब्रज से बाहिर ही बीते हैं। अब ब्रज में ही रहने की आकांक्षा है। 'ऊधौ' या खड़ी बोली में यों कहिये—

"मुझको बुला रही हैं ब्रज की करील कुंजें।"

दिवाली के आस-पास फिरोजाबाद पहुँच जाऊँगा। लेख लिखकर जीविका-निर्वाह करने का विचार है और किताब बेचकर भी।

डालमियाजी के 700 सौ रुपये से (वे मुझे सात सौ पर नवयुग में बुला रहे थे) लेखों द्वारा 70 रु० कमा लेना कहीं अधिक गौरवप्रद होगा—यद्यपि सत्तर की रकम भी आसानी से नहीं कमायी जा सकती। एक तो मैं बहुत धीरे-धीरे लिखता हूँ और दूसरे अनेक पत्र-सम्पादकों से अपने अच्छे सम्बन्ध नहीं। खैर, जो होगा,

ठीक ही होगा।

'अराजकतावाद' का प्रचार ही मेरी अन्तरात्मा को सन्तोष दे सकता है। गोरे शासकों की जगह भूरे शासक आ गये, इसमें मुझे तो कोई हर्षोत्पादक बात नहीं मालूम होती। शक्तियों का केन्द्रीयकरण ही सारे पापों की जड़ है। खैर, प्रत्येक मनुष्य को अपनी अन्तरात्मा की ध्वनि के अनुसार ही कार्य करना चाहिए।

कुछ ट्रेक्ट भी वितरित किये हैं। ट्रेक्टों की 8-9 हजार प्रतियाँ कोई दो-ढाई सौ जगहों को फ्री भेजी हैं। ज्ञान के इस 'सदावर्त' को और भी जारी रखने की अभिलाषा थी, पर अब साधन नहीं।

बुन्देलखण्ड के विषय में कम-से-कम तीन-साढ़े तीन हजार पृष्ठों का मसाला 'मधुकर' ने दिया था, पर अकाल ही काल-कवलित हो जाने के कारण वह क्रम बन्द हो गया।

मैं जिस प्रान्त में रहा हूँ उसी को अपनी सर्वोत्तम भेंट करने की सोचता रहा हूँ—प्रयत्न भी उसी दिशा में किया है।

अब इतने वर्ष बाद घर पर रहने का विचार है।

आशा है कि आप सकुशल हैं।

पूज्य बापू का भी यही कथन है कि जिस प्रान्त में रहो, सबसे प्रथम उसी की सेवा करो।

कृपाकांक्षी
बनारसीदास चतुर्वेदी

पुनश्च:

श्री श्यामसुन्दर खत्री की कविताओं का अब तो उद्धार कीजिये। वे अब बैंक से रिटायर होने वाले हैं। और हरगोविन्दजी गुप्त की भी सुधि लीजिए। मेरा तो बहुत-सा वक्त छुटभइयों की सेवा में ही बीतता है।

[4]

बनारसीदास चतुर्वेदी
सम्पादक, 'विशाल भारत'

120/2 अपर सकुरलर रोड, कलकत्ता
19.9.47

प्रियवर,

हमारे साहित्य-क्षेत्र में महिलाओं का प्रवेश कितना कठिन है और इस कठिनाई के लिए हमारा पुरुष सम्प्रदाय कितने अंशों में जिम्मेवार है, यदि आप यह जानना चाहते हैं तो जरा श्रीमती महादेवी जी का लेख पढ़ लीजिए। उसके विषय में मैंने अपने विचार विस्तारपूर्वक सम्पादकीय लेख में दे दिये हैं, अतएव अधिक लिखने की जरूरत नहीं।

मैं चाहता हूँ कि आप इस विषय में Unmistakable Language में एक जोरदार लेख 'कर्मवीर' में लिखें। पिछले दो-तीन वर्षों में मुझे दो-तीन महिलाओं से मिलने का सौभाग्य प्राप्त हुआ है और मेरा यह निजी अनुभव है कि बिना स्त्री-पुरुषों के पारस्परिक विचार-परिवर्तन के हमारा साहित्य नीरस तथा एकांगी ही रहेगा। पर स्त्रियों से बातचीत करना—उनसे मिलना-जुलना—कितना भयंकर समझा जाता है, इसका भी मुझे काफी अनुभव हो गया है। कितने ही भलेमानसों का यह ख्याल है कि स्त्री-पुरुषों का मिलन केवल अनाचार या दुराचार के लिए ही हो सकता है। यदि आप वह बीभत्स लेख, जो चित्रपट में मेरे चरित्र पर आक्षेप करते हुए लिखा गया था, पढ़ें तो आपको क्रोध आये बिना न रहे।

इस अवसर पर स्पष्टवादिता की जरूरत है। हम लोगों से यह आशा की जाती है कि जनता का पथप्रदर्शन करें। श्रीमती महादेवीजी से मेरी इस विषय में उस समय बातचीत हुई थी, जब मैं उन्हें कवीन्द्र के दर्शन कराने शान्ति-निकेतन ले गया था। वे कहतीं थीं कि पिछले इन्दौर वाले सम्मेलन में उनके साथ जो व्यवहार किया गया वह वास्तव में अत्यन्त निन्दनीय था। नाम मैं नहीं लूँगा। कई आदमियों ने उनके विरुद्ध बड़ी निन्दनीय चर्चा फैलायी थी। 'माधुरी' में आपने पढ़ा होगा कि कांग्रेस के अवसर पर कवि-सम्मेलन में उन्हें 'सभापत्नी' कहकर किस प्रकार अपमानित किया गया था। Where things are going to? आखिर इस बदतमीजी का कुछ ठिकाना भी है? मैंने सुना था कि आप लोगों की इन्दौर-खण्डवा मोटर-यात्रा भी चर्चा का विषय बन गयी थी। आखिर कब तक हम लोग इस प्रकार की हरकतों की उपेक्षा करते रहेंगे?

बराय मेहरबानी जरूर लिखिये और जोरदार हिन्दुस्तानी में लिखिये। खरी-खोटी सुनाने के लिए हिन्दुस्तानी जितनी उपयुक्त है, उतनी हिन्दी नहीं। तान-तान के लगाइये—अगर शिष्टता का कविजनोचित अधिक खयाल हो, तो दुशाले में लपेटकर ही सही। अब वक्त आ गया है जबकि साहित्यक गुंडों की मरम्मत अच्छी तरह की जानी चाहिए।

विनीत

बनारसीदास चतुर्वेदी

[5]

प्रिय भाई माखनलालजी,

सादर प्रणाम। आपके विषय में मैं इन दिनों बराबर चिन्तन करता रहा हूँ—स्वयं भी काफी बीमार रहा, पर आपकी तन्दुरुस्ती तो मुझसे कहीं अधिक चिन्तनीय रही है। यह हम लोगों की अदूरदर्शिता है कि जो थोड़े-से व्यक्ति एक-दूसरे के निकट हैं, वे भी मिल-बैठकर दो बातें नहीं कर पाते।

इधर 5 महीने की बीमारी में मुझे यह खयाल आया कि अगर 'गणेश-स्मृति ग्रन्थ' अभी न निकला तो 20-25 वर्ष के लिए यह मामला टल जायेगा। किसी को उस ग्रन्थ की चिन्ता नहीं है। नवीन पीढ़ी सम्भवतः गणेशजी के महत्त्व को ठीक तौर पर समझ भी न सकेगी।

भाई पालीवालजी से इस बारे में बातचीत हुई थी। उनका लिखा अग्रलेख भेज रहा हूँ। इस बार इस यज्ञ को पूर्ण करना ही है। एक प्रार्थना है, वह यह कि सम्पादक-मण्डल में मैं आपका शुभ नाम भी शामिल करना चाहता हूँ, उसमें हमें नैतिक बल मिलेगा। यह तो मैं आपकी अनुमति के बिना भी कर सकता था, क्योंकि गणेशजी के किसी भी कार्य में आपकी अनुमति तो मिली-मिलाई है, फिर भी आपको सूचना तो देनी ही है। हाँ, आपके परामर्श बराबर मिलते रहने चाहिए।

सम्पूर्णानन्द ग्रन्थ भेजने के लिए कालपी के हिन्दी-भवन को लिख रहा हूँ। उसमें बहुत समय लगा। सर्वथा निःस्वार्थ भाव से बिना एक पैसा लिये वह कार्य किया गया था और उसी भावना से गणेश-स्मृति-ग्रन्थ भी तैयार होगा। जब तक खाने को मिलता जाये, पैसा जोड़ने की कल्पना ही वस्तुतः नास्तिकता है। इस बार तो ऋणग्रस्त भी हो गया। खैर!

विनीत

बनारसीदास चतुर्वेदी

[6]

टीकमगढ़

23.3.48

प्रिय माखनलालजी,

25वीं मार्च फिर आ गई। और इन 17 वर्षों में भी हम—

1. गणेशजी का विस्तृत जीवन-चरित,
2. संस्मरण-संग्रह,
3. लेख तथा नोट-संग्रह,

ये तीन चीजें नहीं छपा पाये।

अब मैंने यहाँ से त्याग-पत्र दे दिया है। साढ़े 31 वर्ष भिन्न-भिन्न जनपदों का अन्न-जल ग्रहण किया है।

11 वर्ष बंगाल,,

$10\frac{1}{2}$ वर्ष बुन्देलखण्ड,

6 वर्ष मालवा,

4 वर्ष गुजरात,

अब व्रज में रहना है ।

'ऊधो, मोहि ब्रज बिसरत नाहीं !' जब भगवान् ही ब्रज को नहीं बिसार सके तब हम लोगों का मोह क्षम्य है । अभी दो महीने यहाँ रहना है ।

यदि आप लोगों का सहारा मिल जाये तो ये काम हो सकते हैं ।

विनीत

बनारसीदास

श्री सियारामशरण गुप्त

[1]

॥ श्री ॥

चिरगाँव, झाँसी

12.2.26

प्रिय चतुर्वेदीजी, प्रणाम !

आपका कृपा-पत्र यथा समय मिल गया था। परन्तु बार-बार क्षमा की झोली टाँगकर सामने होते हुए लज्जा मालूम होती थी। इमीसे इस समय तक पत्र नहीं लिखा। वह कारण पूर्णतः अब तक भी नहीं दूर नहीं कर सका, परन्तु आज अंशतः दूर कर रहा हूँ, यही मुझे सन्तोष है ।

इस पत्र के साथ पूज्यचरण भाई साहब की एक पुस्तक का अंश 'कर्मवीर' के लिए नकल करके भेज रहा हूँ ।

मेरी 'विषाद' नामक पुस्तक अभी तक नहीं छपी। वह श्री रायकृष्णदास साहब (काशी) के यहाँ पड़ी हुई है। वहाँ से जब लौटूं तब विचार करूँगा कि उसे छपवाऊं या नहीं । उसके सम्बन्ध में पूज्यचरण भाई साहब की सम्मति तो अभी तक मैं ले ही नहीं सका हूँ । इस कारण भी उसके प्रकाशन का अभी तक कुछ निश्चय नहीं है । शेष कुशल,

सेवक

सियारामशरण

[2]

'श्रीराम'

बम्बई,

8.5.35

प्रिय चतुर्वेदीजी, प्रणाम !

आशा है आप सानन्द हैं । मौसम ठीक न होने के कारण मैं यहाँ श्री स्वामी

कुवलयानन्दजी की योग-चिकित्सा का लाभ न उठा सका। अब शीघ्र मैं घर लौटना चाहता हूँ। कुछ समय मुझे खण्डवा में ठहरना ही चाहिए। तीर्थ का लंघन उचित नहीं होता। कृपा कर नीचे लिखे पते पर पत्र दीजिये कि इन दिनों आप खण्डवा ही तो रहेंगे। शेष मिलने पर।

सेवक

द्वारा, बच्छराज एण्ड कं० लिमि० सियारामशरण

395, कालबादेवी रोड, बम्बई।

प्रति/श्रीयुक्त माखनलालजी चतुर्वेदी

कर्मवीर-सम्पादक,

खण्डवा (सी० पी०)

[3]

चिरगाँव (झांसी)

॥ श्री ॥ 21.5.35

प्रिय चतुर्वेदीजी,

सादर प्रणाम! बम्बई में मैं अपने खास रोग की चिकित्सा इंजेक्शन लेकर करा रहा था। घर से पत्र पहुँचा कि एक भतीजे को चेचक निकली है और वह हम लोगों को याद करता है। यहाँ चेचक का भयंकर प्रकोप था, इसलिए अधूरे इंजेक्शन छोड़कर सीधा एकदम घर चला आया। इधर कुछ दिन हम लोग बहुत ही अधिक दुश्चिन्ता में रहे हैं। घर में तमाम बच्चे पीड़ित हैं। इसलिए इससे पहले मैं आपको यह समाचार भी न दे सका। कृपया क्षमा कीजिए।

खण्डवा की तीर्थयात्रा मेरे भाग्य में न थी। बड़े पुण्य से ही बड़े फल की प्राप्ति होती है। आप मेरी प्रतीक्षा में रहे, आपको व्यर्थ ही कष्ट हुआ, इसके लिए क्षमा कैसे माँगूं! आप तो आशीर्वाद दीजिए कि यह तीर्थयात्रा निकट-भविष्य में मैं फिर कर सकूं।

आशा है आप सानन्द हैं। बच्चा अब अच्छा हो रहा है।

सेवक

सियारामशरण

[4]

चिरगाँव (झांसी)

12.6.57

पूज्यवर दादा,

सादर प्रणाम। जब आपका स्नेहभरा पत्र चिरगाँव पहुँचा. तब मैं बाहर था। लौटा तो हलका-सा इन्फ्लुएंजा हो गया। अब ठीक हूं, पर इसकी पूंछ के

थपेड़े में भी कुछ विष रहता ही है। अस्तु !

आपके पत्र की मुझे कुछ प्रतीक्षा करनी पड़ी। पर मैं जानता हूँ कि आप मुझ पर कितना स्नेह रखते हैं। इसलिए वह प्रतीक्षा मेरे लिए भगवान् की प्रार्थना बन सकी कि आप शरीर से स्वस्थ हों। आपके स्वास्थ्य के सम्बन्ध में इधर प्राय: चिन्ता रहती है। पर इस स्थिति में भी आप हम लोगों को बहुत-कुछ दे रहे हैं और देते जा रहे हैं। इधर आपकी नई कविताएँ पत्रों में पढ़ने को मिलती हैं और उनसे यह नहीं जान पड़ता कि आप अस्वस्थ हैं। भगवान् की कृपा !

श्री श्रीकान्तजी जोशी ने आपकी कुछ नई कविताएँ कापी करके भेजी हैं। कुछ अन्य सामग्री का सुझाव भी उन्होंने दिया है। लाभ उठाऊँगा। चाहता हूँ, आपकी 'कविश्री' की संख्या आपके अनुरूप बन सके।

मैं ढाई महीने अस्पताल में रह आया, पर यह कोई नई बात नहीं हुई। वहाँ से लौट आना आप-जैसे गुरुजनों की असीस के कारण ही सम्भव हो सका। लौट आया हूँ तो कुछ सेवा भी कर सकूँ, यह आशीर्वाद भी दीजिए।

पूज्य दद्दा की नई कविता आपको रुची, जानकर सन्तोष हुआ। महाप्रभु चैतन्य की पत्नी श्री विष्णुप्रिया के सम्बन्ध में इधर उन्होंने कुछ लिखा है। वे आपको सप्रेम नमस्कार कह रहे हैं।

शेष शुभ—

विनीत

सियारामशरण

श्री सि॰ मा॰ आगरकर

कर्मवीर आफिस, खण्डवा (सी॰ पी॰)

26.2.26

सादर प्रणाम !

आपके 2-3 पत्र आये। रुपया 650 पहुँच गया। मैं आज जवाब दे रहा हूँ। अंक निकल गया है, अभी (12 बजे) फारिग हुआ हूँ। आपको इसी पत्र के साथ कल का अंक भी मिल जायेगा—डा॰ सरजूप्रसाद के साथ जानबूझकर (······) की गई है—उसका उत्तर आज के अंक में जा रहा है। दोनों चीजें एक ही व्यक्ति की लिखी हैं। इस व्यक्ति ने डा॰ साहब की तारीफ के पुल 'माधुरी' आदि पत्रिकाओं में बाँध दिये हैं। आपको इतने से सन्तोष हो जायेगा। विशेष भेंट में।

सूरजमल बाहर से आया और इन्दौर चला गया। म॰ भा॰ की छपाई का हिसाब दिसम्बर से नहीं हुआ था। लगभग 150 रु॰ छपाई के देने थे। मैंने सुदामा

(……) को भेज दिये, कुछ मशीन के नौकरों को दे दिये। मार्च से 10 रु० मासिक पर मशीन लिखवा ली, 'सूरजमल के दस्तखत करा लिये। फरवरी मास तक की छपाई की कुल रसीदें ले लीं। अब मानिकलाल मशीनमैन और लछमन तथा दूसरे टर्नर को मार्च मास से कर्मवीर से ही वेतन मिलेगा। यह योजना आवश्यक थी। इसमें खर्च कुछ अधिक होगा, पर हम स्वाधीन होंगे। सुदामा को 200 रु० भेजे। आज 125 रु० झाँसी भेज रहा हूँ। 100 रु० का वन्निक टाइप खरीद लिया। गैलीज और कटर वगैरा भी मार्च में ही खरीद लूंगा। इस तरह म० भा० की एक भी चीज कर्मवीर के काम में नहीं लायी जाएगी। म० भा० का (……) अवश्यंभावी है, एक मास या दो मास में फैसला हो जावेगा। यही सोचकर टाइप-गैली आदि का प्रबन्ध आवश्यक था।

मशीन वाले के जवाब का आज तक इन्तजार किया। अभी तक जवाब नहीं आया। (……) की मशीन अगर न मिली तो (……) के लिए ही आर्डर दूंगा। मार्च 15 को हुण्डी भेजनी होगी 1000 रु० की। एक मास के बाद बाकी के 2000 रु० देने होंगे। जैसे बने, मशीन तो लेना ही होगी।

ग्राहक विभाग गत दो महीनों में बिलकुल ठण्डा रहा। दिसम्बर के बाद से ही ठण्डा समझिए। उसे इस अंक से फिर जीवित कर रहा हूँ। अप्रैल से तो सब बातें अपने आप नार्मल (……) हो जाएँगी, पर मार्च (……) का मास ही ज़रा खराब बीतेगा। लाहौर वाले विज्ञापनों के 150 रु० अभी तक नहीं आये। आज रजिस्टर्ड नोटिस दिया है। अगले सप्ताह अदालत में नालिश कर दूंगा। इसके सिवा और कोई उपाय दिखाई नहीं देता। रकम के न आने से बड़ी अड़चन उपस्थित हो गयी थी। अगर आपके पास से तार द्वारा 100 रु० न आते तो बड़ी तकलीफ होती।

देवीकिशन बाहेती के यहाँ सनावद में परसों पुत्र-जन्मोत्सव था। आपके लिए तार देने वाले थे। मैंने कहा, मैं दे दूंगा। सनावद मैं भी जा न सका। पेपर छाती पर था। उनका रुख देखकर ही मैंने आपको तार देने अथवा स्वयं जाने की विशेष चिन्ता नहीं की।

आपका यहाँ आना जरूरी है, पेपर के लिए और (……) के लिए भी। परन्तु पूरा काम किये बिना मत लौटिए। मैं रात-दिन मशीन (……) की चिन्ता में रहता हूँ। पाई-पाई बटोर रहा हूँ, पर इन दो महीनों में ग्राहक विभाग इतना बिगड़ गया कि जिसकी हद नहीं; 300 रु० के स्थान में 100 रु० मुश्किल से आये। इसका एक कारण यह हुआ कि मशीन कि फिट करने के कारण काफी तादाद में पत्र छप ही नहीं सका और इसीलिए गत 3 सप्ताहों से (……) नहीं भेजा गया। उसका परिणाम स्पष्ट दीख रहा है। इस बार 2000 छापा है। आगे मार्च मास भर इतना ही छपवाऊँगा। हर बार 200 सैम्पल (……) ले जाना

ही चाहिए। अब मशीन किराये पर हो गयी है अतएव अगर हम ज्यादा भी छापें तो हमें नुकसान नहीं, उल्टे लाभ ही है। 50 रिम कागज 40 पौण्ड वाला मँगवा लिया है। 3 मास तक चलेगा।

ग्राहकों की एक ही शिकायत है—छपाई। हम लोग बिलकुल थर्ड क्लास (······) मैटर इन दिनों दे रहे हैं पर ग्राहक तब भी प्रसन्न हैं। उन्हें छपाई अच्छी चाहिए। मैं इसी मशीन पर एक प्रयोग और कर रहा हूँ। विलायती (······) 50 पौण्ड साढ़े 62 का मँगवा रहा हूँ। इसी के रूलों से छपाई करूँगा। यहाँ कानी पेठ है, पुर्जे नहीं ढलते, अन्यथा यही मशीन बढ़िया हो जाती। आशा है कि मार्च में सभी अंक अच्छे निकलेंगे।

मैंने पिछले दिनों खूब अच्छी तरह देख लिया कि हम लोगों के बाहर जाने से बड़ी हानि होती है। दिसम्बर की हानि भी अभी तक पूरी नहीं हुई है। आगामी मार्च में खूब प्रयत्न करने का विचार है।

इन्दौर रुपया 15 भेज दिया। आज जमना घर जा रहा है, उसके हाथ 25 रु० भेज रहा हूँ।

जमना[1], झब्बू[2] और रामगोपाल[3] बिलकुल फुटबाल-से हो रहे हैं। इन दिनों इनके स्वास्थ्य ने विशेष तरक्की की है। एक बोरा गेहूँ और आधा बोरा चावल आपकी कोठियों में भरवा दिया है—उसे खाकर मस्त हो रहे हैं।

होली के विहगावलोकन पर आप अपनी स्पष्ट रूखी-राखी सम्मति जरूर लिखिए। श्री सप्रेजी से सादर वन्दे!

आपका

सि०

[कर्मवीर के जबलपुर के बाद पुन: खण्डवा से निकलने पर संभवत: यह माखनलालजी के सहयोगी श्री सि० मा० आगरकर का पत्र है।—सं०]

पं० काशीप्रसाद पाण्डे

सिहोरा रोड (ई० आई० आर०)

14.4.26

श्रद्धेय चतुर्वेदीजी, सादर प्रणाम!

आपका कार्ड मिला। मैं तार द्वारा अपने खड़े होने को घोषित कर चुका हूँ। नरसिंहपुर और मंडला का चक्कर भी लगा आया हूँ। कल ही दमोह जा रहा

1. 1, 2, 3 प्रेस के तीन कर्मचारियों के नाम हैं।

हूँ। नरसिंहपुर और मंडला में मेरी ओर बहुत सहानुभूति है, वहाँ मुझे अधिकांश वोट मिलने की संभावना है। एक सप्ताह के भीतर ही खण्डवा भी पहुँच सकूँगा। मैं आपके रहते हुए खण्डवा आने की आवश्यकता तो नहीं समझता था परन्तु अन्य लोगों को ठीक रखने के लिए अवश्य आऊँगा।

एसेम्बली के कैण्डिडेटों के सम्बन्ध में यहाँ के लोगों का कहना है कि 5000 रु० मिले हैं। उन्हीं रुपयों से एक अर्द्ध-साप्ताहिक पत्र भी लक्ष्मणसिंह जी के सम्पादकत्व में निकाला जाने वाला है। पत्र का नाम बहुत करके देशबन्धु होगा। मुझसे कर्मवीर में छापने के लिए कहा था परन्तु मैंने स्पष्ट उत्तर नहीं दिया।

सेठ जमनादासजी का मेनिफेस्टो निकल गया है। आश्चर्य की बात है, इस पर 'दी ऑनरेबिल बाबू गोविन्ददास' जी के हस्ताक्षर हैं। क्या ही घरेलू समझौता है! एक ओर तो बाबू साहेब कहेंगे कि कांग्रेस के उम्मीदवारों को ही वोट दो, और दूसरी ओर जमनादासजी की सहायता करेंगे जो कि कांग्रेस से कोसों दूर भागते हैं। यदि पाप किया है तो मैंने ही, जिसने रुपये देकर सीट नहीं खरीदी।

बाबू गोविन्ददासजी से की मुझसे बात हुई थी। मैंने उनसे कहा कि शुक्लजी ने आपको नेता बनाया, अब आप उस ऋण को चुकाइये और मुझे आगे बढ़ने में सहायता कीजिए। उत्तर मिला, तीन वर्ष ठहरिये। उनके विचारों में, मुझमें न उतनी योग्यता है और न उतना चरित्र है जितना कि उनके उम्मेदवारों में हैं।

केलकर साहब की भी माया विचित्र है। सुनते हैं कि उनने भी एक लम्बी थैली का प्रयोग किया है। कांग्रेस कमेटी उनकी सहायता करेगी। यदि उन्हें अपना उम्मीवार न बनावेगी तो किसी को उनके प्रतिकूल भी न खड़ा करेगी। मेहताजी और वे भविष्य के आनरेबिल हैं, ऐसा स्पष्ट शब्दों में कहा जा रहा है। जिन्हें मैं चरित्रवान् समझता था वे चरित्रहीन हैं। जिन्हें जनता स्वार्थ-त्याग की मूर्ति माने बैठी थी वे स्वार्थान्ध हैं। ऐसी राजनैतिक परिस्थिति कभी भी उपस्थित नहीं हुई।

अब आवश्यकता इस बात की है कि जो सिद्धान्तों से डिगे नहीं हैं, वे गला फाड़कर चिल्लावें या तो जनता उनकी बात सुनेगी या उनके गले में फिर अन्याय रोकने की सामर्थ्य ही न रह जायेगी। इतना सन्तोष ही रह जायेगा।

आपका

काशीप्रसाद पाण्डे

[2]

जबलपुर

18.6.26

श्रद्धेय चतुर्वेदी जी, सादर प्रणाम!

मैं आपसे मिलने के लिए स्वयं खण्डवा आने वाला था, किन्तु कुछ झंझटों के

कारण मैं सिहोरा से बाहर निकल ही नहीं सकता। भावी चुनाव के सम्बन्ध में मुझे आपकी सम्मति लेना था। प्रान्त की राजनैतिक स्थिति इतनी सन्देहमय है कि कुछ भी कर्त्तव्य स्पष्ट नहीं प्रतीत होता। स्वर्गवासी सपरेजी (सप्रे) के न रहने के कारण मैं और भी चिन्तित रहता हूँ। बिना उनके और आपके मत लिये मैं सिहोरा-कटनी से आगे बढ़ना नहीं चाहता। पग-पग पर मुझे सपरे जी का न रहना खटकता है। सी० पी० में आते ही जिस स्तम्भ के आधार पर मैं आश्रित था, वह भग्न हो गया। आशा इस बात की थी कि जिन पाँच व्यक्तियों के नाम पर उनने मुझे छोड़ा था, वे रहेंगे, परन्तु उन्हीं में वे चल बसे। कुछ राजनैतिक-विचार ऐसे बदल गये हैं कि इनसे किसी बात की आशा करना व्यर्थ है।

स्वराज्य दल के मेरे नये कार्य ऐसे हैं कि वे मुझे अपने स्वार्थ के कारण मेरी राजनैतिक समाधि तैयार करने के लिए सदा उद्यत रहते हैं। ऐसी मेरी परिस्थिति है। अब तक जिस बात से मैंने समझा कि देश का भला होगा, वह मैंने निर्भीकता-पूर्वक किया। स्वराज्य दल के विरुद्ध मैंने अपना चुनाव कराया। परन्तु कौंसिल में मैंने स्वराज्य दल का पूरा-पूरा साथ दिया। जिन्हें न डिगना चाहिए था, वे ही डगमगाने लगे। परन्तु सात-आठ व्यक्तियों के साथ मैं विरोध ही करता गया और अन्त में सिद्धान्तों को कायम ही रखा। आप स्वयं मेरी बातों से पूर्णतया परिचित हैं।

एसेम्बली के लिए मैं खड़ा होना चाहता हूँ। डिस्ट्रिक्ट कांग्रेस कमेटी के कार्य पर मैंने मि० राव इत्यादि के मना करने पर भी हस्ताक्षर कर दिया। परन्तु बाबू गोविन्ददासजी के पत्र से मालूम होता है कि वे सब कार्य रद्द कर दिये गये। वे दुबारा मुझसे हस्ताक्षर कराना चाहते हैं। अन्तिम जबलपुर की मीटिंग में उनने मेरे विपक्ष में और पं० द्वारकाप्रसाद मिश्र के पक्ष में एसेम्बली के लिए अपना वोट दिया था। 'प्लेज' के अनुसार मैं बाद को खड़ा भी न हो सकूँगा। बाबूजी के विरोध के कारण मैं कुछ आशा नहीं कर सकता। जब वे मुझे मिश्रजी से भी अयोग्य समझते हैं तो दूसरों के सामने वे मेरा नाम भी लेना पाप समझेंगे। इसलिए मुझे इस बात का सन्देह है कि कहीं मेरे हस्ताक्षर करा के दूध की मक्खी की तरह बाहर न फेंक दें। मेरे कई मित्रों का भी ऐसा ही सन्देह है।

'प्लेज' पर हस्ताक्षर करके आपके पास भेजता हूँ। यदि एसेम्बली के लिए वे मुझे खड़ा करें तो आप इसे प्रकाशित कीजियेगा, नहीं तो अपनी जेब ही में रहने दीजियेगा। आपके अतिरिक्त मेरा अब और कोई इस प्रान्त में नहीं है। यदि मुझे आगे बढ़ा सकते हैं तो आप ही, बस।

प्रान्तीय कौंसिल के लिए यदि मुझे खड़ा होना है, तो स्वतन्त्र खड़ा होऊँगा। परन्तु मेरे राजनैतिक विचारों में परिवर्तन न होगा। स्थानीय स्थिति ऐसी है कि स्वतंत्र खड़े होने में मुझे बहुत कम झंझट होगी।

कृपा करके कमेटी के अन्य मेम्बरों में भी पत्र-व्यवहार कर लीजिए।

आपका

काशीप्रसाद पाण्डे

[3]

5.8.26

श्रद्धेय चतुर्वेदी जी, सादर प्रणाम !

कांग्रेस पार्टी ने चाहे जिस कारण से हो, मेरे साथ विश्वासघात किया। इस आघात का मेरे हृदय पर भारी घाव लगा है। मैं तो बिलकुल 'किंकर्त्तव्य-विमूढ़' सा हो रहा था कि आपका तार पहुँचा। आपके आश्वासन से हृदय में शक्ति आई कि अभी निराश होने की कोई ऐसी बात नहीं है। सच तो यह है कि यदि आप कांग्रेस पार्टी में न होते तो मैं क्रीड पर कदाचित् ही हस्ताक्षर करता।

गत कांग्रेस की बैठक में बाबू गोविन्ददास जी को ऐसा सुझाव दिया गया कि मैं राव-पार्टी में सम्मिलित हो गया हूँ और सिहोरा-कटनी से खड़ा करने के लिए सेठ ताराचन्द जी को लाया हूँ जो श्री श्यामजी के यहाँ बसा दिये गये हैं। लोगों में इस प्रकार का भ्रम फैला देने से मेरा पक्ष न लिया गया और बाबू द्वारकाप्रसाद चुन लिये गये। दूसरे सज्जन कुन्दनलालजी (5000 रु०) पाँच हजार रुपये देकर असेम्बली की सीट खरीदने वाले हैं। सौदा पक्का हो चुका है। उनका नाम अभी वोटर्स लिस्ट में नहीं है। अतएव समाचार-पत्रों में उनके नाम की सूचना नहीं निकाली गयी। 'वोटर्स लिस्ट' में उनका नाम आते ही कांग्रेस पार्टी 5000 रु० के प्रलोभन से उनका साथ देगी। इस प्रकार द्रव्य के लोभ से बदलने वाला राज-नैतिक जीवन प्रान्त को कहाँ तक हितकर होगा, आप स्वयं अनुभव कर सकते हैं।

श्री राव की पार्टी का कहना है कि मैं उनकी पार्टी की ओर से असेम्बली के लिए खड़ा हो जाऊँ किन्तु मेरा और उनका जो राजनैतिक जीवन का सम्बन्ध रहा है, उससे मेरा हृदय उनके 'क्रीड' पर हस्ताक्षर करने के लिए राजी नहीं होता।

कांग्रेस पार्टी के मेहता आदि की सहानुभूति मेरे साथ अवश्य है किन्तु वे बाबू गोविन्ददासजी को अप्रसन्न नहीं करना चाहते, क्योंकि उनसे आर्थिक सहायता मिलने की आशा है। ऐसी परिस्थिति में प्रान्त के राजनैतिक जीवन को कलुषित होने से बचाना तथा कांग्रेस की प्रतिष्ठा बनाए रखना आपके हाथ है। अतएव आपसे प्रार्थी हूँ कि मुझे ऐसी कठिन परिस्थिति में उचित परामर्श दीजिए और मुझे ऐसी अवस्था से बचाइये कि मैं दोनों ओर से जाऊं।

कृपया पत्रोत्तर शीघ्र दीजिए।

पुनश्च—

मेरे पास सूचना आयी है कि पूज्य मालवीयजी इस प्रान्त का दौरा करने वाले हैं। ता० 9 अगस्त को बिलासपुर, 10 को रायपुर, 11 को नागपुर और 12 को जबलपुर। बहुत करके मुझे उनके साथ दौरे पर जाना पड़ेगा। वे किस उद्देश्य से दौरा कर रहे हैं, इसका मुझे अभी तक पता नहीं चला।

विनीत

काशीप्रसाद पाण्डे

श्री रामनाथ 'सुमन'

सस्ता साहित्य मण्डल, अजमेर

25.5.28

आदरणीय चतुर्वेदीजी,

आपका पत्र मिला। मुझे पत्र लिखते समय कृपा-पत्र, आज्ञा जैसे शब्दों का प्रयोग आप क्यों करते हैं। इससे मैं बड़े संकोच में पड़ जाता हूँ। मैं आप से इतना छोटा हूं कि आप तो मुझे आप भी न लिखकर उसी मधुर 'तुम' शब्द से ही सम्बोधित किया करें तो अधिक शान्ति और सुख मिले।

'विनय'[1] क्या रूठेगा मुझसे। मेरे पास ऐसा कुछ है नहीं, जिसके कारण कोई 'रूठेगा'। रूठने की मधुरता चखने के लिए मैंने यों ही उसे लिख दिया था। हाँ, अतिरेक कह सकते हैं—क्योंकि हम बड़े तुच्छ हैं, अपनी वेदना की डौंडी बाजार में पीटते फिरते हैं, क्रय-विक्रय हो रहा है। मैं तो उनके आगे अपने को बहुत तुच्छ समझता हूँ जो मुँह से बोलना नहीं जानते। दूसरे, उससे अधिक पूर्ण भाषा में बोलते हैं। पर मैं आपको बतलाऊँ, मेरे अन्दर जो कुछ है, उसे छिपाने, जनता को धोखा देकर ध्यान दूसरी ओर करके उसे सुरक्षित रखने के लिए ही मैंने साहित्य का यह छिछला आवरण ओढ़ रखा है। मुझे सन्तोष है, इसमें सफल हुआ हूँ। इतने पर भी कभी-कभी बड़ी क्रान्ति होती है, विष में बड़ा आकर्षण मालूम पड़ता है। आत्म-विनाश में भी एक स्वाद है, एक गूँज है। कभी-कभी मैं सोचता हूँ साहित्य, समाज और देश के ऊपर भी कुछ है। उसके लिए इन तुच्छ बन्धनों को तोड़ देना चाहिए। राजनीति और साहित्य का क्षेत्र कितना विषाक्त है। बड़ी-बड़ी बातें हैं पर इन बातों के बीच आत्मा की साँकल जैसे टूटती जा रही है। मुझे तो कभी-कभी हिन्दू, भारतीय, हिन्दी भाषा-भाषी कहने में भी शर्म आती

1. संभवत: श्री विनयमोहन शर्मा।

है, अपूर्णता मालूम पड़ती है। हम सीधे मनुष्य जैसे सादा जीव ही क्यों न बनें? मनुष्य की इतनी भाषाएँ क्यों? मुझे तो दु:ख जैसा पवित्र करने वाला कोई पदार्थ दिखाई नहीं देता। 'आस्कर वाइल्ड' की ये पंक्तियाँ मैं रटा करता हूँ— "व्हेअर देअर इज सारो, देअर इज होली ग्राउण्ड; सम डे मैन विल अण्डरस्टेण्ड इट।"

अतिरेक हो जाता है—बोलना नहीं चाहता, फिर भी वे शब्द निकल ही जाते हैं। कुछ लोग आग को कुरेदते ही रहते हैं—उन्हें सुख इसी में है कि चिनगारियाँ निकलती रहें, इसीलिए आग बुझती नहीं। चुप नहीं होती। मित्र मेरे कलेजे की भयंकर कविता निकालने को सदैव कटिबद्ध रहते हैं। इसलिए ध्यान भंग हो जाता है—साधना बोलने लगती है। मैं स्वयं ही इसे अनुभव करता हूँ और इसे अनुभव करके ही एक बार मैंने छटपटाकर लिखा था—

"विस्मृति की यह सुरा जरा सा और भरो ऐ प्राणी!
रह न जाय जिसमें दूषित दुनिया की कहीं निशानी।
एकाकार विनाश और जीवन का यों हो जावे—
जैसे बिन्दु अगाध गोद में प्रियतम की मिल जावे॥

क्या करूँ? मैं तो साहित्य, समाज राजनीति की दुनिया से दूर कहीं उजड़े स्थान में बैठकर पौधों और फूलों, पहाड़ों और नदियों से बातें करते हुए जीवन के दिन पूर्ण कर देना चाहता हूँ। उनकी भाषा मनुष्य की दूषित भाषा से कहीं निर्दोष है, वे सब सामने रख देते हैं, छिपाते नहीं। कई बार झोली उठायी कि चल दूँ, उत्तराखण्ड के एकान्त जंगलों और पर्वतों में रमता फिरूँ, पर माँ रोने लगती है। उसके आँसू में सब्र बह जाता है। मैं सम्बन्धियों में केवल उसी के आगे सिर नहीं उठा सकता—स्नेह से दबा हूँ। सोचा था कि जब वह न रहेगी, झोली उठाकर निकल पड़ूँगा। बचपन से वेदान्त और योग में प्रवृत्ति है। आध्यात्मिकता ने मुझे पकड़ रखा है पर अब माँ का स्नेह इतना दुर्बल बना चुका है कि वह निश्चय मन्द होता जाता है, न जाने क्या होगा। मुझे तो दुनिया से बड़ा भय लगता है। डरता हूँ कि जो कुछ रसों का संबल बचा है, उसे भी वह छीन न ले। हाय! यदि मनुष्य वही कर सकता जिसे चाहता है तो कितना अच्छा होता।

अधिक क्या लिखूँ—मन की अवस्था ऐसी नहीं। आज शरद्पूनो है, देखें, क्या बीतती है!

गद्यकाव्य दूसरे अंक में जा रहा है। तीसरे अंक के लिए क्या कुछ न भेजेंगे? कृष्णाष्टमी को कोई कविता आपने लिखी ही होगी। पत्र का उत्तर देंगे।

स्नेह का भूखा
'सुमन'

(पुनश्च—हरिभाऊजी डेढ़ मास के लम्बे दौरे से अभी तक नहीं लौटे हैं। शायद

दो-चार दिन में आ जायें। मीरा बहिन (मिस स्लेड) आयी थीं, वे बिजोलिका गई हैं। इसलिए वे भी वहाँ रुक गए। अन्यथा आ जाते।)

(उक्त पत्र का श्री माखनलाल चतुर्वेदीजी द्वारा दिया गया उत्तर)

श्रीगोपाल

कर्मवीर-कार्यालय, खण्डवा

आषाढ़-कृष्ण 8,85 त्रि०, 10.6.28

प्रियवर,

आपका कृपा-पत्र मिल गया। विनयमोहन जी की कैफियत इस पत्र के पूर्व मिल चुकी होगी। मेरे अपने विचार से तो जो तरुण अपने आपको बिंबवादी, रहस्यवादी, छायावादी और न जाने किन-किन वादियों में बाँट रहे हैं और आपस ही में एक-दूसरे के आचार्य होने की कोशिश में हैं, वे स्वतः नहीं जानते कि वे क्या कर रहे हैं। नवीन युग की नींवों की इन कंकरियों को मन्दिर के कँगूरों पर शोभित होने का लालच है, यदि ये यह छोड़कर चुपचाप मिल-जुलकर क्रान्ति पर समर्पित हों तो युग अपने आप इनमें से आचार्य को ढूंढ़ लेगा। हर सेनापति को तो सैनिक-रहित ही रहना पड़ेगा। मुझे नये से नया नवीन युग का स्वप्न देखने या औरों के स्वप्नों का अनुकरण और नकल करने वाला, अपना सैनिक मानें, मैं आज्ञाओं का पालन कर दूंगा। पहले इस छोटे से घर में आपस में होने वाली तू-तू मैं-मैं को संघ का महत्त्व जता लीजिये, फिर बाहर बाण छोड़िये।

युग तो आप लोगों का आ पहुँचा है। इसका कोई शक्ति सामना न कर सकेगी। परन्तु आज तो आपके दायें-बायें की विभूतियाँ दम्भ का सामना, अज्ञान को सामने रखकर कर रही हैं। जरा इन्हें समझ लीजिये। इन बे-मूंछों का आचार्य एक-दूसरे को कोस रहा है। आपस की सिविल-वार वाली सेना से आप आडम्बर पर आक्रमण करने जा रहे हैं। भगवान् आपको बल दे।

संगठन मैं स्वयं पसन्द करता हूँ। उसी तरह जिस तरह मनुस्मृतियों के समुद्र में फेंक दिये जाने पर भी सद्गुणों और सत्कारों की चाह जिन्दा रखने में ललचता रहना चाहूँगा। मेरे बोलने से नवीन युग की हानि न होगी, शायद लाभ होगा, यही आपकी भावना है। आपकी आज्ञा का समय की माँग शायद कभी पालन करा लेगी। पर मेरे मौन से आपको हानि कैसे पहुँचेगी? मैं बोलता तो हूँ ही, किसी-न-किसी रूप में बोलता ही रहा हूँ। आबरू खो-खोकर और प्रतिध्वनि के सिवा कोई सुनने वाला न होने पर भी, बोलता ही रहा हूँ। किन्तु जो कुछ बोलता रहा हूँ उससे जो कुछ न बोला वह बहुत था। कितने ही स्वप्नों की हत्या का पुण्य कमा चुका हूँ। और कमाने का लालच अभी भी है, इसलिए कि कुछ

तो अपने पतन की कीमत तक पर, जिस डाली पर, मैं और वे बैठे थे बिना जाने काट रहे थे और कुछ घुटनों के बल चल रहे थे। उनके बीच बैठकर क्या बोलता ? आज जिस तरह मुंह खोलने की बात आप कह रहे हैं, वह किस बूते हो ? यदि आप यह विश्वास कर सकें कि कम से कम घर में तो आपका स्वर संयुक्त हो सकेगा तो मुझे लिख भेजिये। मैं अन्तःकरण की गरीब आबरू को एक बार और बाजार में रख दूंगा। वह है ही कितनी-सी ? गरीब को अपनी एक दिन की मजदूरी दे देने में देर नहीं हुआ करती। वह तो बड़ों की बातें हैं जहाँ ब्याज का अंश भी बाजी पर नहीं रखा जाता। जरा अपने शिल्पियों को भी समझाइये। स्वप्नों की कल्पना मात्र को लिखने न दौड़ पड़ें—पूरा स्वप्न ही लिखें। नकल या अनुकरण भी स्वप्न देखने की सामर्थ्य रखकर ही करें।

कर्मवीर आपके उद्योगों से दूर नहीं रहेगा। विनयमोहन जी की शिकायत है कि वे अपने बाग के छोटे और दूषित पुष्पों वाले गुलाबों की कलम कर देने का कष्टमय धन्धा करते भले ही रहें, पर आपका स्वर, नवीन युग की ध्वनि, नीचे नहीं गिरेगी।

पता नहीं, मेरा यह लम्बा पत्र आपको दुख देगा या और कुछ ! भाई गणेश जी ने क्या उत्तर दिया ? शेष कुशल।

आपका अपना

श्री रामनाथ 'सुमन' माखनलाल चतुर्वेदी

श्री सुन्दरलाल

[1]

56 चक, इलाहाबाद,
27.3.29

प्रियवर माखनलाल जी !

मेरी किताब 'भारत में अंग्रेजी राज्य' जिसके तैयार करने में पिछले तीन साल खर्च हुए, 18 मार्च को प्रकाशित हो गई। 18 और 19 को बाहर की वी० पी० रवाना हुई, जो करीब एक हजार रही होगी। 20 को कुछ 'उपहार' की कापियाँ, कुछ समालोचनार्थ और कुछ वी० पी० और रवाना की गयीं। उन्हीं में एक तुच्छ भेंट आपके नाम भी थी। उसी दिन अकस्मात् पारसल डाकखाने में रोक लिये गये। 22 मार्च को प्रान्तीय सरकार की ओर से आज्ञा निकली कि किताब जब्त कर ली गई। 23 तारीख के यू० पी० गजट में यह आज्ञा प्रकाशित हो गई। दो हजार का पहला संस्करण था जिसमें से कहा जाता है कि करीब

138 पारसल डाकखाने में रोके गए और छः या सात कापियाँ पुलिस को चाँद कार्यालय में मिलीं। खैर, जो कुछ हुआ, अच्छा हुआ। अब आगे के काम की तैयारी करनी है।

कई महीने हुए आप यहाँ आये थे। दुर्भाग्यवश मैं घर पर न था। शाम को विशम्भर से मालूम हुआ। यह भी मालूम हुआ कि रात की गाड़ी से आप जाने वाले हैं। मैं स्टेशन पर गया और आप नहीं मिले। शायद आप अगले दिन सुबह की गाड़ी से गये होंगे। खैर, मेरे उस दिन की अनुपस्थिति के लिए क्षमा करना, और यदि फिर कभी इलाहाबाद से जाने-आने का मौका हो तो मुझे जरूर इत्तला दीजियेगा। शेष प्रेम।

आपका भाई
सुन्दरलाल

[2]

56 चक, इलाहाबाद
24.3.30

प्यारे भाई,

यदि आप अहमदाबाद इत्यादि से लौट आये हों, तो कृपया तुरन्त लिखिये कि कहाँ क्या बातचीत हुई और कैसा किस तरह काम चलेगा। मुफस्सिल हाल बातचीत का[1] भी और फैसले का भी लिखिये और तुरन्त। पत्रों में यह तो पढ़ा था कि बापूजी ने चराई के सत्याग्रह को मना किया है, किन्तु ठीक-ठीक समझ में नहीं आया कि क्यों और उनसे मिलने कौन-कौन गये थे। नमक···तो अच्छा है ही, पर तीनों प्रान्तों का क्या हुआ।[2] इत्यादि।

उत्तराभिलाषी
आपका भाई
सुन्दरलाल
[तपस्वी सुन्दरलाल]

1. महात्मा गांधी से हुई बातचीत का हाल।
2. वाक्य स्पष्ट नहीं हैं, पर संदर्भ 'नमक-सत्याग्रह' का प्रतीत होता है।

मालवीप्रसाद श्रीवास्तव

[1]

श्रीराम

कायस्थपारा, रायपुर,
17.5.29

पूज्य पंडितजी, सादर प्रणाम !

सप्रे महाराज के फोटो-ब्लाक के लिए मैंने पंडित नरदेव श्री शास्त्री, वेदतीर्थ देहरादून को पत्र लिखा था। उन्होंने लिखा कि उनके पास नहीं है—दोनों ब्लाक माधुरी-कार्यालय में मिल सकेंगे। तदनुसार मैंने माधुरी-सम्पादक को पत्र भेजा। अब वहाँ से उत्तर मिला है कि ब्लाक उनके यहाँ भी नहीं हैं। बड़ी कठिनाई उपस्थित हो रही है। आप कृपापूर्वक श्री दुलारेलाल भार्गव को व्यक्तिगत पत्र लिख दीजिये कि यदि ब्लाक उनके पास हों तो रजिस्ट्री द्वारा मेरे पास रायपुर भेज दिये जायँ। लखनऊ से मुझे ब्लाक मिलना ही चाहिए, ताकि आगे की कार्रवाई की जाय। देहरादून-सम्मेलन नवम्बर 1924 में हुआ था, उसी समय फोटो लिये गये थे।

भाई लोढ़ेजी को प्रेमपूर्वक प्रणाम। उत्तर दीजिये।

आपका दास
मा० प्र० श्रीवास्तव

[2]

स्वागतकारिणी-समिति कार्यालय, रायपुर
10.4.1930

पूज्य पंडित जी, सादर प्रणाम।

रायपुर के स्वेच्छाचारियों ने मुझे जबरदस्ती इस सम्मेलन की स्वागत-कारणी समिति का मन्त्री बना दिया। लाचार होकर मुझे स्वीकार करना पड़ा। होना है प्रान्तीय-सम्मेलन और निश्चय हुआ है कुल सात दिनों के पहले।

अस्तु, इतने थोड़े समय में जो कुछ हो सकेगा, करूँगा।

स्वागतकारिणी समिति आपको धन्यवाद देती है कि समय कम और कार्य अधिक रहने पर भी आपने सभापतित्व स्वीकार कर हमारी लाज रख ली। मुझे राजनैतिक परिषद का प्रचार-मन्त्री भी बना दिया है। प्रेस का भूत-कारखाना भी साथ लगा हुआ है। अभी 15-20 दिनों तक मैं बाल-बच्चों सहित इन्फ्लुएंजा से पीड़ित था। फिर भी परिषद अत्यन्त सफल होगी, ऐसी मुझे आशा है। कृपापूर्वक यह सूचित कीजिये कि आप यहाँ किस तारीख को किस ट्रेन से पहुँचेंगे ? यदि

सूचना तार के जरिये मिले तो बड़ी कृपा हो।

खेद है कि समयाभाव के कारण आपका भाषण वितरण के लिए छपाया न जा सकेगा। यदि हस्तलिखित प्रति आपके पास तैयार हो, तो प्रान्त का बड़ा उपकार हो। वि० वि०।

आने की सूचना तार से अवश्य दीजिये।

आपका सेवक

मा० प्र० श्रीवास्तव, मन्त्री

श्री श्रीराम शर्मा

चना का खेत, टिहरी (गढ़वाल) के०/आ० 'हिन्दू संसार',

नया बाजार,दिल्ली

10.6.29

श्री चतुर्वेदीजी, प्रणाम !

आपका 18.5.29 का कार्ड 8.6.26 को गाँव में मिला। मेरा खयाल था कि आप मुझे भूल गये। पं० नरदेव शास्त्री से आपकी कुशल मिली थी और माँ से तो आपका सब समाचार मिला। आपकी पुस्तक की पाण्डुलिपियाँ चुरा ली गयीं—यह जानकर बड़ा दुःख हुआ। ग्यारह वर्ष के परिश्रम का फल चोरी और वह भी रुपया-पैसे की चोरी नहीं, ठोस साहित्य की चोरी। (यहाँ फटा है) से लिखता हूँ। पं० झाबरमल जी के साथ अपने गाँव से यहाँ आया हूँ। कल गाँव को लौट जाऊँगा।

हाई स्कूल की हैडमास्टरी तो मैंने छोड़ ही दी थी। एक सेठजी के लड़के को पढ़ाता हूँ और कुछ पुस्तकें लिख रहा हूँ।

गत नवम्बर सन् 26 के 'हिन्दू संसार' केस की पैरवी में लगा था। स्वास्थ्य खराब हो गया है। खैर जीत हो गयी। प्रताप-केस के समाचार तो 'कर्मवीर में भी प्रकाशित होते रहे हैं। वहाँ भी जीत हुई, पर दरोगा पर मुकदमा न चलेगा।

हिन्दू संसार केस का बानी और पैरोकार होने का कारण पं० चक्रधर मुझ पर क्रुद्ध हैं। सेठ जी मेरे साथ हैं और मुझे छोड़ना नहीं चाहते। उन्हीं के काम से मैं कलकत्ता जा रहा हूँ। 15 जून तक चला जाऊँगा। पं० झाबरमलजी भी साथ होंगे। पं० झाबरमलजी नमप्कार कहते हैं—

साधुचरित महिमाभरित श्रीयुत हृदय-विशाल,
नमस्कार मम लीजिये, प्रियवर माखनलाल ॥

झाबरमल शर्मा

टोकू और पूजनीय माँ देहरादून हैं। अपने बच्चों को भी वहीं भेज रहा हूँ। कलकत्ता से एक महीने में लौटूँगा। पत्रोत्तर दिल्ली या कानपुर के पते से दीजिये।

आपकी चीज तिब्बती कंबल आगामी नवम्बर सन् 1927 तक आपके पास अवश्य भेज दी जावेगी। मैं भूला नहीं हूँ, इस वर्ष अवश्य भेज दूंगा।

आपका स्वास्थ्य कैसा है। एक महीने में एक कुशल-पत्र अवश्य डाल दिया कीजिये। अपनी ओर से मैं अब भूल न करूंगा। 'कर्मवीर' आता है। मेरे योग्य सेवा अवश्य लिखते रहिये। (फटा है)

श्रीराम शर्मा

जमनालाल बजाज

[1]

वर्धा

(संभवत: 1926)

भाई श्री माखनलाल जी, सप्रेम वन्दे !

आपके कार्ड से श्री सप्रेजी के देहावसान का समाचार जानकर चित्त को एक प्रकार का खेद हुआ। सप्रेजी जैसे सज्जन के उठ जाने से देश को क्षति होना स्वाभाविक ही है। श्री सप्रेजी के सम्बन्ध में सबसे अधिक गर्व की बात यह है कि आप मराठी भाषा-भाषी होते हुए भी हिन्दी की राष्ट्र-व्यापकता और उसकी आवश्यकता को समझकर उसकी सेवा में संलग्न रहे।

श्री सप्रेजी से मेरा व्यक्तिगत परिचय 20 वर्षों से, जब से 'हिन्दी-केसरी' नागपुर से प्रकाशित होने लगा था, है। उनके राष्ट्रीय विचार जानने के मुझे कई मौके मिले हैं। उनमें जो एक विशेषता मुझे दिखाई देती थी, वह थी -- उनकी सहन-शक्ति। विभिन्न विचार वालों तथा अन्य प्रान्त वालों से वे बहुत शीघ्र मिल-जुल जाते थे। उनका सारा रहन-सहन भी आदरणीय था। देश की वर्तमान दशा में उनका चला जाना असह्य है, पर ऐसी बातों में मनुष्य का कोई बस नहीं। मैं ईश्वर से प्रार्थना करता हूँ कि वह श्री सप्रेजी की आत्मा को शान्ति और सद्गति प्रदान करे और सप्रेजी के परिवार वालों को ऐसी शक्ति दे जिससे वे उनका स्थान ग्रहण कर सकें।

श्री सप्रेजी के परिवार को भी मेरी ओर से सहानुभूति भिजवा दीजियेगा।

जमनालाल बजाज

[2]

श्रीहरि

वर्धा (सी॰ पी॰)

प्रिय चतुर्वेदीजी,

आपका पत्र तारीख 23.1.3० का भाई गंगाबिसन के नाम का आज मेरे बम्बई से आने पर मिला। 26 तारीख को तो आपको भी वहाँ रहना शायद आवश्यक होगा। इसलिए आप यहाँ ता॰ 27-28 को आ जायँ तो ठीक होगा। आप अपने आने की सूचना दे देंगे तो सुभीता होगा। मेरा ता॰ 4-5 फरवरी तक यहाँ रहने का विचार है।

भविष्य काम के बारे में बात करना है।

जमनालाल बजाज का

वन्दे मातरम्

श्री महात्मा भगवानदीन

असहयोग आश्रम, नागपुर,

31.3.30

पण्डितजी,

विश्वम्भर से मालूम हुआ कि आप पण्डितजी से मिलने इटारसी आये थे पर तार की जरा-सी भूल के कारण आपको व्यर्थ ही कष्ट उठाना पड़ा, पण्डितजी भी आपसे मिलने के लिए उत्सुक थे।

आज की डाक से पण्डितजी[1] और विश्वम्भर[2] दोनों बम्बई गये, वे वहाँ 5-6 रोज रहेंगे बाद में इसी ओर लौटेंगे, 4-5 रोज मराठी सी॰ पी॰ को, 4-5 रोज हिन्दुस्तानी सी॰ पी॰ को दे सकेंगे। क्या ही अच्छा हो, यदि रायपुर कान्फ्रेंस के अवसर पर पण्डितजी' आप और मैं—सभी प्रान्त के कार्य-कर्ताओं से मिल लें। कान्फ्रेंस का निमन्त्रण तो अभी मुझको मिला नहीं, सम्भव है, कुछ देर से आवे। सेठजी को भी लिखा जावे कि वे भी उस अवसर पर वहाँ हों। पण्डितजी, आप और मैं ता॰ 2-3 रोज पहले पहुँचें तो हर्ज नहीं। आप जैसा तय करें, पण्डितजी को और मुझको लिख भेजें, पण्डितजी का पता मार्फत सेठ जमनालाल बजाज है।

1. पं॰ जवाहरलाल नेहरू।
2. श्री विश्वम्भरनाथ पाण्डेय।

मुझको सेठजी का पूरा पता तो मालूम नहीं, पर टेलीफोन गाइड में 'श्री' के आगे उनका पता मालूम हो सकता है। 'श्री' उनका रजिस्टर्ड पता है।

सुना है, बैतूल में कहीं नमकवाली मिट्टी मिलती है। यदि आपको कुछ पता हो तो लौटती डाक से लिखियेगा। बैतूल को सीधा पत्र भी दिया गया है।

सी० पी० हिन्दुस्तानी से जॉइण्ट वार कौंसिल के लिए नाम अभी तक नहीं आये, आज तार दे रहा हूँ। जॉइण्ट कौंसिल की बैठक के लिए मैंने स्थान गोंदिया सोचा है, क्योंकि वही सबके लिए सुविधा का रहेगा।

आपका,

भगवानदीन

श्री वासुदेव सूबेदार

[1]

1.4.30

प्रिय भाई साहेब,

साधारण दिनों में यदि आप औपचारिक पत्र-व्यवहार न करें तो चल सकता है। पर ऐसे समय में मेरी याद भी आपको न आना यह मेरे ऊपर जुल्म है। प्रान्त में मेरे भेजे हुए सरकुलर व पत्रों के उत्तर केवल इने-गिने ही व्यक्तियों की ओर से मुझे मिलते हैं, न तो कोई कां० क० के मन्त्री लिखते हैं, न अन्य व्यक्ति। प्रांत में कार्य की फिकर तो अपने-अपने जिले के लायक सब ही लोग करते होंगे व कार्य हुआ भी होगा, पर उसका सूत्र लगा रहना आवश्यक है। मेरे योग्य सेवा करने में आपके साथ कहीं भी जाने तैयार हूँ क्योंकि डा० हार्डीकर को मदद पहुँचाना मेरा कर्त्तव्य है। कार्य किसी व्यक्ति का नहीं है। प्रान्त आगे क्या करना चाहता है, यह भी मालूम नहीं है। आ० इं० और प्रांतीत का० की बैठक में हाजिर न हो सका, कारण कान्फ्रेंस और बाद को बीमार हो जाना। कुछ हाल-चाल और मनुहार लिखिये, आपकी मदद से इस समय कुछ कार्य हो जावेगा, ऐसा जानकर लिख रहा हूँ।

वी० डी० सूबेदार

[2]

सागर

5.6.31

सेवा में,

श्रीमान पं० माखनलालजी चतुर्वेदी,

(सं० कर्मवीर, खण्डवा)

निवेदन है कि सागर में महाकोशल प्रान्तीय हिन्दुस्तानी सेवादल का द्वितीय वार्षिक अधिवेशन हो रहा है। उसके लिए स्वागताध्यक्ष का निर्वाचन भी होना है तथा और भी अन्य विषय हैं जिनका हल होना आवश्यक है। अस्तु निश्चय हुआ है कि ता० 11.6.31 को सागर में सेवादल के प्रान्तीय और जिला बोर्ड के सदस्यों तथा स्वा० स० के अन्य निर्वाचित सज्जनों की सभा की जाय और उसमें उक्त कुल आवश्यक बातें तय कर ली जावें। आप प्रान्तीय बोर्ड के सदस्य हैं, इसलिए आपसे प्रार्थना है कि आप उक्त समय पर सभा में पधारने की कृपा करें। और कर्मवीर में भी सूचना प्रकाशित कर दें।

भवदीय,

वासुदेव सूबेदार, मन्त्री

पन्नालाल रांधेलीय, मन्त्री जिला-बोर्ड

श्री बेहारीलाल पटेल

[1]

'वन्देमातरम'

बैतूल

5.4.30

पूज्य चतुर्वेदीजी, सादर प्रणाम स्वीकृत हो !

समाचार आपकी कृपा से सेवादल का कैम्प पट्टन में ता० 1.4.30 से खुल गया है। आपने श्रीयुत रामदयालजी[1] को भेजने के लिए मंजूर किया था। कृपया उन्हें पत्र के देखते शीघ्र भेजें क्योंकि कैम्प के संचालक मि० रामभाऊ बीमार पड़ गये हैं, अतएव कैम्प संचालक-विहीन है। आप भी शीघ्रातिशीघ्र आने की कृपा करें और कम-से-कम एक हप्ता अपने उपदेशों से कृतार्थ करें। यदि आपने मि० रामदयालजी को नहीं भेजा तो डर है कि कहीं कैम्प बन्द न हो जावे। शेष शुभ।

आपका

1. पू० दादाजी के छोटे भाई, सुप्रसिद्ध स्वतन्त्रता-सेनानी।

भाई दीपचन्दजी ने 4 तारीख को एक आदमी भेजा था, लेकिन वहाँ अभी कोई काम सिखाने वाला नहीं है। रामदयालजी या उनसे छोटे भाई को किसी को भी जरूर भेजेंगे।

आपका,

श्री माखनलाल चतुर्वेदी, बेहारीलाल पटेल
एडीटर, 'कर्मवीर'
कर्मवीर प्रेस, खण्डवा (सी० पी०)

[2]

ओ३म्

पट्टन
27.9.30

श्रीयुत चतुर्वेदीजी, सादर नमस्ते !

मैं स्थान पट्टन जिला बैतूल में हिन्दुस्तानी सेवा दल के ट्रेनिंग के लिए कैम्प खोलना चाहता हूँ।

आपसे विनय है कि आप कृपा करके इसकी ऐसी स्कीम बनाकर भेजें कि जिसमें नीचे लिखी सभी बातों का खुलासा हो जावे—

1. कोर्स में क्या-क्या रखा जाय,
2. अध्यापक कितने और कौन-कौन रक्खे जायें,
3. इस संस्था के लिए कौन-कौन-सी बातें अति आवश्यक हैं,
4. संस्था चलने के लिए किन-किन नियमों की आवश्यकता है,
5. विशेष वार्तादि।

यह कैम्प सिर्फ दो माह रखा जाएगा, ऐसी इच्छा है। इसलिए आप यह भी लिख भेजें कि आप की राय में कब से खोलना चाहिए।

हमने पहली या सातवीं मार्च से खोलने का निश्चय किया है। अलं विद्वत्सु, किमधिकम् !

आपका,

इस पत्र के पूर्व मैं आपको एक पत्र और भी शराब के बारे में का दे चुका हूँ कि यहाँ के ठेकेदार ने अब बिलकुल आम सड़क पर शराब बेचना शुरू किया है। उसकी ऐसी नाजायज झोंपड़ी का मुलाहिजा छोटे इंजीनियर साहेब और दरोगा आदि कर चुके हैं।

आप उचित समझें तो अपने पत्र कर्मवीर में शाया करें।

आपका,
बेहारीलाल पटेल

[3]

वन्देमातरम्

पट्टन
8.2.35

श्री पण्डित माखनलालजी चतुर्वेदी, वन्दे !

आप कर्मवीर पेपर के ग्राहक बनाने की रसीदें भेजिये, जितने ग्राहक बनेंगे, बनाने की कोशिश करूँगा ।

हमारे यहाँ हरिजनों के 5-7 बालक-बालिकाएँ शिक्षा पा रहे हैं । जिनमें 3 बालक सातवीं में हैं । एक लड़की (अस्पष्ट) लड़की भी सातवीं में है । उन लोगों की परीक्षा इसी माह में होंगी । शायद वे सबके सब पास हो जायें, उन्हें बाहर पढ़ाने के लिए किसको लिखा जाये ? वे लोग बहुत गरीब हैं, आप उनको पढ़ाने की कोशिश कर सकते हों तो कीजिये । मेरे यहाँ मेरी लड़की भी सातवीं में है । मेरे भाई की लड़की चौथी में, एक भाई सातवीं हिंदी में है । श्रीकिशन हिरनखेड़े में पढ़ रहा है । अब आगे यहाँ पढ़ाने का कोई जरिया नहीं है । पैसों के अड़चनों के कारण कहीं बाहर नहीं भेज सका । अब कोई ऐसा उपाय बतलाइये कि मैं उन्हें कम-से-कम खर्च में पढ़ा सकूँ । आपके ख्याल में कहीं ऐसे स्कूल हों उनके पते लिखिये । दो-चार साल से खेती में फसल ठीक नहीं होती, इसलिए पैसों की बहुत ज्यादा तंगी है ।

मेरी लड़की की आयु 16 वर्ष है, इसकी शादी भी करनी है । आपके ख्याल में लड़का पढ़ा-लिखा हो तो लिखिये । हम लोग मालवीय वर्ग के हैं । किसी भी वर्ग में शादी करने के लिए तैयार हैं ।

आपका
बेहारीलाल पटेल

श्री शम्भूदयाल मिश्र

होशंगाबाद,
9.4.30

पूज्य चतुर्वेदीजी, सादर प्रणाम !

आपके प्रेम व कृपा का मैं अत्यन्त आभारी हूँ । शायद आपको याद है कि मैं आपका एक गुप्त अनुयायी हूँ और देश के लिए आपके त्याग की सराहना करता हूँ । आप ही को आदर्श मान मैं भी हमेशा स्वावलम्बन ही को एक विशेष

ज़ीवनोपाय समझता आया हूँ और आप ही सरीखा जिन्दगी-भर दरिद्र-नारायण का सेवक बना चला जा रहा हूँ।

आपका पत्र मिला, अत्यन्त खुशी हुई। आपको कदाचित् मालूम न होगा, मैं ता० 29.3.30 को जिला कांग्रेस कमेटी का संगठन कर चुका हूँ और पण्डित चन्द्रगोपालजी मिश्र ने सभापति का भार अपने ऊपर लिया है। इसके पहले ही से मैं लाला अर्जुनसिंहजी की सहायता से आन्दोलन कर रहा हूँ और अभी तक करीब 25 स्वयंसेवकों के और कोई आश्वासन नहीं मिला। तहसीलों के कार्यकर्ता गण प्रायः चुप्पी साधे बैठे हैं। वेचाहते हैं कि समय गुजर जावे और उनके नेतत्व में बाधा न आवे। मेरी आर्थिक स्थिति बहुत खराब है और कुटुम्ब भी मेरे दुर्भाग्य से विशेष है। मुझे यह मालूम है कि देश का कार्य किसी के लिए ठहर नहीं सकता और मौके पर यदि मनुष्य काम में न आया तो इतने दिनों का राष्ट्रीय प्रलाप झूठ ही है। इसी विचार में पड़ा हुआ हूँ। किन्तु ज्यादा दिन चुप नहीं बैठ सकता।

आपका लिखना ठीक है। यदि कोई कार्य संगठित रीति से किया जावे तो उसमें कुछ लाभ हो सकता है, नहीं तो हम और आप तो जेल में जाने को तैयार बैठे ही हैं। लोगों को इस कार्य में डरे रहने के लिए यह आवश्यक है कि अपने जेल जाने के बाद कार्य जारी रहे। आप जहाँ कहें वहाँ मैं आपसे मिल सकूँगा। अगर आप ता० 11 को मिल सकें तो मैं स्वयं खण्डवा में उपस्थित हो सकता हूँ। अन्यथा आप जब कहें तब, मैं आपसे इटारसी में मिलूँगा। आप ही के उत्तर की प्रतीक्षा देखूँगा, आप मेरे ऊपर हमेशा अपनी कृपा रखें और सेवा में तत्पर समझें। मेरे लिए आप हमेशा से आदर्श हैं।

आपका

शम्भूदयाल मिश्र

श्री रामशंकर

बेतूल,
4.4.31

पूज्य चतुर्वेदीजी, सादर वन्दे!

मैंने सुना है कि इधर आपका स्वास्थ्य कुछ और अधिक खराब हो चला है तथा ज्वर भी रहता है। यदि यह बात सच है तो आपको गर्मी के इस मौसम में खण्डवा में कदापि न रहना चाहिए। सेठ पूनमचन्दजी नागपुर वालों का स्वास्थ्य भी कुछ खराब हो गया था। परन्तु भाई दीपचन्दजी[1] इन्हें यहाँ ले आये। अब

1. सुप्रसिद्ध स्वतन्त्रता-सेनानी।

उनकी प्रकृति बिलकुल अच्छी है। गत सप्ताह में पाँच पौंड वजन अधिक बढ़ा है—

मेरी अल्पमति के अनुसार कम-से-कम एक माह के लिए आपको खण्डवा अवश्यमेव छोड़ देना चाहिए। काम का नुकसान तो होगा, परन्तु साल-भर के लिए स्वास्थ्य ठीक हो जावेगा।

भाई बिहारीलालजी अभी तक नहीं छूटे हैं, न शीघ्र छूटने की सम्भावना ही दीख पड़ रही है। बाकी सब कुशल है। आगरकरजी को प्रणाम।

आपका आज्ञाकारी
रामशंकर

श्री कनछेदीलाल

27.4.31

श्री

श्रीयुत माखनलालजी,

मैं आज आपको हिन्दी मन्दिर के सम्बन्ध में लिख रहा हूँ, आशा है कि इसके सम्बन्ध में आप अच्छी तरह विचार करेंगे। आपके पास राष्ट्रीय हिन्दी-मन्दिर की सूचना ता० 2.5.31 को होने वाली मीटिंग की मिल ही गयी होगी। यह मीटिंग आवश्यक है। इसमें हिन्दी-मन्दिर के अस्तित्व का निर्णय होगा। आशा है आप अवश्य आवेंगे। शेष यहाँ आने पर मैं आपसे कहूँगा। प्रबन्ध इत्यादि के सम्बन्ध में आपका आना अनिवार्य है।

नोट: अगर चतुर्वेदीजी खण्डवा में न हों, तो वे जहाँ होवें, इसे भिजवा दीजियेगा।

आपका मित्र
कंछेदीलाल

श्री चम्पालाल जौहरी

मान्यवर चतुर्वेदीजी,

सप्रेम जयहिन्द!

मैंने सुना है कि 'कर्मवीर' प्रेस से पं० जानकीप्रसादजी पुरोहित की लिखी हुई उपन्यास प्रकाशित हुई है। इस पुस्तक की कई महाशयों ने प्रशंसा की है। यदि आपके स्टाक में इसकी प्रति हो तो मुझे पढ़ने के लिए प्रदान करेंगे। मैं पढ़कर

वापिस लौटा दूँगा। आशा है आप मेरी नम्र प्रार्थना पर अवश्य ध्यान देंगे।

नम्र

चम्पालाल जौहरी

(खण्डवा के जाने-माने साहित्यकार

और चतुर्वेदीजी के अग्रज-तुल्य)

(नोट : पुस्तक का नाम 'आधुनिका' है।)

श्री दीपचन्द गोठी

बेतूल,

21.5.31

श्रीमान् माखनलालजी चतुर्वेदी,

सेवा में नम्र विनय है कि यहाँ पर किसान मालगुजारी सभा बुलाने का निश्चय ता० 30.5.31 को 3 बजे दिन का किया है, अतएव आप अवश्य कृपा करके उक्त अवसर पर जरूर पधारें। इस जिले में कार्य कुछ ठण्डा-सा पड़ रहा है तथा इस जिले में सत्याग्रह आन्दोलन के वक्त पोलिस तथा स्थानीय गर्वमेण्ट अधिकारियों ने बहुत अत्याचार किये हैं। इस विषय पर भी आपसे बहुतकुछ अर्ज करना है। इसलिए इन सब बातों में नवजीवन देने की व उत्साह उत्पन्न कराने के लिए आपकी बहुत जरूरत है। आशा करते हैं कि आप अवश्य ही विनय पर लक्ष्य देकर आने की तकलीफ उठायेंगे।

आपके विनीत

दीपचन्द गोठी

बिहारीलाल पटेल

गोविन्दराव सूबेदार

श्री द्वारकाप्रसाद मिश्र

,लोकमत'

प्रधान सम्पादक : द्वारकाप्रसाद मिश्र

जबलपुर,

21.5.1931

प्रियवर चतुर्वेदीजी,

कृपा-पत्र प्राप्त हुआ। इस सम्बन्ध में मुझे भी आपसे बहुत-सी बातें करनी

हैं, मैंने सैकड़ों बातें सुनी हैं। चाहूँ तो दिल में रख आपकी ओर से उदासीन हो जाऊँ, पर बेहतर यही होगा कि आपसे साफ-साफ सभी कुछ कह दूँ। आपको सागर अवश्य आना चाहिए। चाहे किसी भी दृष्टि से सोचा जाये आपको वहाँ उपस्थित होना चाहिए। शेष कुशल।

भवदीय

द्वारकाप्रसाद मिश्र

श्री अब्दुल गनी

[1]

खुरई,

21.5.31

पूज्य पं० जी, वन्दे!

आपकी भेजी हुई अमानत मिली। इसके लिए आपको कहाँ तक बधाई दी जावे। समय का परिवर्तन है। ईश्वर-इच्छा क्या होती है, यही देखना है। म्यु० कमेटी खुरई ने ऐसे नाजुक वक्त में मेरे मामू सा० जिनके पास मैं रहता था उन्हें और मेरे बड़े भाई को अलहदा करने का निश्चय कर लिया है। यह विपदा भी इसी समय आ टूटी। आपके दर्शन सागर में होंगे ही। उस समय आपको सब-कुछ सुनाऊँगा। सत्य कहता हूँ, मेरा धैर्य टूट गया है। यही चिन्ता है कि भविष्य में मैं अपने प्यारे देश की सेवा कैसे करूँगा। फिर भी कुछ भी हो, काम तो करना ही होगा। आज यह मुझे मालूम हो गया कि भारत की राजनीति में पैसे का महत्व त्याग से बहुत अधिक है। ऐसी कठिन परिस्थिति में किसके पास जाकर याचना की जावे? अभी ईश्वर को मेरे धैर्य और साहस की और भी ज्यादा जाँच करना है। अभी यथेष्ट बलिदान मैंने नहीं किया है। इन विपदाओं से और क्या ज्यादा मुसीबतें आवेंगी। ईश्वर की अगर यही मरजी है तो उसे सहेंगे। आप इसी तरह अपनी कृपा रखते रहिये। कभी तो समय लौटेगा। पूज्य लोढ़ेजी को वन्दे कहिये।

तुम्हारा

अब्दुल गनी

[2]

दी देहाती दुनिया

वीकली न्यूज पेपर, सागर

24.3.45

पूज्य श्रद्धेय पं० माखनलाल चतुर्वेदी

चरणों में सादर श्रद्धा !

माननीय ! आपकी सेवा में यह पत्र लिखने की धृष्टता कर रहा हूँ । आशा है, आपका स्वास्थ्य ठीक होगा । पूजनीय, मेरे जैसे बदनसीब व्यक्ति को साम्प्रदायिकता के जुर्म में जेल भिजवाकर मेरा राजनैतिक जीवन खत्म करने के लिए जो षड्यंत्र रचा गया, उस पर मैं क्या कहूँ ।

सन् 21 में आपके साथ जेल काटी, सन् 23 में झण्डा-सत्याग्रह, 26 में (अस्पष्ट) शूटिंग केस में, सन् 30 में और सन् 32 में जब मैं जेल में था तब मेरी पत्नी और बच्चे का देहान्त हो गया था । सन् 42 में सजाएँ काटीं जुर्माने दिये ।

खुरई खास, ऐतिहासिक रतौना वदौना, दलपतपुर रैंय्यात वारी-बिलगोना और राहतगढ़ के कसाईखाने जहाँ कि हजारों मवेशियाँ रोज कटती थीं, बन्द कराने में आन्दोलन करता रहा । मैं 25 को नागपुर से लौटकर घर आता हूँ, 26 फरवरी को सदर कोतवाली में कुछ पूछने के बहाने गिरफ्तार कर लिया जाता हूँ । मुझे मालूम हुआ कि 25 तारीख की 3 बजे रात को मैंने मुसलिम नेशनल गार्ड की गुप्त सभा की । शुरू से आखिर तक मैंने मुस्लिम लीग की खुली मुखालफत की, उम्र भर काफिर रहा, कब्रिस्तान बन्द रहा । और जब भारत आजाद हुआ तो मुझे साम्प्रदायिकता के जुर्म में गिरफ्तार किया गया । मेरे पत्र और मेरे जीवन को नष्ट करने, जनता की नजरों से गिराने के लिए यह षड्यंत्र रचा गया ।

मैं मानसिक वेदना से तड़प रहा हूँ—बीमार हूँ और सोच रहा हूँ कि सन् 18-19 से लगातार सेवा करने के बदले में मुझे यह पुरस्कार दिया गया ।

आपने मुझे पास से और दूर से, जबान और कलम से मेरी जाँच की है । आप मेरे इस मामले की खुली जाँच कराइये । मामला अदालत में चलाने के लिए सरकार को लिखिये । कौंसिल में सवाल दरयाफ्त कराइए कि परदे के पीछे क्या कुछ किया गया और इसमें किसका हाथ है । कांग्रेस मन्दिर के पुजारी अपनी गद्दी को कायम रखने के लिए ये षड्यंत्र रच रहे हैं । मैं जेल से जरूर छोड़ दिया गया । मगर मैं चाहता हूँ कि यह मामला जनता के सामने आये । अदालत में इसका फैसला हो । मेरे सारे जीवन को नष्ट करने के लिए जो कुछ किया गया, उसमें आपकी कलम से, जो कुछ मेरे लिए नहीं, उन लोगों के लिए भी निकलेगा जो निरपराध गिरफ्तार किये गये या भविष्य में उन्हें भी ऐसा ही इल्जाम लगाकर

खत्म किया जा सकता है।

मुझे पूरी-पूरी उम्मीद है कि आप मेरे जीवन की उसी तरह रक्षा करेंगे। जिस तरह बिलासपुर जेल में की थी।

आपका

अब्दुल गनी

(सुप्रसिद्ध स्वतन्त्रता-सेनानी)

QAZI SYED HIFAZAT ALI

HIFAZAT MANZIL KHANDWA

3rd May, 1931

My dear Makhan Lalji,

I am highly greateful to you for your expression of felicitation on the occasion of Id. Let me assure you how deeply my self and my people have appreciated not only this expression of goodwill but also the sincerity and the honesty of purpose which have actuated it. Sincerity always pays in the long run and it was because of the genuine spirit of the workers under your peace-loving auspices to maintain the harmonious relations between the two sister communties that khandwa has been spared the recrudescence of the unfortunate happenings that have affected some parts of our unfortunate country of our town has been one of the uniform goodwill and friendly relattions beetween the two communities and God willing we are going to maintain our history.

Thanking you again for your Id. greetings.

Yours sincerely,

Syed Hifazat Ali.

(खण्डवा के सुप्रसिद्ध मुस्लिम नेता)

श्री सूरजमल जैन

इन्दौर
1.1.1931

श्री चतुर्वेदीजी,

कृपा-कार्ड ता० 10.9.31 को मिला। आज्ञानुसार स्टेट गजट की कापी भेजता हूँ, इसके 303 पृष्ठ पर आज्ञा छपी है।

मैंने कर्मवीर की एजेंसी लाड़लीप्रसाद को देने के लिए ता० 9.9.31 को लिखा था। पर उत्तर नहीं आया। क्या आपने दूसरे को दे दी ? ऐसा न करिये, लाड़लीप्रसाद को ही दीजिये। आज्ञा है आप मंजूर करेंगे। कृपया पत्र का उत्तर शीघ्र दें।

आपका
सूरजमल जैन

श्री हृषीकेश शर्मा

[1]

द० भा० हिन्दी-प्रचार सभा,
ट्रिप्लिकेन, मद्रास
24.10.31

श्रद्धेय चतुर्वेदीजी, प्रणाम !

आपका पत्र मिला था। आपकी तबीयत कैसी है ? आशा है अब आप स्वस्थ होंगे। 'विमोचनम्' की हस्तलिखित प्रति मिल गयी थी। आपने उसे पसन्द किया, परन्तु संशोधन कुछ भी न बताए। आप शैया पर पड़े थे, बता भी कैसे सकते थे !

प्रयत्न कर उसकी विकृत भाषा सुधार कर उत्तर भारत के उपयोगी बनाने में विमोचन को ठीक कर रहा हूँ। प्रेस में दे दी है ह० लि० प्रति। हाँ, जैसा कि आपने लिखा है, छपे हुए फार्म को प्रतिसप्ताह आपके पास भेज दिया जाया करे और आप अपनी टिप्पणी उस पर देकर उस मैटर को किसी आकर्षक स्थान पर दे दिया करें।

मेरे सम्बन्ध में—

मेरी तबीयत अब ठीक है। हार्निया और हाइड्रोसिल का डबल आपरेशन कराया था। अस्पताल में एक माह तक रहना पड़ा। यहीं सोचकर कि या तो बेड़ा उस पार, नहीं तो इस पार। फिर भी सेवा-शुश्रूषा अच्छी हुई। सबसे बढ़कर

जो बात हुई वह गवर्नमेण्ट जनरल हास्पिटल में सर्जनों-डाक्टरों में हिन्दी का प्रेम। पड़े-पड़े कुछ डाक्टरों और नर्सों को हिन्दी सिखाता था। और वहाँ से जब बिदा हुआ तो सबसे बड़े सर्जन साहब के घर में हिन्दी का प्रवेश कराकर घर आया। आज उनके बच्चे,, उनकी पत्नी, परिवार के लोग आदि हिंदी सीख रहे हैं। अस्तु।

पू० पिताजी वहाँ आये थे, आपसे भेंट हुई! मेरे सम्बन्ध में आपसे क्या कहते रहे, लिखें। पत्रोत्तर दें।

कुशल-जिज्ञासु
विनीत हृषीकेश

[2]

हिन्दी-प्रचारक विद्यालय, मद्रास
9.12.32

श्रद्धेय चतुर्वेदीजी, प्रणामांजलि!

खूब लम्बी-चौड़ी मुद्दत के बाद पत्र लिख रहा हूँ। और आप भी तो कभी पत्र नहीं लिखते। 'कर्मवीर' में एक भाई साहब ने श्री 'संत नन्दनार' की प्रशंसा में मुझे अच्छी तरह घर घसीटा है। विनम्र सूचना है, परन्तु मेरी हिन्दी सेवा की अकिंचनता और सार्वजनिक सत्ता का श्रेय तो आप ही को है। यदि आपने अपने सान्निध्य में मुझे कुछ काल तक न रखा होता तो जीवन-नौका किस भँवर जाल में फसकर कहाँ जाती कौन जाने। फिर भी कभी-कभी सब छोड़कर आपके पास कुछ समय तक के लिए रहने को मन मचल पड़ता है। यह तो आपकी इच्छा पर निर्भर है।

यहाँ गत जुलाई में पितृचरण का आगमन हुआ था। डेढ मास यहाँ निवास किया। वे आपको सितम्बर में 500 रु० भेजने वाले थे। मैं समझता हूँ, भेज दिये होंगे। कहते हैं, यह सारा काम छोड़ दो, सागर में गाँव पर खेती-बारी करने को कहते हैं। आपकी क्या राय है? खैर, समय-समय पर खण्डवा, नयागाँव, होशंगा-बाद आदि की मदद आया करती है। ते हि नो दिवसाः गताः। पूज्य माताजी से प्रणाम कहें। हरिजी, दयालजी आदि से वन्दे।

अपनी बात

सूचनाओं से आपने जान लिया होगा कि मद्रास में इसी मास के अन्तिम सप्ताह में तृतीय दक्षिण भारत हिन्दी प्रचारक सम्मेलन होने जा रहा है। दक्षिण भारत के प्रथम हिन्दी प्रचारक भाई देवदास गांधी ने अध्यक्ष पद स्वीकार कर लिया है। उसी अवसर पर दक्षिण भारत हिन्दी कवि-सम्मेलन, साहित्य गोष्ठी, हिन्दी नाटक, परिहास-विनोद गोष्ठी, संगीत-सम्मेलन आदि कार्यक्रम भी रखे

गये हैं। आफिस से तो आपको हरिहर शर्माजी अनुरोधात्मक निमन्त्रण पत्र भेजेंगे ही। पर मैं बलपूर्वक आपको अबकी बार मद्रास में खींच ले जाना चाहता हूँ। साहित्य सम्मेलनों में तो आप कई बार गये हैं। अब मद्रास आवें, यह प्रचार-प्रगति का अवलोकन करें और मेरे साथ कुछ दिन रहें। यहाँ मौसम अच्छा है। हम सबकी उत्कट अभिलाषा है, आप अवश्य आवें। खण्डवा-इटारसी से सीधे मद्रास ग्रैण्ड ट्रंक एक्सप्रेस आती है। एक बात और, पूज्य बापू के उपवासारंभ की हलचल के मारे शायद उस समय देवदासभाई न आ पाये हों। हम लोगों के बीच में कार्य सँभालने और सलाह देने तथा आप अपनी उपस्थिति से सम्मेलन को प्रभावित करने एवं प्रगतिशील रखने में वयोवृद्ध, साहित्य-सेवी और हिन्दी के एकान्त उपासक सहायक होंगे। आपके आने से शर्माजी को अमित आनंद होगा। आप भी सभा की गतिविधियों का सिंहावलोकन कर जायेंगे। क्रिसमस का समय कृपया किसी तरह मद्रास को दें। यह व्यक्तिगत रूप से विनम्र प्रार्थना है। आशा है, आप आशानुरूप उत्तर शीघ्र देंगे।

सदैव आपका
हृषीकेश

[3]

हिन्दी-प्रचारक विद्यालय, मद्रास
1.7.33

श्री श्रद्धेय चतुर्वेदीजी, सादर प्रणामांजलियाँ !

मैं बदनसीब हूँ जो आपके पत्र तक के दर्शन नहीं होते ? 'इन अँखियाँ दुखियान को सुख उपजो ही नाहिं।' फिर भी, प्रति प्रभात श्रीगोपाल के साथ आपका ध्यान तो कर ही लेता हूँ। क्योंकि गुरुजन-स्मरण से दिन-भर जीवन में शान्ति, स्फूर्ति व ताजगी बनी रहती है। मैंने अप्रैल में एक पत्र लिखा था। शायद आप उससे नाराज हो गये, अस्तु आपकी नाराजी शुभाशीर्वाद-रूप मानता हूँ। एक बात और भी है, आप ठहरे पत्र-व्यवहार में स्थायी सुस्त, अतः महीनों की तो बात क्या, वर्षों तक आप पत्र नहीं देते।

इस पत्र के लिखने का एक खास उद्देश्य है। 'हिन्दी ज्ञानयात्री मण्डल' की चर्चा समाचार-पत्रों द्वारा आप जानते ही होंगे। लिखते हुए बड़ा ही आनन्द होता है कि परमात्मा की प्रेरणा से प्रतिष्ठापित इस 'हिन्दी ज्ञानयात्री मण्डल' के काम का श्रीगणेश अब ठोस रूप से हो रहा है। दक्षिण भारत की जनता ने इस आयोजन को बहुत पसन्द किया है। हम लोगों का दृढ़ विश्वास है कि अगर मंडल का कार्य इत्तिफाक से बढ़ता रहा तो शीघ्र ही दक्षिण के हिन्दी-क्षेत्र में युगान्तर ही उपस्थित हो जायेगा। अब दस-बीस नहीं, सैकड़ों हिन्दी की उच्च और अच्छी

योग्यता रखने वाले प्रचारकों की आवश्यकता है। भगवान की कृपा से तदनुकूल वातावरण यहाँ तैयार हो रहा है। और 'हिन्दी ज्ञानयात्री मण्डल' इस दिशा में अग्रसर है। हम लोग, आपकी कृपा-दृष्टि भी मण्डल पर अधिक-से-अधिक बनी रहे, यह अनुरोध करते हैं।

कल की डाक से मेरे विद्यार्थी भाई सिद्धनाथ पन्त ने (हिन्दी ज्ञानयात्री मंडल के मन्त्री की हैसियत से) आपकी सेवा में लिखा था कि ता० 4 जुलाई की ग्रांड ट्रंक एक्सप्रेस ट्रेन से 5-6 दक्षिण भारतीय बहिनों का एक दल हिंदी की उच्च शिक्षार्थ प्रयाग महिला विद्यापीठ में सम्मिलित होने जा रहा है। ये बहिनें ता० 5 जुलाई को शाम के 4 बजे उसी एक्सप्रेस से इटारसी उतरेंगी और वहाँ से इलाहाबाद की गाड़ी में सवार होंगी। मेरे इस अवसर पर आपसे नहीं, मेरे मातृहृदय से, जिसे अन्तर्वेदना और पुनीत करुणा से सदा मैंने सिसकते देखा है, एक विनम्र प्रार्थना है कि कृपया आप खण्डवा से इटारसी तक उस दिन जाने की तकलीफ उठावें और इन हिन्दी ज्ञानार्थिनी बहिनों और भाइयों को अपने आशीर्वाद से प्रोत्साहित करें। इस दल में सम्मिलित सभी सज्जन (5 बहिनें और 2 युवक) आपके मध्यप्रदेश के एक कर्मयोगी हिन्दी-माता के पुजारी के दर्शनाभिलाषी हैं। यह दल मैसूर के हिन्दी प्रचारक प्रियवर आनन्द आलवार की देख-रेख में प्रस्थान कर रहा है। बहिनों की नेत्री श्रीमती इन्दराबाई जी हैं, इनके पति मैसूर यूनिवर्सिटी में प्रोफेसर हैं। आप कुछ कष्ट उठाकर निश्चित समय पर इटारसी पधारेंगे तो बड़ा उपकार होगा। अपने हृषी पर आपकी इतनी कृपा तो सदा से बनी रही है। अक्टूबर में तीन-चार मास के लिए उधर की तरफ आना चाहता हूँ।

सदैव आपका
हृषीकेश

[4]

शिकायत

वर्धा (सी० पी०)
30.4.1941

प्रिय पूज्य दादा, सेवा में प्रणाम!

क्षमा करें, मेरा यह तीसरा पत्र है। ऐसा मालूम होता है, आपका स्वास्थ्य ठीक नहीं है और आपके पास के प्राइवेट सेक्रेटरी महाशय लापरवाह हैं। तभी तो पत्र का जवाब नहीं मिलता। पर चाहे जैसी विषम परिस्थिति क्यों न हो, आपको मैं सर्वदा एक विशिष्ट साहित्यिक संस्था के रूप में पूजता हूँ; आपके पास के चलते-फिरते अंग सुस्त नहीं होने चाहिए।

कृपया लिखें कि आप नागपुर कब आ रहे हैं ? चि० दयालु के तपमन्दिर के द्वार पर आप जाने वाले हैं, ऐसा मैंने सुना है। उनसे कब भेंट करने वाले हैं ?

मैं ता० 6 मई से 1 मास 10 दिन की छुट्टी पर जा रहा हूँ। नागपुर ही में रहूँगा। इटारसी में जो बातें हुई थीं उनको कार्यान्वित करने के लिए आपका थोड़ा-सा सामीप्य अत्यावश्यक है। नहीं तो जितनी देर होगी, 'कालः पिबति तद्रसम्' वाली बात होगी।

ता० 8 मई को, यूनिवर्सिटी-हॉल में विश्व-कवि रविबाबू की 80 वीं वर्षगाँठ के समारोह में मुझे भी भाषण करने जाना है। नागपुर छात्र-संघ की ओर से निमन्त्रण आया है।

पत्रोत्तर की प्रतीक्षा में—

विनीत

हृषीकेश

[5]

'भारती'

संपादक : हृषीकेश शर्मा

22.3.50

सेवा में,

पूज्य श्री दादा, प्रणाम !

ललिताप्रसाद से यह जानकर कि आपकी प्रकृति अस्वस्थ है, चिन्ता हुई। मंगलमय प्रभु आपको आरोग्य दें। आपसे क्या कहूँ ?

प्रिय ब्रज भाई से ही प्रार्थना है कि वे आपकी एक अप्रकाशित कविता और एक कोई सांस्कृतिक सुन्दर लेख, जो हस्तलिखित निधि रखी हुई है, उसमें से नकल करवाकर रविवार तक यहाँ पहुँचा दें, तो ता० 4 अप्रैल को 'भारती' का जो अंक निकलेगा, उसमें दे दूँ। कितना लिखूं और क्या करूँ ? कई पत्र भेजे, प्रार्थना की, आपके यहाँ कोई नहीं सुनता।

आपका अपना

हृषीकेश

तुरन्त की मनुहार

प्रोफेसर बिल्लौरे जी से प्रार्थना है कि वे पूज्य दादा पर एक लेख सुन्दर संस्मरण रूप में सांस्कृतिक लेख ता० 27 तक भेज दें तो बड़ी कृपा हो। वे दादा के निकट रहते हैं। दादा का एक सुन्दर छोटा फोटो भी साथ में भेजें।

हृषीकेश

[6]

मध्यप्रदेश राष्ट्रभाषा-प्रचार समिति
अध्यक्ष : डा० भवानीशंकर नियोगी
प्रान्तीय संचालक : हृषीकेश शर्मा

धंतोली, नागपुर
24.11.54

प्रिय पूज्य दादा, चरणस्पर्श !

आपको मालूम ही होगा कि सागर-यूनिवर्सिटी ने एक कमेटी बनाई है जिसमें आप हैं और मैं भी हूँ। राष्ट्रभाषा-शिक्षण सम्बन्धी विषय है। 6 दिसम्बर सोमवार को मीटिंग रखी है। सागर से मुझे सूचना आयी है।

कृपया यह निश्चित रूप से लिखें कि आप सागर की उस मीटिंग में जायेंगे ? वहाँ से कब सागर पहुँचेंगे और कहाँ ठहरेंगे ?

मैं यह अत्यावश्यक महसूस करता हूँ कि मैं आपसे उस बैठक से पहले मिल लूं और आपसे चर्चा भी कर लूं। इससे जो बात वहाँ रखनी हैं, आपके आदेश और निर्देश मेरे सहायक होंगे और सागर-विश्वविद्यालय में राष्ट्रभाषा की शिक्षा अ-हिन्दी छात्रों के लिए उपयुक्त सिद्ध होगी।

कृपया शीघ्र सूचित करें क्या करना है। मेरी तबीयत ठीक नहीं है। 63वाँ चल रहा है। सर्दी सूखा है। फिर भी मुझे जाना ही है। आपसे कहाँ मुलाकात होगी, इस सम्बन्ध में शीघ्र लिखें। आपका स्वास्थ्य ठीक है न ? कृपाभाव रखें।

स्नेहाधीन विनीत
हृषीकेश

[7]

'राष्ट्र-भारती'
(भारतीय साहित्य की
प्रतिनिधि मासिक पत्रिका)

हृषीकेश शर्मा
(सम्पादक, राष्ट्रभारती)
कांग्रेसनगर, नागपुर 1
6 जनवरी, 55

सर्वतन्त्र-स्वतन्त्र राष्ट्र की वाणी के देवता, प्रणामांजलि !

आप बहुत बड़े हैं और हमारी पहुँच से परे हैं। पत्र लिखें तो उत्तर न मिले। कुछ माँगें तो निराश होना पड़े। सन्तोष एतावन्मात्र करके रह जाना पड़ता है कि राष्ट्रभाषा हिन्दी के पाटल, नयी धारा, अवंतिका, नयी धारा, आजकल आदि पत्र आपसे कुछ पावन पंक्तियाँ पा जाते हैं। हम वंचित रह जाते हैं।

जनवरी की 'राष्ट्रभारती' पहुँची होगी। 30 जनवरी को फरवरी का अंक आउट होगा। 30 जनवरी के बारे में आपसे क्या कहूँ। जग-जाहिर है। राष्ट्

भारती के पहले ही पृष्ठ पर, जहाँ से रीडिंग मैटर का श्रीगणेश होता है, आप अपनी वाणी की कुछ पंक्तियाँ 'तीस जनवरी' भेज दें, हमारे राष्ट्रभारती (पर) साहित्य देवता (की) तो कृपा होगी। 'कृपा होगी' लिखने में ऐसा लगता है जैसे हम पराये हो गये, आपसे बहुत दूर, उपेक्षित।

आपकी सेवा में अभी-अभी तीन दिन पहले जनवरी का अंक पहुँचा ही होगा। आप देख भी गये होंगे। आपके कुशल-मंगल एवं दीर्घायु की शुभेच्छाओं के साथ।

आपका अपना
हृषीकेश

इधर ता० एक दिसम्बर से 25 तक अस्थमा ने मुझे बहुत अस्वस्थ कर दिया था। अब सेहत की पगडण्डी पर दैनिक जीवन आ गया है। 63वाँ 13 फरवरी को समाप्त हो जायगा। चल रहा है छकड़ा।

शासन में इधर मन्त्रिमण्डल में जब उपमन्त्रियों की बाढ़ आयी तो कर्मवीर में आपने अच्छा करारा तड़ाका जड़ दिया।

हृ०श०

[8]

विदर्भ राष्ट्रभाषा-प्रचार समिति, नागपुर

'राष्ट्र-भवन'
उत्तर अंबाझरी मार्ग, नागपुर-1
3.4.1965

परम श्रद्धेय प्रिय दादा,

चरण-स्पर्श !

आपके सान्निध्य में शुभकामनाएँ प्रेषित हैं। रविवार चार अप्रैल को आप 76 वसन्त पूर्ण कर रहे हैं।

मंगलमय आनन्दकन्द श्रीकृष्ण की कृपा से आप शतायु हों, इस महान देश की राष्ट्रभाषा हिन्दी से लाखों सेवकों को प्रेमपूर्वक प्रेरणा देते रहें और हम सब पर आपका वरद हस्त हो। शतंजीव शरदो वर्धमानः !

दादा,

कल ता० 5.4.65 सोमवार को आपकी बेटी शारदा की बायीं आँख का आपरेशन होगा। निश्चित है। मोतियाबिन्द खतरे की स्थिति में आ गया था, अतः आपरेशन कराना अनिवार्य हो गया। घर में ही होगा। आपको सूचना मात्र दे रहा हूँ। प्रभु की कृपा और आपके आशीर्वाद से सब ठीक हो जायगा।

भाई श्री जोशीजी[1] और चि० ब्रज[2] को शुभाशी: ।

सदैव आपका
हृषीकेश

(सुप्रसिद्ध पत्रकार एवं हिन्दी प्रचारक, जिन्हें राष्ट्रपिता महात्मा गांधी ने अपने सुपुत्र देवदास गांधी के साथ हिन्दी-प्रचार के लिए दक्षिण में भेजा था ।, 'राष्ट्रभारती' के भूतपूर्व सम्पादक ।—सं०)

प्रति/श्रद्धेय/प० भू० डा० माखनलाल जी चतुर्वेदी
के०/आ० कर्मवीर, खण्डवा, म० प्र०

श्री हजारीलाल

शान्ति-निवास, मनवाड़ा
1.12.31

पूज्य दादा,

अभी उस दिन हिरनखेड़ा में आपके अत्यन्त बीमार हो जाने का दुखद समाचार सुना। इस खबर ने मुझे बहुत चिन्तित बना दिया है। कृपाकर शीघ्र ही अपने स्वास्थ्य सम्बन्धी समाचार पत्र द्वारा सूचित कीजिए।

हम लोगों की बराबर यह शिकायत रही कि आप अपने स्वास्थ्य की ओर उचित ध्यान नहीं देते किन्तु आपने कभी भी देश के काम के आगे अपने स्वास्थ्य को कोई महत्त्व नहीं दिया। इसके फलस्वरूप काम बढ़ता और स्वास्थ्य बिगड़ता जा रहा है। इसे हम अपना सौभाग्यपूर्ण दुर्भाग्य समझते हैं।

समाचार-पत्रों द्वारा मालूम हुआ कि इस वर्ष झाँसी में हिन्दी साहित्य सम्मेलन होगा। किस महीने और किन तारीखों में होगा, यह मैं इच्छा रहते हुए भी अभी तक नहीं जान पाया हूँ, यदि इधर आपका स्वास्थ्य अच्छा रहा तो आप झाँसी जरूर ही जायेंगे, ऐसी आशा है। यदि आप जाएँ तो पत्र द्वारा कुछ दिन पूर्व मुझे सूचना दीजियेगा। मैं खुटवाँसा या इटारसी से आपके साथ हो लूंगा। आपके साथ सम्मेलन को हम अत्यन्त निकट से देख और जान सकेंगे।

हम सब लोग यहाँ कुशल हैं।

आपका अपना
हजारीलाल

---

1. श्री श्रीकान्त जोशी।
2. श्री बृजभूषण चतुर्वेदी।

श्री शंकर

[1]

काशी

आषाढ़-शुक्ल 7, 1988 वि०

पूज्य दादा, चरण छूकर प्रणाम !

न मालूम कितने दिनों के बाद यह पत्र लिख रहा हूँ—एक अपराधी की भाँति। न मालूम, आप क्या-क्या सोचते होंगे ? मैं तो अपने व्यवहार पर इस लम्बी (अस्पष्ट) किसी तरह का (अस्पष्ट) नहीं चला सकता। अब सीधे-सीधे अपराध स्वीकार कर लेने के सिवा दूसरा चारा ही नहीं है। हाँ, और क्या ? आत्म-समर्पण के समान आपको मना लेने का दूसरा अच्छा साधन ही नहीं।

मैं तो हमेशा ही आपके सामने रोना ही रोता आया हूँ। पहले अपनी बेबसी पर रोता था, अब अपने भाग्य पर रोता हूँ। पहले आकांक्षाएँ आकाश-मण्डल में विहार किया करती थीं, पर उसी रूप में उनके भूमण्डल पर उतरने की कुछ आशा न थी। अब वे भूमण्डल पर उतर आयी हैं, पर उनके विहार में बाधा पड़ रही है। यही बेबसी थी—यही भाग्य है। और मुझे यही रोना रोना है।

पूज्य बाबूरावजी गिरफ्तार हो गये। प्रयाग छोड़कर खण्डवा लाया था—वहाँ पहले तो निजी झगड़े, फिर दुर्भाग्य से सत्याग्रह युद्ध और आपकी गिरफ्तारी ने मेरे मार्ग में बाधा डाली। मैं सर्वथा अपने आपको निर्दोष नहीं बताना चाहता, पर उपर्युक्त परिस्थितियों ने भी मेरी कमजोरियों का साथ दिया। अब, रायपुर की मास्टरी छोड़कर यहाँ आया। उन्नति होने लगी थी, आशा बंध गयी थी—आपके पत्र ने भी सहायता दी। यद्यपि पूज्य बाबूरावजी मेरी तरफ यों ही कम ध्यान नहीं देते थे। पर मेरा भाग्य फिर रास्ता रोक कर खड़ा हो गया। यहाँ भी इनकी गिरफ्तारी हो गयी। 'आज' के सम्पादन-काल में वे कभी कानून की गिरफ्त में नहीं फँसे थे। वे खुली हुई बात लिखने में प्रसिद्ध और कुछ लोगों में बदनाम भी थे। अभी किस लेख पर गिरफ्तारी हुई, मालूम नहीं हुआ है। अनुमानत: प्राप्त लेख के (अग्रलेख नहीं) कारण, जो सहायकों की असावधानी से छप गया था, यह आफत आयी है। आफत क्या आयी, मेरे भाग्य का रास्ता ही रुक गया। मालूम नहीं, उन्हें कितनी सजा होती है। सरकार बहुत दिनों से घात लगाये बैठी थी।

खैर, जो भी हो, हिम्मत तो हारनी ही न चाहिए। कह नहीं सकता और कितनी कठिनाइयाँ पार करनी होंगी। अब तो मैं 'लॉ' कर ही लूंगा। इसमें न चूकूंगा। अवसर भी है, समय भी है। एक काम से तो निपट ही लेना चाहिए। कुछ विषयों का अध्ययन प्रारम्भ हो गया था। यदि यह बदना हो जाता, तो सच

कहता हूँ, निःसंकोच होकर 'लॉ' का विचार स्थगित कर देता। पर अब तो बात ही दूसरी है।

श्रद्धेय विद्यार्थीजी के सम्बन्ध की आपकी कोई कविता इधर देखने में नहीं आयी है। क्या निकली ही नहीं ? या, मैं ही नहीं देख पाया ? और आपके जेल की सौगात ? अवश्य आपके पास में या नोट-बुकों में ही होंगी। आपको सरकार रिहा कर सकती है, पर आप 'उन बातों को' रिहा न करेंगे। कविताएँ श्रद्धेय बनारसीदास जी चतुर्वेदी को भेज दी गयी थीं, पर इतनी जल्दी वे क्यों प्रकाशित होने लगीं ? कौन जाने, यह सौभाग्य हिन्दी जगत् को कब प्राप्त होता है ?

पता लगा है कि वहाँ की मण्डलियाँ 'चतुर्भुज' हो गयी हैं। उनका वहाँ खासा जमघट भी है। आपके 'अनन्तराम' तो प्रतीत होता है कि खासे नेता बन रहे हैं। भुवन बाबू को तो आपने कोल्हू का बैल बनाकर रखा होगा। बाहरी लोग भले ही सीख लें, अपने आदमी श्री बीर भैया क्यों आपसे शीघ्र कुछ सीख पायेंगे। यह उन्हें सिखाना ही हो, उन्हें बाजाब्ता दफ्तर में (अवैतनिक रूप से ही क्यों न हो) दाखिल कर लेना चाहिए। मेरा तो यही अनुभव है। भैया तो वहाँ होंगे ही।

गाँव की कुछ खबर नहीं मिली। माँ की तबीयत तो अब प्रसन्न रहती होगी ? पूज्या जीजी को प्रणाम। शेष को प्रेमपूर्वक नमस्कार।

आपका अपना
शंकर

[2]

"श्री"

काशी
26 जुलाई, 31

पूज्य दादा, चरण छूकर प्रणाम !

अभी बीमारी से उठा हूँ। कमजोर हो गया हूँ। इतने शीघ्र आपका पत्र पाकर भी उत्तर शीघ्र न भेज सका। आपकी आज्ञानुसार काम भी न हो सका। चरित्र-लेखन में कई कठिनाइयाँ हैं। उनके जीवन-चरित्र में···भी बहुत कम हैं। जो होंगे, उनका पता नहीं। जो कुछ मालूम है उस पर लिखने की धृष्टता नहीं करना चाहता। मुझे उनके कुछ (अस्पष्ट) का ही पता है। इस पर मेरे लिए कलम उठाना अनधिकार चेष्टा होगी। लिखने की तीव्र इच्छा होते हुए भी लाचारी है। दूसरी बात की कोशिश अवश्य करूँगा। साहित्यिक टिप्पणियाँ लिखने की मेरी भी इच्छा है। लेकिन यह काम भी आपके सन्तोष के लायक होगा या नहीं, मुझे ही सन्देह है। लॉ मेंभरती हो चुका हूँ। कालेज खुल गया है। केवल बीमारी के

कारण अब तक न जा सका था, दो-एक रोज में जाना आरम्भ कर दूँगा। फिर तो सुबह से 5 बजे शाम तक पूरे 12 घण्टे जुते रहना पड़ेगा। मालूम नहीं, जो कुछ समय बच रहेगा, उसमें (अस्पष्ट) का अभ्यास, साहित्य का अभ्यास और अन्य विषय अर्थशास्त्र आदि का अभ्यास—सब कहाँ तक सध सकेगा। मैं अपनी ओर से जी-जान से कोशिश करने में कुछ बाकी न रख छोड़ूँगा।

अब 1-2 व्यक्ति को ट्रेन करने की नितान्त आवश्यकता है। आप अकेले कब तक कितनी मेहनत करते रहेंगे। आखिर पत्र की दृष्टि से नहीं, तो कम से कम अपने खयाल से तो आपको यह काम कर ही डालना चाहिए। हिन्दी पत्रों का तो यही रोना रहता है। योग्य सम्पादक का उत्तराधिकारी मिलना कठिन होता है। यदि सम्पादक ही यह काम किया करे तो कितना अच्छा हो? आपको कोई नये व्यक्ति मिले हैं? 'वीरात्मा' तो इस समय न होंगे? फिर एक बार प्रयोग कीजियेगा, इस बार यदि सम्भव हो तो अपने पास वालों के साथ।

पूज्या जीजी को प्रणाम!

नोट—श्री रामनाथ लाल 'सुमन' आजकल 'त्यागभूमि' में काम करते हैं और वहीं हैं।

आपका ही
शंकर[1]

श्री गोविन्ददास लोकरस

खुरई,
8.10.32

श्रीयुत माखनलालजी को सादर वन्दे!

खुरई के मास्टर अब्दुल गनी की राष्ट्रीय सेवा से आप भली भाँति परिचित हैं। वे अभी जबलपुर जेल में हैं ऐसा मालूम हुआ है, लेकिन उनकी कोई चिट्ठी वगैरा नहीं आती, क्योंकि मालूम होता है उनसे चिट्ठी व मुलाकात का हक किसी वजह से छीन लिया गया। जेल में उनकी तबियत भी ठीक नहीं रहती।

सन् 30 में जेल से आने के कुछ माह बाद आपने शादी कर ली थी। जून सन् 32 में सागर जिला परिषद में सभापति की हैसियत से भाषण देने के कारण आपको सजा हुई थी, सजा के कारण आपकी पत्नी को खासा धक्का पहुँचा व आप उनका वियोग न सह सकीं। तभी से उनकी पत्नी की तबीयत बिगड़ी और दिन

1. संभवतः श्री शंकरराव सप्रे, पं० माधवराव सप्रे के पुत्र।

पर दिन बिगड़ती ही गयी। अभी कुछ रोज हुए आपको एक लड़की भी पैदा हुई। बीमारी ने अब तपेदिक का भयानक रूप धारण कर लिया। डाक्टर सप्रे साहब ने उनका मुलाहजा किया था व कई बार के मुलाहजे से वे इस नतीजे पर पहुँचे कि उन्हें क्षय हो गया है व क्षय की तीसरी सीढ़ी शुरू हो गयी है। उनको (डाक्टर साहब को) बचने की भी कम उम्मेद है। उनकी आखिरी इच्छा गनी सा०से एक बार मुलाकात करने की है। हालत उनकी ऐसी है कि उन्हें कहीं दूसरी जगह नहीं ले जा सकते। वे सागर में हैं।

श्रीयुत सेठ गोविन्ददास जी अपनी पत्नी की बीमारी के कारण बगैर शर्त के छोड़ दिये गये थे। लेकिन गनी इतने बड़े लीडर नहीं हैं। ताहम क्या आप अपने पत्र में इसका कुछ आन्दोलन करेंगे जिससे या तो गनी कैदी की हैसियत से अपनी पत्नी से आखिरी मुलाकात कर सकें अथवा बाबू गोविन्ददासजी की तरह बगैर किसी शर्त के छोड़ दिये जावें। अगर वे बगैर किसी शर्त के छोड़ दिये गये तो मुमुकिन है कि उनकी पत्नी का स्वास्थ्य सुधर जावे। मैं उम्मीद करता हूँ कि आप जरूर कुछ करेंगे।

आपका

गोविन्ददास लोकरस

(वकील)

स्वामी सत्यदेव

13 बाराखम्बा रोड, नई दिल्ली

8.12.32

प्रिय माखनलाल जी,

आपके पास आने की सलाह थी, पर आप वहाँ होंगे या नहीं, इसकी कोई सूचना न पाकर मेरा उत्साह कम हो गया। आपने भी कुछ न लिखा। आपके सम्पादक ने लिखा था कि आप नागपुर चले गये हैं। जब आप वहाँ 15-20 दिन ठहरें तो लिखें। मैं अवश्य आऊँगा। मुझे काम की भीड़ है तिस पर भी एक बार उधर आकर साहित्यिक चर्चा करनी है।

मंगलाभिलाषी

स० देव

(स्वामी सत्यदेव)

डा० हेमचन्द्र जोशी

[1]

विश्वमित्र-कार्यालय
14/1ए, शम्भू चटर्जी स्ट्रीट, कलकत्ता

11.10.1932

प्रिय चतुर्वेदीजी, नमस्कार !

एक कार्ड आपकी सेवा में भेज चुका हूँ। कृपया सूचित कीजिये कि आपका स्वास्थ्य कैसा है ? मालूम हुआ था कि आपकी तबीयत ठीक नहीं रहती, यह जानकर बहुत चिन्ता हुई।

'विश्वमित्र' का प्रथम अंक निकल गया है। आपकी सेवा में भेजा गया है। कृपया अपनी सम्मति दें। हड़बड़ी के कारण अन्तिम प्रूफों में अशुद्धियाँ रह गयी हैं, अगले अंक में कवर भी बदल रहे हैं। इसमें जिन सुधारों की आवश्यकता है, उनका निर्देश करें। अवकाश मिले तो कुछ अवश्य लिखें। आपके साहित्यिक संस्मरण भी भावी भारत के लिए मूल्यवान होंगे। योग्य सेवा लिखें।

आपका श्रद्धावान
हेमचन्द्र जोशी

[2]

के०/आ० पोद्दार सन्स लिमि०
पोद्दार चेम्बर्स, बम्बई
22.4.44

पूज्य चतुर्वेदीजी महाराज, प्रणाम !

कार्ड आपके दोनों मिले, खेद है कि घर में स्वास्थ्य ठीक न रहने के कारण मैं अभी तक उत्तर न दे सका। सेठ रामनाथजी हिं०सा०स०के जयपुर-अधिवेशन की स्वागत-समिति के अध्यक्ष चुने गए हैं। इसलिए आपकी उनके साथ वहाँ मुलाकात हो जायेगी। मुझे भी वे साथ ले जाना चाहते हैं। सो आपके दर्शन वहाँ होंगे। तब एकेडेमी सम्बन्धी बातें भी हो जाएँगी और आपको बम्बई निमन्त्रित करने का प्रोग्राम भी बन जायेगा। वहाँ आप से सब बातें हो जायेंगी। फिर आप जैसा निश्चय करेंगे, उसके अनुसार काम किया जायेगा। विशेष दर्शन होने पर।

आपका
हेमचन्द्र जोशी

[3]

मलाड, बाम्बे
15.3.48

पूज्य चतुर्वेदीजी महाराज, प्रणाम !

मैं तीन-चार बार ज्ञानीजी के घर और आफिस गया, पर दुर्भाग्य से उनसे न मिल पाया। प्राय: डेढ़ सप्ताह हुआ, उनके दर्शन हुए। उन्होंने पहला सवाल यह किया कि इस संस्था के भवन के विषय में चतुर्वेदीजी ने क्या लिखा है ? उनका विचार मैं आपको लिख चुका हूँ। चूंकि बम्बई में स्थान का घोर अभाव है, अत: पहले यही प्रश्न सामने खड़ा हो जाता है कि अपना कार्यालय तथा पुस्तकालय कहाँ रहेगा ? सो उनकी दृष्टि में एक-दो मकान ऐसे हैं जो एक लाख रुपये तक में मिल सकते हैं तथा जिनसे 2-4 सौ रुपया भाड़ा भी आ सकता है। इसका उत्तर आपने नहीं दिया। अपनी योजना के नोट हम दोनों ने तैयार कर लिये हैं। उनको विस्तार से लिपिबद्ध करना है। आप कब तक यहाँ पधार रहे हैं, आप आ जायें तो आपके सामने ही लिपिबद्ध कर लेंगे। मैं अप्रैल 25 के बाद सम्भवत: नैनीताल जाऊँ। एक दो-दिन के लिए शायद काशी भी जाऊँ। फिर जून 10, 15 तक वापिस आऊँगा। आप अपनी आज्ञा यथा शीघ्र लिखें। उत्तर में विलम्ब होने से चिन्ता रहती है। विशेष आपका पत्र मिलने पर।

आपका
हेमचन्द्र जोशी

श्री रमाकान्त मालवीय

'आत्मानं विद्धि!

हिन्दी विद्यापीठ, नैनी, प्रयाग
सौर तिथि 23.3.89

महोदय !

हिन्दी-विद्यापीठ, प्रयाग की रजिस्ट्री गोरखपुर-सम्मेलन के प्रस्तावानुसार हो गई।

पच्चीस सदस्यों की जो प्रबन्ध-समिति एक वर्ष के लिए बनी है, आप उसके सदस्य मनोनीत हुए हैं। आशा है इसे आप स्वीकार करेंगे।

स्वीकृति की सूचना मिलने पर प्रथम बैठक करने का यत्न किया जायेगा।

भवदीय,
रमाकान्त मालवीय

श्री जगन्नाथप्रसाद 'मिलिन्द'

[1]

भारती प्रकाशन मन्दिर

[श्रमजीवी लेखकों की प्रामाणिक प्रकाशन-संस्था]

सोल एजेन्ट्स **केसरगंज, अजमेर**

सस्ता साहित्य मण्डल, अजमेर 7.11.1932

आदरणीय चतुर्वेदीजी महाराज, वन्दे !

यह तो सम्भवतः आपको विदित ही होगा कि मेरे मित्र श्री हरिकृष्ण 'प्रेमी' आज-कल जेल में हैं। मैं कल उनसे मिलने गया था। 'कर्मवीर' में उनकी कविता-पुस्तक 'जादूगरनी' की जो समालोचना निकली है, उसे वे एक चिर-स्मरणीय स्नेहाशीर्वाद समझते हैं। उन्होंने मुझे आदेश दिया है कि मैं अत्यन्त विनीत भाव से उनकी ओर से आपके प्रति आन्तरिक कृतज्ञता प्रकट करूँ।

भारती प्रकाशन मन्दिर के विषय में आपको सम्भवतः मेरे मित्र श्री रमाशंकर जी शुक्ल हृदय ने कुछ बातें बताई ही होंगी। 'प्रेमी' जी और मैं, हृदय जी के आश्वासन पर टक लगाएबैठे हैं। देखें, आपका प्रेम-प्रसाद भारती प्रकाशन मन्दिर को कब मिलता है। आपके 'अवढर-दानी' दयालु हृदय का भरोसा तो बहुत भारी है।

'कर्मवीर' हम लोगों की अन्तिम आकांक्षा (मिट गया है) के लिए, अनजाने में ही, कई बार सान्त्वना—(मिट गया है) कर चुका है। हम पर उसका ऋण अक्षय है। अधिक क्या ?

विनीत

जगन्नाथप्रसाद मिलिंद

[2]

अखिल भारतवर्षीय हिन्दी साहित्य सम्मेलन,

(22वाँ अधिवेशन)

लश्कर, ग्वालियर

26.12.32

आदरणीय चतुर्वेदीजी, सादर वन्दे !

ग्वालियर-सम्मेलन में आपको आना ही होगा। हम लोग आपका एक भी बहाना न सुनेंगे। यह हृदय का आह्वान है, जिसकी ओर से कान बन्द करना सम्भव नहीं ! यदि आप न आये तो आपके प्रति वह उलहना रह जायेगा, जो

तन्दुल अस्वीकार हो जाने पर कृष्ण जी के प्रति सुदामा को रह जाता।

सम्मेलन के सम्बन्ध में जो झगड़ा-टंटा था, वह अब सब शान्त हो गया है। सब विचारों और पक्षों के साहित्यिक एक होकर प्रेमपूर्वक सहयोग कर रहे हैं। इस बार के अधिवेशन में विशेष सफलता की आशा है।

ग्वालियर का एक-एक साहित्य-प्रेमी आपके दर्शनों के लिए अत्यधिक लालायित है। आपके न आने से अगणित हृदयों के आशा-सूत्र छिन्न हो जाएँगे।

आपसे ऐसी निष्ठुरता की आशा हृदयहीन ही कर सकते हैं।

अधिक क्या लिखूं! इस बार के सम्मेलन में कुछ न कुछ विशेषता लाने का उत्तरदायित्व मैं ले चुका हूँ। आपके पधारने से मेरी कुछ लाज रह जायेगी।

विनीत

जगन्नाथप्रसाद मिलिन्द

[3]

'भारती' **सम्पादक**

लाहौर **जगन्नाथ प्रसाद 'मिलिंद', मुरार**

14.12.33

प्रिय पण्डितजी,

प्रेमी जी आ पहुँचे हैं। आज दोपहर की पंजाब-मेल से लाहौर जा भी रहे हैं।

मुझे यह जानकर हार्दिक व्यथा हुई कि उनके जाने से आपको बहुत दुःख हुआ है। इसके लिए मैं नहीं समझता कि मैं किसे दोष दूँ, अपने आपको या अपने दुर्भाग्य को।

हम लोगों के सान्निध्य के अभाव को भुलाने का यही उपाय है कि आप 'भारती' के अस्तित्व को 'कर्मवीर' के अस्तित्व में डुबा लें। उसे बिलकुल अपनी चीज बना लें। फिर तो यह हो सकता है कि आप 'कर्मवीर' कार्यालय में बैठकर 'भारती' का सम्पादन करें और प्रेमी जी 'भारती'-कार्यालय में बैठकर 'कर्मवीर' का।

कृपया यह न भूल जाइएगा कि 'भारती' के कार्य में यदि आपका सर्वाधिक सहयोग हमें प्राप्त न हुआ, तो हमारा बेड़ा ही गर्क हो जायेगा।

प्रेमी जी का तो यह हाल है कि वे अब भी 'कर्मवीर' से अपने हृदय के तारों को घनिष्ठता से जुड़ा हुआ पाते हैं और ज्यों ही अवसर पाते हैं 'कर्मवीर' के लिए मैटर जुटाने की टोह में लग जाते हैं। उनका तो यही कहना है— "देस में रहेंगे, परदेस में रहेंगे, तऊ राव रे कहावेंगे।"

मुझे नहीं मालूम था वे इतने थोड़े दिनों ही में अपने-आप को कर्मवीर-मय

और माखनलाल-मय कर लेंगे।

आपको 'भारती' की बारम्बार याद दिलाने की, आशा है, आवश्यकता न पड़ेगी।

प्रथमांक बहुत जल्द प्रेस में जा रहा है और उसके लिए आपकी सर्वोत्तम साहित्यिक कृति हमें शीघ्र से शीघ्र प्राप्त होनी चाहिए।

आपका ही
ज० प्र० मिलिंद

पू० पण्डितजी, इस समय अधिक कुछ नहीं लिख सकता। वेदना के उस परमानन्द में हूँ, जहाँ चेतनाएँ लुप्त हो जाती हैं। 'भारती' को मैटर शीघ्रतम भिजवाइए।

'प्रेमी'

[4]

मुरार (ग्वालियर)
19.3.35

प्रिय पण्डितजी, सादर प्रणाम!

'कर्मवीर' में आपके हृद्‌रोग के सहसा उग्र हो उठने की खबर पढ़कर हृदय विचलित हो उठा।

कृपया अब अपने स्वास्थ्य के साथ अधिक अन्याय न कीजिएगा। सारे कार्यों से अवकाश ग्रहण करके एक बार इस कष्ट को सदा के लिए विदा कर देने की अविरत चेष्टा कीजिएगा। अन्यथा, आपके साथ जबर्दस्ती की जायेगी।

क्या मैं आशा करूँ कि ज्यों ही आप इन पंक्तियों को पढ़ने योग्य होंगे, त्यों ही आपका असबाब बम्बई के लिए लदने लगेगा। इस बार वहाँ निपुण चिकित्सकों की सलाह लीजिएगा।

बम्बई का प्रेमीजी का पता '76 जुहू लेन, अँधेरी' है। उन तक आपका संदेश मैं बहुत पहले पहुँचा आया हूँ।

मेरी उलझनें अभी तक प्राय: ज्यों की त्यों हैं। जमनलालजी ने साल भर की छुट्टी और दे दी है।

आपका
जः० प्र० मिलिन्द

श्री हरिभाऊ उपाध्याय

[1]

सस्ता साहित्य मण्डल, मुद्रक और प्रकाशक, अजमेर

7.12.32

प्रिय भाई साहब, सादर प्रणाम !

3 ता० का प्रेमपूर्ण आशीर्वाद मिला। हाँ, अभी तो आ ही गया हूँ; परन्तु इच्छा दीर्घजीवी होने की नहीं है। स्थिति ही ऐसी है। उस दिन के लिए आपके आशीर्वाद से प्रोत्साहन पा रहा हूँ।

'सेवक' तो पद-पद पर अपराधी है। जहाँ कई 'सर्च लाइट्स' पड़ रही हों, वहाँ अपराध होने से कैसे रह सकता है। अपने आत्म-सन्तोष के लिए तो इतना ही काफी है कि 'सर्च लाइट्स' डालने के पात्र समझे गये हैं, और अपराध की जो व्याख्या राजनीति में बना ली गई है, उसमें तो एक 'सेवक' अपने को गौरवान्वित ही अनुभव कर सकता है।

आपके सहृदयतापूर्ण सन्देश के लिए किन शब्दों में कृतज्ञता प्रदर्शित करूँ ? 'उजड़ी हुई मानस कुटीर' ये शब्द दिल में चोट कर रहे हैं। वह चोट ही अपनी तरफ से आपके पास भेज रहा हूँ। और क्या सेवा करूँ ?

सम्भव है, कुछ समय बाद मालवे आऊँ। तब कहीं दर्शन होने की आशा रखता हूं। मेरा स्वास्थ्य ठीक रहा है। आत्मचिन्तन का अच्छा अवसर मिला है और भी योग्य सेवक को बल मिला है। (फटा है) आप कुशल होंगे।

विनीत

हरिभाऊ

[2]

अखिल भारत ग्राम-उद्योग संघ,
वर्धा

वर्धा

16.1.35

प्रिय पं० माखनलालजी,

ग्राम उद्योग के लिए एजेण्ट तथा कार्यकर्त्ता तलाश करने वगैरा के सम्बन्ध में वर्धा आकर बातचीत करने के लिए आपने कहा था, किन्तु अभी तक आपका आना नहीं हुआ। अब श्री हरिभाऊ जी यहाँ से 18 की रात को चलकर 19 को सुबह खण्डवा पहुँचने वाले हैं। तब तक यदि आप इस विषय पर विचार कर रखें और उन्हें सब जानकारी दे दें तो कृपा होगी। विधान तथा नियम की चार

प्रतियाँ अलग डाक से भिजवा रहा हूँ।

आशा है, आपका स्वास्थ्य अच्छा होगा।

भवदीय,

श्रीकृष्णदास जाजू

[3]

जनवरी, 1935

पण्डितजी महाराज, सादर प्रणाम!

19 को सुबह किसी को स्टेशन पर भेज देने की कृपा कीजिएगा—मुझे उसी दिन 9 की गाड़ी से इंदौर चला जाना है। सिर्फ आपके दर्शन के ही लिए घर आना है। खाना रेल में खाऊँगा। 19 की शाम को इंदौर में मजदूर भाइयों की मीटिंग है और उसी के लिए मुझे वहाँ पहुँचना है।

विनीत

हरिभाऊ

(स्व० श्री हरिभाऊ उपाध्याय, चिन्तक, पत्रकार, स्वतंत्रता सेनानी एवं लेखक, भूतपूर्व मुख्य मंत्री, राजस्थान (अजमेर)

श्री नर्मदाप्रसाद सिंह

विभव भोग नहिं राज सुख, नहिं स्वर्गहु से काम।
हिन्दी हिन्दू हिन्द हित, वारौं तन धन धाम॥

न०प्र० सिंह

22 लूकर रोड, इलाहाबाद

20.12.32

प्रिय चतुर्वेदीजी,

मैं अपनी बेवकूफी के विचारों को आपके पास भेज रहा हूँ। चूंकि यह ता० 18 को 11 बजे दिन को छपकर मिला और उसी दिन इलाहाबाद जिला कान्फ्रेंस थी इसलिए मैं व्याख्यान देने के पूर्व ही इसे आपके पास न भेज सका।

किसानों की समस्याओं पर कुछ मेरे नये विचार आपको यहाँ मिलेंगे। मुझे सन्तोष है कि मेरे इन विचारों को सम्मेलन ने, जहाँ पं० जवाहरलालजी तथा श्री टण्डनजी भी थे, सर्वसम्मति से स्वीकार किया।

यदि आप अपने पत्र में इसे प्रकाशित करके अपने विचार भी प्रकट करें तो अच्छा होगा।

आपका

नर्मदाप्रसाद सिंह

[स्पीच की कापी सम्पादक कर्मवीर के नाम से भेजी जा रही है।]

श्री रामकुमार वर्मा

[1]

हिन्दी विभाग

प्रयाग विश्वविद्यालय

मार्च 25,1933

पूज्य पण्डितजी,

आप कितने कोमल हैं—साथ-ही-साथ कितने कठोर भी, यहाँ मिले थे, मानो प्रेम के साकार अवतार थे, वर्षा-नभ के मनोहर चक्र थे—पर वहाँ जाकर शायद मुझे भूल गये। वह स्मृति स्वप्न की तरह टूट गई और नित्य का जीवन खण्डवा के प्रकाशित भूमिखण्ड में बैठकर सन्तोष की साँस लेने लगा है। मा—ऐसे बेखबर।

शायद वन्यप्रदेश (या भूमि— न जाने क्या ?) मेरे समीप न आवेगा ? इतना स्मरण दिलाने पर भी वह कहानी मेरी आँखों को न छू सकेगी। मैं अछूत तो नहीं हूँ ? इधर कर्मवीर आना भी बन्द हो गया। ये जुल्म। खुदा के वास्ते अपनों से तो यह व्यवहार न होना चाहिए।

यह कविता मैंने तब लिखी थी जब मैं आपसे अन्तिम बार कृष्णा होटल में मिलकर आया था—वही कर्मवीर के लिए आज भेज रहा हूँ। पत्रोत्तर को फिर लिखता हूँ।

आपका ही

कुमार

[2]

पूज्य पण्डितजी, सादर प्रणाम !

बहुत दिनों से आपसे कोई समाचार नहीं मिले। इधर मैंने सुना है कि आप अस्वस्थ हो गए हैं। कृपया लिखिए कि अब आपकी तबीयत कैसी है। आप तो शायद मुझे भूल रहे हैं, पर मैं आपको विश्वास दिलाता हूँ कि आपके लिए मेरे हृदय में एक गुरु का स्थान है। आपको शायद स्मरण होगा कि जब आप 1921 में नरसिंहपुर आए थे तब आपने मेरी कविताएँ सुनकर मुझे प्रोत्साहित किया था

और 'साहित्यालोचन' की एक प्रति अपने आशीर्वाद के सहित दी थी। यह स्मृति आज भी मेरे सामने है।

इधर बी० ए० के लिए मैंने एक संग्रह तैयार किया है—इलाहाबाद-यूनिवर्सिटी की प्रार्थना पर। वह अगले साल से पढ़ाया जाएगा। आपकी एक कविता 'कैदी और कोकिला' मुझे बड़ी पसन्द है। इसके अतिरिक्त जो आपकी विशेष प्रिय कविताएँ हों, उन्हें शीघ्र ही भेज दीजिए। मैं उन्हें संग्रह में रखना चाहता हूँ। समय थोड़ा है, इसलिए कृपया शीघ्रता करें तो कृपा हो।

इधर कर्मवीर के दर्शन नहीं हुए हैं। क्या मैं कर्मवीर पाने का भी हकदार नहीं? कृपया पत्रोत्तर शीघ्र दें।—

आपका स्नेहभाजन
रामकुमार

[3]

जबलपुर,
6.6.40

पूज्य पण्डितजी,

अनेक स्थानों की यात्रा करते हुए मैं यहाँ 4 ता० को आ गया हूँ। इस बीच में ब्यौहारजी के पास हमारे अनेक साहित्यिकों और कवियों के परामर्श 'नक्षत्र' के सम्बन्ध में आए। कुछ कवि धाराओं के विभाजन से सन्तुष्ट नहीं हैं क्योंकि उनके नाम आशा के अनुसार संमाननीय स्थान पर नहीं हैं। ये परामर्श हमारी सहायता कर सकते हैं और हमें कई बातें सुझा सकते हैं। सौभाग्य से श्री पदुमलाल बक्षीजी भी यहाँ आ गए हैं। उन्होंने भी प्रसन्नतापूर्वक हमें सहयोग दिया। यथेष्ट वाद-विवाद के अनन्तर जो निर्णय हुआ है, वह आपके पास भेज रहा हूँ। आशा है, आप भी इस निर्णय से सहमत होंगे। कृपया इस 'निवेदन' को कर्मवीर में प्रकाशित कर दीजिए।

आपके स्नेह और अनुराग की स्मृतियाँ आज भी ताजा हैं। आप प्रयाग कब आ रहे हैं? मैं यह पत्र ब्यौहारजी के स्थान से ही लिख रहा हूँ। वे आपको नमस्कार कह रहे हैं।

आपका
रामकुमार

[4]

हिन्दी साहित्य सम्मेलन, प्रयाग

'साकेत'

डा० रामकुमार वर्मा,
एम० ए०, पी-एच० डी०
परीक्षा-मन्त्री

4, प्रयाग स्ट्रीट इलाहाबाद
12.9.49

परमपूज्य पण्डितजी,

लखनऊ से आप सीधे चले आए। मैं वहाँ अस्वस्थ हो गया था, इसलिए पाण्डेयजी के यहाँ शाम के निमन्त्रण में उपस्थित होकर मैं आपके दर्शन नहीं कर सका।

आपको सूचना मिली ही होगी कि नवम्बर के महीने में इलाहाबाद-यूनिवर्सिटी की हीरक जयन्ती होने वाली है। उस अवसर पर आपको सादर निमन्त्रण है। उस समय एक कवि-सम्मेलन भी होगा जिसमें देश के केवल 10 चुने हुए कवि ही भाग लेंगे। आप उन कवियों की अग्रश्रेणी में हैं। आप कृपया अवश्य आइए। डा० अमरनाथ झा की विशेष इच्छा है कि यूनिवर्सिटी की इस हीरक जयन्ती के विषय पर आप एक सुन्दर कविता लिख दें। इस प्रकार की पाँच कविताएँ—जो श्री मैथिलीशरण गुप्त, श्री सुमित्रानन्दन पन्त, श्रीमती महादेवी वर्मा, आप और मुझ द्वारा लिखी जावेंगी, एक सुन्दर संग्रह में छापकर देश और विदेश में भेजी जाएँगी। आपसे प्रार्थना है कि आप यह कविता लिखकर इस मास के अन्त तक अवश्य भेज दें।

आशा है, आप सानन्द हैं। कुशल-समाचार दें।

आपका
रामकुमार वर्मा

[5]

23.9.49

पूज्यवर,

आपका कृपा-पत्र मिला। जुबिली कवि-सम्मेलन में सम्मिलित होने तथा विश्वविद्यालय पर कविता लिखने की स्वीकृति देने के लिए कृतज्ञ हूँ।

आपकी आज्ञानुसार जुबिली की अपील तथा स्वर्णजयन्ती के अवसर पर लिखी हुई श्री गोपालशरण सिंह जी की कविता भेजता हूँ। आप समर्थ कवि हैं अत: संकेत मात्र आपके लिए पर्याप्त है। आशा है, आप निकट भविष्य ही में कविता लिखकर भेजने का कष्ट करेंगे।

आप वहाँ कब आ रहे हैं। हमारे परिषद के विद्यार्थी आपके दर्शन करने

तथा आपका काव्यामृत पान करने के लिए उत्सुक हैं।

आशा है, आप सानन्द हैं। अपने कुशल-समाचार देने की कृपा करें।

आपका

रामकुमार

[6]

17.10.49

पूज्यवर,

मेरे पिछले पत्र का उत्तर अभी नहीं आया। आशा है, आप जुबिली पर कविता लिख रहे होंगे, या लिख चुके होंगे। मैं इस बात से आपको सूचित और कर दूँ कि जुबिली कवि-सम्मेलन का सभापतित्व भी आपको ही करना होगा।

एक विशेष बात आपको लिखनी है। इधर आपने जितनी शैलियों में साहित्य रचना की है, उसे देखने और उसके मूल्यांकन करने की अभिलाषा मेरे मन में ही नहीं, वरन् मेरे अनेक आलोचक-मित्रों के मन में है। लेकिन आपकी ये रचनाएँ अभी अप्रकाशित हैं। इनके प्रकाशन का दायित्व मेरे ऊपर छोड़िए। मेरे एक मित्र हैं श्री जयरामजी भार्गव। वे 'साहित्य-निकुंज' के प्रतिष्ठाता हैं। साहित्यिक कृतियों के प्रकाशन की उनमें उत्कृष्ट सुरुचि है। धन और प्रेस-व्यवसाय के सभी साधन उनके पास हैं। वे पहले लखनऊ में 'विश्व-भारती' के प्रकाशन में ख्याति अर्जित कर चुके हैं। श्री द्वारकाप्रसाद जी मिश्र के 'कृष्णायन' के मुद्रण और प्रकाशन की व्यवस्था उन्हीं के द्वारा हुई है। वे मेरी कृतियाँ भी प्रकाशित कर रहे हैं। लेखकों की सहायता करना उनके प्रकाशन का मुख्य ध्येय है। आपकी कृतियों की सजावट वे आपकी इच्छानुसार ही करेंगे। मेरा निवेदन तो यह है कि आप उनको दो-एक कृतियाँ प्रकाशन के लिए देकर देखें। मुझे विश्वास है कि आपको पूर्ण सन्तोष होगा। मेरे शिष्य और मित्र डा० ब्रजमोहन गुप्त की रचनाएँ उन्होंने जिस उत्साह और सुरुचि से प्रकाशित की हैं वह उनके प्रकाशन के मापदण्ड का परिचय है। वे तैयार होने पर आपके पास पहुँचेंगी। आपको यदि अपनी पाण्डुलिपि तैयार करने में असुविधा हो तो वे व डा० गुप्त स्वयं आपकी सेवा में आकर पाण्डुलिपि तैयार कर उसकी प्रतिलिपि कर लेंगे। आशा है, आप शीघ्र ही अपनी कृतियों को प्रकाशित करने की स्वीकृति देंगे। वे रॉयल्टी के नैतिक सिद्धान्त में विश्वास करते हैं। और मेरी राय में रॉयल्टी पर ही आप अपनी कृतियाँ दें।

आशा है, आप सानन्द हैं। कृपया पत्रोत्तर शीघ्र दें।

आपका

रामकुमार

श्री के० एन० भण्डारी

के० एन० भण्डारी
मैनेजिंग एजेण्ट **इन्दौर**
11.4.1933

भाई माखनलालजी चतुर्वेदी
खण्डवा

जयवीर !

कृपापत्र आपका मिला, पढ़कर अत्यानन्द प्राप्त हुआ। आपने मेरे लिए जो कुछ भी लिखा वो ठीक है। मैंने आजतक किसी भी विषय में मानापमान का ख्याल नहीं किया न ऐसे विचारों को ही मेरे हृदय में स्थान है। चालू मामले में तवज्जह देने का खास मतलब यह था कि यहाँ की सब मिलों में करीब 15000 मजदूर काम करते हैं और यदि उनके लिए मेरी कोई ऐसी बात उनको नजर आवे तो आप ही ख्याल कर सकते हैं कि उन लोगों के हृदय में मेरे लिए वृथा ही कितना द्वेषभाव उत्पन्न हो सकता है, साथ ही अन्य मिलों के बन्द होने और मेरी मिलों के चालू रहने से इससे भी ज्यादा उन लोगों को ठेस लग सकती थी, बस, यही कारण था कि बिना वजूहात मेरी तरफ से उन लोगों का हृदय क्यों दुःखित हो, इस पर भी यह कार्यवाही हमारी तरफ से हुई नहीं।

आपको पत्र इसलिए दिया कि आपकी तरफ से कोई जवाब उस लेख के प्रतिवाद-स्वरूप मिल जाये। क्योंकि यह मामला मामूली नहीं था। आप सच मानिये कि ऐसे मामलों में जान तक जाने का मौका वक्त पर पेश आ सकता है, जब तक ऐसे लेखों का स्पष्ट प्रतिवाद न हो। इसके सिवाय मानापमान की कोई बात न थी।

प्रथम पत्र का जवाब नहीं मिलने से ही दुबारा पत्र दिया और जब तक आपकी तरफ से कोई जवाब नहीं मिला, तब तक कर्मवीर भी नहीं देखा। यदि आप प्रतिवाद के निकलते ही हमारी तरफ लिख देते या उस अंक की कापी ही भेज देते तो आपको तकलीफ देने का मौका ही पेश नहीं आता।

स्नेहभाव बनाये रखना, पत्रोत्तर देना, योग्य कार्य लिखते रहना।

आपका विनम्र,
के० एन० भण्डारी

श्री कन्हैयालाल वैद्य

[1]

वन्देमातरम्

इन्दौर
2.5.33

सेवा में

पूज्य पं० माखनलालजी चतुर्वेदी
(सम्पादक : कर्मवीर, खण्डवा)

सादर वन्दे !

सेवा में, संवाद और लेख प्रकाशनार्थ भेजता हूँ—प्रकाशित करने की कृपा करें।

मेरे पिछले पत्र का कोई उत्तर नहीं दिया गया, आशा में बैठा हुआ हूँ। उस पत्र का उत्तर देने की कृपा करिये—और कार्यालय क्या दे सकेगा यह सूचित करें—मैं आपको नियमित रूप से संवाद भेजता रहूँगा—कर्मवीर की बिक्री बिना संवादों का प्रबन्ध हुए—बढ़ाना कठिन दीखता है आगे जैसा आप उचित जानें—उज्जैन के प्रतिवाद को और टिप्पणी दोनों को पढ़ा—आज तक अतिशयोक्ति नहीं की गयी है—खेद इस बात का है कि गोपीकृष्ण जी जैसे आदमी ऐसा झूठा प्रतिवाद करते हैं। उनके दफ्तर में रिपोर्ट हुई है, वह अब भी मौजूद है। उसकी सूचनाएँ और जगह भी इन्हीं के यहाँ से दी गयी हैं—इतना होते हुए भी ऐसा झूठा प्रतिवाद करके क्या सार निकाला, यह मालूम नहीं। साथ ही यह लिखने की क्या आवश्यकता थी कि हमारी ओर से वे ही समाचार प्रमाणित माने जावें जो हमारे कार्यालय से विज्ञप्तियों द्वारा निकले हों—इस प्रतिवाद से क्या फायदा उनके आन्दोलन को पहुँचा ? वे यहाँ अभी मिले थे—उन्होंने अब स्वीकार किया है कि रिपोर्ट पहुँची थी—वह रिपोर्ट मौजूद है, दफ्तर में है और उर्दू में होने से शायद पढ़ी न होगी क्योंकि दफ्तर में एक व्यक्ति उर्दू जानने वाले हैं और उस समय वे पुलिस की दौड़-धूप में लग रहे थे। यदि आवश्यकता हुई तो रिपोर्ट की कापी भी मैं भेज दूंगा—गोपीकृष्णजी खुद शायद इसको दुरुस्त करेंगे—फिर भी साथ का संवाद छाप देवें—और टिप्पणी लिखें।

शेष कुशल, कृपा रखें, पत्र का उत्तर देवें।

सेवक
कन्हैयालाल वैद्य

कन्हैयालाल वैद्य
झाबुआ स्टेट, संयोगितागंज, इन्दौर

[2]

सेण्ट्रल इंडिया स्टेटस पीपुल्स कान्फ्रेन्स
खण्डवा (सी०पी०)

रेलवे ट्रेन से, इटारसी (सी० पी०)
1.11.1945

आदरणीय श्री पंडित माखनलालजी चतुर्वेदी

सादर वन्दे !

आपसे फिर मिल नहीं सका। श्री विनयमोहनजी के साथ बुरहानपुर चला गया था और रात को लौटकर सुबह की एक्सप्रेस से उज्जैन जा रहा हूँ, अतएव समय नहीं रहा अन्यथा रूबरू चर्चा करता।

आज-कल मध्यभारत में ग्वालियर राज्य पर राजनीति का असर पड़ रहा है और वहाँ की हलचलें मध्यभारत में चर्चा का विषय बन रही हैं, मेरी विचारधारा ग्वालियर के जिस नेतृत्व की नीति के प्रति है वह आपको समय-समय पर समाचारों से ज्ञात होती रहती है। किन्तु अभी ऐसा वातावरण हो रहा है कि मुझे कुछ अपने विषय में कहने की आवश्यकता हुई है—ग्वालियर के नौकरी-परस्त तथा किसान-विरोधी नीति के लोगों ने अपने विरोध को दबाने के लिए अब मेरे प्रति यह प्रचार प्रारम्भ किया है कि मैं सरकारी प्रचारक और समर्थक बन गया हूँ। मेरी हलचलों के कारण मैं कई रियासतों से निर्वासित हूँ और आज जिस स्थिति में कार्य कर रहा हूँ, वह जनता के सामने है! अभी मैंने जोधपुर में पंडित जवाहरलालजी से भी इस प्रश्न पर चर्चा की थी। इस स्थिति में मैंने यही उचित समझा है कि अपने बारे में साफ-साफ कहूँ और ग्वालियर के प्रचारकों के चैलेंज को स्वीकार करूँ। अतएव मैं आपकी सेवा में 'मध्यभारत की जनता से' शीर्षक लेख दो हिस्सों में लिखकर इस आशा से भेज रहा हूँ कि आप इन्हें दो अंकों में प्रकाशित करने की कृपा करेंगे—मैं आशा करता हूँ कि यह प्रश्न मेरे से सम्बन्धित है, अतएव व्यक्तिगत रूप में भी मैं आपसे आग्रह करूँगा कि आप मेरी व्यक्तिगत रूप में ही सही, इतनी सहायता करने की कृपा करेंगे।

कष्ट के लिए क्षमा करें—यदि आप किसी कारणवश इस लेख को स्थान न दे सकें तो मुझे उज्जैन के पते पर लौटा देने की कृपा करें। किसी अन्य पत्र को भेज दूँगा—लेख बुक-पोस्ट से अलग भेज रहा हूँ।

योग्य सेवा लिखें—

विनीत

कन्हैयालाल वैद्य

(सुप्रसिद्ध स्वतन्त्रता-सेनानी)

श्री वैद्य शिवनारायण मिश्र, भिषग्रत्न

प्रकाश आयुर्वेदीय औषधालय
फीलखाना, कानपुर
24.6.33

प्रियवर,

कार्ड मिला। आप एकाएक बिना मिले चले गये थे। बहुत-कुछ कहना था। मैं तो कुछ कह ही न पाया। इन्दौर जाकर आप बीमार पड़ गये, अतः पत्र भी न लिख सके। अब कानपुर बुलाने की मेरी हिम्मत भी नहीं पड़ती। यह मेरा दुर्भाग्य है कि आप कानपुर आकर अभिमान, सुख और संवेदना न पा सके। परिस्थितियों के कारण सुख देना तो दूर रहा, मैं बातें भी न कर सका।

प्रताप के अस्तित्व में मुझे संतोष और अभिमान, हरी के सुख में मुझे हार्दिक सुख और गणेश जी का जीवन-चरित्र तो मेरा आदर्श ही है। मगर मैं अपने ही आदमियों द्वारा हताश और हतप्रभ-सा हो रहा हूँ। भगवान की और मित्रों की भी साथ ही इच्छा है कि मैं लकवा मारा-सा टुकटुक देखता भर रहूँ। भगवान की इच्छा पूरी होगी ही। मुझे तो भविष्य बहुत उज्ज्वल नहीं दीख रहा। मेरे धैर्य का अन्दाजा आप इसी से लगा सकते हैं कि मैंने ट्रस्ट से इस्तीफा दे दिया है। आज एक सप्ताह हो गया। टंडनजी आये थे, दो दिन रहे। हरि और पालीवाल से बातें कीं। औरों से भी मिले। यहाँ से इतना अधिक असन्तुष्ट होकर चले गये कि कल, मैंने सुना है, उन्होंने भी त्याग-पत्र भेज दिया है और इच्छा प्रकट की है कि उनके स्थान पर पालीवालजी को चुन लिया जाय। पता नहीं भगवान क्या करने वाला है? आप-जैसे मित्र ही प्रताप को सँभाल लें और क्या कहूँ।

शिव

अब आप जो राय दें, करूँ। मुझे तो मार्ग नहीं सूझ रहा।—शिव

श्री शान्तिप्रिय द्विवेदी

[1]

श्री

शान्तिप्रिय-मंगल आश्रम
पो० लंका, बनारस (यू० पी०)
15.8.33

आदरणीय चतुर्वेदीजी, प्रणाम!

बहुत दिनों बाद आपकी सेवा में पत्र भेज रहा हूँ। मेरे-जैसे अस्वस्थ अतएव

अव्यवस्थित व्यक्ति का यह विलम्ब स्वाभाविक है। थोड़े में ही मेरा अभिप्राय समझ लीजिएगा। यह पत्र भी जल्दी में लिख रहा हूँ।

आज सुबह अपना बस्ता ठीक कर रहा था, उसमें वह नोट निकल आया जो मैंने काशी में आपसे बातचीत करके लिखा था। अब मैं उसे लेख का रूप देना चाहता हूँ। आपसे सविनय अनुरोध है कि आप अपनी कुछ कविताएँ उस पर अपने दृष्टिकोण को स्पष्ट करते हुए भेज दें।

अपने उस पूर्व हिन्दी-कविता के प्रेम की कथा भी जिसे (.........) आपने सुनायी थी।

शान्तिप्रिय

[2]

के०/आ० मिस्टर टण्डन
10, साउथ रोड, इलाहाबाद,
3.5.35

श्री

मान्यवर,

सादर प्रणाम !

मैं 30 अप्रैल को यहाँ पहुँच गया। लौटते समय ट्रेन में ही तबीयत बहुत खराब हो गयी, मानसिक और शारीरिक कमजोरी के कारण बेदम हो गया। अभी तक प्रकृतिस्थ नहीं हो पाया हूँ। अति शीघ्रता के कारण मैं उस सर्वथा अपरिचित प्रदेश की यात्रा का आनन्द भी नहीं पा सका। देखूं, अब कब तक ?

क्या ही अच्छा होता, यदि मैं आपके निकट कुछ क्षण बिता पाता। परन्तु मेरे मन में लोभ बना हुआ है कि कभी आपके सहृदयतापूर्ण साहचर्य में रहकर जीवन के कुछ दिन मधुर-मनोहर बना सकूं। प्रभु की कृपा से, देखूं, वह सुयोग कब कैसे मिलता है।

आपकी शारीरिक स्थिति का कुशल-समाचार जानने की उत्कण्ठा सदैव बनी रहेगी, कभी-कभी अपना एक अकिंचन जन जानकर अपना आशीर्वाद-पत्र देते रहेंगे तो आभार मानूंगा।

विनीत
शान्तिप्रिय

श्री हरिकृष्ण प्रेमी

[1]

'भारती'

विविध-विषय-विभूषित सचित्र मासिक पत्रिका

सम्पादक
श्री जगन्नाथप्रसाद 'मिलिन्द'
श्री हरिकृष्ण 'प्रेमी'

प्रकाशक
हिन्दी साहित्य मण्डल लिमिटेड
मैनेजिंग एजेंट
हिन्दी भवन, हास्पिटल रोड, लाहौर

1.1.1934

मान्यवर पण्डितजी,

आज मैं आप पर बहुत क्रुद्ध था और सोच बैठा था कि आपको अब कभी पत्र न लिखूंगा। आज ही अपनी उस प्रतिज्ञा को तोड़ रहा हूँ। आप पर तकाजों की बारानली बन्दूक इसलिए दागनी प्रारम्भ कर दी थी कि मुझे डर हो गया था कि आप कुछ न भेजेंगे। आप अपने आपको मेन-हेटर कहते हैं, सम्भव है, मैं भी उसी श्रेणी में आ गया हूँ।

आपकी कठिनाइयों को मैं अनुभव कर रहा हूँ, पर मेरी वेदना को आप भी अनुभव करें। पत्र प्रकाशित होने के दिन ही कितने रह गये, आप तो अपनी कठिनाइयों का कवच बनाकर आफत से बचे जा रहे हैं, पर मेरी बेबसी तो रो रही है। मुझे संसार के सर्वश्रेष्ठ लेखकों के लेख प्राप्त हो जावें, परन्तु जब तक आपकी चीज नहीं मिलती, मेरे लिए पूरी 'भारती' सूनी है। आप अपनी रचनाओं को प्रकाशन से, मशीन से कुचली जाने से बचाते हैं, लोगों की 'नजर' से बचाते हैं, परन्तु मैं तो आपका व्रत-भंग करने ही पैदा हुआ हूँ। आपकी कला को पर्दे के बाहर लाये बिना मुझे चैन कहाँ। आजकल परदा-विरोधी आन्दोलन का जोर है।

आपकी रचना (लेख और कविता) के साथ आशीर्वाद और सन्देश भी चाहिए। सम्भव तो यही मालूम होता है कि मेरे पत्र पहुँचने के पहले ही आप कुछ-न-कुछ रवाना कर चुके होंगे। न किया हो तो अब तो चूकिए ही नहीं।

आपका
हरिकृष्ण प्रेमी

[2]

रूपम् आर्ट प्राडक्शन्स
अँधेरी, बम्बई
8.6.35

मान्यतम पण्डितजी, सादर वन्दे !

आपके पत्र का उत्तर मैंने लिखा था—पर पोस्ट न किया। अभी मैं लाहौर से लौटा हूँ। कम्पनी के डाइरेक्टर दलाल के साथ गया था।

मैं चाहता हूँ कि अब मैं एक जगह जम कर, अपनी शक्ति का उचित उपयोग करूँ। चित्त को निरर्थक स्वप्नों में भटकाने से कोई लाभ नहीं है। बम्बई में रहकर, मैं एक क्षण भी शान्ति और सन्तोष का अनुभव नहीं कर सका हूँ। मेरे बच्चे मुझसे अलग पड़े अनाथों की तरह से तड़पते रहते हैं और मैं अलग उनके वियोग में रात-रात भर रोता रहता हूँ। इस सिनेमा कम्पनी में रहते हुए, मैं उन्हें अपने पास नहीं बुला सकता—और अब तो मैं निश्चय कर चुका हूँ कि इस लाइन से जितनी जल्दी छुटकारा मिल जाय, अच्छा है। आपका ही मुझे बल है—आश्रय है—नहीं तो, इस जीवन-भर में मेरे प्यासे प्राणों के लिए कोई जल-स्रोत नहीं दिखायी देता।

आपको मैंने धोखा दिया सही—पर वह तो बचपन था। अब जमकर आपके पास रहना चाहता हूँ। मेरी कविताएँ पड़ी सड़ रही हैं—आप भी अपना धन छुपाए बैठे हैं—मैं चाहता हूँ—आपके पास रहकर वह सब दुनिया की गोद में रख दिया जाये—कुछ और भी लिखा जाये।

मैं आपके पास रहूँगा—पर सोचता यही हूँ, कि एक आर्थिक बोझ आपके सिर पर और न लद जाये। मेरी पत्नी और बच्चों की कुछ आवश्यकताएँ हैं—और मेरी बिगड़ी हुई आदतें हैं—फिर आपका भी स्नेही स्वभाव है—वह मुझे जरा भी असुविधा का अनुभव न करने देने का—अपनी आवश्यकताओं का खून करके भी—प्रयत्न करेगा।

मैंने निश्चय कर लिया है कि इसी सप्ताह मैं रूपम् से त्याग-पत्र दे दूंगा। यदि आपने अपनी और कर्मवीर की सेवा करने का अवसर मुझे दिया तो ठीक है, अन्यथा घर जाकर आराम करूँगा—और कहीं साहित्यिक नौकरी खोजता रहूँगा।

कृपया मेरे पत्र का उत्तर तुरन्त दे दीजिएगा— नहीं तो मैं यहाँ से रवाना हो चुका हूँगा। मेरा जीवन जिस काम के लिए है, अब उसी में खर्च करूँगा।

आपका
हरिकृष्ण 'प्रेमी'

श्री अनन्तगोपाल शेवड़े

[1]

नागपुर
23 मार्च, 30

पूज्य दादा,

चरणों में साष्टांग नमस्कार !

आपका पत्र तब मिला जबकि मैं बहुत ही गहरी परेशानी में था। उसका कारण एक तो मेरा······के एक पेपर का बिगड़ना था और दूसरे अन्य पेपर्स के ठीक (न) होने की चिन्ता। पर अब मैं इन दोनों बातों से फ्री हूँ। और उम्मीद करता हूँ कि शायद इस साल भी······मिल जायेगा। सच पूछिये तो मैं यह भी··· नहीं करता हूँ क्योंकि परीक्षा की तैयारी ही बिलकुल कच्ची थी। खैर ! अब कम-से-कम रिजल्ट के दिन तक तो निश्चिन्त हूँ।

आपने लिखा था कि शायद आप शीघ्र ही सरकार के मेहमान हो जावेंगे। मैं सोच न सका कि इतने जल्दी आपका नम्बर कैसे आ जावेगा। गत सप्ताह के 'कर्मवीर' की छानबीन कर डाली—यह देखने कि उसमें कहीं '124 अ' की धारा में दण्डित कोई लेख तो नहीं छपा। और भी कई जरियों से पता लगाने की कोशिश की। परन्तु अभी तक कहीं से भी ऐसा नहीं मालूम हुआ कि हमारे दादा साहब कुछ दिनों के लिए हमारे से अलग हो जावेंगे। अब यह देखना है कि वह दिन कब आता है।

चूँकि मेरा इम्तिहान अब खतम हो गया है, कम-से-कम मैं, अपने को आधा आजाद मानता हूँ। यदि मैं सच कहूँ तो इम्तिहान देना भी मुझे कठिन मालूम हो रहा था। आपके पत्र के बाद मैं कुछ सम्हला और ठीक पढ़ने लगा। उसका फल यही हुआ कि मुझे सेकण्ड क्लास में पास होने के कुछ-कुछ चिह्न दिखायी दे रहे हैं।

आपने अपने पत्र में लिखा था कि मैं गर्मी की छुट्टियों के लिए कोई भी विधायक कार्यक्रम चुन लूँ और उसे पूरा करूँ। यह मैंने सोचा कि क्या करूँ ? परन्तु अभी तक किसी निश्चय पर नहीं पहुँच पाया हूँ। मेरा अभी भी अनिश्चित रहना इस कारण से नहीं है कि मुझे मेरे लायक कोई कार्यक्रम नहीं दीखता, परन्तु वह इसलिए है कि मुझे मेरे लायक बहुत-से काम दीख रहे हैं। हरएक काम जिम्मेवारी का है और किसी भी काम को हाथ में लेने के पूर्व मैं उस पर पूरा विचार करना चाहता हूँ। क्योंकि अब मैं अपने जीवन की जो राह पकड़ता हूँ, उस पर से शायद मैं वापिस नहीं आऊँगा। इसलिए ऐसे प्रश्न पर विचार करना, चाहे उसमें समय अधिक लग जावे, ठीक है।

पर मैं यह किसी को भी विश्वास दिलाता हूँ कि मैं कोई भी काम, खुद आपे

से बाहर होकर, या एक हठी बालक की तरह, नहीं करूँगा। अपना कार्यक्रम ऐसा ही करूँगा जिसमें मेरे 'अपनों' की सम्मति रहे।

मैं क्या करना चाहता हूँ—सुनिये!

मेरी एक इच्छा तो यह है कि मैं कोई एक स्वयंसेवक दल ज्वाइन कर लूं। मुझसे यह कइयों ने कहा। मैं जो विचार अपने देश के प्रति रखता आया हूँ, या जिन्हें मैंने लाहौर-कांग्रेस के बाद पनपने दिया है, उन से तो मुझे यही जँचता है कि मैं (अस्पष्ट) का एक सैनिक बन जाऊँ। पर जैसा कि मैंने पहले लिख दिया है, यह एक अनिश्चित निश्चय है।

दूसरी बात यह है। मैं रेहली जाना चाहता हूँ और वहाँ कुछ थोड़ा कांग्रेस का कार्य और रेहली के आसपास के गाँवों में कुछ ग्राम-सेवा करना चाहता हूँ। पर एक बात बीच में आती है, आपको मालूम ही होगा कि मेरे सबसे छोटे मामा, जो हाल ही में वकील हुए हैं (साहब) और जिन्होंने अपनी वकालत रेहली में ही शुरू की है, इन सब बातों के यदि एकदम विरुद्ध न भी हुए तो, कम से-कम वे इनमें जरा भी दिलचस्पी नहीं लेते। रहे सबसे बड़े मामा, श्रीयुत विश्वनाथ राव देव, उनके बारे में, मुझे पता चला है कि वे भी इन कार्यों से कुछ घरेलू चिन्ताओं के कारण उदासीन हैं। इसलिए यदि मैं वहाँ कुछ करूँगा, तो यही होगा कि मुझे इन दो के विरुद्ध करना पड़ेगा। सिर्फ इतना ही नहीं, वहाँ तो कुछ ऐसे 'साहब' लोग—कोई सब-जज है तो कोई (......) है (मामा के यहाँ शायद उनकी लड़की की शादी है) जमने वाले हैं कि शायद ही मैं वहाँ रहने में कुछ सन्तोष पा सकूं। इसलिए रेहली में भी मुझे निराशा मालूम पड़ती है।

अब रही तीसरी बात। वह यह कि कहीं एकान्त स्थान में रहकर चरखा चलाकर, कुछ अध्ययन, साहित्यिक और राजनैतिक, दोनों करूँ। परन्तु दादा! आजकल के ऐसे वातावरण में, जब देश के प्रत्येक युवक का कर्त्तव्य है कि वह स्वाधीनता के यज्ञ में अपने खून की आहुति चढ़ावे, कम-से-कम मुझे चुप बैठना तो नहीं भाता। मैं जो हमेशा (अस्पष्ट) कहा करता था कि नागपुर के विद्यार्थियों में जिन्दादिली नहीं है, कैसे बुज़दिल होकर रहूँ?

ये मेरे विचार हैं—ये मेरे एम्स। इनमें से क्या चुनूं यह प्रश्न है। उम्मीद है कि वापसी डाक से इन उलझनों की कोई सुलझन बतलायी जावेगी।

लिखना तो बहुत था। पर अब इस पत्र को यहीं समाप्त करता हूँ। शायद दूसरे पत्र में और कुछ लिख सकूँगा। शरद् राव बहुत ही ज्यादा याद किया करते हैं। उन्हें 'लांग लिव्ह रिव्होल्यूशन डाउन विद इम्पीरियलिज्म' याद हो गया है। वासू और बल्लू की परीक्षा कल से शुरू होने वाली है। बल्लू की तैयारी इस साल कुछ ठीक मालूम पड़ती है। वासू के बारे में कुछ कह नहीं सकता।

माँ का स्वास्थ्य अच्छा है। कुसुम और दूसरी बहनों की परीक्षा भी पास आ

रही है इसलिए उनकी दूसरी एक्टिविटीज बन्द हैं; तिस पर भी महात्माजी के मार्च की खबरें, देउस्कर जी के यहाँ के वातावरण में कुछ आशा, कुछ चिन्ता और उत्साह भर देती है।

बाकी सब ठीक है।

हाँ, अपने कार्य को आपका पत्र आ जाने के बाद चुनूँगा। इसलिए उम्मीद है कि वापसी डाक से 'कुछ' आ जावेगा। पू० जीजी को सादर नमन।

आपका अपना

मास्टर अन्नू

[2]

सैन्ट्रल ऑटो रिपेयर्स एण्ड स्प्रे पेंटिंग वर्क्स

45, लेमिंगटन रोड, बम्बई

बम्बई

4.1.1934

पूज्यपाद, दादा, साष्टांग प्रणाम !

यहाँ पर मैं रविवार रात्रि के समय सकुशल पहुँच गया। दो रोज स्वास्थ्य कुछ ठीक था, किन्तु कल ही से कुछ तबियत बेचैन-सी है। इस बीमारी से करीब 15 पौण्ड वजन कम हो जाने के कारण बहुत कमजोरी मालूम पड़ती है। आज एक वैद्य की औषधि शुरू कर दी है। आगे क्या होगा, कुछ कहा नहीं जाता।

मुझे इस समय, खुद के खर्चे के लिए कुछ रुपयों की आवश्यकता है। बहुत ही अच्छा हो, यदि आप 40 या 50 रुपयों की व्यवस्था कर सकें। रुपये यदि शीघ्र ही मिल सकते हों तो बहुत ही सुविधा होगी।

प्रिय मित्र शास्त्री को आपके विषय में कहा था। किन्तु उसका विचार कुछ यहीं पर रहने का दीखता है। कुछ रोज इस बात पर विचार करने के लिए माँगे हैं। देखना चाहिए क्या जवाब मिलता है ! मुझे तो यही मालूम पड़ता है कि वह आपके पास आने के लिए राजी हो जावेगा।

यदि आपका यहाँ पर कोई भी काम मेरे करने लायक हो तो अवश्य लिखिये।

और अधिक क्या लिखूँ?

आपका

अनन्त

आचार्य बिल्डिग,

लेडी जमशेदजी रोड, दादर (बम्बई)

]3]

नागपुर (सी० पी०)
30.5.35

पूज्य दादा,

सागर से आपको पत्र दिया था। उसका आपके पास से कोई उत्तर नहीं आया। प्रतीक्षा कर रहा हूँ। इस बार तो उत्तर अवश्य दें।

यहाँ तो मैं 21 तारीख को ही पहुँच गया। खूब गरमी है। बैतूल तो इससे कहीं ठण्डा था, तो भी मैंने सोचा कि अभी मेरा वक्त मजे का नहीं है। कर्त्तव्य सामने खड़ा है और मेरी शक्तियों पर तकाजा लगाये बैठा है। फिर सुख और आनन्द कैसा ? जब तक सिर पर ली हुई जिम्मेवारी को गौरवपूर्वक पार न पाड़ सकूँ तब तक चैन कैसे ले सकता हूँ। अस्तु। यही कारण मुझे नागपुर ले आया—ऐसी भयानक गरमी में।

अभी हाथ में कुल 200 रु० आये हैं। जून के प्रथम सप्ताह में और शायद 200 रु० आ जायँ। बाकी 2-3 सौ के लिए फिर प्रयत्न करना होगा। जब तक हाथों में सात-आठ सौ नहीं आ जाते, तब तक (अस्पष्ट) देने की हिम्मत नहीं होती। आप भी अपने 50 रु० शीघ्र ही भेज दें तो कृपा होगी। रुपयों का बड़ा बल होता है। मानसिक चिंता भी उतनी ही घट जाती है। यह हमारी परीक्षा का समय है। इस युद्ध में तो मैं अपने अस्तित्व को भी खतरे में डाल देना चाहता हूँ। मेरे या वासू के रिकार्ड में असफलता का धब्बा, जहाँ तक हमारी मनुष्य-शक्ति का बस चले, नहीं लगने देना चाहता हूँ, इसी नाजुक समय में हमें अपनों के सक्रिय सहयोग की और सहानुभूति की आवश्यकता है। अतः आप अपनी रकम कम-से-कम अभी तुरन्त ही भिजवा दें। उससे हमारा ढाढ़स बँधेगा।

अब तक यदि रुपया हाथ में आ गया होता तो पेपर जुलाई में निकाल दिया होता। लेकिन अब यही दीखता है कि उसमें कुछ विलम्ब होगा। अब सोचते हैं कि 1 अगस्त (तिलक-पुण्यतिथि) के दिन उसे निकालेंगे। आशा है आप उस समय लगातार कुछ दिनों तक यहीं रहेंगे। आपकी मदद की अत्यन्त आवश्यकता होगी।

वासू का कार्य तो चल रहा है, लेकिन उसका स्वास्थ्य कुछ अच्छा नहीं है। कमजोर हो गया है। (......) के कार्य ने तो उसे बिलकुल दुरुस्त कर दिया है। मियाँ सारी नवाबी भूल गये।

मैं प्रसन्न हूँ। स्वास्थ्य भी अच्छा है। केवल सामने की जिम्मेवारी का काम नित्य रहता है इसीलिए हमेशा ही कुछ चिन्तित रहता हूँ। पर उस चिन्ता में निराशा या क्लेश की मात्रा अधिक नहीं है। मन में आशाएँ हैं, उमंगें हैं, तभी तो यह कार्य हाथ में लिया है। ईश्वर से प्रार्थना करता रहता हूँ कि वह इस दिव्य

लक्ष्य को सफल बनावे। कर्मवीर प्रेस पर किस सम्बन्ध में मुकदमा चल रहा है? यदि वह 'प्रजापुकार' सम्बन्धी मामले पर है तो वह (......) है और उसमें ज्यादा चिन्ता करने की जरूरत नहीं है ऐसा मेरा खयाल है। बाकी कुशल है। पत्रोत्तर अवश्य दें और शीघ्र दें।

आपका प्यारा

अनंत

[4]

साठे का बंगला, क्राडक टाउन,

नागपुर, 7.7.35

पूज्य दादा,

चरणों में सादर प्रणाम!

आपका उत्साहवर्धक पत्र तो यथासमय मिल गया था। उन दिनों और आज भी, मन की हालत ऐसी है कि वैसे पत्र बलवर्धक ही सिद्ध हुए हैं। गत पूरा महीना बड़ी चिन्ता और बेचैनी का निकला। इस 'इण्डिपेण्डेण्ट' संस्था का वह प्रसव-काल था, इसलिए वेदनाएँ भी बड़ी भयंकर थीं। पर मैंने हिम्मत नहीं हारी और आज भी नहीं हारता हूँ। क्योंकि मैं जानता हूँ कि यही काल इतिहास के निर्माण का काल है। हमारी परीक्षा का भी यही समय है। इसमें से उत्तीर्ण हुए तो हम दरअसल दुनिया में रहने लायक साबित होंगे। यदि इस कार्य को चलाते-चलाते मृत्यु आ गयी तो हम यही सन्तोष मानने का यत्न करेंगे कि हम मरने के लायक ही थे। आज तो हम मैदान-जंग में कूद पड़े हैं। पीछे हटने की गुंजाइश ही नहीं है। एक ही दिशा में बढ़ सकते हैं, और वह है आगे। हमारा प्रभु में विश्वास है और हम आशा करते हैं कि वह हमें पार लगावेगा।

1 तारीख को वासू ने इस्तीफा दे दिया था। कल 'इण्डिपेण्डेण्ट' का डिक्लेरेशन दे दिया गया है। 15 अगस्त को पहला अंक निकालने का विचार है। वैसी घोषणा भी दे दी गयी है। युद्ध का बिगुल बज गया है। हम लोग झण्डा ऊँचा करे बैठे हैं। देखना है, हमारी नियति ने हमारे लिए कौन सी कहानी लिख रखी है।

ऐसे समय में आपका हाथ हमारी पीठ पर रहा तो हम सारी दुनिया को चुनौती देने की हिम्मत कर लेंगे। हमें हमारे ध्यान में विश्वास है, हमारे मार्ग में भी। हम जानते हैं, ऐसी परीक्षा के समय में हमारे 'भगवान' हमें भूलेंगे नहीं।

वासू 10-12 तारीख को नागपुर छोड़ेगा। पन्द्रह दिन के लिए वह खण्डवा आवेगा। शायद उसके पहले बेतूल रहेगा। 30 जुलाई को नागपुर लौट आवेगा। और फिर हम सब लोग पहले अंक की तैयारी में जुट पड़ेंगे। (अस्पष्ट) साथ में

(अस्पष्ट) बना कर भेज रहा हूँ। उसे खूब (अस्पष्ट) और (अस्पष्ट) कम्पोज कराकर प्रकाशित कर दीजिए, नागपुर की पब्लिसिटी के लिए मैं एक कालम शुरू करने वाला हूँ। हमारे लन्दन लेटर, बाम्बे लेटर और दिल्ली लेटर की व्यवस्था हो गयी है। वे हमें नियमित रूप से मिलेंगे। (......) और (......) के लिए भी लन्दन के एक अंग्रेजी लेखक से लिखा-पढ़ी हो रही है। भाव जम जायेगा, ऐसी पूरी उम्मीद है। प्रयत्न सब दिशाओं में हो रहे हैं। सहानुभूति भी सबकी मिल रही है। परिश्रम में कोई कमी नहीं की जा रही है। देखें, नतीजा क्या होता है।

नागपुर के कांग्रेस वालों को पैसे के लिए जरा भी नहीं छुआ है। प्रान्त के किसी कांग्रेसवादी को भी नहीं लिखा है, न अभी लिखने का इरादा है। यह तरीका आज इस्तेमाल नहीं करना है। जब चीज दुनिया को दे देंगे. तभी उससे सहानुभूति माँगेंगे और हक से माँगेंगे—उसके पहले नहीं।

मेरा स्वास्थ्य अच्छा है। और इन परिस्थितियों में उसे अच्छा रख लूंगा ऐसा खयाल है। काम की धुन जो है!

हाँ, आगामी छः महीनों के लिए मैंने निश्चय कर लिया है कि मेरे जीवन का एक-एक क्षण, मेरी शक्ति की एक-एक बूंद, मेरी श्वासों की एक-एक निःश्वास, मेरे मस्तिष्क का एक-एक विचार सिर्फ 'इण्डिपेण्डेण्ट' के लिए ही होगा। इसलिए मैंने सारा 'व्यक्तिगत' पत्र-व्यवहार भी पूर्णतया स्थगित कर देने का निश्चय कर लिया है। इस निश्चय की सूचना भेजी जा रही है। मैं (......) को (......) करना चाहता हूँ और केवल अपने काम के पीछे ही दीवाना हो जाना चाहता हूँ। कर्त्तव्य के लिए मैं अपने प्रेम से भी बिदायी लेता हूँ। और आप विश्वास कीजिए, हँसते हुए बिदायी ले रहा हूँ। शायद इन गतिविधियों का परिणाम नाराजी होवे, जलन-कुढ़न होवे, गलतफहमी होवे। लेकिन मैं उन सब बातों के लिए तैयार हूँ। जब रणभेरी बज उठती है तब तो युद्ध में मर मिटने के विचार ही मन में रह सकते हैं। वहाँ प्रेम और आनन्द के लिए स्थान कहाँ है? यदि प्रेम है तो वह अपने कार्य से ही प्रेम है। उसमें प्रेम तो फिर अपना अस्तित्व ही उत्सर्ग कर देना होगा। यदि आनन्द है तो वह भी अपनी कर्त्तव्याराधना और कर्त्तव्य-पूर्ति का ही सात्त्विक आनन्द हो सकता है। चुम्बन है तो अपने नवजात शिशु 'इण्डिपेण्डेण्ट' का ही चुम्बन है। आलिंगन है तो कष्टों से आलिंगन है। विलास की शय्या है तो खतरों और काँटों की ही विलास शय्या है। और जीवन है तो कर्त्तव्य के लिए मरने में ही जीवन है। मैं जानता हूँ, मैं ऐतिहासिक काल में गुजर रहा हूँ। ईश्वर पर दृढ़ विश्वास है। कष्ट-सहन और आत्मसमर्पण की पूरी तैयारी है। यदि इण्डिपेण्डेंण्ट का जीवन महान् सफलता का नहीं रहा तो वह महान् और गौरवपूर्ण असफलता का जीवन अवश्य होगा।

आपकी कृपा का, आपके आशीर्वाद का भूखा हूँ और सदा रहूँगा।

पुनश्च —'कर्मवीर' पुन: बन्द हो गया। क्या बात है ?

आपका प्यारा
ए० जी० शेवडे, एम० ए०
असिस्टेण्ट एडीटर,
'इण्डिपेण्डेण्ट', नागपुर

[4]

30.10.35
(रात्रि, 10-00)

पूज्य दादा,

कभी-कभी भूख लग उठती है। और आसपास कोई खिलाने वाला नजर नहीं आता। आपकी तरफ आँखें उठती हैं—गीली और...

जिस जीवन-स्रोत का पानी पीकर मनुष्य बनना सीखा, खतरों को आमंत्रित कर झगड़ना सीखा, जिसने पुरुषार्थ के लिए बेचैनी उत्पन्न की, उसी स्रोत का पानी पीकर हृदय ने प्रेम करना भी सीखा, अनुभूति सीखी, रोना सीखा, और बल पाना सीखा।

जब बेचैन हो उठता हूँ, जब प्यास लग उठती है, क्षुधा तप्त कर देती है, तब भला आपकी तरफ न देखूँ तो कहाँ देखूँ ?

आप शीघ्र ही पत्र देंगे क्या ?

आपका प्यारा
अनन्त

[5]

नेचर क्योर हाउस,
लोनावला (जी० आई० पी०)
2.12.40

पूज्य दादा,

आपका कृपा-पत्र मिला। वह देखकर हृदय को बड़ी सेहत मिली। ऐसा लगा कि जिस औषधि की जरूरत थी, वही मिल गयी। मेरी बीमारियाँ तो अक्सर मानसिक ही हुआ करती हैं और उन पर मानसिक इलाज ही काम देता है। यहाँ के वातावरण में हमारे डाक्टर तो मुझे चंगा करने के लिए प्रयत्न कर ही रहे हैं लेकिन अगर मेरा मन ही उन प्रयत्नों में न हो, तो उनका मुझ पर असर क्या होगा ? आपके पत्र से मुझे मेरा अकेलापन विस्मृत हो गया। यहाँ के कैदी जैसे नपे-तुले जीवन में भी रस आने लगा और स्वास्थ्य में भी अच्छा परिवर्तन

होने लगा।। उपवास में मैंने 6 दिन में 10 पौंड वजन खोया था, सो सब मिल गया और ऊपर से दो पौंड और मिला। बुखार वगैरा सब काफूर हो गया है। रोज ढाई-तीन मील का चक्कर लगा लेता हूँ। नागपुर से जब चला था तो लाठी टेकते हुए गाड़ी के डिब्बे तक मुश्किल से चल पाया था। अब यहाँ तीन सप्ताह और रहना होगा। करीब 21-22 दिसम्बर तक छुटकारा होगा। उतने अरसे में बची-खुची कमी भी पूरी हो जावेगी।

हाँ, मैंने तो लिखा था कि मैं 'अकेला' हूँ, जिसके मानी यही होते हैं कि 'यमूरानी' मेरे साथ नहीं है। वह जो मेरे साथ रहे तो मेरे जीवन में कभी तनहाई रहे ही नहीं। उसके साथ तो मैं दुनिया के किसी भी निर्जन से निर्जन स्थान में भी खूब स्वस्थ और सुखी रहूँगा। इन डेढ़ वर्षों में, जबकि हम लोगों को साथ रहने का अवसर मिला, हम दोनों एक-दूसरे में कुछ ऐसे घुल-मिल गये हैं कि एक दूसरे के बारे में अब कोई प्रश्न-चिह्न रहा ही नहीं। उसने मुझको और मैंने उसको खूब समझा है, जौर उस समझ लेने में खूब सुख पाया है। नौ वर्ष की साधना, विरह-वेदना और आत्म-निर्माण के प्रयत्न आज फल लाये हैं। इस सम्बन्ध में मैं स्वत: को खूब भाग्यवान मानता हूँ। आपका आशीर्वाद रहे कि हम दोनों इसी तरह 'हिल-मिल' रहें और भविष्य के जो स्वप्न देखा करते हैं, उनमें सफल हों।

यमुना नागपुर में ही हैं। 'सेवा-सदन' में शिक्षिका जो है। उसने बहुत चाहा कि वह मेरे साथ रह सके—मेरे इन तकलीफ के दिनों में। लेकिन व्यवहार के माप-तौल पर उसकी इच्छा नहीं उतर सकती थी। इसलिए उसे मन मसोसकर रह जाना पड़ा।

हाँ, इस रमणीय वातावरण में आपके सान्निध्य की विशेष आवश्यकता प्रतीत होती है। सह्याद्रि की पर्वतमालाओं के बीच, पहाड़ों, कन्दराओं और झीलों के नजदीक यह हिल स्टेशन स्थित है। आस-पास की हरियाली बैतूल की याद दिलाती है, उसी बैतूल की जिसमें आप और मैं दोनों ही खूब नजदीक रहे हैं। पिछले दिनों की याद आज भी कितनी सुखकर और कितनी उन्मादकारक होती है। आप यदि यहाँ रहते तो मेरा यह सेनेटेरियम अपना डाक्टरी स्वरूप छोड़ देता और एक सुन्दर नन्दनवन हो जाता। किन्तु मैं जानता हूँ कि बढ़ती हुई दुनियावी जिम्मेवारियों के कारण तथा भिन्न-भिन्न कार्य-क्षेत्रों के कारण अब ऐसे अवसर तो मुश्किल से आने वाले सपनों की तरह ही होंगे। किन्तु मैं यह बात अनुभव करता हूँ कि ऐसे अवसर यदि न मिलें, बीच-बीच में, तो फिर जीवन एक मशीन की तरह हृदयहीन, मस्तिष्कहीन चक्र हो जावेगा। भगवान करे, ऐसी अनहोनी बात न हो।

आज तो मेरे सामने कई सवाल खड़े हुए हैं जो हल ही नहीं हुए हैं। हम लोग अपने जीवन-ध्येय की साधना में आगे बढ़ते जा रहे हैं, किन्तु अभी तक वह

हालत नहीं आई है कि चिन्ताओं से मुक्त होकर हम लोग शान्ति की साँस ले सकें। जिस तरफ नजर उठाकर देखते हैं उस तरफ···ही···दिखाई देती है हाँ··· ने अपने वरदान हमें भी दिये हैं, केवल अभिशाप ही नहीं दिये हैं। और हमारे मन में इतनी सब तकलीफों के बाद भी यह आत्मविश्वास है कि कष्टों और वेदनाओं की इस रात के बाद भी सुख के सूरज का उदय तो होगा ही और फिर हम, एक कलाकार की तरह, अपने जीवन का सफल निर्माण कर सकेंगे। जीवन-कला पर हमारी श्रद्धा है और हम आशा बाँधे बैठे हैं कि उचित तपस्या करने के बाद वह हमें अवश्य प्राप्त होगी।

आपका स्वास्थ्य कैसा है? मनःस्वास्थ्य कैसा है? कहीं का दौरा है? इत्यादि बातें अवश्य सूचित कीजिये। खण्डवा आने की तो बड़ी इच्छा है। किन्तु ऐसा सोच रहा हूँ कि अब छुट्टियाँ कितने दिनों तक मनाऊँगा? तीन महीने तक अपनी बीमारी के कारण नागपुर से बाहर न निकल सका और ये डेढ़ महीने यहाँ होने आये। इतना लम्बा अवकाश अपने कार्य से 'इण्डिपेंडेण्ट' की सेवा से कभी नहीं लिया था। इसलिए नागपुर लौटते ही काम में जुट जाऊँगा। दौरा काफी करना है। लेकिन आशा यही है कि इन्दौर भी मुझे अवश्य ही आना है, सो खण्डवा तो आऊँगा ही। वहाँ मैं अक्टूबर में जाना चाहता था, सो बीमारी के कारण अब तक नहीं जा सका। मेरा विश्वास है कि 20-22 तारीख के बाद मैं यहाँ से छुट्टी पा जाऊँगा। किन्तु यह बात आप जरूर मानिये कि मैं शीघ्र से शीघ्र आपके पास स्वास्थ्य पाने के उपलक्ष्य में आशीर्वाद लेने आऊँगा। जब जीवन का परम-सुख 'यमुना-मिलन' हुआ था, तब भी दौड़कर आया था। अब भी दौड़ आऊँगा—भूलूँगा नहीं।

पत्रोत्तर अवश्य दीजिये। हाँ, 'कर्मवीर' के वे चार अंक आये लेकिन बाद के अंक तो आये ही नहीं। ता० 23 और ता० 30 के अंक भिजवा दीजिये और बाद के 3 सप्ताह तक भी अंक भिजवाने की व्यवस्था कर दीजिये। लिखना शुरू कर दूँगा। किन्तु मैं देखता हूँ कि उतनी आसानी से हिन्दी नहीं लिख सकता हूँ जितनी आसानी से पहले लिखता था, शायद प्रैक्टिस का अभाव ही इसका कारण है। पत्रोत्तर अवश्य दें।

आपका अपना,
अनन्त

[6]

नागपुर
20.5.47

पूज्य दादा,

कई दिनों के बाद आपको पत्र लिख रहा हूँ। इधर एक वर्ष हो गया, प्रान्त

में ज्यादा नहीं घूम पाया हूँ। नागपुर छोड़ना दिन-ब-दिन कठिन हो रहा है। यहीं अपनी जगह मजबूत बनाने में शक्ति ज्यादातर खर्च हो रही है। सम्भव है आज जिस गहराई में बैठकर पाया खड़ा किया जा रहा है उसकी इमारत इतनी पुख्ता होगी कि कम से कम दस वर्ष तक हम उसके अन्दर विश्राम पा सकेंगे। अपने कार्य को अधिक विस्तृत और व्यापक बनाने के लिए 'इण्डिपेण्डेण्ट' और भवितव्य परिवार के सभी लोग इकट्ठा होकर एक कम्पनी की—नव समाज लिमिटेड—की स्थापना कर रहे हैं। गत कई महीनों से वह कल्पना की वस्तु थी किन्तु गए महीने से ही उसको मूर्त स्वरूप प्राप्त हो रहा है। 10 लाख की अधिकृत और 5 लाख की इश्यूड पूँजी से वह कम्पनी काम करेगी। उसका हेतु, क्षेत्र और उसकी सम्भावनाएँ काफी हैं। इस पत्र के साथ जो प्रमोटर्स अपील भेज रहा हूँ, उसमे आपको इस योजना के बारे में कुछ जानकारी होगी। यह एक विशाल प्रयत्न है और उसकी "माझ्यां करता बिस्कुट आणि पेपरमेंट आणाल का ?"

आपका अपना,
अनन्त

[7]

तात्यापारा, रायपुर
9.1.49

पूज्य दादा, साष्टांग प्रणाम !

शायद आपको स्मरण होगा कि मैंने कुछ वर्ष पूर्व कला-सम्बन्धी पुस्तकों के विषय में लिखा था। ये पुस्तकें साधारण पुस्तकालयों में अप्राप्य होने के कारण मैंने इसका जिक्र किया था। यह कठिनाई अब प्रायः दूर सी हो गयी है।

तीन-चार वर्ष हुए, मैं 'इंपीरियिल लाइब्रेरी' कलकत्ता का मेम्बर हो गया। वहाँ प्रायः अंग्रेजी की सारी किताबें जो मुझे चाहिए थीं, मिल चुकीं। कुछ दिनों से 'रस शास्त्र' का अध्ययन शुरू किया है। इस विषय पर अंग्रेजी पुस्तकों की सहायता से मैंने बहुत-कुछ अभ्यास कर लिया है। मराठी पुस्तकों से भी मुझे काफी सहायता मिल चुकी।

अब मुझे कुछ हिन्दी पुस्तकों की आवश्यकता है। यहाँ के कुछ साहित्यिकों से पूछ-ताछ करने पर यह पता लगा कि रसशास्त्र-सम्बन्धी पुस्तकों का इस जगह अकाल-सा ही है, कारण इस 'शुष्क' (?) विषय में किसी को रुचि नहीं है। यों तो मुझे बाबू श्यामसुन्दर दासजी की पुस्तक मिल चुकी। किन्तु उससे मुझे विशेष सन्तोष नहीं हुआ। पं० रामचन्द्र शुक्ल की कुछ पुस्तकें विशेष खोज करने पर भी मुझे नहीं मिल सकीं। पूर्ण आशा है कि वे आपके पास अवश्य होंगी।

(1) काव्य में रहस्यवाद—रामचन्द्र शुक्ल

(2) शुक्लजी का अभिभाषण—शायद यह भाषण शुक्लजी ने किसी हिन्दी साहित्य सम्मेलन के अध्यक्ष पद से दिया था और जो अनेक रूप में छपा है।

ये दो किताबें आपके पास हों तो उन्हें शीघ्र ही रजि० बुक-पोस्ट से भिजवाने की कृपा करें। पढ़ना समाप्त होते ही—एक-दो महीने के भीतर ही—मैं उन्हें वापस कर दूंगा।

ऐसा सुना है कि 'द्विवेदी-अभिनन्दन ग्रन्थ' में भी—'रस-मीमांसा' की गयी है। इस विषय पर हिन्दी में और कौन-कौन सी पुस्तकें पढ़ने योग्य हैं, कृपया सूचित करें।

हो सके तो इन दो महीने की गर्मियों की छुट्टियों में इस विषय पर लिखना पूरा कर डालूँगा। लेखन-कार्य समाप्त होते ही आपके पास हस्तलिलित प्रति भेज दूँगा या सम्भव हुआ, तो मैं स्वयं ही उसे लेकर उस पर विचार-विनिमय करने चला आऊँगा।

आशा है पत्रोत्तर शीघ्र ही मिलेगा।

आपका

अनन्त

[8]

नागपुर,

4.2.51

अनन्तगोपाल शेवड़े, एम० ए०,
सहायक सम्पादक : 'नागपुर-टाइम्स'

पूज्य दादा,

आपकी सेवा में अपने नवीन उपन्यास 'मृगजल' की एक प्रति भेज रहा हूँ। आपसे प्रार्थना है कि आप इसे स्वयं पढ़कर मुझे अपनी राय सूचित करें तथा मुझे आशीर्वाद दें कि मैं इसी प्रकार हिन्दी की अधिकाधिक सेवा कर सकूँ।

यह रचना आपको पसन्द आयेगी या नहीं यह तो मैं नहीं कह सकता, किन्तु मैं यह भली भाँति जानता हूँ कि इसे देखकर आपको बड़ी प्रसन्नता होगी। जो पौधा आपने इतनी प्रसव-वेदना सहकर लगाया था वह अब कुछ फल देने लगा है यह बात आपको सन्तोष अवश्य देगी। आज ये फल फीके होंगे किन्तु आपका वरद हस्त इसी प्रकार सिर पर रहा तो एक दिन ऐसा मीठा फल भी शायद लग जाये जिससे आपको भी प्रसन्नता हो। मैं तो यह बात कदापि नहीं भूल सकता कि हिन्दी साहित्य के क्षेत्र में मैं जो कुछ भी कर पाता हूँ उसका श्रेय प्रमुखत: आप ही को है। आप यदि यह दिशा मुझे नहीं दिखाते तो भला मुझसे यह सब कभी सध

सकता था ?

आपको स्मरण होगा वह दिन ! 1932 में बैतूल में 'ईसाईबाला' की एक प्रति आपके हाथ में दी थी। आज इतने वर्षों के बाद यह 'मृगजल' है। इसे स्वीकार कीजिये यही निवेदन है। कर्मवीर में समालोचना तो देंगे ही।

सौ० यमू और चि० साधना मजे में हैं।

आपका अपना

अनन्त

[सुप्रसिद्ध पत्रकार, कथाकार,
उपन्यासकार एवं प्रथम विश्व
हिन्दी-सम्मेलन के आयोजक]

श्री केसरीलाल बोरदिया

महाराजा तुकोजीराव अस्पताल,
इन्दौर
7.1.34

पूज्य चतुर्वेदीजी,

मैं इलाहाबाद, कानपुर होता हुआ 2 तारीख को यहाँ लौट आया, हम लोग जबलपुर नहीं ठहरे, आपने भी कहा था कि मीरगंज स्टेशन से भेड़ाघाट करीबन तीन मील है, मीरगंज स्टेशन पर भी लोगों ने यही कहा, इसलिए हम वहीं उतर पड़े। भेड़ाघाट सचमुच तीन ही मील है और हमें मीरगंज उतर जाने से आराम ही रहा। कई घण्टे वहाँ देखने को मिल गये। स्थान बड़ा रमणीक है। जलप्रपात 'धुआँधार' ऊँचाई में तो 'पातालपानी' से कम है परन्तु नीचे नदी की चौड़ाई बहुत कम होने से नदी बड़े वेग से बहती है और चट्टानों से टकराती है। इस दृश्य से बड़ी शक्ति का बोध होता है।

उपरोक्त दृश्य से कहीं अधिक मनोहर दृश्य नीचे देखने को मिलता है जब हम लोग पंचधारा से नाव में बैठकर संगमर्मर की चट्टानें देखने जाते हैं। नदी का बहाव एकदम शान्त और नीरव है और दोनों तरफ शुभ्र चट्टानें शान्ति से खड़ी हैं। कहीं वे पानी पर झुकी हैं, कहीं पीछे को हट रही हैं। कहीं-कहीं नीला और काला पत्थर भी है। उस शान्ति का, उन शुभ्र चट्टानों का और उस गहराई का हृदय पर बड़ा प्रभाव होता है। हृदय से ओछापन निकल जाता है। मनुष्य सोचता है आखिर हम जिन बातों के लिए लड़ते-झगड़ते हैं, सिर फोड़ते हैं, जीवन को दुःखी बनाते हैं उनमें रखा क्या है ? यह हमारा छिछलापन है कि हम छोटी-

छोटी-सी बातों पर लड़ मरें। ये चट्टानें मानो पवित्रता का उपदेश दे रही हैं। कहती हैं, हम सैकड़ों बरसों से पानी की टक्करें सह रही हैं, परन्तु उसी तरह धैर्य से खड़ी हैं। हममें वही सफेदी, वही उज्ज्वलता, वही पवित्रता है। तुम लोगों की हरकतें हैक्टिक हिस्टीरिया हैं।

मैंने आपके कृपा-पत्र का उपयोग नहीं किया क्योंकि हम लोग जबलपुर नहीं गए और श्रीयुत ब्यौहार राजेन्द्रसिंह जी से नहीं मिल सके। मैं आपको हृदय से धन्यवाद देता हूँ कि जान-पहचान नहीं-सी होने पर भी आपने हम लोगों के प्रति इतनी कृपा प्रदर्शित की।

आपका

केसरीलाल बोरदिया

(होलकर कालेज)

श्री बालकोबा

आश्रम, वर्धा,

बुधवार, 20.4.34

श्री रा० रा० माखनलालजी की सेवा में। आपका खत मिला और भेजे हुए (पू० विनोबाजी के) प्रवचन सुरक्षित मिले। कर्मवीर मैं पढ़ता रहता हूँ। मध्य-प्रान्तीय महात्माजी का प्रवास-वर्णन अच्छा था। लेकिन पीछे वर्णन बन्द किया गया ऐसा लगा। हरिजनों के लिए एक या आधा कालम दिया जाय तो ठीक। कम-से-कम बीच-बीच में हरिजन या हरिजन-बन्धु का अनुवाद दिया जाये, अच्छा होगा। यह तो एक सूचना ही है।

भवदीय

बालकोबा के वन्देमातरम्

श्री विनयकुमार भारती

श्रीगोपाल

सरस्वती-सदन, इटारसी

24.4.34

पूज्य दादा, प्रणाम !

चि० हरिशंकर आपकी सेवा में अच्छी तरह होगा। परन्तु उसने पहुँचने पर

कोई सूचना नहीं दी और न आपने ही कोई कृपा-पत्र देने का कष्ट किया है। कृपा कर कुशल-समाचार दीजिये।

भैया शेवड़ेजी आपको मिल गये होंगे, मैंने उन्हें अपने यहाँ एक दिन रोक लिया था। इसलिए कि वर्षों में मिले थे। यों तो सदा मिलते रहते हैं और मिलते रहेंगे, ऐसी आशा ही नहीं, विश्वास भी है।

चि० राम की परीक्षा हो चुकी होगी, कोई और समाचार नहीं मिला है, उसे मेरा स्मरण दिलाइये। आप इधर कब तक आयेंगे? मेरी छुट्टियाँ एक मई से हो जायेंगी। मैं इस वर्ष गर्मियों की छुट्टियों में कहीं नहीं जा रहा हूँ, आने की सूचना दीजिए।

रात को एकाएक प्लेटफार्म पर श्रीयुत गोविन्ददासजी से भेंट हुई— समाचार भेज रहा हूँ। 'कर्मवीर' में दे दीजिये।

मैंने आज पं० अंचलजी को पत्र लिखा है और उसमें पूछा है कि जिन चतुर्वेदीजी के प्रति आपमें अपार आदर, श्रद्धा और भक्ति है, उन्हीं के सम्बन्ध में अपकीर्तिवर्धक साहित्य कैसे माधुरी में मुद्रित हो गया? क्या इस कार्य के लिए 'स्वराज्य' काफी न था? देखें, क्या उत्तर देते हैं?

हाँ, हरिशंकर के हाथ सुराही भेजने की बात तो भूल ही गया, क्षमा कीजिये। उस दिन—मेरे हृदय में कोई जरूरी बात बज रही थी और विनोद में उसे बाहर नहीं आने दी। आपसे बिदा होकर भी मैंने पीछे अन्तिम बिदा की घड़ियों में स्पष्ट करना तय किया था, परन्तु प्लेटफार्म पर मेरे आने के पहले ही ट्रेन रवाना हो चुकी थी—अत्यन्त खेद हुआ। खैर, जब कभी आप इधर पधारेंगे, तब सविस्तार कहूँगा।

आपका अपना
विनय कुमार

श्री मुंशी अजमेरी

श्री

चिरगाँव (झाँसी)
25.6.34

श्रद्धेय श्री चतुर्वेदीजी महाराज,

प्रणाम के पश्चात् सेवा में सविनय निवेदन है कि मैं अब जाकर घर पहुँचा हूँ। साँगाखेड़ा में तो विभूतिलालजी के भाई शंकरलालजी का देहान्त हो गया। जिस दिन मैं पहुँचा उस दिन औसर समाप्त हुआ था। इससे वहाँ प्राप्ति का तो

प्रश्न ही नहीं रहा। चावलपाठा और जबलपुर में कुछ प्राप्ति हो गयी। जबलपुर में श्रीमान् सेठ गोविन्ददासजी मिले तो, पर थोड़ी देर के लिए। वे उसी दिन बम्बई से आये थे और उसी दिन अपने भानजे के विवाह में सिवनी जा रहे थे। इसके लिए उन्होंने बड़ा खेद प्रकट किया, कोई बीस बार मुझसे माफी माँगी और फिर आने को कहा। तदनन्तर श्री द्वारकाप्रसादजी मिश्र ने मुझे बहुत ही प्रेमपूर्वक रखा, अनेक साहित्य-सेवियों से मिलाया और 51 रु० की थैली भेंट की। मैं जिस तरह आपके यहाँ रहा था उसी तरह उनके यहाँ भी रहा। बड़े सज्जन हैं। गुप्तजी को आपका सन्देसा सुना दिया। अब आप कृपा करके अपनी कुशलक्षेम लिखिये। श्री भैयाजी को और अब सज्जनों को मेरा सप्रेम यथायोग्य।

जबलपुर में श्री ब्यौहार राजेन्द्रसिंहजी नहीं थे, वे कलकत्ता गये हुए थे। श्री ठाकुर लक्ष्मणसिंहजी, श्री कामताप्रसादजी गुरु, श्री नर्मदाप्रसादजी मिश्र आदि अनेक सज्जन मिले। बड़ा आनन्द रहा।

शेष कुशल। दया रखिये।

आपका

अजमेरी

[प्रसिद्ध हिंदी-लेखक मुंशी अजमेरी]

श्री सूरजप्रसाद शर्मा

[1]

सेवा में,

पूज्य दादा !

बहुत दिन बीत गये, जब से मैंने आपसे दर्शन नहीं किये। आप इस दरम्यान में कई बार जबलपुर आये लेकिन मुझे ठीक समय पर खबर न मिल सकी। आशा है, अब आप बहुत जल्द मिल सकेंगे।

सिहोरा में कुछ मित्रों ने एक 'सार्वजनिक सेवा-संघ' की स्थापना की है। मैं भी उसी का एक मेम्बर हूँ। संघ ने अपनी एक बैठक में तय किया है कि स्वर्गीय पं० विष्णुदत्तजी शुक्ल की सिहोरा में जयन्ती मनायी जावे।

हम सब बालक हैं, स्वयंसेवक हैं, कार्य करने का हौसला है; परन्तु हमें एक ऐसे कार्यदक्ष अगुवा की आवश्यकता है जो हमारे उत्साह को भंग न होने दे और समय-समय पर हमसे कार्य कराता रहे। हम लोगों ने अपने पूज्य 'दादा' को ढूँढ़ लिया। आप खण्डवा नहीं, कहीं भी चले जाइये, आप सदैव हमारे हैं और हमारे पास रहेंगे।

आप पत्र पाते ही लिखिये कि—

(1) क्या हम शुक्लजी की जयन्ती मनावें ?

(2) उसका आयोजन किस तरह से करें ?

(3) क्या आप कृपा कर अपने गजट 'कर्मवीर' में अग्रलेख लिखकर और हम लोगों के सम्वाद छाप कर शुक्ल-जयन्ती का प्रचार करा सकेंगे ? आप ही शुक्लजी के सच्चे साथी हैं अब भी आपके गजट में उनकी स्मृति सजीव है।

(4) हम लोग निमन्त्रण-पत्र भेज रहे हैं। क्या आप सभापति का आसन ग्रहण करने के लिए सिहोरा आ सकेंगे ?

शुक्ल-जयन्ती में कम-से-कम जबलपुर जिले के सभी गण्य-मान्य सज्जन निमन्त्रित किये जा रहे हैं। आदि। शुक्लजी को गुजरे 13 वर्ष हो चुके। दुःख के साथ लिखना पड़ता है कि अभी तक उनकी जयन्ती नहीं मनायी जाती और न उनकी जीवनी ही छापी गयी है। हमारे संघ ने मुझे यह अख्त्यार दिया है कि शुक्ल-जयन्ती हो चुकने पर मैं पूज्य शुक्लजी का जीवन-चरित्र लिखकर प्रकाशित कराऊँ। जीवनी लिखने के लिए पूज्य शुक्लजी के बारे में जिन-जिन बातों की आवश्यकता होगी वे आपसे या आपके द्वारा कहाँ से प्राप्त हो सकेंगी इसके विषय में जब आप सिहोरा पधारेंगे, तब विनय करूँगा।

शुक्लजी की जन्म-तिथि कुवांर बदी 4, सम्वत् 1933 है। हमें यह पता नहीं चल रहा कि उपर्युक्त तिथि को तारीख क्या थी। कृपया लौटती डाक से इन सब प्रश्नों का उत्तर विस्तारपूर्वक भेजने की दया कीजियेगा, टिकिट साथ भेजता हूँ। शेष फिर। प्रां०कां०कमेटी की मीटिंग में 15.9.34 को जबलपुर में मिलूंगा।

आपका

सूरज

(सूरजप्रसाद शर्मा)

[2]

कांग्रेस सेवा-दल, जबलपुर

सेवा में—   11.10.47

श्री पं० माखनलालजी चतुर्वेदी,

पूज्य दादा, सादर नमन !

सिहोरा में कांग्रेस सेवा-दल का जिले भर का शिविर ता० 15.10.47 से 5.11.47 तक 21 दिन का चलाने का निश्चय हुआ है।

आप से नम्र प्रार्थना है कि आप ता० 19.10.47 को सिहोरा पधारने की स्वीकृति भेजने की कृपा करें। आपकी स्वीकृति आने पर तथा किस ट्रेन से सिहोरा

आप उतरेंगे, यह मालूम होने पर हम विशेष प्रबन्ध कर सकेंगे।

शिविर में सैनिकों को आप 'आदर्श नागरिक जीवन' के विषय में उपदेश दें, ऐसी विनय है। पत्रोत्तर आज ही देंगे।

स्थान—नरसिंह टेकर,
सिहोरा रोड, जी० आई० पी०

विनीत—आपका चरण-सेवक
सूरजप्रसाद शर्मा
अधिनायक

श्री घनश्याम सिंह

ओ३म्

दुर्ग
8.11.34

प्रियवर चतुर्वेदीजी !

आपका तार प्राप्त हुआ। मुझे खेद है कि मैं यहाँ से कोई रकम नहीं भेज सका। चाँदमलजी से आप कृपया कहें कि वे बाबू गोविन्ददासजी को जबलपुर लिखें या तार दें। मालूम होता है उनके पास भी अब रकम नहीं है। पार्लमेण्टरी बोर्ड के द्वारा चुनाई के लिए बम्बई से जो बाबू गोविन्ददासजी को पाँच हजार रुपये मिले थे वह सब कदाचित् उत्तरीय जिले में ही खर्च हो गये हैं। अब उनके पास भी रकम शायद नहीं है। छत्तीसगढ़ के पाँच जिलों के लिए जो कुछ थोड़ा मुझसे बन सका है, वह मैं अपने पास से खर्च किया हूँ। यह भी तो बहुत थोड़ा है, उसके हिसाब से तो कुछ भी नहीं बन पड़ता। केवल कांग्रेस-प्रेमी मित्रों का ही प्रयत्न इधर के पाँचों जिलों में समझिये। ऐसी परिस्थिति में आप लोगों को जो रकम बाबू गोविन्ददासजी के जरिये मिली हो, उसी में जितना कार्य हो सकता हो, अधिक-से-अधिक करेंगे इसमें शक नहीं। इनका प्रयत्न है कि जो वोटर वोट देने आ सकें वे अपना वोट हम दोनों को दें।

शेष कुशल।

कृपाकांक्षी
घनश्यामसिंह

[सम्भवतः श्री घनश्यामसिंह गुप्त,
मध्यप्रदेश धारा-सभा के भू० पू० अध्यक्ष]

डा० हजारीप्रसाद द्विवेदी

[1]

हिन्दी-समाज,
शान्तिनिकेतन
25.3.35

श्रद्धेय 'भारतीय आत्मा',

स्थानीय हिंदी समाज का वार्षिकोत्सव आगामी 13-14 अप्रैल, सन् 1935 को मनाया जायेगा। इस अवसर पर गुरुदेव यहीं रहेंगे। उन्हें आप-जैसे साहित्यिक से मिलकर प्रसन्नता होगी। इस समय हमने और भी कई गण्यमान्य व्यक्तियों को निमन्त्रित किया है। हमारी हार्दिक इच्छा है कि इस अवसर का लाभ उठाकर हम अपने सर्वोत्तम व्यक्तियों से गुरुदेव को मिलावें। और इस प्रकार बँगला और हिन्दी—भारत की दो प्रमुख भाषाओं—के बीच दृढ़ सम्बन्ध स्थापित करें। इस अवसर पर पधार कर आप हमारा उत्साह बढ़ावें और साहित्यिक उन्नति के लिए हमारे कर्त्तव्य के निर्धारण में सहायता करें। उक्त अवसर पर अगर आप कुछ साहित्यिक रचना या स्कीम ला सकें तो हम बाधित होंगे।

14 अप्रैल को बँगला नव वर्ष आरम्भ होता है और 13 को वर्ष-शेष। दोनों ही दिन गुरुदेव का प्रवचन होता है। इसके अतिरिक्त कुछ और भी समारोह रहता है। अतः आपसे प्रार्थना है कि आप 13 अप्रैल को दोपहर तक जरूर आ जायें। आने के पहले हमें सूचना दे दें तो बड़ी कृपा होगी। शेष शुभ।

पिछली बार[1] आपके आने से हम लोग विशेष उत्साहित हुए थे। इस बार भी आप अवश्य पधारें।

आपका
हजारीप्रसाद द्विवेदी (मन्त्री)

[2]

काशी हिन्दू विश्वविद्यालय,
बनारस-51
12 नवम्बर, 1954

मान्यवर, प्रणाम !

आप साहित्य अकादमी, नई दिल्ली की हिन्दी परामर्श-समिति के सदस्य हैं। इस वर्ष अकादमी की ओर से हिन्दी के सम्बन्ध में दो महत्त्वपूर्ण कार्य होने जा रहे

1. पूज्य दादाजी 22 दिसम्बर, 1932 को पहली बार शान्ति-निकेतन गये थे।

हैं। एक तो स्वाधीनता के बाद से अब तक प्रकाशित हुई सर्वोत्तम हिन्दी पुस्तक पर 5000 रु० का पुरस्कार दिया जाना है और दूसरा, सन् 1953 की प्रकाशित कविताओं में से सर्वोत्तम दस का चुनाव करना है। चुनी हुई कविताओं का अंग्रेजी में अनुवाद कराया जायेगा। सम्भवत: अकादमी के सेक्रेटरी श्री कृष्ण कृपलानी ने आपको इस सम्बन्ध में पत्र लिखा भी है। ये दोनों ही कार्य बहुत महत्त्वपूर्ण और साथ ही विवादास्पद हैं, बड़ी सावधानी से इस विषय में हमें निर्णय करना है। हम लोग पहले आपस में इस विवाद पर यथासम्भव एकमत हो सकें तो बहुत अच्छा हो। श्री कृपलानीजी ने मुझसे अनुरोध किया है कि मैं आप लोगों से परामर्श करने का कार्य करूँ और आवश्यकता पड़ने पर समिति की एक बैठक सुविधाजनक स्थान पर बुला लूं। कृपया इस सम्बन्ध में अपने विचार लिखें। इस सम्बन्ध में अन्यान्य साहित्यकारों से परामर्श करना भी उचित और आवश्यक हो सकता है।

आशा है, आप प्रसन्न हैं।

आपका
हजारीप्रसाद द्विवेदी

श्री निरन्जनसिंह

कृषकबन्धु आफिस
नागपुर, सी०पी० नागपुर,
5.4.1935

श्री परम पूज्य दादा, सप्रेम चरण-चुम्बन!

कहो। मैं निष्ठुर हूँ या आप—क्या दूसरे की बाजी है? पर प्रतीत ऐसा होता है कि बाजी आपकी ही ओर से लगायी गयी है। पत्र डाला, पर उत्तर की प्रतीक्षा में ही दिन बीते। आज याद आयी और उसका श्रेय है 'कर्मवीर' की एक पंक्ति के लिए। श्री द्वारकाप्रसाद के ऊपर का कटाक्ष चुभा और बेतुका-सा लगा। उस बेचारे ने तो खादी का विरोध कभी नहीं किया; वह तो चार आना देकर बने हुए कांग्रेस के मेम्बरों की वोट देने की बात थी और जिसे आखिर कांग्रेस ने मान भी लिया। कांग्रेस का कोई भी ऐसा कार्यकर्ता मेरी समझ में नहीं है जिसे खादी से प्रेम न हो और यदि उस प्रस्ताव में उद्दण्डता दिखायी देती है, तो उसका दोषी तो मैं हूँ और मेरे मित्र आपके अनुयायी खण्डवा-निवासी। उसने तो खादी पर बेतुके फिदा होने वाले सज्जनों को समझाने का प्रयास किया था। इससे आप क्रोधित नहीं होंगे, किन्तु अपने हृदय को खोलकर रखना मेरा काम था, वह फर्ज मैंने अदा किया। आप से ही विचार छुपाना आत्मघात से कहीं बढ़कर है।

दूसरी बात और भी विचित्र निकली। मैं मानता हूँ 'कर्मवीर' सरीखा पत्र 'कृषकबन्धु' से नातजुर्बेकार पत्र के परिवर्तन में नहीं मिल सकता, पर क्या ऐसा मेरे लिए ? मुझे तो विश्वास था, कर्मवीर ही नहीं, प्रान्त के अन्य पत्रों को आप परिवर्तन में दिलाने का प्रयत्न करेंगे, पर कर्मवीर ही नहीं मिलता तो दूसरों की उम्मीद ही क्या करूँ ? प्रेस खराब होने के कारण अशुद्धियाँ बहुत रह जाती हैं, उन्हें सुधारने का प्रयत्न करूँगा। किस ढंग से निकाला जाय, मुझे आशा थी, आप लिख कर भेजेंगे। पर आपने कष्ट ही नहीं उठाया, अब बताने की कृपा करेंगे। आशा है, पत्र का उत्तर देंगे।

एक बात और है ! आप जानते हैं कृषकबन्धु को प्रकाशित कर रहा हूँ, एकाध ही की सहायता से, दूसरे रोड़े अटकाते हैं और कुछ तटस्थ हैं। संसार में ईर्ष्या और द्वेष का साम्राज्य है—भली चीज में ही दोष निकालना साधुता की निशानी है (?) आप जानते हैं इसे प्रकाशित किया है जिले को मनवाने के लिए। ग्राहकों की संख्या बहुत ही धीरे बढ़ रही है। और इसलिए मैं यह चाहता हूँ कि यदि आप कर्मवीर में इसका विज्ञापन दे सकते तो बड़ी कृपा होगी। एक ओर पैसा नहीं है, दूसरी ओर मैं चाहता हूँ कि कई दिनों तक इसका विज्ञापन 'कर्मवीर' में निकले। आशा है कि जैसे 'सैनिक' ने उदारता दिखायी है, कर्मवीर भी वही उदारता मेरे साथ दिखावेगा। इसके ऊपर भी मेरा दावा है। विज्ञापन आप ही अपने ढंग का निकलवाइयेगा।

शेष शुभ। अव कब दर्शन होंगे ?

भवदीय

आज्ञाकारी सेवक

निरंजन

श्री हनुमानशरण शुक्ल

श्री लक्ष्मीनारायण-भवन,

सामलात रोड, देवास-2

25.4.35

श्रद्धेय चतुर्वेदीजी, दादाभिवादन !

इस वर्षीय इन्दौर साहित्य सम्मेलन के आपके प्रभावशाली व्याख्यान ने देवास की जनता पर एक जादू सा कर दिया है। देवास के बहुत लोग आपके इस व्याख्यान का आनन्द न ले सके, क्योंकि देवास (सीनियर) में तो इस अवसर पर यह सरकुलेशन जारी किया गया था कि किसी भी मुलाजिम को बिना दरबार की

मंजूरी के एक दिन की छुट्टी न दी जायगी। अस्तु।

अंग्रेजी में कहा 'ईच डार्क साइड हेज इट्स ब्राइट वन।' इसी के अनुसार उन लोगों को फिर से आपके शुभ दर्शन की आशा हुई, क्योंकि ता० 1 मई से 10वीं मई तक वार्षिक वसन्त व्याख्यानमाला का आरम्भ होने वाला है एवं यह 1 मास तक चलेगी। इस अवसर पर उन लोगों ने सोचा कि यदि चतुर्वेदीजी से आग्रह-पूर्वक प्रार्थना की जाय तो वे अवश्य पधारेंगे।

आपसे अतएव नम्र निवेदन है कि उक्त दिवसों में से एक दिन अवश्य यहाँ पधारकर देवास की जनता को कृतार्थ करेंगे।

कृपया हमें सूचित कर दीजिये कि आप किस दिन पधारेंगे।

भवदीय
हनुमानशरण शुक्ल
संयुक्त मन्त्री,
वसन्त व्याख्यानमाला, देवास-2

श्री अर्जुनसिंह

[1]

पत्र-सं० 2834

प्रकाश आफिस
रीवाँ, ए० सी० आई०

माननीय पण्डितजी,

सेवा में एक पत्र 'प्रकाश' के 'साहित्यांक' के लिए लेख भेजने को भेजा था, किन्तु अब तक आपका लेख नहीं मिला। पत्र को सुन्दर रूप से छपाने आदि के खयाल से लेख यथासम्भव शीघ्र मँगवाये गये थे। बड़ी कृपा हो, यदि लेख इस महीने के भीतर आप भेज दें।

यदि समयाभाव से आप लेख लिखने में असमर्थ हों, तो अपनी एक सुन्दर-सी कविता अवश्य ही भेजकर अनुग्रहीत कीजियेगा। 'प्रकाश' की सुन्दरता बढ़ाने के लिए आपकी कविता या लेख बहुत आवश्यक है।

आशा है कि इस प्रार्थना पर अवश्य ध्यान देने की कृपा करेंगे।

विनीत,
अर्जुनसिंह
एडीटर

[2]

'श्री'

होशंगाबाद
15.9.36

श्रीयुत मान्यवर पूज्य चतुर्वेदी जी, सा० वन्देमातरम् !

हाल यह है कि होशंगाबाद सुहागपुर से उम्मदवारी की दरखास्त मैंने नागपुर डाक्टर सा०खरे के पास भेज दी है। रुपया अभी नहीं भेजा है। अगर रुपया भेजना पहले ही लाजमी हो तो आप लिखिये मैं भेज दूँगा। मैंने डाक्टर सा० को लिख दिया है कि अगर मैं चुना गया तो आपके हुक्म आने पर रुपया भेज दूंगा, और कोई दूसरा चुना गया तो मुझे अफसोस नहीं होगा। काम तो वो करना है जिसमें कांग्रेस जीते, आपको जो राय पसन्द होगी वही मुझे पसन्द होगी, मुझे ऐसी आशा है कि मिसिरजी खड़े होंगे तो वो, और अगर वह न हुए तो मैं भी जीत सकूंगा। यह बात मैं गलत कह रहा हूँ कि सही, इसको आप समझें। दरखास्त जो भेजी है बहुत आगे-पीछे दिल करके भेजी है कि अगर मेरी जरूरत हो गयी और मेरी दरखास्त न हुई तो कुछ बाधा हो, इसलिए दरखास्त भेज देना ही चाहिए—बाकी शुभ। श्रीयुत भैया हरप्रसादजी को वन्देमातरम्। मैं कुशल हूँ, आपकी कुशलता हमेशा ईश्वर से नेक चाहता हूँ—

द० अर्जुनसिंह

श्री नर्मदाप्रसाद खरे

[1]

जबलपुर
13.11.35

पूज्य दादा, सादर प्रणाम !

'कर्मवीर' की नीति या किसी व्यक्ति-विशेष की नीति दिन-प्रतिदिन कटु होती जा रही है। हम लोग तो उसकी सेवा अपना पत्र समझकर कर रहे हैं परन्तु हमारी सेवा, हमारी रचनाएँ और स्वयं हम लोग अवहेलना की दृष्टि से क्यों देखे जाते हैं ? यह हमारी समझ में नहीं आता। यदि व्यक्तिगत कोई मनस्ताप है तो फिर हम लाचार हैं—या फिर आप तक हमारी पुकार ही नहीं पहुँचती तो हमारा दुर्भाग्य है—और यदि आपकी दृष्टि के नीचे से ये सब कार्य हो रहे हैं तो बड़े दुख की बात है और मुझे तो इससे अपने-आप पर क्रोध आ रहा है।

मैंने अभी ब्यौहारजी का एक लेख 'भारत की राजधानी वर्धा', द्विवेदीजी के जीवन-चरित्र सम्बन्धी सूचना और शकुन्तला की एक तुकबन्दी भेजी थी, वे सबकी सब दबाकर रख ली गयीं। इसके पहले 'मोहन की माँ' (अस्पष्ट) कहानी भेजी थी—वह भी आज तक न छपी। यदि वे 'कर्मवीर' के योग्य नहीं हैं--अथवा 'कर्मवीर' उनके योग्य नहीं है तो न हो। उनसे 'कर्मवीर' का स्थान नीचा न होने पावे। मैंने कर्मवीर में सदैव परिश्रम से लिखा—ब्यौहारजी का लेख भी सामयिक और ज्ञानवर्धक था।

मैं आप से लड़ रहा हूँ — कर्मवीर से नहीं। उसके दूसरे कार्यकर्त्ताओं से नहीं —हमारा-आपका सम्बन्ध ऐसा है जिसके कारण इतना क्षुब्ध होना पड़ रहा है। हम लोग अब प्रान्तीयता—अपनेपन की ओर झुकाते हैं, आप उसको ठुकरा रहे हैं --तो अच्छा ही है। प्रान्त में और कितने पत्र हैं कितने लेखक हैं हम उनको केवल 'कर्मवीर' के लिए ठुकराये हुए हैं—यदि कर्मवीर हमें ठुकरा रहा है, तो हम उनकी शरण जा सकते हैं। कृपा कर सन्तोषजनक उत्तर देने की कृपा कीजिये अन्यथा वे सब रचनाएँ लौटती डाक से लौटा दीजिये।

आपका भाई
नर्मदा

[2]

शुभचिन्तक प्रेस, जबलपुर

10.10.47

पूज्य दादा,

आपकी इतनी अकृपा क्यों है ? मुझे वे दिन याद हैं, जब आपके महत्त्वपूर्ण बोल अपने आप मेरे समीप पहुँच जाया करते थे। आपके स्नेह-सिक्त आशीर्वादों से मुझे एक दिन ढाँक दिया था। मैंने आपसे क्या-क्या नहीं पाया ? और आज--- वर्षों बीत जाते हैं, जैसे मैं मर चुका हूँ। आप बूढ़े हो रहे हैं और बूढ़ों का स्वभाव बच्चों-जैसा हो जाता है किन्तु बच्चों की आवाज ही आपके कानों नहीं पहुँचती। दीपावली-अंक के लिए कोई कविता भेजने की कृपा करें। वर्ष में एक कविता पाने का अधिकारी भी यदि मुझे नहीं समझते हों तो इस अभागे को कुछ नहीं कहना है।

मेरे देव, क्या प्रार्थना स्वीकार होगी ?

सदा आपका
नर्मदा

[3]

लोकचेतना प्रकाशन, जबलपुर

7.2.50

पूज्यवर !

'युगारम्भ' परिवर्तित रूप में आपके पास पहुँचा है। आपके मौन आशीर्वाद से हमें बड़ा सम्बल सदा से प्राप्त होता रहा है। उसी का परिणाम यह है कि हम लोग सरस्वती के मन्दिर में प्रविष्ट हो, भाव-भीनी अर्चना के फूल उसे अब तक अर्पित करते आये हैं।

दादा, आप पर मेरा सदा से स्नेहाधिकार रहा है और स्नेह पर आपने सदैव अपनी गुरुता को निछावर किया है, करते रहे हैं, कर रहे हैं, फिर आज ऐसी क्या बात हो गयी कि अब तक आपके दो शब्द भी हमें प्राप्त नहीं हुए। 'युगारम्भ' में हम लोग अपनी पूँजी, अपना श्रम, अपनी दौड़-धूप और 'दिमागी मजदूरी' सभी कुछ लगाकर प्रान्त में एक आदर्श पुस्तक-पत्रिका को स्थायित्व देना चाहते हैं; जिससे प्रान्त की प्रतिभाओं का साहित्यकारों के प्रयत्न से ही सही, कुछ आदर तो हो सके।

जिस प्रान्त में आप हों, जिन तरुणों को आपकी कृपा और आशीष प्राप्त हो वहाँ गर्व करने योग्य कोई साहित्यिक कार्य न हो सके—इस पर मुझे विश्वास नहीं होता। 'युगारम्भ' के दूसरे अंक का मैटर प्रेस में जा रहा है। 'रेखाएँ बोलती हैं' के अन्तर्गत भाई रामेश्वर गुरु का एक शब्द-चित्र (एक भारतीय आत्मा) जा रहा है। मेरी हार्दिक इच्छा है कि इस अंक में 'बन्दी का वसन्त' इस शीर्षक के अन्तर्गत आपकी अनुभूतियाँ भी प्रकाश में लाऊँ। कृपया गद्य-पद्य किसी भी रूप में कुछ लिख भेजें।

माना, 'संगम' साधन-सम्पन्न एक उच्च स्तर का पत्र है, 'भारती' पर आपकी विशेष कृपा है; किन्तु 'युगारम्भ' भी तो आपकी ही चीज है, आपके बेटों का ही विनम्र प्रयास है। उसे भी तो आपकी अनुकम्पा प्राप्त होनी चाहिए।

कृपया आप अपनी जन्म-तिथि बतायें; हम 'निराला अभिनन्दन अंक' की भाँति 'युगारम्भ' का माखनलाल-अभिनन्दन अंक निकालना चाहते हैं। उसे हम पुस्तक-रूप में भी अलग से प्रकाशित करायेंगे। प्रभु ने हमारे साधनों में वृद्धि की तो हम क्या कुछ करेंगे, वह आपसे छिपा नहीं है। इस सम्बन्ध में हम भारती, सद्गुरुशरण अवस्थी, मुन्शी, इलाचन्द्र जोशी, बेनीपुरी, दिनकर, रामकुमार वर्मा, महादेवीजी, टण्डनजी आदि से पत्र-व्यवहार कर रहे हैं। 'युगारम्भ' का माखनलाल-अभिनन्दन अंक 100 पृष्ठों का होगा।

हाँ, कर्मवीर में युगारम्भ के सम्बन्ध में दो शब्द भी अभी तक प्रकाशित नहीं

हुए। उसका एक विज्ञापन कुछ दिन तक निकलवा दीजिए। बख्शीजी के सम्बन्ध में भी दो शब्द अभी तक नहीं लिखे गये, जब प्रान्त के सभी पत्र क्या-कितना लिख रहे हैं।

'युगारम्भ' के दूसरे अंक में आपकी रचना जायेगी, जायेगी, जायेगी! नहीं तो मैं देहरी खोद डालूँगा।

हम लोग 'एक भारतीय आत्मा' अभिनन्दन अंक की रूप-रेखा बनाकर शीघ्र ही इस अंक में उसकी घोषणा कर देना चाहते हैं। कृपया तुरन्त ही मेरी मनोकामना पूर्ण करें। आज मुझे स्वर्गीय विनयकुमार के एक पत्र के वे शब्द रह-रह कर स्मरण आ रहे हैं, जिसमें उसने आपके सह-अनुग्रह को देखकर मुझे धन्य कहा था।

सदा आपका ही
नर्मदा

[4]

लोकचेतना प्रकाशन, जबलपुर

11.3.50

पूज्यवर,

'युगारम्भ' के माखनलाल अभिनन्दन-अंक की घोषणा कर दी है। पूजा तो होगी ही, होती ही आयी है; देवता चाहे वरदान दें अथवा न दें।

धर्मवीर से समाचार ज्ञात हुए। अप्रैल का अंक 100 पृष्ठों का निकालने का विचार है। अनेक चित्र देना चाहता हूँ। यूँ अंक की सुन्दरता आपकी कृपा पर निर्भर करती है। लेखकों को उस अंक के लिए पत्र लिख रहा हूँ। वही सामग्री पुस्तकाकार भी छापूंगा।

आज ही श्री रामेश्वर गुरु ने पत्र लिखा है। हम लोग 'युगारम्भ' में सम्मिलित रूप से कार्य करते हैं—ब्यौहार जी का नाम भी मात्र उनकी इच्छा से है 'युगारम्भ' में, और कोई सम्बन्ध नहीं। कृपया शीघ्र ही सूचित करें, मैं गुरुजी के साथ कब आपकी सेवा में उपस्थित होऊँ।

'कला का अनुवाद' तो मैंने छाप ही दिया। 'कर्मवीर' में 'युगारम्भ' पर दो शब्द भी नहीं निकले हैं। गुरुजी का लेख अभिनन्दन-अंक के लिए रोक लिया है।

आपके पत्र की प्रतीक्षा में—

आपका ही
नर्मदाप्रसाद खरे

[5]

मध्य-प्रदेश हिन्दी साहित्य सम्मेलन

अध्यक्ष :
श्री ब्रिजलाल बियाणी
साहित्य-मन्त्री
श्री नर्मदाप्रसाद खरे

साहित्य-मन्त्री कार्यालय
लोकचेतना प्रकाशन, राइट टाउन
जबलपुर,
24.1.1955

पूज्य दादा,

आज अभी शकुन्तला के नाम आपका स्नेहपूर्ण पत्र पढ़ा। उसमें अपने सम्बन्ध में यह पढ़ा कि— "चि० नर्मदा मुझसे रूठ गया है। बुढ़ापे में तो अपना शरीर भी अपने से रूठने लगता है। अकेले चि० नर्मदा जी से क्या कहिए।" जिस पर कोई अधिकार होता है, मनुष्य उसी पर रूठता है। किन्तु रूठने में रूठने वाले का हृदय कचोटता रहता है और उसकी अन्तिम साँस तक यह पूछती रहती है कि मुझे क्यों रूठना पड़ा।

आपने मुझे जीवन के संग्राम में सदा जूझने की शक्ति दी। आपका प्यार भी मिला। किन्तु राशि-राशि प्यार-दुलार पाने वाला एकदम उपेक्षा पाकर सुखी रह सकता है क्या? आपमें यह उपेक्षा क्यों जागी, इसका कारण भी स्पष्ट है। किन्तु सदा कमजोरियों को दुलराते रहने में ही मनुष्य की शोभा नहीं है। मैंने आपकी चाहों के प्रति विद्रोह किया और आपके महामानव की सदा पूजा की। इसका प्रसाद जो मिला, वह मेरे सामने है। आज मेरे हृदय-सागर में ऐसा तूफान उठ रहा है कि यदि गोलवलकर साहब हमारे बीच होते तो मैं अपना मुकदमा उनके पास ले जाता न्याय के लिए।

मैंने माखनलाल-अभिनन्दन-अंक निकाल कर अपने को नीलाम किया, आप पर कोई अहसान लादने के लिए नहीं। मेरा कर्त्तव्य था कि अपनी पीढ़ी की श्रद्धा आपके भीतर के साहित्य-देवता को अर्पित करता। प्रान्त के कितने लोगों ने इस दायित्व को समझा। उसके बाद जहाँ, मैं आपको सम्मानित कर सकता हूँ, बराबर करता रहा हूँ। 'अपनी कलम से अपनी बात' इसका ताजा उदाहरण है। किन्तु इस पूजा के वरदान-स्वरूप मुझे निम्नलिखित पुरस्कार मिले—

1. कर्मवीर सदा के लिए बन्द कर दिया गया, जिसके प्रति मेरे मन में सदा आदर रहा है और जिसमें मैंने एक पाई कभी पारिश्रमिक पाने की नीयत नहीं रखी। क्योंकि मेरे बाल-कवि की रचनाएँ उसमें प्रकाशित होती रही हैं।

2. मैंने 'स्वरपाथेय' की भूमिका के लिए आपसे कितना आग्रह किया। संग्रह के प्रूफ भी आपके पास भेजे गये। आपने दो पंक्तियाँ भी न लिखीं। उसके बाद

संग्रह, प्रकाशित हो जाने पर भेजा गया। उन पर भी आपका आशीर्वाद तक न मिला। कर्मवीर में दो शब्द भी उस पर न निकले—आखिर क्यों?

3. आप मध्यप्रदेश के काव्य-स्रोत के रूप में हिन्दी-संसार में प्रसिद्ध हैं। यहाँ की तरुण पीढ़ी आपकी देन समझी जाती है। मेरे निर्माण में आपका हाथ है। फिर मेरे लिए आपके प्रतिभा-कोष ने कृपणता क्यों बरती? इन सब बातों से क्या मैं दुखी नहीं हुआ होऊँगा? मैं रूठकर आपका क्या कर सकता हूँ? यही भाव मन में उठते हैं कि सरस्वती का एक वरद पुत्र मुझसे रूठ गया—पूजा-अर्चना के बाद भी मैं उसे प्रसन्न न रख सका। बख्शी जी भी मुझसे कुछ नाराज हुए हैं। किंतु जहाँ स्नेह होगा, वहाँ रूठकर रहा ही नहीं जा सकता।

अभी एक लेख राष्ट्रभारती के लिए लिख रहा था—'माखनलाल : पत्रों में' पुराने पत्र पढ़कर कैसा-कैसा लगता था। सम्भवतः उन्हीं पत्रों के वाचन ने आपको भी उद्वेलित किया और शकुन्तला की कविता पत्र लिखने का निमित्त बन गयी।

दो पुस्तकें भेज रहा हूँ। प्रणाम!

सदा आपका ही

नर्मदाप्रसाद खरे

[6]

लोकचेतना प्रकाशन, जबलपुर

22.2.50

पूज्य,

आप उत्तर न दें। इसमें भी आपकी गुरुता ही है। हम लोग सब प्रकार की उपेक्षा सहकर भी कर्त्तव्य-पालन से च्युत न होंगे। देवता सुने अथवा न सुने, गुहार मचती ही रहेगी—कभी तो मौन का बाँध टूटेगा। चाहता था, इसी अंक में माखनलाल अभिनन्दन-अंक की घोषणा हो जाती, किन्तु···

'युगारम्भ' पर दो शब्द भी नहीं। आपकी तरुणाई का श्रम—इतना कि उपेक्षाशील तो कभी नहीं हो सकता।···मैं गुरु[1] के साथ धावा बोलने वाला हूँ।

आपका ही

नर्मदाप्रसाद खरे

1. श्री रामेश्वर गुरु (हिन्दी-लेखक)

श्री अमरसिंह सहगल

ओ३म्

बिलासपुर
11.9.36

पूजनीय, पंडितजी महाराज
(शुभ स्थान खण्डवा)

सादर वन्दे !

आपके पत्र में 'वीर' शब्द पढ़कर मुझे शंका हुई। मैंने पता लगाया, क्या कारण है कि पण्डितजी मेरे से इस कदर खफा हैं। मालूम हुआ कि आप जब ता० 28 को यहाँ पर आये थे तब स्वराज्य के एक लेख, जो आपके पंचमढ़ी गवर्नमेण्ट हाउस जाने के बारे में छपा था, उस पर आपने लक्ष्मण प्रेस के मैनेजर से दरयाफ्त किया। मालूम हुआ कि बातचीत करने में उसने आपको मेरा नाम बताया है कि मुझे यह उनसे मालूम हुआ है। मैं आपको यह लिखकर देना चाहता हूँ कि बताने वाले महाशय ने सरासर झूठ बोला है, आप पत्र में छाप दें। आपको चाहिए था मेरे को पत्र लिखकर दरयाफ्त तो कर लेते कि क्या बात है। यदि कोई भी झूठ बातें कह दे कि फलाने ने ऐसा कहा है तो क्या आप विश्वास कर लेंगे ? मैं इस बारे में कुछ भी नहीं जानता। मैं इसको चुनौती देता हूँ कि मेरे हाथ का एक भी पत्र वे पत्रों में प्रकाशित कर दें कि मैं उनको ऐसी गन्दी बातें लिखा हूँ व कहा हूँ। क्षमा करेंगे, मैं तो इतनी धृष्टता कर ही नहीं सकता कि पत्र लिखूँ या मुँहजबानी कहूँ। आप उस महाशय को खुद जानते हैं। आगे क्या, आप जब रायपुर आवेंगे तो एक दिन के लिए समय यहाँ पर देवेंगे, इसकी इत्तिला भेजने की दया करेंगे। आपसे प्रार्थना है आप इस नगरी पर सदैव कृपा बनाए रखें तथा जब आप वहाँ जावें तो एक दिन पैन्ड्रा में तथा एक दिन यहाँ पर देवें, पैन्ड्रा में हिन्दू-मुसलमानों में (वैमनस्य) बढ़ता जाता है वहाँ जाना जरूरी है। कृपया पत्र का उत्तर देने की कृपा करें। आशा है आप प्रार्थना स्वीकार करेंगे।

आपका सेवक
अमरसिंह सहगल

डा० एन० बी० खरे

Central Provinces and Berar
MAHAKOSHAL PROVINCIAL PARLIAMENTARY COMMITTEE

President : N. B. KHARE **Dhantoli, Nagpur**
Mrs. ANASUYABAI KALE 91.36

Dear Makhanlalji,

I enclose herewith a copy of a letter addressed to Mr. Kelkar, Congress candidate for the council of that election. It is dated Narsingpur November 8, 1936 and signed among others by Chandhari Daulatsing K. K. Chandorker, B. L. Bordia, H. C. Gupta etc From the very nature of it, it is evident that it is a propangndist letter perhaps written at the instance of Mr. Kaliker who is opposing the Congress. I have to request you to write to chaudhari Daulatsing enlisting his support for Mr. Kelkar and do all which is necessary to counter-act such mischievous propaganda against the Mahakosal Provincial Congress Committee.

I may also inform you that when Mr. N. K. Kelker our candidate had visited Narsingpur Chaudhari Daulatsingh had definitely promised all his support to him.

Yours Sincerely,
N. B. Khare, President.

श्री रामवृक्ष बेनीपुरी

बिहार साम्यवादी पार्टी
कदमकुआँ, पटना
25.11.36

श्रद्धेय दादा, सादर वन्दे !

आपका तार मिला। आप नहीं आये, आपका सेहरा मेरे सिर बाँधा गया।

इसका समाचार आपने पत्रों में पढ़ा ही होगा।

इस अवसर पर मैंने जो भाषण दिया, उसकी कापी भेज रहा हूँ। कृपया 'कर्मवीर' में उसे दीजिए और जरा ठाठ से, अब कर्मवीर ही तो एक पत्र है, जिसे मैं अपना कह सकता हूँ।

तार में आपने लिखा—inform your where abouts? इसका क्या जवाब दूं? बीमार होकर घर गया, वहाँ कुल 25 दिन रह पाया कि स्वामीजी का वारंट गया इलैक्शन के मामले को लेकर। आखिर स्वामीजी को इस्तीफा भी देना पड़ा। खैर राजेन्द्रबाबू ने एक सात पेज की चिट्ठी भेजकर स्वामीजी से इस्तीफा वापस लेने के लिए आग्रह किया है। देखिये, क्या होता है।

दादा, इस इलैक्शन ने बता दिया कि हम लोग कहाँ तक नीचे उतर सकते हैं। फिर बिरपुर में प्रान्तीय किसान सम्मेलन, वहाँ से लौटकर प्रयाग में प्रगतिशील साहित्य सम्मेलन—इसके बाद दो-तीन जगह देहातों में भी सभापतित्व—कल लौटा, तो बिहार-प्रान्तीय साम्यवादी सम्मेलन के लिए जुट गया, जो 5-6 दिसम्बर को पटना में होने जा रहा है।

इसके साथ ही स्वामीजी, जयप्रकाश बाबू आदि मित्रों की आज्ञा है कि विहार से ही अखबार निकालिये, एक मासिक, एक साप्ताहिक। मासिक के लिए मेरे एक शिष्य ने पाँच हजार रुपये देने का वादा किया है। साप्ताहिक के लिए सात हजार रुपये के प्रबन्ध में मित्र-मण्डली जुटी है।

सोचा यह जा रहा है कि एक रजिस्टर्ड संस्था कायम की जाये, जिसमें 15 सदस्य हों। पं० जवाहरलाल नेहरू, आचार्य नरेन्द्रदेव, श्रीप्रकाश व सम्पूर्णानन्द को यू० पी० से, आपको सी० पी० से और किसी एक को दिल्ली और पंजाब से लिया जाये। कलकत्ता के सीताराम सेकसरिया ने भी इसमें शामिल होने का वचन दिया है। अवध चीफ कोर्ट के चीफ जस्टिस सर वजीर हसन के सुपुत्र श्री सज्जाद जहीर बार-एट-लॉ भी इसमें रखे जायेंगे। बाकी बिहार की बिरादरी रहेगी, इसी संस्था के द्वारा ये दोनों पत्र निकाले जायेंगे। हो सकेगा तो आगे इसका क्षेत्र और भी विस्तृत किया जायेगा।

आपसे तीन निवेदन (1) कोई एक ऐसा नाम चुनिये, जो साप्ताहिक और मासिक दोनों के लिए उपयुक्त हो। (2) इस संस्था में रहने की आज्ञा दीजिये। (3) मासिक के लिए एक कविता और कुछ गद्य-गीत तैयार कीजिये, क्योंकि मासिक तुरन्त ही निकलेगा। खैर, पहले दो पर अपनी राय तो तुरन्त से तुरन्त भेजें।

वीर भैया कहाँ है? सकुशल तो हैं? उनका प्यारा बच्चा? और आप मेरे बच्चों को देखने के लिए पधारते कब हैं? उत्तर दीजियेगा।

श्री रामवृक्ष बेनीपुरी

[2]

अशोक प्रेस, पटना-6

प्रिंटर्स एण्ड पब्लिसर्स 9.2.1950

श्रद्धेय दादा, सादर वन्दे !

आपकी सेवा में पत्र भेजा; कोई उत्तर नहीं। दादा, ऐसा न किया कीजिये। आपके स्वास्थ्य के बारे में सदा चिन्ता रहती है। किसी दूसरे से ही कुशल-पत्र भिजवा दिया कीजिये।

'नई धारा' के नाम से एक नया प्रयत्न प्रारम्भ करने जा रहा हूँ। 'हिमालय' के अनुभवों से लाभ उठाकर पक्का प्रबन्ध कर लिया है कि यह सदा प्रकाशित होती रहे और इससे सदा के लिए मेरा सम्बन्ध बना रहे। अब आपके आशीर्वाद की आकांक्षा है। 'नई धारा' का एक भी अंक ऐसा नहीं जाना चाहिए जिसमें आपकी कोई कृति न हो। कृपया इसका आश्वासन शीघ्र भिजवाइये।

'कृष्णार्जुन-युद्ध' के बारे में क्या हुआ ? उसे देख गये ? बृजबाबू ने उसे प्रेस मे दिया ?

नागपुर की मेरी यात्रा अच्छी रही। सब लोगों से मिला और आशा है अगले सीजन में कुछ काम हो जायेगा। इस वर्ष के लिए तो मैं कुछ लेट पहुंचा।

आपके आशीर्वाद से सपरिवार सानन्द हूँ। पत्रोत्तर शीघ्र दीजिये।

श्रीरामवृक्ष बेनीपुरी

(प्रसिद्ध हिन्दी-लेखक, पत्रकार)

श्री भगवन्तराव मँडलोई

10.7.37

पूज्य पंडित जी,

मेरी खुद की इच्छा आपसे मिलने की थी, परन्तु आज साढ़े आठ बजे एक जरूरी एंगेजमेंट हो गया, कल मैं अवश्य मिलूँगा। अगर कोई जरूरी व आवश्यक काम होवे तो मैं सेवा में उपस्थित होऊँगा।

आपका

मँडलोई भगवन्तराव,

(भूतपूर्व मुख्यमन्त्री, मध्यप्रदेश)

श्री एम० जे० पाण्डे

कला-भवन,
तिलक राष्ट्रीय विद्यालय, खामगाँव
17.6.1938

श्री पूज्य पंडित जी को सविनय वन्दे !

आपका कृपा-पत्र मिला। आपकी तबियत की बेचैनी में मैं अधिक दखल दे रहा हूँ। क्षमा कीजिये। इच्छा करता हूँ कि शीघ्र ही आप तन्दुरुस्त हो जावें और आगामी अधिवेशन का कार्य बड़ी सफलता से पूरा होवे।

आपकी आज्ञानुसार कुछ परिचय लिखता हूँ। मेरा जन्म नरसिंहपुर में हुआ। प्राथमिक शिक्षा होशंगाबाद में हुई। मेरे पिताजी कचहरी में पी० डब्ल्यू० खाते के अकाउण्टेण्ट थे। उमर के 10 साल होशंगाबाद की नर्मदा की गोद में गये। आज भी ब्रान्दाभान के मेले की याद बुझ नहीं गयी। मदरसे में से डूब देकर नर्मदा के किनारे आकर रेती पर मछली और कछुओं के चित्र खींचने में आनन्द मानना यह मेरा प्यारा खेल अभी भी नहीं भूला। उसी मजाक और खेल में सारे जीवन के लिए कला हृदय में भर गयी।

1921 के राष्ट्रीय आन्दोलन ने जीवन में नयी क्रान्ति कर दी। राष्ट्रीय विचारों के आन्दोलन ने देश की ओर ध्यान खींचा। फ्रान्स, इटली की कलाशिक्षा के लिए ललचाने वाला मन और उसकी पूर्ति की तैयारियाँ रुक गयीं। देश के कला-कौशल का ज्ञान प्रथम परिपूर्णता से जानने के प्रयत्न शुरू किये। राजकीय पुनर्जीवन के साथ ही देश के कला-कौशल का पुनर्जीवन होना भी जरूरी है। यह सिद्धान्त मन में रखकर राष्ट्रीय शिक्षा-क्षेत्र में प्रवेश किया। गत 14 साल से इसी (यही) कार्य (में प्रयत्न) कर रहा हूँ।

कला कोई विशिष्ट सम्प्रदाय की पूर्ति के लिए नहीं है। वह तो एक मानव-धर्म सिखाने वाली जागतिक दिव्य-शक्ति है। यह ध्येय मेरे सामने है कि जो मुझे कलाकृति गढ़ने में स्फूर्ति दे रहा है। दक्षिण भारत में बौद्ध और द्रविड़ कलाकृति का मर्म जानने के इरादे से कन्याकुमारी तक सफर किया। जगह-जगह के प्राचीन कला-कौशल के अवशेष खँडहरों ने मुझे कला के पाठ दिये। सीलोन द्वीप में जाकर आया। अजन्ता की समय-समय की सफरों ने हृदय की भावना चित्र और मूर्तिरूप में किस तरह खींची जाती है, यह सिखाया। यह मेरी कलाशिक्षा है। देश के कला-कौशल की यथायोग्य उन्नति में कष्ट करना यह मेरी सेवा है। ज्यादा क्या लिखूँ। अस्तु। साथ दो ब्लाक्स भेजे हैं। और कुछ फोटोग्राफ्स हैं। तकलीफ माफ करिये।

आपका भवदीय,
एम० जे० पाण्डे

मैं महाराष्ट्र विद्यापीठ, पूना के कार्यकारी मण्डल का सभासद हूँ। तारीख 21.6.38 को इस मण्डल की सिनेट में सभा है। सभा के काम के लिए मैं ता० 20 को यहाँ से पूना जाऊँगा। पूना से बम्बई होकर ता० 23.6.38 को खामगाँव लौटूंगा। कृपया आप ता० 24 तक उत्तर के लिए कष्ट न उठावें। अस्तु।

श्री एम० एस० पंधे

[1]

कला-भवन,
तिलक राष्ट्रीय विद्यालय, खामगाँव (बरार)
14.6.1938

श्री पूज्य पण्डितजी को सविनय वन्दे !

आगामी कांग्रेस अधिवेशन की स्वागत-समिति के आप उपाध्यक्ष हैं। यह पढ़कर आनन्द हुआ। मैं आपसे एक विनती करना चाहता हूँ कि इस साल की महाकौशल में होने वाली महासभा में मेरी भी कुछ सेवा काम में आवे।

महाकौशल के अन्य नेताओं से मेरा परिचय नहीं है। आपके शुभ परिचय के आधार पर ही लिख रहा हूँ।

फैजपुर और हरिपुरा में मैंने नगर-रचना और द्वारों की सजावट के काम में पूजनीय श्री नन्दबाबूजी के साथ काम किया है। फैजपुर के अधिवेशन के पहले 3 हफ्ते वहाँ काम करता था। टिलक (तिलक) और शिवाजी की मूर्तियाँ एवं द्वारों पर ग्रामीण जीवन के दृश्य मैंने ही बनाये थे। वैसे ही हरिपुरा में स्व० विट्ठलभाई की मूर्त्ति, म० गांधी और भारत माता की बड़ी मूर्त्तियाँ और ग्रामीण उद्योग तथा जीवन के दृश्यों की छोटी-छोटी 9 मूर्त्तियाँ मैंने ही बनायी थीं। दरवाजे की सजावट का भी काम मैंने और मेरे विद्यार्थियों ने किया था। इस काम के लिए हरिपुरा में लगभग दो महीने तक मेरे कलाभवन के आठ विद्यार्थी काम करते रहे थे। दो वर्ष तक श्री पू० नन्दबाबूजी के साथ काम करने के अनुभव से उनकी विशेषता का काफी परिचय हुआ है।

सम्भव है कि इस साल श्री बाबूजी नहीं आवेंगे। हरिपुरा में ही मुझे कहते थे कि अब मेरी शारीरिक अवस्था मुझे हताश कर रही है। आगामी सभा का बोझ मैं नहीं उठा सकूँगा।

आप मेरी कलाकृति जानते हैं। मेरे भारतीय कलाप्रेम और अभ्यास का भी आपको परिचय है। महासभा के अधिवेशन में स्थान-स्थान पर भारतीयता का

दिग्दर्शन होना जरूर है। रचना-सजावट भारतीय ढंग की होनी चाहिए। हरिपुरा की रचना में बाबूजी को अपनी रचना में भारतीयता लाने में बहुत दिक्कत आयी। कारण कि स्वागत-समिति में रचना-कार्य में उनको काफी स्वातन्त्र्य नहीं रखा।

मेरी राय से इस साल के महासभा के प्रवेश-द्वार परिपूर्ण भारतीय पद्धति के होने चाहिए। महाकौशल को पुनीत करने वाली नर्मदा, ताप्ती और महानदी इन नदियों के प्रतीकों की हर एक द्वार पर रचना की जाय। विन्ध्य और सतपुड़ा पर्वतों का प्रतीक दर्शन-स्तम्भों में किया जाय। कांग्रेस का ध्येय और उनके तत्वों को बोध करने वाले चिह्नों से सजावट की जाय।

इस प्रकार हरएक रचना में भूमिदर्शन, ग्रामीणता, ग्रामीण सुलभ साधनों के द्वारा प्रकट की जाय। ताकि अधिवेशन की रचना में सजीवता भरी हुई दीखेगी। अस्तु।

नर्मदा-किनारे मेरी जन्मभूमि है। वहाँ की ही वायु और जल के सेवन में मेरा बचपन बीता है। नर्मदा के निर्मल जल में खेलकूद कर प्राथमिक शिक्षा प्राप्त की थी। आज उस निर्मल जल और वायु की उपकृतता करने का समय आया है तो मैं क्यों पीछे हटूँ ? इसलिए ही आपसे प्रार्थना करता हूँ कि मेरे लिए भी कुछ सेवा रखिये। सद्भाग्य से लगातार गत 17 वर्ष से कांग्रेस की सेवा में ही जीवन व्यतीत हो रहा है। फैजपुर और हरिपुरा में जो कुछ सेवा की, वह बिना शुल्क, एक पवित्र कर्तव्य की हैसियत से ही की। इसी तरह की भावना से आगामी महासभा में एक नम्र हिन्दी कारीगर के नाते काम करना चाहता हूँ। अधिक विचार-विनिमय के लिए आप मुझे कभी भी बुला सकते हैं। तकलीफ माफ करिये।

आपका भवदीय,

मुकुन्द श्रीकृष्ण पंधे

(दादा माखनलालजी इन्हें 'संस्कृति का चितेरा' कहा करते थे)

[2]

तिलक राष्ट्रीय विद्यालय, खामगाँव

(स्थापना 1921) 6.4.1954

आदरणीय, पूज्य माखनलाल चतुर्वेदी !

सेवा में सादर अभिनन्दन वि० वि०।

आपका ता० 9-3 का कृपा-पत्र यथासमय प्राप्त हुआ, उपकृत हूँ। पत्र को पढ़कर आनन्द और उत्साह भी प्राप्त हुआ।

मैं इसलिए आना चाहता था कि आपको यहाँ विद्यालय की भेंट देने के लिए ले आऊँ। लेकिन आपका शरीर स्वास्थ्य ठीक न होने के कारण, आपको कष्ट न देना ही ठीक समझकर आगे कदम बढ़ाने का साहस नहीं कर सका।

गत सात वर्षों में विद्यालय ने अपनी काफी प्रगति की है। दिनोंदिन प्रगति-पथ पर अग्रसर होने वाला विद्यालय का कार्य-परिचय इस पत्र द्वारा आपकी सेवा में पेश करना चाहता हूँ और इसीलिए यह पत्र लिख रहा हूँ।

(1) राष्ट्रभाषा हिन्दी का सेवाकार्य 1942 के आन्दोलन के बाद यहाँ राष्ट्रभाषा परीक्षाएँ तथा उसका अध्यापनकार्य शुरू किया गया। आज बुलढाना जिला भर के 48 परीक्षा-केन्द्रों का संचालन-कार्य यहाँ से होता है। बुलढाना जिला राष्ट्रभाषा प्रचार समिति गत 7-8 वर्षों से कार्य कर रही है। नाग विदर्भ के जिलों में इस समिति का कार्य सबसे अग्रसर एवं बढ़िया है। मैं उपर्युक्त समिति का अध्यक्ष हूँ। मेरे एक छात्र श्री भँवरलालजी सेवक इसके मन्त्री हैं। इन्होंने अपने सारे जीवन का लक्ष्य राष्ट्रभाषा की सेवा बना लिया है।

विद्यालय में प्रयाग की हिन्दी साहित्य की परीक्षाओं का अध्ययन-अध्यापन सुचारू रूप से होता है, 'प्रथमा से' लेकर 'साहित्यरत्न' तक।

राष्ट्रभाषा वर्धा की 'प्रारम्भिक' परीक्षा से 'रत्न' तक की सब परीक्षाओं का अध्ययन एवं अध्यापन होता है।

मध्यप्रदेश हिन्दी साहित्य सम्मेलन की शाखा भी खोली गयी है, मैं इसका उपाध्यक्ष हूँ। इस प्रकार विद्यालय राष्ट्रभाषा के क्षेत्र में अपनी ठोस सेवाएँ अर्पण कर रहा है।

(2) विद्यालय की कला शाखा की प्रगति अब भारत की एक प्रशंसा की चीज बन गयी है। 1949 से 1952 तक, 'कलाभवन' नामक एक भव्य कला-मन्दिर बाँधा गया है। इसकी शिल्प-रचना भारत की प्राचीन, मध्ययुगीन तथा आधुनिक शिल्प-शैलियों के समन्वय से की गयी है। बौद्ध, द्रविड़, राजपूत मुगल, अबू. अजिठा, साँची, ब्रह्मी, ग्रीक आदि सभी शिलपरचना-अलंकारों का उपयोग किया गया है। सारी कलात्मक रचना मैंने और मेरे छात्रों ने की है। 60 फुट लम्बा, 21 फुट चौड़ा और 23 फुट ऊँचा एक हाल बना है। अब अन्दर की दीवालों और छत पर चित्र-रचना करनी है। साथ में कला-भवन के फोटो भेजे हैं। पिछली हैदराबाद कांग्रेस में हुई सर्वोदय-प्रदर्शनी के भव्य महाद्वार की रचना मैंने ही मेरे दस छात्रों की सहायता से की थी। केवल बाँस और चटाइयों में भारत की भिन्न-भिन्न शिल्प-शैलियों का समन्वय किया था।

(3) विद्यालय ने अपनी अन्य कार्य-प्रवृत्तियों में भी काफी प्रगति की है। कृषि-शिक्षा तथा उत्पादन के लिए विद्यालय से सटी हुई खेती की जमीन खरीद ली है, करीबन 40 एकड़ भूमि विद्यालय के चारों ओर विद्यालय की हो गयी है।

कला-शिक्षा के साथ ही संगीत-शिक्षा का प्रबन्ध भी किया है। वर्ग 5, 6, 7 के लिए संगीत विषय अनिवार्य रूप से रखा गया है। इसी तरह गायन, वादन, नृत्य आदि की शिक्षा भी दी जाती है। विद्यार्थियों ने 'सर्वोदय कला-पथक' स्थापन किया है। प्रसंगानुकूल इसके नाट्य, नृत्य, गायन-वादन आदि कार्यक्रम होते हैं। देहातों में कला-पथक के कार्यक्रम प्रभावी रूप से होते हैं। इस प्रकार चित्र, मूर्ति, स्थापत्य, हिन्दी-मराठी साहित्य, गायन, वादन, नृत्य, नाटक आदि कलाओं की यहाँ शिक्षा दी जाती है और इसमें उन्नति भी हो रही है।

(4) मध्यप्रदेश सरकार ने इस विद्यालय को एक स्पेशल स्कूल की हैसियत से मान्यता दी है। विद्यालय को बेसिक शिक्षा का एक आदर्श स्थान माना गया है, सरकारी वार्षिक अनुदान तथा मँहगाई-भत्ता आदि मिलने लगा है। कलाभवन बाँधने के लिए सरकार की ओर से 5000 रु० की ग्राण्ट मिली थी। अभी भोजन-गृह बाँधने के लिए 4000 रु० की ग्राण्ट मिली है।

(5) विद्यालय की भावी योजनाएँ—

(अ) बुनियादी प्राथमिक शिक्षा का प्रबन्ध,

(ब) बुनियादी प्राथमिक शिक्षकों को ट्रेण्ड कराने का ट्रेनिंग स्कूल। सरकार ने इसे इस साल खोलने का विचार किया था, किन्तु अब ज्ञात होता है कि किसी कारण यह कार्य स्थगित कर दिया गया।

(क) आयुर्वेद शिक्षा-प्रबन्ध के लिए 'आयुर्वेद महाविद्यालय' खोलना।

(ख) गो-दुग्धालय खोलना।

(इ) संगमरमर की मूर्तियाँ बनाने के काम के लिए पक्का मकान बनाना।

मध्यप्रदेश-सरकार की सहायता बहुत अल्प प्रमाण में मिलती है। मैं चाहता हूँ कि आप अपने 'कर्मवीर' वृत्त-पत्र द्वारा इस विद्यालय की सहायता के लिए सरकार को अपील करें। साथ ही महाकौशल के विधानसभा के सदस्यों का ध्यान इस विद्यालय की ओर आकर्षित करने का कष्ट उठायें और कुछ ठोस सहायता सरकार की ओर से प्राप्त करा देने को उन्हें प्रवृत्त करें। यही मेरी आपकी सेवा में विनम्र प्रार्थना है।

आशा है आप मेरी प्रार्थना मानकर उपकृत करोगे। कष्ट के लिए क्षमाप्रार्थी। योग्य सेवा लिखें।

आपका नम्र,
मुकुंद श्रीकृष्ण पंधे
प्रमुख, तिलक राष्ट्रीय विद्यालय
खामगाँव

पूज्य पं० माखनलाल चतुर्वेदी,
खण्डवा (सी० पी०)

श्री ठा० लक्ष्मणसिंह चौहान

[1]

(सम्भवत: 1939)

प्रिय चतुर्वेदीजी,

यह आपरेशन काहे का हुआ है ? अब क्या हाल है ? बहुत समय तक तो मुझे पता ही नहीं लगा, इसी हफ्ते मालूम हुआ। परसों ब्योहारजी कहते थे कि अब आपकी तबीयत अच्छी है। एक पत्र मुझे भी डाल दिया होता। खैर अब तो अच्छे हो न ? अखबार पढ़ने को मिल जाते हैं कि नहीं? पता नहीं, आप गांधीवादी हैं या अग्रगामी। जरा जल्दी अच्छे हो जाइए। यही समय है काम करने का। तीन-चार दिन में युवक परिषद में बोस बाबू जबलपुर आ रहे हैं। उस समय प्रान्तीय अग्र-दल का संगठन सम्भवत: होगा। क्या आपका नाम प्रान्तीय कार्यकारिणी में रखवा दूँ ? पता नहीं, लोगों के क्या विचार होंगे। मेरा तो विचार आपको सभापति पद के लिए प्रस्तावित करने का है। आप अपनी अनुमति लिख भेजियेगा।

जबलपुर म्युनिसिपल कमेटी का प्रकरण 'हितवाद' से आपको मालूम हो ही गया होगा। यदि मिश्रजी जिद करेंगे तो जबलपुर में बड़ा तूफान खड़ा हो जावेगा।

अभी आप बीमार हैं, इसलिए अधिक नहीं लिखता।

सुभद्रा का प्रणाम।

लक्ष्मण

[2]

एल० एस० चौहान,
बी०ए०, एल-एल०बी०

302, राइट टाउन, जबलपुर

15.7.1939

प्रिय चतुर्वेदीजी, वन्दे !

मेरे पिछले पत्र का उत्तर आपने नहीं दिया। किसी से अपनी तबीयत का हाल ही भिजवा देते। पिछले कर्मवीर का अग्रलेख 'कांग्रेसी मन्त्रिमण्डलों में अविश्वास' बहुत जोरदार था। मैंने उसका अंग्रेजी अनुवाद करके 'हितवाद' में छपने को भिजवाया है।

सुभाष बाबू का स्वागत अभूतपूर्व था। लोगों का अनुमान है कि जुलूस में करीब 1 लाख आदमी रहे होंगे और सभा में पचास हजार, उनके भाषणों में हर जगह भीड़ रही। फारवर्ड ब्लाक का संगठन करने के लिए एक अस्थायी कमेटी बना दी गयी है जिसके संयोजक मन्त्री श्री एच० बी० कामथ हैं। कोषाध्यक्ष डाक्टर डिसिलवा और आफिस-मन्त्री भवानीप्रसाद तिवारी हैं। मैंने उसमें अपना

नाम नहीं रखा क्योंकि मैं उस कार्य में अपना समय नहीं दे सकता। पर मेरी पूरी सहानुभूति और सहयोग है।

मैं तो अब यहाँ से एक अंग्रेजी का और एक हिन्दी का साप्ताहिक पत्र निकालने का विचार कर रहा हूँ। उसमें आपसे सहायता लेने का विचार है, परन्तु जब तक आपका स्वास्थ्य सुधर न जाये तब तक आपको कुछ न कहूँगा।

9 तारीख की सभा में भाग लेने के कारण प्रान्तीय कांग्रेस कमेटी के सभापति ने मुझे अनुशासन का नोटिस दिया है। उसका उत्तर भी मैंने दे दिया है, अभी उत्तर अधूरा है क्योंकि राष्ट्रपति की आज्ञा की मैंने नकल माँगी है, उसके आने पर पूरा उत्तर भेजूंगा। तब आपके पास भी एक नकल भेजूंगा।

आपने एक बार मुझसे कहा था, उसके अनुसार मैं हर हफ्ते यहाँ के समाचार भेजा करूँगा। लिखिये, कौन दिन ठीक होगा। कांग्रेस के पदाधिकारियों ने अनुशासन को हौआ बना रखा है, कहिये तो अनुशासन पर एक लेख भेज दूँ।

सबसे अधिक मुझे आपके स्वास्थ्य की चिन्ता है। उसका समाचार भिजवाते रहिये।

सुभद्रा व बच्चे सब अच्छी तरह हैं। मुझे अभी भी जीजी की रह-रहकर याद आती है। आपने उसकी मृत्यु पर एक पंक्ति भी कर्मवीर में न लिखी। खैर! उत्तर दीजियेगा।

आपका
लक्ष्मण

[3]

56, सुभद्रानगर, जबलपुर
26.6.49

प्रिय चतुर्वेदीजी,

बहुत दिन से आपका समाचार नहीं मिला, आशा है, अच्छी तरह होंगे। सुभद्रा की मूर्तियाँ इटली से बनकर बम्बई तक आ पहुँची हैं। एक पूरी मूर्ति नगर कांग्रेस कमेटी ने मँगायी है जो शहर में खड़ी की जायेगी। एक बड़ी मूर्ति और करण्ट मैंने मँगाया है अपने अहाते और घर के लिए। सम्भवतः नागपंचमी को ही मूर्ति-उद्‌घाटन का कार्य होगा — नागपंचमी सुभद्रा का जन्म-दिवस है। उस समय आपको यहाँ आना होगा। पर यह तिथि अभी निश्चित नहीं है। मैं सुभद्रा की स्मृति में 'सुभद्रा' नाम का मासिक पत्र निकालने का विचार कर रहा हूँ, आपकी क्या राय है? पता नहीं, कितना खर्च लगेगा, एक एस्टीमेण्ट तो बनवाकर भेजिये।

बड़ा (अजय) एम० ए० प्रीवियस (अर्थशास्त्र में) पास हो गया है। छोटे

विजय को एन० सी० सी० (नेशनल कैडेट कोर) में सार्जेंट का पद मिला है।

बाकी सब ठीक है।

आपका

लक्ष्मण

[4]

56, सुभद्रानगर जबलपुर

4.7.49

प्रिय चतुर्वेदीजी,

आपका पत्र मिला था। विद्यार्थियों के विषय में मैंने यहाँ बातचीत कर ली थी। पता नहीं, फिर क्या हुआ। आजकल तीसरे दर्जे के विद्यार्थियों की तो आफत ही है।

सुभद्रा की मूर्तियाँ बम्बई आ गयी हैं। उन्हें लेने के लिए एक आदमी यहाँ से गया है, एक हफ्ते में संभवतः यहाँ आ जायेंगी। एक पूरी मूर्ति कांग्रेस कमेटी ने शहर में लगाने के लिए मँगायी है और एक पूरी मूर्ति और एक करण्ट मैंने मँगाये हैं। मूर्ति कम्पाउंड में कोने में स्थापित करेंगे और करण्ट घर में रहेगा।

आशा है, आपकी तबीयत अच्छी ही होगी।

आपका

लक्ष्मण

[5]

लक्ष्मणसिंह चौहान,
बी० ए०, एल-एल० बी०,
प्लीडर

302, राइट टाउन
जबलपुर

प्रिय चतुर्वेदीजी, वन्दे!

आपके दो-एक पत्र आये प्रेम के उलहाने के, और क्रोध के, परन्तु हम पर कुछ असर नहीं हुआ। मनोवृत्ति ही कुछ ऐसी हो गयी है कि मित्रों की प्रताड़ना अथवा शत्रुओं की उत्तेजना का प्रभाव नहीं पड़ता।

मेहताजी मिनिस्टर हो गये। इसकी बहुत खुशी हुई। मिश्रजी तो मिनिस्टर होने को ही थे। उनसे कुछ समय से मेल हो गया है। आज सलाह कर रहे थे कि किसको अपना अण्डर सेक्रेटरी बनाना। हम दोनों सहमत हैं कि भगवन्तरावजी मण्डलोई को बनाया जावे। पता नहीं, वे मंजूर करेंगे या नहीं। पर यह बात

केवल आप ही तक रहनी चाहिए। पालीटिशियन की तो बात है न जाने कब बदल जावे।

आजकल आपका स्वास्थ्य कैसा रहता है ?

कर्मवीर में सुभद्रा की झाँसी वाली रानी कविता के रेकार्डिंग का समाचार पढ़कर प्रसन्नता हुई।

आज बैठे-बैठे मिनिस्टरों को बधाइयां लिख रहा हूँ। अपन तो अब इसी काम के रह गये हैं। मिश्रेच्छा बलीयसी।

क्या कर्मवीर के लिए कुछ लिखा करूँ ? लिखने को तो तैयार हूँ, पर उसकी फीस में आपको हर अंक में मेरी कुछ-न-कुछ तारीफ छापनी पड़ेगी। स्वीकार हो तो लिखिये, मैं पक्का सौदा करने को तैयार हूँ।

आपका

लक्ष्मण

श्री रतनकुमार

[1]

भोपाल

19.7.39

पू० दादा, चरणों में सादर प्रणाम !

मेरा शायद आपको यह पहला पत्र है। कुछ समझ में नहीं आता, इसमें अपने-आपको आप तक किस तरह पहुँचाऊँ ? आपके ध्यान से मन अजीब तौर से तरंगित हो उठता है—झनझना-सा उठता है। आपके उस प्रथम सम्बोधन ने जो घोल दिया था वह सदा विस्तृत होता गया है--होता जाता है। वह कैसा जादू-भरा स्पर्श है कि जीवन सागर हो जाता है, लहराने लगता है। उसमें श्रेय भी और प्रेय भी। वह मेरे जीवन का अपूर्व सौभाग्य था जब खुलकर मैंने आपको पहली बार देखा और आपने मुझे—मेरे भगवान्, मुझे सदा आपकी वे आँखें मिलें, वह जमीन पर विचरती हुई आकाश को छूने वाली वाणी मिले और कभी भी यह चाह न मिले, आपके द्वारा मेरा कोई खास मकसद रहा हो।

हाँ कागज कैसा खराब-सा है—शायद मेरा जीवन ऐसा ही है। इस पर लिख सकना आप ही का काम है।

दादा, मैंने लिखने की शुरुआत कर ही दी। प्रभागजी को वह बेहूदगी भेजकर बाद में देखने से बड़ी ग्लानि हुई। वह न आये--अगर छपती हो तो सारी बेहूदगी निकाल कर।

प्रभागजी के लिए इसी में एक पर्चा रख रहा हूँ—जरूरी है- -क्षमा कीजियेगा। आपका स्वास्थ्य पहले से ठीक होगा। मेरे लिए कुछ ?

आपका

रतन

[2]

'नई राह'

प्रगतिशील साप्ताहिक, भोपाल भोपाल,

13.11.48

पू० दादा, सादर नमन !

बहुत दिनों के बाद लिख रहा हूँ। भाई राम का पत्र आपकी सेवा में पहुँचा होगा। आपको यह जानकर सन्तोष होगा कि हिन्दी का काम यहाँ बड़ी प्रबलता से उठाया है और उसमें बड़ी सफलता मिल रही है।

भोपाल हिन्दी आन्दोलन समिति ने, जिससे मैं भी सम्वन्धित हूँ, यह सब निश्चय किया कि ता० 18 नवम्बर से 22 नवम्बर तक जब आपको सुविधा हो— आपसे यहाँ पधारने की प्रार्थना की जाये और पधारने पर खूब शानदार हिन्दी-सम्मेलन का आयोजन हो। यह भी निश्चित हुआ कि अन्य किसी को इस अवसर पर न बुलाया जाये जिससे कि भोपाल आपका और केवल आपका ही पूर्ण लाभ उठा सके।

आपके यहाँ प्रधारने से साहित्यिक, सांस्कृतिक और राजनैतिक जो लाभ होंगे, उन्हें यहाँ के साथी खूब जानते हैं। इसलिए मेरी प्रार्थना और आग्रह है कि आप अवश्य ही स्वीकृति दें एवं आने की तारीख से सूचित करने का कष्ट करें। दो दिन यदि आप प्रदान कर सकें तो बहुत ही उत्तम हो, क्योंकि सिहोर वालों का भी बहुत आग्रह है।

समिति गरीब है, लेकिन उसे घोर पीड़ा होगी यदि आने-जाने, यहाँ ठहरने में आपको तनिक भी असुविधा या कष्ट पहुँचे। इसलिए रेल-यात्रा जिस प्रकार आप उपयुक्त समझें, वैसे ही रूप से करें।

मैं आपकी स्वीकृति की प्रतीक्षा में रहूँगा दादा !

आपका ही

रतन

[3]

भोपाल
20.2.55

पूज्य दादा, सादर नमन !

एक युग के बाद आपको लिख रहा हूँ और एक ऐसी खबर लिख रहा हूँ, जिससे आपको भी संतोष होगा—क्योंकि मुझे यह अच्छी तरह से मालूम है कि बच्चियों के ब्याह के बारे में आपको भी प्रायः चिन्ता रही है। बड़ी बेटी कमला का विवाह फागुन सुदी 9 को आपके आशीर्वाद से सम्पन्न होने जा रहा है। लड़का बहुत योग्य, शीलवान् और पुरुषार्थवान् है। विलीनीकरण आन्दोलन के तरुण कार्यकर्ताओं और मेरे जेल-साथियों में से है। इसका घराना बीसा मारवाड़ी अग्रवाल है और हम बुन्देलखण्डी बीसा अग्रवाल हैं। अभी तक हमारी ओर के पिछड़े हुए क्षेत्र में ऐसे सम्बन्ध नहीं हुए थे—यह ऐसा पहला ही सम्बन्ध है। मेरे मजबूत निश्चय के कारण बिरादरी व रिश्तेदारों ने भी स्वीकृति दे दी व सबका सप्रेम सहयोग है। यहाँ नगर में भी सबका सहयोग भलीभाँति मिल रहा है।

दादा, आपको याद होगा, जब कमला छोटी बच्ची ही थी, आपका आशीष उसको मिला था। अब उसकी जीवन-यात्रा के इस महान् मोड़ पर उसे आपके दर्शन और पथ-प्रदर्शन की जो जरूरत है, उससे किसी को भी—आपको भी—इन्कार नहीं हो सकता।

मेरी सविनय साधिकार प्रार्थना है कि आप, आदरणीय ब्रजबाबू भैया इस अवसर पर एक-दो रोज के लिए तो अवश्य ही पधारें! मुझे बड़ा बल मिलेगा।

आपका
रतन
(स्वतन्त्रता-सेनानी / 'नई राह' भोपाल के सम्पादक)

श्री बाबराम सक्सेना

हिन्दी साहित्य सम्मेलन, प्रयाग

पत्र-संख्या 627 मिति सौर 27.5.1966
12.9.39

प्रिय चतुर्वेदीजी,

9 सितम्बर 1939 के कर्मवीर में 'काशी हिन्दी साहित्य सम्मेलन' शीर्षक अग्रलेख पढ़ा। 'कर्मवीर' और आप सरीखे राष्ट्रीय हिन्दी-सेवियों से ऐसे ही

सहानुभूति-सूचक लेखों की आवश्यकता और आशा है।

सम्मेलन के कर्णधार श्री टण्डन जी का तथा उनके सहयोगियों का ध्येय वही है, जो आपका। हिन्दी संसार यदि अधिक जोर से अपनी बात कहे तो उसका उन दिशाओं पर प्रभाव पड़े जिधर से हानि की आशंका है। आपसे प्रार्थना है कि काशी के उत्सव पर अवश्य पधारें और अपने बहुमूल्य सहयोग से कृतार्थ करें।

सम्मेलन के सभापतियों का चुनाव अब सम्मेलन के सदस्य और सम्बद्ध संस्थाएँ करती हैं न कि स्वागत-समिति। आपकी आलोचना से मैं भी सहमत हूँ। इस बात का यथेष्ट आन्दोलन निर्वाचन के पूर्व होना चाहिए, जिसमें मतदाताओं पर प्रभाव पड़ सके।

नियमावली की एक प्रति सेवा में प्रेषित है। अपनी ओर से हिन्दी-प्रेमियों को उत्साहित कीजिए कि प्रतिनिधि बनकर शरीक हों। केवल 6 रु० वार्षिक देकर साधारण सदस्य हो जाने से ही प्रतिनिधि बनने का अधिकार मिल जाता है। हमने तो नियम अब इतने सुगम कर दिए हैं कि सभी हिन्दी-प्रेमी शरीक हो सकें।

सम्मेलन पर कृपा बनी रहे।

भवदीय,
बाबूराम सक्सेना
प्रधानमन्त्री

श्री सोहनलाल द्विवेदी

[1]

सम्पादक, दैनिक 'अधिकार' आर्यनगर, लखनऊ
18.12.39

श्रद्धेय चतुर्वेदीजी, जय श्रीगोपाल की !

यह आपकी कलम आप ही को कुछ लिख रही है। इसका प्रणाम स्वीकार कीजिए।

अब आप खण्डवा पहुँच गए होंगे, ऐसी आशा है। यू० पी० आने पर आपकी जैसी सेवा होनी चाहिए थी, मैं न कर पाया, फिर भी मैं कह सकता हूँ, आपको कितने चाव से यहाँ की जनता ने आमन्त्रित किया, उतनी लगन-श्रद्धा-स्नेह मुझे किसी साहित्यिक के लिए देखने को नहीं मिला। प्रयाग ता० 13 को मैं नहीं पहुँच पाया।

पुस्तकों की स्वीकृति की चिन्ता में रहा।

आज (अस्पष्ट) घर जा रहा हूँ। श्रीमती जी को लाने। कुछ पायरिया को

शिकायत है, उसकी दवा यहाँ ही होगी। लखनऊ में इस महीने रहूँगा।

आपके कानपुर की रिपोर्ट तो छपाई थी, लेकिन प्रूफ की भूलें बहुत हुई हैं। सेवा लिखियेगा। प्रयाग को तथा राम को स्नेहाभिवंदन

प्रणेता

सोहनलाल द्विवेदी

पुनः—

लखनऊ वालों का कोई दोष नहीं, ऐसा गुप्त जी बता रहे थे। उन्होंने खण्डवा तार भेजे।

[2]

गांधी अभिनन्दन ग्रन्थ

विश्ववंद्य बापू की 75 वीं वर्षगाँठ के उपलक्ष्य में विश्व-भारती के प्रतिनिधि कवियों द्वारा श्रद्धांजलि

सम्पादक

सोहनलाल द्विवेदी

एम० ए०, एल-एल० बी०

पो० बिंदकी, यू० पी०

4.8.46

आदरणीय चतुर्वेदी जी,

एक बार, बरबस, मैं आपको प्रकाश के चौराहे पर खींच लाया था। आज फिर मैं अच्छे प्रकाश में खींचना चाहता हूं। 'हिमकिरीटिनी' के प्रकाशन से मुझे सन्तोष नहीं। कागज छपाई, गेटअप—इससे बहुत सुन्दर होगा। और सेल भी इससे अच्छी।

क्या मैं आशा करूँ कि शेष रचनाएँ आप मुझे देंगे, जिन्हें मैं छपा सकूँ? पुस्तक वहीं से निकलेगी, जहाँ से 'कृष्णायन' छप रहा है, व ऊपर उक्त ग्रन्थ छपा है। चित्रा, युगाधार आदि मेरी पुस्तकें छपी हैं। आगामी कांग्रेस के पहले मैं उसे प्रकाशित करना चाहता हूँ। उत्तर शीघ्र दें।

सस्नेह—सोहनलाल द्विवेदी

पुनश्च—

गां० अ० ग्र० का संशोधित तथा परिवर्धित संस्करण छपने जा रहा है। आपका सन्देश, सम्मति, गांधीजी पर रचना चाहिए।

—द्वि०

[3]

सुन्दरपुर लॉज
हिन्दू यूनिवर्सिटी, बनारस

24.4.33

श्रद्धेय चतुर्वेदीजी !

—ऐ ममता की मूर्ति, स्फूर्ति तरुणों की,
दो दान मुझे पद-रज अपने चरणों की।
इच्छा है, कभी तुम्हारे गृह मैं आऊँ,
रह साथ-साथ कुछ दिन, असीम सुख पाऊँ।
पाऊँ, अन्तस में ज्योति दिव्य प्रतिभा की,
पाऊँ, अन्तस में ज्योति दिव्य कविता की।
सीखूँ, हिन्दी जनता की सेवा करना,
सीखूँ तुमसे, प्यारे स्वदेश पर मरना।
सीखूँ, मैं सच्चाई से स्नेह निभाना,
सीखूँ, पतंग-सा दीपक पर जल जाना।
सीखूँ, तज देना स्वर्ग, नरक में जाना,
कर्त्तव्य-पूर्ति में निज अस्तित्व मिटाना।
जानूँ, गरीब दुखियों की डर की पीड़ा,
जानूँ, आँसू पर बल चढ़ने की क्रीड़ा।
इच्छा है, मैं भी तुम-सा ही बन जाऊँ,
इच्छा है, कभी तुम्हारे गृह मैं आऊँ।

विनीत
अनुचर—सोहनलाल द्विवेदी

श्री सूर्यनारायण व्यास

भारती-भवन, उज्जैन
24.12

आदरणीय !

हृदय की पुनीत कामनाओं से भरा हुआ स्नेह-सिंचित पत्र पाकर सुखी हुआ हूं। अंत:करण साक्षी है।

आशा है उसी स्नेह में आबद्ध माना जाऊँगा, कृपा-प्रेम का पात्र बना रहूँगा

विशेष शब्दों में नहीं—हृदय से ही—निकट हूँ । किमेधिकम् ।

मेरे प्यारे—शुक्लजी इस समय शय्याधीन हैं, लखनऊ में आँखों से ओझल हैं, कितने निर्बल हो गए हैं, क्या करूँ ? हाँ, वे बहुत जिंदादिल हैं, पर चलते-चलते तो बरस पड़े हैं, मेरा भी—बाँध टूट पड़ा है ।

जहाँ 3 से ऊपर टेम्परेचर होता था, अब वहाँ 100 ही रहता है, एकाध बार नार्मल को 'टच' कर लेता है । ईश्वर उन्हें शीघ्र नीरोग करे ।

अस्तु । कुछ समय के लिए मैं उज्जैन छोड़ रहा हूँ, बाम्बे जा रहा हूँ, अभी मेरा पता उज्जैन ही का रहेगा ।

और क्या निवेदन करूँ ? कृपा-प्रेम ।

आपका विनीत
सू० ना० व्यास
(सुप्रसिद्ध ज्योतिषी, पत्रकार, स्वतन्त्रता-सेनानी)

श्री स० ही० वात्स्यायन अज्ञेय

[1]

178 सिविल लाइन्स, मेरठ
15.2.40

प्रियवर, प्रणाम !

कुछ दिन पहले जब मेरठ में एक साहित्य परिषद की कला बैठक का आयोजन हो रहा था, तब मैंने प्रभागचन्द्रजी से पूछा था कि यदि आयोजन का निश्चय रहा तब आप आ सकेंगे या नहीं । उन्होंने विश्वास दिलाया था कि मार्च में आप का आना सम्भव होगा। इसी विश्वास पर यह पत्र लिखा जा रहा है। साथ में श्री कृष्णचन्द्र जी की ओर से निमन्त्रण भी है ।

हम लोगों का विचार यह था कि साधारण कवि-सम्मेलनों के बजाय कुछ अधिक ठोस काम हो । इसीलिए यह आयोजन हुआ कि प्रमुख साहित्यिकों को निमन्त्रित किया जाय और वे हिन्दी साहित्य की किसी गतिविधि पर निबन्ध पढ़ें या विचार प्रकट करें जिनके आधार पर कुछ विनिमय भी हो । पीछे ये सब निबंध और कार्यवाही की रिपोर्ट पुस्तकाकार प्रकाशित कर दी जाय । इसके लिए परिषद तीन बैठकों में बँट गयी है—एक में आलोचना के नये और पुराने सिद्धान्तों का

1. स्व० श्री रमाशंकर शुक्ल 'हृदय' ।

विवेचन और आलोचना के मानों (standards) की पड़ताल; एक में गद्य तथा नाटक साहित्य का विवेचन और तीसरे में आधुनिक काव्य का विवेचन। काव्य के विवेचन को एक नया रूप देने का विचार है। सर्व श्री पन्त, महादेवी वर्मा, भगवतीचरण वर्मा और बच्चन से अनुरोध किया जा रहा है कि वे अपने विचार प्रकट करें और अपने काव्य की आलोचना स्वयं करें। जितना (अस्पष्ट) प्रासंगिक हो, वह भी करें।

यह सब कार्यवाही चुनी हुई उपस्थिति के आगे होगी। इसके बाद एक खुला कवि-सम्मेलन भी होगा जिसमें साधारण जनता भी प्रवेश पा सकेगी।

आपसे अनुरोध है कि आप परिषद की कार्यवाही में भी और बाद के कवि-सम्मेलन में भी भाग लेकर हमें कृतार्थ करें। आपका उत्तर आने पर सेवा में मार्ग-व्यय भेजा जा सकेगा। ऐसा चन्द्रजी ने लिखा ही है।

हमारा यह भी अनुरोध विशेष आग्रह के साथ है कि परिषद के लिए एक निबन्ध भी आप भेजें। हो सके तो उसका विषय लौटती डाक से सूचित कर दें, और निबन्ध भी परिषद से पहले न भेज सकें, तो उसकी रूपरेखा ही भेजने की कृपा करें, निबन्ध साथ लेते आवें। आशा है, आप शीघ्र ही श्री कृष्णचन्द्र जी को या मुझे अपनी स्वीकृति की सूचना देंगे।

विनीत

स० ही० वात्स्यायन

मेरा पता ऊपर दिया है।

(उपमन्त्री)

साहित्य परिषद

[2]

'सम्मेलन-पत्रिका'

हिन्दी साहित्य सम्मेलन की की मुखपत्रिका

सम्पादक मण्डल

राहुल सांकृत्यायन — **प्रयाग**

हजारीप्रसाद द्विवेदी — 29.8.50

सच्चिदानन्द वात्स्यायन (सम्पादक)

कृष्णदेवप्रसाद गौड़ (प्रबन्ध)

विद्यानिवास मिश्र

मान्यवरेषु !

आपको यह सूचित करते हर्ष होता है कि 'सम्मेलन-पत्रिका' को नया रूप देने की योजना कुछ समय से विचाराधीन थी, उसे स्थायी समिति ने स्वीकार कर

लिया है, तदनुसार पत्रिका के नये रूप का आयोजन आरम्भ हो गया है।

नयी योजना के अन्तर्गत प्रथम अंक 'भारतेन्दु' जन्म-शती के समय से प्रकाशित हो रहा है। अतएव उसे 'भारतेन्दु' अंक का विशिष्ट रूप देने का निश्चय किया गया है।

इस आयोजन में आपका पूरा सहयोग अपेक्षित है और उसी के सहारे नये सम्पादक-मण्डल ने इस गुरुतर दायित्वपूर्ण कार्य को उठाने का साहस किया है।

'भारतेन्दु' अंक में संस्मरणात्मक सामग्री के अतिरिक्त भारतेन्दु-काल का एक सर्वांगपूर्ण चित्र तथा उस समय से अब तक की साहित्यिक प्रगति का ऐतिहासिक अवलोकन प्रस्तुत करने की चेष्टा की जायेगी। साथ ही साहित्य के मौलिक मानों में इस अवधि में जो विकास या परिवर्तन हुआ, उसका भी अध्ययन रहेगा। कुछ मौलिक कृतियाँ (नाटक, कविता आदि) भी रहेंगी।

'भारतेन्दु' के जीवन और कार्य से सम्बन्ध रखने वाली दुर्लभ चित्र-सामग्री का भी संग्रह किया जा रहा है।

आपसे साग्रह निवेदन है कि 'भारतेन्दु'-अंक के लिए अपना लेख अविलम्ब भेजने की कृपा करें। अंक की सामग्री सितम्बर के मध्य तक प्रेस में दे दी जायेगी।

पत्रोत्तर और लेख निम्नलिखित पर भेजें :

स० ही० वात्स्यायन, थाट कार्यालय,
35 फैज बाजार, दरियागंज, दिल्ली।

भवदीय
स० ही० वात्स्यायन

श्री काका कालेलकर

(दादा से सम्बन्धित पत्र)

वर्धा
26.7.40

श्री अमोलकचन्द जैन जी

आपका 23.7 का आमन्त्रण मिला। मैं खण्डवा अवश्य आता, ता० 6 को ही मुझे पूना और ठाणा की ओर जाना है। इसलिए निश्चय नहीं कर सकता हूँ कि खण्डवा आ सकूँ। कृपया क्षमा करें।

पं० माखनलालजी चतुर्वेदी का भाषण सुनने का मौका खो रहा हूँ, इसका बुरा लगता है।

श्री अमोलकचन्द्र जैन
तुलसी उत्सव कमेटी, खण्डवा

आपका
काका कालेलकर

श्री उपेन्द्रनाथ अश्क

प्रीतनगर, अमृतसर
24.11.40

पूज्य चतुर्वेदीजी, सादर प्रणाम !

इधर मुद्दत हुई, न आपका कोई समाचार मिला, न मैं अपना ही दे सका। पत्नी की मृत्यु के बाद मैंने वकालत का खयाल तो छोड़ दिया था, और साहित्य-सेवा ही में निमग्न रहा था। उस बीच में मैंने दो-तीन पुस्तकें भी लिखीं। 'जय-पराजय' की तो समालोचना 'कर्मवीर' में हुई थी, फिर न जाने, भाई प्रभागचन्द्र किस बात पर नाराज हो गये कि मेरे बार-बार लिखने पर भी मेरे कविता-संग्रह 'प्रात-प्रदीप' और व्यंग्य नाटक 'स्वर्ग की झलक' की समालोचना उन्होंने नहीं की।

बहरहाल आज एक वर्ष से मैं प्रीतनगर में हूँ। यहाँ से हिन्दी और उर्दू में 'प्रीतलड़ी' नाम से दो मासिक पत्रिकाएँ निकलती हैं—मैं उनका इन्चार्ज एडीटर हूँ। काम मुझे काफी करना पड़ता है। किन्तु फिर भी जितनी साहित्य-सेवा मुझसे बन पड़ती है, किये जाता हूँ।

अभी हाल ही में मेरा एक सामाजिक उपन्यास 'सितारों के खेल' नाम से भारती-भण्डार, इलाहाबाद, से प्रकाशित हुआ है। श्री वाचस्पति पाठक ने मुझे लिखा है कि दो प्रतियाँ उन्होंने 'कर्मवीर' के दफ्तर में भेज दी हैं। यद्यपि मैंने और भी उपन्यास लिखे हैं और आजकल भी लिख रहा हूँ पर छपा यही पहला है। क्या मैं आशा करूँ कि कर्मवीर में दूसरी समालोचना हो जायेगी ? मैं इस कृपा के लिए आभारी हूँगा।

'भाई प्रभाग आज कर्मवीर ही में होते हैं, अथवा चले गये ?

उत्तर में एक पंक्ति भी यथेष्ट होगी।

विनीत
उपेन्द्रनाथ 'अश्क'

पुनश्च—आप दफ्तर में मेरी ओर से प्रार्थना कर दें कि कर्मवीर यदि प्रीत-नगर के पते पर आये तो उस पर सम्पादक प्रीतलड़ी का नाम न होकर सिर्फ मेरा नाम ही होना चाहिए। नहीं तो मुझे मिलेगा नहीं।

—अ०

श्री ओंकार शरद

'लहर'

99, गाड़ीवान टोला, इलाहाबाद

16.5.41

आदरणीय चतुर्वेदीजी, प्रणाम !

ऐसा लगता है कि आप कुछ रुष्ट हैं। यहाँ आपने यह कहा था कि कानपुर से हमें यह सूचित किया जायेगा कि आप किस ता० को खण्डवा जाएँगे, ताकि यहाँ ट्रेन पर सब व्यवस्था हो जाय। पर मुझे कुछ पता न लगा और आप यहाँ आकर लौट भी गये। पीछे पता लगा तो हमें दुःख हुआ।

अब आपका स्वास्थ्य कैसा है ? बेनीपुरी भाई की नयी पुस्तक 'माटी की मूरतें' (शब्दचित्र का संग्रह) क्या आपने देखी है, अद्भुत जोर है बेनीपुरी की लौह लेखनी में। बड़े अच्छे स्केच हैं। उसी से प्रभावित होकर मैंने भी कुछ स्केच लिखे हैं। 'लंका-महाराजिन' तो मई की 'लहर' में छापी भी है। और इस अंक में भी एक जा रहा है। आप अपनी राय लिखें।

'लहर' की ओर से आप जाने क्यों उदासीन हैं। सभी पत्रों में तो आप कुछ-न कुछ तो लिखते ही रहते हैं और जब मैं लिखता हूँ तो आप मुझे डाँट देते हैं और लिखते हैं कि अपने पत्र के लिए अन्यथा लिखना हानिकारक है। 'लहर' की समालोचना तो 'कर्मवीर' में प्रकाशित करा ही दें।

कुछ योग्य सेवा लिखें।

आपका

ओंकार शरद

श्री प्रभागचन्द्र शर्मा

शाजापुर,

23 अगस्त, 41

परम पूज्य दादा,

एक अर्से के बाद आपको यह पत्र लिख रहा हूँ। दुर्भाग्य से इधर बाई की लड़की कम उम्र में ही सहसा विधवा हो गयी और पिताजी फिर से बिस्तर पकड़े बैठे हैं। इसीलिए मैं यहाँ आ गया हूँ। खण्डवा होकर नहीं आया, अन्यथा दर्शन करता। इत्तिफाक कुछ ऐसा हुआ कि जिस दिन आप काशी से चले, उसी दिन मैं वहाँ पहुँचा था। चाचीजी (श्रीमती शुक्ला साहब) ने मुझे बताया कि उन्होंने

आपके बनारस होने की खबर 'आज' में पढ़ी है। मैं शान्तिप्रियजी से पता पूछकर पराडकरजी के घर गया, लेकिन आप जा चुके थे। मन मसोसकर रह गया। फिर मुझे वहाँ कुछ दिन रुकना था, बाद लखनऊ आदि जगहों पर होकर घर पहुँचा हूँ। अभी एकाध सप्ताह हूँ, फिर भोपाल इन्दौर, उज्जैन और तब खण्डवा। आप स्वस्थ हैं। भैया और श्रीयुत भुवन बाबू को नमन।

दास

प्रभाग

(पत्रकार एवं सुप्रसिद्ध साहित्यकार,

'आगामी कल' के सम्पादक)

श्रीमती सुमित्राकुमारी सिन्हा

[1]

युगमन्दिर, उन्नाव

19.11.41

श्रद्धेय चतुर्वेदीजी, सविनय प्रणाम।

आशा करती हूँ कि आप स्वस्थ तथा प्रसन्न होंगे। बहुत दिनों से समाचार न पाने से चित्त खिन्न है। क्या कारण है जो पत्रोत्तर देने की कृपा नहीं की? कृपया इस बार शीघ्र ही अपने समाचारों से सूचित करें। कृतार्थ हूँगी।

'विहाग' की दो प्रतियाँ कर्मवीर में रिव्यू के लिए भेज दी गयी थीं किन्तु अभी तक रिव्यू नहीं निकली, न जाने क्यों। बार-बार तकाजा करते लज्जा आती है। कृपया इस बार ध्यान रखियेगा। कृपा होगी।

हाँ, एक विनय और है। श्री पंडित श्रीनारायणजी चतुर्वेदी के यहाँ मैंने अभी हाल आपकी काव्य-पुस्तक 'हिमकिरीटिनी' के दर्शन किये थे। उसको पाने की लालसा तीव्र हो गयी है। उस पर तो मेरा पूर्ण अधिकार है। क्या मैं आशा करूँ कि मेरा पत्र पाते ही आप उसे मुझ अकिंचन के लिए डाक द्वारा भेजने की कृपा करेंगे? चिर-ऋणी रहूँगी। विशेष दया रखें। योग्य सेवा लिखते रहें। कष्ट के लिए क्षमा। पत्रोत्तर की प्रतीक्षा में—

विनीता

सुमित्राकुमारी सिन्हा

[2]

युग-मन्दिर, उन्नाव
2.6.51

पूज्य दादा, सादर चरण-स्पर्श !

आशा है आप स्वस्थ तथा सानन्द होंगे। मैं सकुशल अपने नीड में आ गयी। आपको पत्र लिखने में विलम्ब हुआ। कारण यह है कि घर आते ही लड़की को बुखार में पड़ा देखा तो उधर ही ध्यान लग गया। आशा है आप मुझे क्षमा करेंगे।

दादा, आपके स्नेह से मैं जीवन भर आभारी हूं। आपके पवित्र मधुर स्नेह पर मुझे बड़ा गर्व है। ईश्वर से कामना है आपका प्यार सदैव ऐसा ही बना रहे मेरे प्रति। आपकी शुभकामनाएँ मुझे सदैव प्रेरणा देती रहें। इस बार खण्डवा उतर जाने की जितनी खुशी मुझे हुई है, वह मैं व्यक्त नहीं कर सकती। एक दिन में ही परिवार में जाकर सबकी स्नेह-पात्र हो गयी और बच्चों से तो इतना मोह हो गया कि अरुण और अरुणिमा दोनों नित्य अत्यधिक याद आते हैं। उनकी वाणी तो कभी भूलती ही नहीं। मैं उनकी चर्चा करते नहीं थकती। और दादा, आपका स्नेह तो आह ! स्वर्ग से भी अधिक पुनीत निश्छल, और मीठा था। आपके आशीर्वादों, शुभकामनाओं तथा सद्‌भावनाओं के बल पर ही तो इस अकिंचन को अपना मस्तक गर्व से ऊँचा करने का अवसर कभी-कभी मिल जाता है। मैं अपने को बहुत भाग्यशालिनी समझने लगती हूँ। क्या बताऊँ, आपकी सेवाओं के लिए कितनी असमर्थ हूँ। आपके चरणों के पास बैठने का अवसर भी मुझ अकिंचन को नहीं प्राप्त है। यह मेरा दुर्भाग्य है। आप तो पहले समय-समय पर अपने अमूल्य उपदेशों से मुझे गौरवान्वित करते रहे हैं, अतः इस स्नेह से वंचित न कीजियेगा। और इसके सिवा चाहिए ही क्या ? 'कर्मवीर' मिला है। इसके लिए अत्यन्त आभारी हूँ। समय-समय पर रचनाएँ भी भेजूंगी। भाई बलराम पगारेजी से, पाण्डेजी से, चतुर्वेदीजी से सबसे मेरा नमस्कार कहें। बहिन जी को, सरोज और सरला को मेरा प्रेम-निवेदन है। अरुण-अरुणिमा आदि को प्यार। अपने स्वास्थ्य के हाल दीजियेगा।

आपकी
सुमित्राकुमारी सिनहा

डा० जगदीश गुप्त

[1]

बम्बई,

27.6.42

पूज्य दादा,

आज अजन्ता और एलौरा के कला-स्वप्न देखकर लौटा। आपके 'रंगों की बोली' में दिये हुए जिस सन्देश और आदेश को पाकर भी नहीं पा सका था, उसे यहाँ आते ही सहसा पा गया। कुछ क्षण उन अज्ञात कलाकारों की स्मृति से छल-छलाई आँखें चित्र देखने में कुशल रहीं, पर बाद में लगा कि जैसे उनका कलुष था जो बह कर निकल गया—सभी कुछ पुराना स्पष्ट हो गया—मैंने उन गुहाओं में अपनी पूजा-स्थली पाई, चित्रों और मूर्तियों में पूज्य पाया और उन शिल्पियों में अपना ईश्वर। उनका धर्म बौद्ध मत नहीं था, उनका धर्म था कला-सृजन और मैं भी अपने में उसी धर्म में दीक्षित होने की अभिलाषा कर रहा हूँ। क्या आज के युग में वैसे संकल्प सम्भव हैं ?

इस शीघ्र यात्रा को कला-तीर्थयात्रा में परिणत करके आज मैं अपने जीवन को सार्थक अनुभव कर रहा हूँ।

कल मुरादाबाद चल दूंगा। शायद अब खण्डवा न उतर सकूँ—मौसाजी की शादी के कारण।

फिर से बड़ौदा और बम्बई की परिक्रमा और अजन्ता-एलौरा का दर्शन करने के बाद केवल टिकट-भर के पैसे बचे हैं। शेष कुशल।

आपका आज्ञाकारी

जगदीश

[2]

दारागंज, प्रयाग

24.7.47

पूज्य दादा,

10 तारीख को यहाँ माताजी तथा छोटे चचेरे भाई के साथ आ गया हूँ। इस समय अनन्त उर्फ मानसपीयूष के भवन में उनकी अनुपस्थिति में भी जमे हुए हैं। राधारमन कालेज में 7वीं में भाई का नाम लिखा दिया है—गोपेश जी की संरक्षता में। माँ कुछ खाते ही खाते अस्वस्थ हो गयी थीं। आँखों में रोहे निकल आये थे, पर अब ठीक हैं। मकान की गहरी तलाश में हूँ, पर आशा कम ही है—बहुत कम। सोचता हूँ, अगर यूनिवर्सिटी के समीप ही मिल जाता, तो अच्छा

होता। यहाँ बिजली भी नहीं है। मिट्टी के तेल ने मिट्टी खराब कर रखी है। सोचना पड़ता है। सँडसी, चिमटा, कढ़ाई, चूल्हा, कोयला, सरसों का तेल, चटाई, पलंग वगैरा भी खरीदकर लाना पड़ता है। ऊँट ने पहाड़ के नीचे कदम रखा है। अभी आमदनी का जरिया स्पष्ट और ठीक नहीं हो पाया है, परन्तु सब ठीक हो जायेगा। जुम्मा-जुम्मा आठ दिन भी नहीं हुए हैं आये। आप निश्चिन्त रहें। एक ट्यूशन कर लूँगा तो सब पूरा हो जायेगा। यों तो घर से सैकड़ों लेकर चला हूँ, चाहूँ तो हर समय ले सकता हूँ, परन्तु मन विद्रोह करता है। स्वावलम्बन ही अच्छा जँचता है।

धीरेन्द्रजी से बात की। ब्रज भाषा गद्य वाला विषय स्वतः मेरी ही स्वीकृति न पा सका—नीरस, छोटा और Obscure है। मैंने Limit करके 'कृष्ण-भक्ति के विकास' को ही लेने की स्वीकृति-अर्द्धस्वीकृति दे दी है क्योंकि अनुक्रमणिका बनाने तक प्रत्येक स्वीकृति अर्द्धस्वीकृति ही है। मैंने (अस्पष्ट) के संरक्षण में न रहने की बात स्पष्ट कह दी और यह भी इच्छा व्यक्त कर दी कि मैं उन्हीं की देख-रेख में अधिक रहना चाहता हूँ। उन्होंने कहा है कि इस विषय का निर्णय लगभग एक सप्ताह पश्चात् हो सकेगा, मैं उनसे अगले सोमवार को मिलूँगा। तब तक आप अपनी रुचि का कोई विषय लिखकर उत्तर दे दीजियेगा।

भइया धर्मवीर की तबीयत का हाल यहाँ आकर ज्ञात हुआ तो पैरों के नीचे से जमीन खिसक गई। घर पर जमकर न रह सका, इसलिए वहाँ सूचना न मिल सकी। काफी क्षीण हो गए हैं। परन्तु अब स्वस्थ हैं। खाते-पीते, चलते-फिरते, सब। 104 तक बुखार आ गया था। गलसुए फूल गए थे और एक बार खिचड़ी खाकर सो जाने पर Relapse हो गया था। वह अपने लिए छायावाद (Ramanticism) लेना चाहते हैं। आपका समाचार बहुत दिनों से नहीं मिला। इसलिए कृपया—

बेगि सम्हारिय कलम-कुठारू।
उत्तर लिखिय लगाइय पारू।।

आपका कार्यक्रम ? प्रोग्राम ? स्वास्थ्य ? सब-कुछ ?

आज्ञाकारी
जगदीश

पता : मानसपीयूष,
दारागंज, प्रयाग

[3]

प्रयाग
3.10.47

पूज्य दादा,

आपका पत्र कुछ दिन पहले मिला, परन्तु उत्तर अब दे रहा हूँ। मुझे हिन्दी

विभाग का (अस्पष्ट) का मिल गया है। 10 रु० जमा होते रहेंगे, 40 रु० मिला करेंगे 10 महीने तक। फीस नहीं पड़ेगी और सबसे मजे की बात यह है कि इसके साथ यह कह दिया गया है कि अगले वर्ष (अस्पष्ट) न करें। आगे की आगे देखी जायेगी।

अनन्त के लड़का हुआ है। कुशल से ही है। लड़के के कारण उन्हें समय नहीं है अतएव विषय शान्त है। यदि कुछ हुआ भी तो केवल प्रयोग मात्र —। इधर कुछ अस्वस्थ हो गया था परन्तु मेरी अस्वस्थता और मेरे शरीर के परिमाण में कोई सम्बन्ध नहीं है। माँ भी कुछ स्वस्थ नहीं रहती। चित्रकला मरेगी नहीं दादा, मैं उसे अपने प्राण देकर भी बचाने की चेष्टा करूंगा। इधर भाषा के साथ-साथ गुर्जर देश के इतिहास का अध्ययन हो रहा है।—

दादा, कभी-कभी जी ऊब आता है। चाहता हूँ कि उड़ आऊँ परन्तु पैरों से कुछ पत्थर से बँधे हुए हैं। फन्दी व लड्डू को प्यार। माताजी को प्रणाम।

आज्ञाकारी

जगदीश

[4]

बम्बई

15.4.49

पूज्य दादा,

मैं यहाँ कुशलता से हूं। मैं पण्ड्या जी से मिला था। बड़े सज्जन हैं। अपना आदमी साथ कर देते हैं जिससे मुझे लोगों से मिलने में अत्यन्त सुविधा हो जाती है।

मैं उनके पास नहीं ठहरा हूँ। जिन सेठ के विषय में मैंने आपसे कहा था, वे मिल गए, अत: मैं उन्हीं के पास उनके (अस्पष्ट) में विराजमान हूँ। भोजन आदि सब कुछ उन्हीं की व्यवस्था से प्राप्त होता है। किंचित् भी कष्ट नहीं है। पूना शायद चला जाऊँ। आज मुनि जी से भेंट करूँगा। ज्ञानी जी से मिल चुका। शेष कुशल।

आज्ञाकारी

जगदीश (गुप्त)

[5]

गुजरात-प्रान्तीय
हिन्दी साहित्य सम्मेलन, अहमदाबाद

कार्यालय
463/4 साकर बाजार, अहमदाबाद
13.3.48

श्रद्धेय चतुर्वेदीजी, सादर वन्दे !

मंगलमय विभु की अनुकम्पा से आशा है आप पूर्ण स्वस्थ होंगे।

आपको यह जानकर अतीव प्रसन्नता होगी कि पूज्य मुनि श्री जिनविजय जी के कर-कमलों से गुजरात प्रान्तीय-हिन्दी साहित्य सम्मेलन की स्थापना हो चुकी है, जिसके उद्देश्य इस अहिन्दी-भाषी प्रान्त में राष्ट्रभाषा के संरक्षण व प्रसार तथा हिन्दी, राजस्थानी और गुजराती साहित्य के विविध अंगों को समृद्ध करने के लिए उनका विवेचन तथा तुलनात्मक अध्ययन आदि हैं। इन्हीं सब उद्देश्यों की पूर्ति के लिए सम्मेलन व्याख्यानमालाओं और एक मासिक मुखपत्रिका के प्रकाशन का आयोजन भी कर चुका है।

दुःख होता है जब यह देखता हूँ कि हमारे हिन्दी-भाषी, विदेशी वाङ्मय और साहित्य का तो कभी-कभी अध्ययन कर भी लेते हैं किन्तु अपनी पड़ौसी भारत की ही अन्य भाषाओं की ओर ध्यान भी नहीं देते। उनमें किस प्रकार के साहित्य का सृजन हो रहा है और उसके मूल में कौन-सी धाराएँ प्रवाहित हो रही हैं ? इसके प्रति वे उदासीन ही हैं। इस प्रान्त में गुजराती साहित्यकारों के कुछ निकट सम्पर्क में आ जाने से मुझे यह अनुभव हुआ कि उनमें से कुछ प्रथम कोटि के लेखक अपनी रचनाएँ हिन्दी के माध्यम द्वारा समग्र भारत देश को देना चाहते हैं। उर्दू की भाँति, यदि हमें गुजराती से भी कोई प्रेमचन्द मिल जावें, तो हम हिन्दी वालों के लिए यह कितने गौरव की बात होगी। अतः हमारी इच्छा है कि गुजराती और हिन्दी के लेखक हमारे इस प्रयत्न के द्वारा एक-दूसरे के अधिक सन्निकट आ जावें और उनके विचारों का आदान-प्रदान भी चलता रहे।— कला-स्वामी श्री रविशंकर जी रावल, डॉ० हरप्रसादजी देसाई, नवलिका-सम्राट् धूमकेतुजी आदि से मुझे यही सुझाव मिला। स्वयं रावल जी, पं० केशवराम शास्त्री, माँगीलालजी साँडेसरा, जिनके लेख आपने अभिनन्दन-ग्रन्थ व अन्य अभिनन्दन-ग्रन्थों में देखे होंगे, के मुक्त हिन्दी में बड़े गहन अध्ययन और खोजपूर्ण लेख प्राप्त हुए हैं।— हिन्दी-जगत् से श्रीआनन्दकौशल जी, डॉ० वासुदेव शरण अग्रवाल, श्रद्धेय पं० चन्द्रबली जी पाण्डे की रचनाएँ भी मिल रही हैं।—जिनसे हमें बड़ा बल मिला है। कलाकार मनु देसाई, सोमालाल शाह, रसिक पारीख भी

हमारे इस आयोजन में साथ हैं। इसी सम्बन्ध में हम आपसे भी प्रार्थना कर रहे हैं। आप कोई अपनी अप्रकाशित रचना भेजने की कृपा करें तो चिर अनुग्रहीत होंगे।—इस सुदूर प्रान्त में हिन्दी का प्रतिनिधित्व करते हुए हम पर बड़े उत्तर-दायित्व आ जाते हैं। जिस उच्च कोटि के गुजराती साहित्यकार हमें अपनी रचनाएँ दे रहे हैं—उसी कोटि की उत्कृष्ट कृति हिन्दी जगत् से पाने की आशा भी वे हमसे रख रहे हैं।—और यह सब आप लोगों के आशीर्वाद व सहयोग पर निर्भर है।—

विचार तो दो-एक माह पूर्व ही पत्रिका प्रकाशित करने का था किन्तु पूज्य 'बापू' के इस निधन से तो हम लुट-से गए—क्या पता था कि दुर्दैव यह घटना भी दिखायेगा—और हम अपनी आँखों से उसे देखते ही रहेंगे, कुछ न कर सकेंगे। इस मास के अन्तिम सप्ताह तक हम 'श्रेयसि' प्रेस में दे देंगे।

शेष कुशल है। कष्ट के लिए क्षमा करियेगा और हम लोगों के योग्य सेवाएँ लिखियेगा—अतीव अनुग्रहीत होंगे। पत्रोत्तर सम्मेलन के कार्यालय के पते पर ही प्रदान की कृपा कीजिएगा। पत्रिका अपने कृपालु लेखकों को सश्रद्ध 'पत्र-पुष्प' अर्पित कर अपने को धन्य समझेगी—पत्र की प्रतीक्षा करूँगा।

विनीत

जगदीश

डा० धर्मवीर भारती

[1]

टेलीफोन 323

'संगम'

सर्वश्रेष्ठ सचित्र-साप्ताहिक

3, लीडर रोड, प्रयाग

21 अक्टूबर, 42

पूज्य दादा,

आशा है, आप सकुशल खण्डवा पहुँच गए होंगे। मैं भी बनारस में रुक कर प्रयाग आ गया। यहाँ आकर एक नई बात मालूम हुई। कांग्रेस-अधिवेशन के अवसर पर 'संगम' का एक विशेषांक निकल रहा है। चूँकि पिछले विशेषांक में कुछ झंझट आ पड़ी थी, अतः स्वयम् मैनेजमेंट और पाठक जी ने इस विशेषांक का सारा उत्तरदायित्व मुझे दे दिया है और उसमें अन्य कोई भी हस्तक्षेप नहीं करेगा। अब यह मेरी चिन्ता है कि मैं उसे अच्छा से अच्छा निकालूँ। जब अधि-कार मिला है तो अपनी जिम्मेवारी भी साबित करनी है।

अभी तक मैंने कभी आपसे 'संगम' के लिए कुछ नहीं कहा, लेकिन इस बार

मेरी स्थिति का सवाल है। आप अपनी एक चीज सप्ताह भर में अवश्य भेज दें। यह मेरी बहुत बड़ी विजय होगी। आपको भेजना ही है। यदि आप अपने कुछ संस्मरण या स्वाधीन राष्ट्र की प्रथम कांग्रेस का अभिनन्दन या बापू-विहीन कांग्रेस पर कुछ लिखें तो बहुत ही अच्छा हो। इसका उत्तर लौटती डाक से दें। तीन दिन बाद मैं आपको दूसरा पत्र भेजूंगा—और सब कुशल है।

आपका बेटा
भारती

[2]

प्रयाग
20.9.49

पूज्य दादा,

आपको एक कार्ड लिख चुका हूँ। उम्मीद है कि आपको मिल ही गया होगा। खैर जवाब देने की तकलीफ अभी मत कीजियेगा, जब तक 3-4 महीने न बीत जायँ। शायद आपकी बेटी जी का भी चिठ्ठा आपको मिल गया होगा।

चलिये, विषय तो रिसर्च का मुझे मिल गया और मिला मेरे मन का, मुझे मिला है 'सिद्ध-काव्य' पर रिसर्च। धीरेन्द्रजी ने कहा, यही विषय मैंने आपके लिए सोच रखा था। मैंने उनसे कहा, लेकिन उसकी हस्तलिपियाँ तो तिब्बत में हैं। उनकी परीक्षा कैसे होगी ? तो उन्होंने कहा या तो यूनिवर्सिटी उनकी 'Photographic Copies' मँगावेगी या Cultural Loan मँगावेगी और दोनों बातें अगर Indian Government के द्वारा न हो सकीं तो किसी को जाना होगा। मैंने कहा, जाने को मैं जाऊँगा लेकिन रुपया मेरे पास नहीं है। तो बोले, अभी आप और चीजें कीजिये, लगभग 8-10 महीने में यू० पी० गवर्नमेंट से या सम्मेलन से रुपयों का इन्तजाम करवा दूंगा—

कहिये, कैसे निशाने पर तीर मारा। मत भेजिये इण्डोनेशिया। अब जायेंगे बरफ में गलने तिब्बत। कह रहे थे वहाँ भेज दीजिये तो आपने इजाजत ही नहीं दी, लेकिन मैं तो उछलकूद के फन्दा तुड़ाकर निकल भागने पर तुला हूँ। इण्डोनेशिया की भी तरकीब भिड़ा रहा हूँ। अगर सफल हो गया तो नवम्बर में शायद महीने भर के लिए जाऊँ। लेकिन विस्तार से तभी लिखूंगा जब निश्चय होगा—

मेरी तबीयत अब ठीक है। कमजोरी अभी बेहद है। और तो सब ठीक है। इस वक्त Side-Job की फिक्र है। कहीं से दाल-रोटी का इन्तजाम हो जाय 100-125 महावार का—देखें, भगवान मालिक है।

आपका बेटा
भारती

जगदीश अपनी माताजी को लेकर यहाँ आ गये हैं। उनका विषय अभी तक निश्चय नहीं हो पाया।

श्री गजानन माधव मुक्तिबोध

[1]

मध्यभारतीय लेखक परिषद कार्यालय,
फ्रीगंज, उज्जैन
22.1.43

श्रद्धेय दादा, नम्र वन्दे !

मुझे, आपको यह प्रथम पत्र लिखते समय न मालूम कैसी हिचकिचाहट-सी हो रही है कि कहीं मैं दुःसाहस तो नहीं कर रहा हूँ। सालों बीत गये, जब आपके सम्वेदनापूर्ण सम्पर्क में आने का मुझे सौभाग्य प्राप्त हुआ था। पत्र के द्वारा आपके सम्पर्क में आने की इच्छा भी बहुत दिनों से थी, परन्तु जब आज सचमुच लिखने का समय आया तो हिचकिचाहट हो रही है।

आपके ही लगाए हुए साहित्यिक अंकुर आज सघनच्छाय वृक्ष हो गये हैं। हम यहाँ एक मध्यभारतीय लेखक परिषद का आयोजन करने जा रहे हैं और हमारे बीच में आपको पाने की अनिवार्य इच्छा जाग उठी है।

क्या आप हमारी प्रार्थना स्वीकार करेंगे ? पत्रोत्तर शीघ्र मिले। आपकी प्रकृति कैसी है, इसकी सूचना मिलनी चाहिए। आप हमारे आग्रह को नहीं भूलेंगे, ऐसा विश्वास है।

आपका विनीत
ग० मा० मुक्तिबोध

[2]

मशीर मंजिल, फ्रीगंज, उज्जैन
5.4.43

श्रद्धेय दादा,

आपके पास हमारे यहाँ के नवयुवकों की रचनाएँ भेज रहा हूँ। आपके स्नेह-जल से कई अंकुर वृक्ष हो गये हैं। सम्भवतः आप इनको भी वृक्ष बना दें, वृक्षरूप में देख लें। मध्यभारत की साहित्यिक तरुणाई के विकसन का श्रेय कर्मवीर को प्राप्त है, जिसमें मैं सालों तक पनपा। आपको मैंने लेखक परिषद के अवसर पर पत्र लिखा था, आपने कर्मवीर में उसका हार्दिक समर्थन कर अपने स्नेहमय व्यक्तित्व

का एक बार फिर से परिचय दिया।

समय और स्थान की अनेक बाधाओं के कारण आपसे मिलने का अवसर बहुत दिनों से प्राप्त नहीं हुआ। फिर भी यह याद करके कि खण्डवा में अपना 'एक भारतीय आत्मा' पड़ा हुआ है, मन में सुख रहता है।

आशा है, आप स्वस्थ होंगे। यह तो फारमल सा हो गया, परन्तु आपका स्वास्थ्य कैसा है, यह जानने की बहुत इच्छा है।

आपका विनीत
ग० मा० मुक्तिबोध

[3]

मशीर मंजिल, फ्रीगंज, उज्जैन
21.4.43

श्रद्धेय दादा,

आपका पत्र मिला। पढ़कर अत्यन्त सुख हुआ। परन्तु आश्चर्य भी। मुझे आपने आदरसूचक शब्दावली में याद किया। यह अवश्य है कि मेरा इतना सौभाग्य नहीं रहा कि वीरेन्द्र और माचवेजी की तुलना में उनसे अधिक आपका नैकट्य मुझे प्राप्त हुआ। परन्तु मैं फिर भी आपका आदर शब्द-समुदाय गवारा नहीं कर सका। मैं अभी इतना बड़ा नहीं हुआ हूँ कि आपकी आदरयुक्त शब्दावली को झेल सकूं। झेल लूं तो नीचे गिर जाऊँगा। मुझे तो अपना वही छोटा नौजवान और हर प्रकार से लघु मुक्तिबोध समझिये।

आपको एक तकलीफ भी देना चाहता था। मुझे नौकरी की तलाश है। मुझे यह शहर छोड़ना हर प्रकार जरूरी है। प्रेस का काम मुझे मालूम नहीं, पर सीख सकता हूँ। आपके यहाँ नहीं तो और कहीं, हिन्दुस्तान में कहीं भी अगर आपकी नजर में कोई भी मेरे योग्य जगह हो तो मुझे चाहिए। आप मेरे लिए कुछ कोशिश कर सकेंगे तो मुझे एक घोर कठिनाई से बचा लेंगे। अधिक कुछ नहीं लिख सकता।

उज्जैन के कुछ नौजवान और (uncompromising) तरुण आपकी ओर देखते हैं।

श्री माचवे अच्छे हैं। मुझे आप जल्दी-से-जल्दी पत्र लिखें तो अच्छा होगा।

आपका विनीत
मुक्तिबोध

श्री रामेश्वर शुक्ल 'अंचल'

पी० एण्ड सी०, इलाहाबाद
20.6.43

श्रद्धेय चतुर्वेदीजी, प्रणाम !

आज सुबह मैंने 'लीडर' में पढ़ा कि कलकत्ता का अखिल भारतीय कवि-सम्मेलन 6-7-8 अगस्त के बजाय 21-22-33 अगस्त को होने वाला है, इसलिए जवाहरलालजी चतुर्वेदी को पत्र लिखने के पूर्व मैंने आपकी आज्ञा ले लेना उचित समझा। अब यदि आप लिखें तो मैं, जैसा आपने कहा था, वैसा पत्र जवाहरलालजी को लिख दूँ। अर्थात् अमरनाथजी झा, सुनीतिकुमार जी चटर्जी और ललिता-प्रसाद जी शुक्ल को आमन्त्रित करने के लिए मैं उन्हें लिखूँ या नहीं, यह आप मुझे लिखें।

आशा है, आप सानन्द खण्डवा पहुँच गये होंगे। योग्य सेवा ?

स्नेहभाजन—'अंचल'

श्री रामजीवनसिंह

हजारीबाग सेण्ट्रल जेल
7.2.44

प्रिय सम्पादकजी,

इधर हम नजरबन्दों को समाचार-पत्रों की विशेष कठिनता अनुभव होने लगी है। मेरे को अंग्रेजी के कुछ समाचार-पत्र मिल ही जाते हैं, पर हिन्दी-भाषियों के लिए उनका कोई उपयोग नहीं। अतः हम आशा करते हैं कि आप हमारी अवस्था का अनुमान कर अपने साप्ताहिक पत्र 'कर्मवीर' की एक प्रति हम नजरबन्दों के पास इस कारागार में भेजने का कष्ट सहन करेंगे। इसके लिए हम सभी आपके कृतज्ञ होंगे।

आपका
रामजीवन सिंह
'सुरक्षा कैदी, स्टेट बोर्ड
हजारीबाग सेण्ट्रल जेल, बिहार

नोट—प्रथमतः कर्मवीर की एक प्रति हम लोगों के पास आयी थी, पर बहुत दिनों से वह बन्द हो गयी है।

श्री अमृतराय

[1]

'हंस', काशी
20.3.44

मान्यवर,

'हंस' के जनवरी-फरवरी के युग्मांक को हम बंगाल-अंक के रूप में निकाल रहे हैं। उसके कविता-भाग को पुष्ट बनाने के लिए आवश्यक था कि आपकी लेखनी से निकली एक कविता भी उसमें हो। इसी विचार से प्रेरित होकर हमने 'बंग-दर्शन' में से आपकी कविता उद्धृत कर ली है। आपकी अनुमति लिये बगैर ऐसा करने में पहले हमें संकोच तो हुआ लेकिन अंक यों ही विलंब से निकल रहा था इसलिए संकोच का समय न था। आपकी अनुमति आने में भी स्वभावत: देर होती इसलिए हमने यह सोचकर कि जिस ध्येय की पूर्ति के लिए आपकी कविता लिखी गयी है, वह तभी पूर्ण हो सकता है जब आपकी कविता का सन्देश अधिक से अधिक कानों तक पहुँचे, हमने अपना प्रारम्भिक संकोच तज दिया। महादेवीजी ने अपनी कविता प्रकाशित करने की अनुमति देकर हमें और प्रोत्साहित किया कि हम आपकी कविता से वंचित न रहें और उसका सन्देश अपने पाठकों तक पहुँचायें। अगर हमसे कोई भूल हो गयी हो, तो क्षमा करेंगे।

पिछले महीने आपका स्वास्थ्य काफी बिगड़ा हुआ था। अब आप कैसे हैं? इस मास के अन्त तक क्या आप प्रतिनिधि-मण्डल के साथ चलने की शक्ति संचित कर सकेंगे? यह प्रतिनिधि-मण्डल के लिए बहुत बड़े दुर्भाग्य की बात होगी यदि आप किसी कारण से चलने में असमर्थ रहे। मेरी बहुत उत्कृष्ट अभिलाषा है कि आप चलें। मुझे डर यही लगता है कि कहीं आपका स्वास्थ्य आड़े न आये।

पत्रोत्तर की प्रतीक्षा में रहूँगा। प्रणाम!

विनीत,
अमृतराय

[2]

'हंस' : प्रगतिशील हिन्दी मासिक
काशी

(सम्भवत: 1944)

मान्यवर,

बम्बई में जो घटना हुई है, वह तो आपको पता ही होगी। जिस इमारत में आ गये थे, उसी पर हमला हुआ है और जिन लोगों को काम करते देखकर आप

प्रभावित हुए थे, उन्हीं पर छुरों, बर्छी आदि से हमला किया गया। यह जघन्य प्रवृत्ति देश को कहाँ ले जाकर पटकेगी, यह सोचकर भी भय लगता है।

'नया साहित्य' में निरालाजी पर आपकी कविता हमारे साहित्य के लिए एक बिलकुल नयी चीज थी। अब तक हमारे यहाँ यह परम्परा नहीं चली है कि एक बड़ा कवि दूसरे बड़े कवि पर कविता लिखे। कविता बड़ी सुन्दर थी। निरालाजी की आत्मा को, उनके व्यक्तित्व को पकड़ने में आप पूर्ण सफल हुए हैं, उसके लिए हिन्दी के एक सामान्य पाठक की बधाई स्वीकार करें।

'हंस' के लिए तो आप कविता भेजते ही रह गये? इस प्रतिश्रुति को पूरा करने का दिन कब आवेगा? सादर,

विनीत,

अमृत

[3]

'हंस' : प्रगतिशील हिन्दी मासिक

16-1, बनारस

आदरणीय माखनलालजी,

आप मुझसे किसी कारण से रुष्ट हैं क्या? 'हंस' जब से फिर इधर निकलना शुरू हुआ है, लगातार आपके पास भेजा जाता है, किन्तु आपने न तो कभी एक पंक्ति मुझको लिखी और न कभी 'हंस' के पृष्ठों का ही आदर बढ़ाया। मेरी कितनी आन्तरिक इच्छा है कि आपकी लेखनी से निकली हुई कोई चीज छापूँ जो पाठकों में नया प्राण फूंक सके। कुछ इसी आकांक्षा के वश मैंने आपको विश्व-शान्ति सम्मेलन के प्रस्ताव आदि भेजे थे और आपसे अनुरोध किया था कि विश्व-शान्ति की रक्षा के सम्बन्ध में कुछ उद्बोधक बातें हमें बतायें। पर आपने मेरे उस अनुरोध को भी अनसुना कर दिया।

शान्ति के प्रश्न पर तो अवश्य ही कुछ लिखें। संसार की शान्ति आज कितनी विपन्न है, वह आपसे छिपा नहीं है और उसकी रक्षा के लिए मानवता को युद्ध की विभीषिका से बचाने के लिए यदि आप आगे न आवेंगे तो कौन आवेगा?

आपका सदैव

अमृत

(विख्यात कथाकार एवं प्रगतिशील विचारक)

श्री कालूराम गंगराडे

श्री

19.3.44

रा० रा० पण्डित श्री माखनलालजी खण्डवा व छोटे भाई साहब के चरणों में कालूराम गंगराडे वकील का प्रणाम पहुँचे। मैं आपकी कीर्ति देखकर बहुत प्रसन्न हूँ और आपकी भारतवर्ष देश की सेवा व हिन्दी की सेवा से मुझे बड़ा अभिमान है। मैं चाहता हूँ कि आप मेरे लड़के कृष्णचन्द्र गंगराडे के लिए कोई ऐसा जीवन-साथी ढूंढ़ देंगे जिसमें उसको आर्थिक व सत्संग का लाभ हो। वह मेट्रीकुलेशन पास है और दत्तुलाल गंगराडे, जोन्सगंज पोस्ट आफिस के पोस्ट-मास्टर के पास रहता है। कर्मवीर में एक योग्य सूचना दे दीजिये, जिसमें लड़कियों की तरफ से पत्र-व्यवहार होने लगेंगे। रांव साहब फतेचन्द सिवनी-छपारा में एस० डी० ओ० हैं वहाँ कोई मास्टरनी मिलेगी तो तलाश वह भी करेंगे, जाति चाहे कोई भी हो। सुशील व खानदानी होनी चाहिए और वेतन भी ठीक हो। मेरे लड़कों में से अभी कोई ऐसा नहीं जो कुटुम्ब का खर्च चला सके, इसलिए यह प्रार्थना आपसे है।

आपका विनीत

कालूराम गंगराडे

वकील, इन्दौर

(ऐतिहासिक 'प्रभा' पत्रिका के प्रकाशक, सम्पादक एवं सुप्रसिद्ध वकील)

श्रीमती होमवती

पर्णकुटी, मेरठ

21.3.1944

आदरणीय, नमस्कार!

अभी-अभी आपका कृपा-पूर्ण पत्र मिला। पढ़कर बड़ा आश्वासन प्राप्त हुआ, हम लोग तो अभी कुछ भी कार्य सँभालने के योग्य नहीं हो सके, आप लोगों के आशीर्वाद के अभिलाषी हैं—और हैं पूर्ण सहयोग के इच्छुक, तभी तो कुछ करने का साहस कर सकेंगे न?

मेरठ खड़ी बोली का केन्द्र है— पर दुर्भाग्य है कि अन्य स्थानों की भाँति यहाँ की जनता भी हिन्दी साहित्य के प्रति इतनी उदासीन बनी हुई है—यदि हम उसकी भी प्रतीक्षा करते हुए बढ़े चलें—तो बिना आपका सहयोग प्राप्त किए

कैसे चल सकते हैं। 'हिन्दी साहित्य परिषद, मेरठ' की स्थापना सन् 40 में श्री 'अज्ञेय' तथा परिषद के योग्य मन्त्री श्री 'चन्द्रजी' तथा स्वयं के बल पर की थी और आशा थी कि हम लोग भविष्य में कुछ उपयोगी कार्य कर सकेंगे। किन्तु दुःख है कि हमारी योजना के अनुरूप श्रेष्ठतम साहित्यिकों का सहयोग हमें सरलता से प्राप्त नहीं हो पाता। यद्यपि पिछले वर्षों में अनेक विद्वान् यहाँ पधारे और हमें कुछ सफलता भी मिली। उसका कुछ अनुमान परिषद के अन्तर्गत प्रकाशित पुस्तक से विदित है। अब आगे नये-नये विषय चुनकर हम बराबर अपने साहित्यिक बन्धुओं के परामर्श से कुछ लाभ उठाना चाहते हैं तो अनेक कठिनाइयों में यह सबसे बड़ी कठिनाई है कि हमारे कृपालु विद्वान् यहाँ आने में अपनी असमर्थता दिखलाकर हमें साहसहीन कर देते हैं। मेरी आपसे पुनः प्रार्थना है कि इस बार आप यहाँ अवश्य ही पधारने की कृपा करें! मुझे आशा है कि आप मेरा अनुरोध टालेंगे नहीं—यदि आप हमें उत्साह न दिलाएँगे, तो हम कभी भी कुछ नहीं कर सकेंगे। यहाँ के कार्यक्रम से आपको सन्तोष होगा, आइए अवश्य।

स्वीकृतिसूचक उत्तर शीघ्र ही दें ताकि तुरन्त मार्ग-व्यय प्रेषित किया जाये। मैं आपके उत्तर की प्रतीक्षा करूँगी।

कृपाभिलाषिणी

होमवती

पुनश्च : आपने धूप और गर्मी की बात लिखी है, किन्तु विश्वास कीजिए कि यहाँ अप्रैल में गर्मी नहीं, बल्कि कुछ सर्दी ही रहती है, अभी तक काफी ठण्ड है। यहाँ के लोग गर्मी से स्वयं बहुत घबराते हैं और इसीलिए कुछ साहित्यिक बन्धुओं के विशेष आग्रह पर भी हम लोग मई तक अधिवेशन स्थगित न कर सके। आप आइए अवश्य।

होमवती

(सुप्रसिद्ध कथा-लेखिका)

श्री विश्वम्भरप्रसाद शर्मा

[1]

दी आलोक नागपुर

24.4.44

आदरणीय चतुर्वेदीजी, सादर वन्दे!

अकोला में 'आलोक' के सम्मेलनांक के लिए एक लेख देने की आपसे प्रार्थना

की थी। आपने रायपुर जाते वक्त नागपुर में वह लेख लिखा देने की स्वीकृति दी थी। कृपाकर सूचित करें कि आप यहाँ कब पधार रहे हैं। अगर रायपुर का कार्यक्रम स्थगित हो तो कृपया वह लेख अवश्य भेजने का कष्ट करें। मध्यप्रान्तीय हिन्दी साहित्य सम्मेलन के पूर्व इतिहास और उसकी आज की स्थिति में कैसे प्रगति लाई जा सकती है, इस पर आप ही अधिकृत रूप से प्रकाश डाल सकते हैं। विश्वास है यह अनुरोध स्वीकार कर अनुग्रहीत करेंगे। एक प्रार्थना और, कृपया स्वर्गीय पण्डित विष्णुदत्तजी शुक्ल, सप्रेजी तथा अपना ब्लाक भी भेजकर आभारी करें। विशेष कृपा।

आपका,
विश्वम्भरप्रसाद शर्मा

[2]

दी आलोक

ए लीडिंग नेशनलिस्ट हिन्दी डेली
गीता ग्राउण्ड, सीताबर्डी, नागपुर

27.10.48

आदरणीय चतुर्वेदी जी,

सादर वन्दे! हैदराबाद में कुछ उत्साही मित्र दीपावली के नाम 1 से 5 तक उत्सव मना रहे हैं। 4 ता० को उन्होंने कवि-सम्मलेन भी रखा है। हैदराबाद में इस समय हिन्दी-प्रचार का क्षेत्र तैयार है। अतः यहाँ के कुछ विशिष्ट कवि और विद्वान् यदि इस अवसर पर वहाँ पहुँच सकें तो हिन्दी के पक्ष में बहुत सुन्दर वातावरण बन सकेगा। कुछ वर्षों पहले भी इन मित्रों ने इस प्रकार की योजना की थी किन्तु राजनीतिक परिस्थितियों के कारण यहाँ से कोई न जा सका। आपकी सेवा में भी उस समय निवेदन किया गया था और एक आदमी भी विशेष रूप से आपकी सेवा में हैदराबाद से आया था किन्तु उस समय आपका भी पधारना न हो सका। इस वर्ष उन मित्रों का आपके लिए बहुत ही आग्रह है और मेरे जिम्मे यह कार्य सौंपा है कि मैं आपको इस अवसर पर हैदराबाद चलने के लिए रजामन्द करूँ। इसी आशा से यह पत्र लिख रहा हूँ। आपके चलने से हम लोग हिन्दी का तेजस्वी रूप वहाँ प्रकट कर सकेंगे। आप एक नवम्बर को किसी गाड़ी से हैदराबाद के लिए खण्डवा से चलें—2 की शाम तक या दोपहर तक आप पहुँच जायेंगे। ठहरने आदि की सब व्यवस्था आपकी राजा पन्नालालजी पित्ती के स्थान पर ही रहेगी। उनके सुपुत्र श्री बद्रीविशालजी ही यह सब आयोजन कर रहे हैं।

यहाँ से कुछ अन्य सज्जन भी चल रहे हैं। मुझे विश्वास है कि आप यह प्रार्थना

अवश्य स्वीकार करेंगे। और मुझे इस स्वीकृति की सूचना देकर कृतार्थ करेंगे।

मैं भी यहाँ से 1 ता० को सवेरे की गाड़ी से रवाना होकर दो को हैदराबाद पहुंच जाऊँगा।

आपके उत्तर की प्रतीक्षा है।

आपका

विश्वम्भरप्रसाद शर्मा

श्री हीरालाल शास्त्री

पत्र-सं० 4358

वनस्थली विद्यापीठ,
जयपुर (राज०)
10.11.44

मान्यवर,

इस युग की चाल से आप यहाँ आये थे और उसी चाल से चले भी गये। इतने थके-माँदे होने पर भी आप यहाँ चले आये, यह तो वनस्थली के लिए सौभाग्य की बात थी। परन्तु एक बड़ा पछतावा रह गया—वह यही कि वनस्थली आपके मुख से कुछ न सुन सकी आपने जाना चाहा था, मैंने आपको जाने दिया। बाद में मैं अपने आत्मीयों के कोप का भाजन बना। मैं सोचता रहा कि मैं क्या कर सकता था।

मुझे सन्तोष हुआ कि आपका 'पग-फेरा' वनस्थली में हो गया। इससे अधिक मुझे क्या चाहिए था? जैसे भी हम लोग हैं, वैसे ही आप हैं—और वनस्थली भी आपकी अपनी संस्था है। वनस्थली आपके आशीर्वाद की भूखी थी। वह मूक आशीर्वाद इसे मिल गया, बस।

वनस्थली को सबसे अधिक चिन्ता है अपने अनुरूप जन-शक्ति जुटाने की। इसका यह अर्थ नहीं कि वनस्थली धन के विषय में निश्चिन्त है। जनशक्ति जुटाने में आप वनस्थली को कुछ सहायता कर सकेंगे, तो बड़ा अनुग्रह होगा।

आपका उत्तर मिलने पर मैं आपको फिर लिखूंगा। नवाँ कार्य-विवरण अलग से भेजा जा रहा है।

आपका

हीरालाल शास्त्री

[विख्यात स्वतन्त्रता-सेनानी, राजस्थान के भूतपूर्व मुख्यमन्त्री, वनस्थली-विद्यापीठ के संस्थापक]

श्री डा० सुधीन्द्र

(सम्भवतः 1944-45)

दादाजी,

आपकी 'हिमकिरीटिनी' पढ़ रहा हूँ। मैं जहाँ कहीं आपके हृदय-तल तक पहुँच जाता हूँ, मन फूल उठता है। परन्तु कहीं तो गति ही नहीं होती। मैं आज-कल—'हिन्दी कविता का क्रान्ति-युग' आलोचना-ग्रन्थ लिख रहा हूँ—इसमें भारतेन्दु से लेकर आज तक की कविता की समीक्षा है।

दो-तीन बातों का उत्तर लौटती डाक से दिलवाने का कष्ट कीजिये—

(1) 'हिमकिरीटिनी' में द्विवेदी-काल (1900-20)—तक की रचनाएँ केवल मेरा उपास्य, निःशस्त्र सेनानी, वीरपूजा, बन्धनसुख, पथ की घड़ियाँ, वरदान या अभिशाप और तिलक हैं। 'पुष्प की अभिलाषा' भी इसी काल की है न?

(2) खीझमयी मनुहार, बलिपन्थी से, आँसू बिलासपुर-जेल की रचनाएँ हैं। 1921-22 में आप किस तिथि से किस तिथि तक बिलासपुर-जेल में रहे थे?

(3) 'नवस्वागत' (प्रताप प्रेस) क्या श्री गणेशशंकर विद्यार्थी के स्वागत में है?

(4) 'सौदा' का विषय क्या है? चाँदी-सोने की कौन-सी आशा? हाथ-पाँव जकड़े जाने का आमिषपूर्ण मसौदा कैसा? 'टुकड़ों' रोटी के या धातु (चाँदी) के टुकड़े?

दमयन्ती के 'एक चीर' की माँग क्या है? यदि इस कविता पर कुछ संकेत देंगे तो उपकार होगा—हिन्दी-जनता पर।

(5) 1930 में फिर जबलपुर सेंट्रल जेल जा पहुँचे थे आप? वहाँ कब से कब तक रहे?

अपने जेल-जीवन की तिथियाँ तो भेज दीजिए।

आपकी कोई नई किताब भी निकली है क्या? 'कर्मवीर' निरन्तर आ रहा है—एक रचना भेज रहा हूँ—

इधर आप कब आयेंगे?

सविनय

सुधीन्द्र

[विख्यात समीक्षक एवं कवि]

श्री कृष्णानन्द गुप्त

रैस्ट हाउस, टीकमगढ़
29.3.45.

मान्य चतुर्वेदीजी, सादर प्रणाम !

अभी 24 मार्च का 'कर्मवीर' मिला। उसमें बुन्देलखण्ड साहित्य-सम्मेलन के मन्त्री के नाम लिखी गयी मेरी चिट्ठी को आपने स्थान दिया, इसके लिए मैं आपका आभारी हूँ। विशेष रूप से आपको धन्यवाद इसलिए देना चाहता हूँ कि अधिकांश हिन्दी पत्रों ने मेरी चिट्ठी के आवश्यक अंश को काट दिया। सम्मेलन के अवसर पर समितियाँ तो बन गयीं। किन्तु आज तक भी उसकी कोई वैधानिक सूचना कार्य-कर्ताओं या सदस्यों को नहीं मिली। फिर काम कैसे होगा, यह मेरी समझ में नहीं आया। इस तरह की सभा-समितियों के नियुक्ति का तमाशा प्राय: हर सम्मेलन में होता है। उस पर रोक लगाने की जरूरत है। मेरी इसमें मदद कीजिए। प्रस्ताव पास होते हैं। समितियाँ बनती हैं। सदस्यों के चुनाव से केवल ऐसा वातावरण निर्माण होता है कि मानो अपनी कर्मठता और कर्त्तव्यशीलता से हम जमीन-आसमान एक कर देंगे। किन्तु काम कुछ नहीं होता। इस तरह की प्रवृत्तियों से लोगों में अविश्वास और अकर्मण्यता के भाव फैलते हैं।

आशा है 'लोकवार्ता' आपको मिलती है। परिवर्तन में 'कर्मवीर' भिजवाने की कृपा करते रहें।

विशेष कृपा !

आपका
कृ० नं० गुप्त

पुनश्च—

बड़ी कृपा होगी यदि 'कर्मवीर' में कभी 'लोकवार्ता' की विस्तृत चर्चा करने का कष्ट करें अथवा किसी अन्य अधिकारी से उस पर कुछ लिखवायें।

श्री मौलिचन्द्र शर्मा

[1]

अखिल भारतीय हिन्दी साहित्य सम्मेलन, प्रयाग

8 पार्क व्यू, करौलबाग, दिल्ली
9.8.1945

श्रद्धेय चतुर्वेदीजी, नमस्कार !

आज से बहुत पहले ही आपको लिखता, परन्तु मेरे पुत्र के दुःखद निधन और

पुत्री की लम्बी बीमारी से ऐसा दब गया हूँ कि ढाई महीने से साँस ही नहीं आया। सोचता था कि देशभर की एक यात्रा करके हिन्दी-आन्दोलन को सार्वजनिक Mass रूप दिया जाये। उसमें देर लग गयी। अब बड़की कुछ अच्छी है, मन भी कड़ा हो चला है, सो फिर काम की ओर प्रवृत्ति हुई है।

पंजाब-दिल्ली में बहुत-कुछ काम हो चुका है। युक्तप्रान्त महारथियों का देश है और बहुत कुछ सजग है। मैं बिहार, मध्यप्रान्त, मध्यप्रदेश, राजपूताना में घूमना चाहता हूँ। मध्यप्रान्त में जबलपुर, सागर, नागपुर, खण्डवा, वर्धा काफी होंगे और शायद 5-6 दिन में सब काम निपट सकेगा। इसीके साथ झाँसी, इन्दौर, ग्वालियर भी कर लिये जायें तो 8-10 दिन में वह सब देश निपट जायेगा।

आपसे दो निवेदन हैं (1) आप इस यात्रा का नेतृत्व करें। मैं साथ चलूंगा। और जिसे चाहें साथ ले लें।

(2) प्रोग्राम क्या हो, कहाँ-कहाँ जायें, कितना समय दें, आदि कृपया सोचकर तय करा दें।

(3) तीसरी प्रार्थना यह है कि जहाँ-जहाँ जाना होगा, वहाँ-वहाँ की स्थानीय संस्थाओं और सम्भावित व्यक्तियों को पहले से कहकर लिखकर तैयारी करनी होगी। चाहिए यह कि सब स्थानों पर अच्छा स्वागत हो, धूमधाम हो, विराट् सार्वजनिक सभाएँ हों जिससे जनता में हल्ला पड़े। इसके लिए यदि एक प्रचारक को भेजना पड़े तो वह भी करना चाहिए। अब हमारे पास इतना धन है।

इधर रेडियो आन्दोलन अच्छा चला है। डिपार्टमेण्ट समझौते के लिए मार्ग ढूंढ़ रहा है। हम ऐक्जीक्यूटिव कौंसिल में भी यह प्रश्न उठवाने का उद्योग कर रहे हैं। परन्तु दूसरी ओर गांधीजी का त्यागपत्र बहुत असमय आया है। 10 दिन हुए मैंने राजेन्द्रबाबू से 4 घण्टे बात की थी, वे अनुगुण थे, अब क्या होगा राम जाने। हमें अपना मोर्चा अब और दृढ़ करना होगा। अतः सार्वजनिक आन्दोलन आवश्यक है।

इसलिए ऊपर लिखा निवेदन सेवा में कर रहा हूँ। आप आगे होकर नेतृत्व देंगे यह तो मानी हुई बात है ही। दूसरी बातों का उत्तर तुरन्त देने का कष्ट करें। आदर सहित।

भवदीय,

मौलिचन्द्र शर्मा

[2]

हिन्दी-साहित्य-सम्मेलन, प्रयाग

(प्रबन्ध-विभाग)

4.2.2004 (1947)

महानुभाव,

श्री मंगलाप्रसाद पारितोषिक समिति ने आपको सं० 2002 में निर्णायक चुना है। नियम सं० 5 के अनुसार इस वर्ष यह पारितोषिक रीति, समालोचना, भाषा-विज्ञान, जीवन-चरित्र, भ्रमण-वर्णन विषयक निबन्ध पर दिया जायेगा।

आपसे निवेदन है कि आप निर्णायक का पद स्वीकार कर अपनी स्वीकृति 10 दिन के भीतर भेजने की कृपा करें, उत्तर के लिए एक लिफाफा प्रेषित है। कृपया अपनी नियुक्ति की बात गुप्त रखें, अन्य निर्णायकों को भी आपका नाम नहीं बताया जायेगा।

पारितोषिक-नियमावली की एक प्रति साथ में भेजी जा रही है।

भवदीय

मौलिचन्द्र शर्मा, संयोजक

श्री कामताप्रसाद गुरु

दीक्षितपुरा, जबलपुर

26.12.45

श्रीयुत चतुर्वेदीजी, सप्रेम नमस्कार !

22 दिसम्बर के 'कर्मवीर' में आपने उदारतापूर्वक मेरी जो प्रशस्ति व्यक्तिगत रूप से छापी है, उसके लिए मैं आपका परम कृतज्ञ हूँ। यद्यपि मेरी समझ में आपका लेख विषय के विस्तार और अत्युक्ति किंचित् से असाधारण-सा हो गया है, तो भी उसने मुझे विशेष रूप से प्रभावित किया है। आशा है, मेरे प्रति आपकी ऐसी ही सहानुभूति बनी रहेगी। अधिक क्या लिखूँ ? लिखने में असमर्थ भी हूँ, क्योंकि मैं काफी बूढ़ा हो गया हूँ। गत 24 दिसम्बर को मेरी आयु 70 वर्ष की हो चुकी है। आपके प्रति कृतज्ञता प्रकट करने में जो विलम्ब हो गया, उसके लिए क्षमा-प्रार्थी हूँ।

आपका कृपैषी

कामताप्रसाद गुरु

(प्रथम हिन्दी-व्याकरण के निर्माता)

श्री हरिकृष्ण अवस्थी

हिन्दी सभा, सीतापुर

लखनऊ-विश्वविद्यालय
22.1.46

पू० चतुर्वेदीजी, सादर प्रणाम !

उपर्युक्त सभा के वार्षिकोत्सव के अवसर पर आगामी 9-10 फरवरी को सीतापुर (अवध) में एक हिन्दी-सम्मेलन की आयोजना की गयी है । इसी सम्बन्ध में अ० भा० कवि-सम्मेलन करने का भी निश्चय हुआ जिसमें बम्बई, बुन्देलखण्ड, राजपूताना, पटना और प्रयाग-काशी आदि के प्रमुख कवियों के सम्मिलित होने की आशा है । राष्ट्रकवि श्री मैथिलीशरणजी भी उन दिनों अपनी नेत्र-चिकित्सा के सिलसिले में सीतापुर में ही होंगे । इस सुअवसर पर सभापति-रूप में आप-जैसे देशभक्त हिन्दी-सेवी, सिद्धहस्त लेखक, कुशल कवि और सुयोग्य पत्रकार की उपस्थिति हमारे लिए आशीर्वाद स्वरूप होगी। आपकी कोटि के अ० भा० साहित्य-सम्मेलन के भूतपूर्व सभापति का शुभागमन हमारा सौभाग्य और गौरव होगा । आपके दर्शनों को लालायित अवध प्रान्त की हिन्दी-प्रेमी जनता आपका स्वागत और अभिनन्दन करके कृतार्थ होगी ।

अत: निमन्त्रण-रूप में यह पत्र भेजते हुए हमें पूर्ण विश्वास है कि आप हमारे विनम्र अनुरोध की रक्षा करके मातृभाषा की सेवा और प्रचार में प्रोत्साहन देंगे । कृपया शीघ्र पत्रोत्तर देकर अनुग्रहीत कीजियेगा ।

मैं यहाँ लखनऊ विश्वविद्यालय के हिन्दी-विभाग में रिसर्च का विद्यार्थी हूँ । अत: उत्तर निम्नलिखित पते पर देने की कृपा करें ।

भवदीय कृपाकांक्षी
हरिकृष्ण अवस्थी
आर्यनगर, लखनऊ

पुनश्च—

साथ में सभा के स्थायी अध्यक्ष भूतपूर्व माधुरी-सम्पादक श्री पण्डित कृष्ण-विहारीजी मिश्र का पत्र भी सेवा में भेजता हूँ ।

हरिकृष्ण

श्री छबीलदास

पंजाब रिफ्यूजीज रिहैबिलिटेशन कमेटी **टेलीफोन** : 4265
लाजपतराय भवन, लाहौर

3.5.1947

मान्यवर श्री माखनलालजी, जय हिन्द !

आपको पंजाब के दंगों के बारे में एक छोटा-सा लेख भेज रहा हूँ। कृपया इसे अपने पत्र में प्रकाशित करें। मैं आपसे क्षमा चाहता हूँ कि मैं यह लेख हिन्दी में नहीं लिख सका, यह लेख भारत के अन्य कई पत्रों के लिए भी तैयार किया गया। आप अवश्य ही इसे उचित स्थान पर अनुवाद करवा कर प्रकाशित करें। आपका आभारी हूँगा। आपको कभी-कभी अन्य लेख भी भेजने का प्रयत्न करूँगा।

आपका भाई
छबीलदास

डा० रामचन्द्र बिल्लौरे

[1]

'ॐ'

पो० बा० नं० 105
अहमदाबाद
9.6.47

पूज्य दादा,

आपका पत्र मिला। चि० भैया की तबीयत का हाल पढ़कर बुरा लग रहा है। भैया को बीमारी क्या है ? डाक्टर क्या कहते हैं ? अन्यत्र कहाँ ले जायेंगे ? इन्दौर ? भैया की तबीयत आज कैसी है ? लिखेंगे। आपकी आज्ञानुसार मैंने इन्दौर सूचना दे दी है। 15 जून रविवार को अगर मुझे इस आशय का तार मिल जाय (.........) तो मैं सोमवार की शाम तक इन्दौर पहुँच सकता हूँ। तार आप इस तरह भिजवाइये कि रविवार को शाम से पहले मुझे मिल जाये। मेरी तबीयत ठीक है। चि० भैया के स्वास्थ्य के हाल जल्दी लिखेंगे। पू० मा० जीजी, काकी, भैया को प्रणाम।

आपका
राम

[2]

'ॐ'

पोस्ट बाक्स नं० 105

अहमदाबाद

23.2.48

दादा मेरे,

लगभग महीने भर बाद यहाँ का काम छोड़कर मेरा खण्डवा आने का इरादा है। दो दिन पहले मैंने अपनी यह इच्छा भी जीवणजी भाई पर व्यक्त कर दी थी। वे नहीं चाहते कि मैं यह जगह छोड़ूँ। 'हरिजन' अगर हमेशा के लिए बन्द हो जाये, फिर भी पुस्तक प्रकाशन विभाग के लिए वे मुझे यहाँ रखना चाहते हैं। वे कहते हैं कि मैं पिताजी को यहीं बुलवा लूँ। तनख्वाह बढ़ाने का वचन भी देते हैं। मैंने नम्रता से उन्हें अपनी पारिवारिक कठिनाइयाँ समझायीं और इस्तीफा मंजूर करने की प्रार्थना की। उन्होंने कोई निश्चित जवाब न देकर बड़े प्यार से मुझ पर ही यह दबाव डाला कि मैं अपना निर्णय बदल दूँ.

मेरा इरादा यह है कि पहले तो सागर या खण्डवा या इन्दौर में प्रोफेसर की जगह के लिए प्रयत्न करूँ और अगर सफलता न मिली तो बनारस, प्रयाग या जहाँ आप कहें, वहाँ रहकर डाक्टरेट की तैयारी करूँ। कुछ दिनों पहले सागर [illegible]वर्सिटी की खाली जगह के बारे में लिखे गये मेरे एक पत्र के जवाब में भी [illegible]जनाथजी पाण्डे ने लिखा था कि "सफलता मिलने में कोई कठिनाई तो नहीं [illegible] पड़ती, मगर एक बार सागर आकर यहाँ के रंग-ढंग देख जाओ।" यहाँ [illegible] छुट्टी पाते ही मैं सागर जाऊँगा। आप जल्दी लिखिये कि मेरे ये सारे निर्णय गलत तो नहीं हैं ?

'हरिजन' का प्रकाशन अभी एक माह के लिए मुल्तवी रहेगा। बाद में ट्रस्टियों की कान्फ्रेंस जो निर्णय देगी, वैसा ही होगा। पूज्य बापू के अवसान से 'हरिजन' से सम्बन्धित यहाँ से लेकर दिल्ली तक का वातावरण जैसे किंकर्त्तव्य-विमूढ़ हो गया है। पिछले हफ्ते एक निर्णय तीन-चार बार बदला गया।

श्री सुभद्राजी के आकस्मिक निधन की खबर पढ़कर ऐसा लगा, मानो अध-पके दुखते फोड़े में किसी ने जोर से पत्थर मार दिया हो। यहाँ के गुजराती भी इससे बहुत दुखी हैं। नॉन-गुजराती तो दुखी हैं ही।

श्याम और कुन्ता दोनों खौलते पानी से जल गये थे। गलती किसी की नहीं थी। सिगड़ी का पाँव अचानक टूट गया और उस पर रखा पानी ढुल गया। श्याम के दोनों पाँव जल गये और कुन्ता का मुँह। अब दोनों अच्छे हैं। मेरा स्वास्थ्य ठीक है। विद्या की छाती में कभी-कभी दर्द हो जाता है। वह आपके स्वास्थ्य के

बारे में पूछ रही है और कह रही है कि मेरे पत्र का तो दादा ने कोई जवाब ही नहीं दिया। पूज्य काकाजी, काकी, माँ व जीजी को प्रणाम। बच्चों को प्यार।

आपका राम

[3]

जनता इण्टरमीडिएट कालेज, शाजापुर (एम० बी०)

4.12.54

पूज्य दादा, सादर प्रणाम !

मेरा पहला पत्र मिला होगा। ज्यों-ज्यों दिन बीत रहे हैं, सोसाइटी कार्यकताओं में मेरे प्रति आस्था बढ़ती जा रही है। यद्यपि अभी भी कुछ लोग ऐसे हैं जो सस्ते या अवैतनिक प्रिंसिपल के पक्ष में हैं, किन्तु अधिकांश ने अपना यह मत व्यक्त किया है कि महँगापन सहकर भी वर्तमान प्रिंसिपल को जाने न दिया जाय, कालेज का कार्य सुचारु रूप से चल रहा है। विद्यार्थी एवं प्राध्यापक सभी सन्तुष्ट और प्रसन्न हैं। लेकिन पिछले कुछ दिनों से मेरी परीक्षा-सी हो रही है। जहाँ-तहाँ प्रमुख वक्ता के रूप में निभिन्न विषयों पर भाषण देने पड़ रहे हैं। अभी तक तो पर्याप्त सफलता हाथ रही, किन्तु आज यहाँ के एक प्रमुख वकील (श्री कैलाश नारायण माथुर) सूचित कर गये हैं कि 15 दिसम्बर को एक सार्वजनिक पुस्तकालय का उद्घाटन मेरे हाथों होगा। पुस्तकालय के विज्ञान, इतिहास और भावी रूप पर प्रकाश डालने वाला मेरे सिवा उन्हें कोई दूसरा नजर नहीं आता और मुझे सूझ नहीं रहा है कि क्या बोलूँगा। यहाँ साधन-सामग्री का भी तो अभाव है। सोच रहा हूँ एक दिन इन्दौर जाकर कुछ (.........) ले आऊँ। मैं अपने साथ यहाँ पर्याप्त पुस्तकें भी तो नहीं ला सका हूँ। आप कुछ लिखिये न दादा।

मैं 24 या 25 दिसम्बर को खण्डवा आऊँगा। आप कहीं जा तो नहीं रहे हैं ? सोमवार (6/12) तक श्री नवीनजी के शाजापुर आने की सम्भावना है। उन्हें उज्जैन से लिवा लाने के लिए कॉलेज की ओर से एक आदमी गया है। श्रद्धेय श्री श्री नारायण चतुर्वेदी लगभग एक हफ्ते पूर्व इंदौर गये थे, तब उनसे मिलने के लिए मैं भी पहुँच गया था। उनकी अत्यधिक कार्य-व्यस्तता के कारण कोई विशेष बात नहीं हो पायी।

पूज्य भैया, काकी व जीजी को प्रणाम, बच्चों को प्यार। पत्रोत्तर अवश्य देंगे।

भोजन की ठीक व्यवस्था न हो पाने के कारण मेरा स्वास्थ्य यों ही सा है।

आपका

राम

(डॉ० रामचन्द्र बिल्लौरे, सुप्रसिद्ध कवि, शिक्षाविद् व समीक्षक/चतुर्वेदीजी के आत्मीय)

श्री मुरारीलाल तिवारी

'श्री'

इन्दौर

19.7.47

आदरणीय दादाजी, सादर चरणस्पर्श !

मैं यहाँ सकुशल हूँ। कालेज नियमित रूप से जाता हूँ। मेरे पढ़ने में जो एक कठिनाई है उसे मैंने आपको बतला दिया था। इस पत्र के पूर्व मैंने एक पत्र आपको दिया था। कदाचित् वह आपको मिल गया होगा। उस पत्र में मैंने जिन-जिन पुस्तकों की मुझे आवश्यकता है उनकी नामावली भी लिख दी थी। मैं आपके पत्र की प्रतीक्षा कर रहा हूँ। मुझे पूर्ण आशा है कि आप पत्रोत्तर शीघ्र से शीघ्र देने का कष्ट करेंगे।

दादाजी ! मुझे पुस्तकों की बहुत ही अधिक आवश्यकता है। शेष शुभ।

आपका आज्ञाकारी पुत्र

—मुरारी

विद्यार्थी द्वितीय वर्ष, क्रिश्चियन कालेज, इन्दौर, सी० आई०

[मुरारीलाल तिवारी/वर्तमान में जिला एवं सत्र न्यायाधीश, धार(म० प्र०)]

श्रीमती राधादेवी गोयनका

[1]

मदन-महल, अकोला

1.8.47

सेवा में,

श्रद्धेय दादा, सादर चरणस्पर्श !

कृपा-पत्र दोनों मिल गये, प्रसन्नता हुई, मैं जबलपुर से सीधे ही नागपुर चली गयी थी। वहाँ पर सन्त टुकड़ो जी महाराज द्वारा चलाये हुए महिला-विभाग के कार्यकर्ताओं से मिलना था। उन्होंने एक पब्लिक मीटिंग भी रख दी थी। मैं यहाँ ता० 31 को सुबह पहुँची। इच्छा तो बहुत रही कि खण्डवा होते हुए जाऊँ और दादा का दर्शन भी कर लूँ तथा बच्चे को भी देख लूँ, किन्तु टुकड़ोजी महाराज का निमन्त्रण पहले ही स्वीकार कर चुकी थी। आशा है, अब बच्चे की तबीयत बिलकुल अच्छी हो गयी होगी। महिला परिषद में मैं कुछ अधिक सहयोग तो नहीं कर

सकी क्योंकि उसका सारा कार्य इंग्लिश में होता है। मैंने एक तो बरार के प्रस्ताव के बारे में कुछ कहा था और हिन्दी में सभी काम हो, इस तरह का प्रस्ताव भेजा था। उस पर भाषण भी हुआ परंतु उसका लेडी रामाराव ने ही विरोध कर दिया। सभी बातें आपके मिलने पर होंगी।

बरार का भविष्य अभी तो काफी अच्छा दिखायी दे रहा है। ईश्वर इसकी रक्षा में हमारी मदद करे।

आपने लिखा था कि आपके पत्र पढ़कर यदि लौटा दिये जावें तो अच्छा रहे, इसलिए आपका एक पत्र भी इसी चिट्ठी के साथ भेज रही हूँ। किताब जिस रूप में है, उसी में भेज रही हूँ।

धारा-सभा का कार्य सितम्बर से शुरू होने वाला है। आपके पास कोई प्रश्न, प्रस्ताव और बिल आदि कार्य हो तो कृपया लिखें। ता० 10 तक मेरा दिल्ली की ओर किसी काम से जाने का विचार है, इस बीच में आपके दर्शन भी हो जावें तो अच्छा हो। आपकी और बच्चे की तबीयत ईश्वर की कृपा से अब अच्छी होगी। बच्चे को बहुत-बहुत प्यार। श्री बृज बाबू और बृजलताजी को वन्दे। योग्य सेवा?

नम्र

राधादेवी गोयनका

हाँ, श्री पाण्डेयजी जबलपुर में मिले थे, उन्हें अब सागर-युनिर्वासिटी में अच्छा स्थान मिल गया है जिससे मुझे काफी प्रसन्नता है। यहाँ सब बच्चे आपकी कृपा से प्रसन्न हैं। इन्दौर वाले सज्जन का कोई पत्र आया क्या, लिखें।

राधादेवी

[2]

मदनमहल, अकोला (म० प्र०)
2.12.54

श्रद्धेय दादा, सादर चरणस्पर्श!

ता० 15 से 18 तक नागपुर विधान-सभा का एक चार-दिवसीय छोटा-सा अधिवेशन हुआ। भारत के संविधान में एक संशोधन था जिस पर मैंने भी एक छोटा-सा भाषण दिया था, नागपुर-टाइम्स में तो कुछ भाषण छपा भी है। मैं यहाँ ता० 19 को आ गयी थी, आज तो शायद बाहर गाँव जाऊँ। ता० 24 से ता० 2 जनवरी तक अकोला में रहूँगी। आप भी जनवरी में बम्बई पधार रहे हैं। मैं भी ता० 4 से ता० 5 तक बम्बई रहूँगी। वहाँ पर आपके दर्शन होंगे ही।

अकोला आने के बारे में तो आपको जरा भी संकोच करने की आवश्यकता है नहीं। आपका घर है। जब भी आपको समय मिले, कुछ रोज के लिए अवश्य आने की कृपा करें। हम लोगों को भी आपके सत्संग से अनेक तरह के लाभ होंगे।

आप निःसंकोच अवश्य पधारने की कृपा करें।

यहाँ सब लोग आनन्द में हैं। चि० मदनलाल और विमलाजी हिसार गये हैं, दो-एक दिन में आने वाले हैं।

चि० पद्मा कलकत्ता गयी है, अपनी बहिन के विवाह में। और सब लोग सानन्द हैं। आपको बच्चे लोग प्रणाम कह रहे हैं। आशा है आपका स्वास्थ्य बिलकुल अच्छा है। योग्य सेवा लिखें। कृपा बनी रहे।

श्री बृजबाबू और बृजलताजी को प्रणाम कहें। बच्चों को प्यार।

कृपाभिलाषिणी

राधादेवी गोयनका

श्री रामरतनलाल द्विवेदी

खण्डवा

13.6.47

पूज्य दादा, श्रीचरणों में प्रणाम!

मैं यहाँ रुका हुआ हूँ। स्व० विनयकुमार के काव्य-संग्रह के सम्बन्ध में आया हूँ। आशा है, आप भूले नहीं होंगे। उसके जल्दी से जल्दी प्रकाशन का प्रबन्ध करना है।

आप कब तक लौटियेगा? प्रतीक्षा कर रहा हूँ। चि० छोटे भैया का स्वास्थ्य सुधर रहा है। शेष शुभ।

आपका

रामरतन

इस पत्र की नकलें 4 पतों से आपके पास भेज रहा हूँ। ताकि कोई न कोई आपको मिल जाय।—रामरतन

श्री हनुमानप्रसाद पोद्दार

तार—'गीता' 'मामनुस्मर युध्य च' फोन नं० 30

कोड-बेंटले, दूसरी फ्रेज 'कल्याण'

(भक्ति, ज्ञान, वैराग्य और सदाचार-सम्बन्धी मासिक पत्र)

पत्र-संख्या, ग्राहक-संख्या गीताप्रेस, गोरखपुर

2.10.47

श्री हरिः

परमादरणीय श्री चतुर्वेदीजी, सादर प्रणाम!

आप हिन्दी-साहित्य के स्तम्भ हैं। आपकी लेखनी में बल है। मेरा अनुमान है

कि आपकी विचारधारा किसी की ऋणी नहीं है। आपको अपनी समझ से जो भी न्यायसंगत या युक्तिसंगत प्रतीत हुआ है, उसी को किसी की तुष्टि या अतुष्टि का विचार किये बिना व्यक्त किया है, 'कल्याण' का आगामी वर्ष का प्रथमांक 'नारी अंक' रूप से प्रकाशित हो रहा है, जिसकी विषय-सूची इसी पत्र के साथ आपकी सेवा में भेजी जा रही है। इसमें किसी विषय पर भी आप अपने विचार लेख के रूप में यथासम्भव शीघ्र भेजने का कष्ट करेंगे। मैं आभार मानूँगा। लेखादि के लिए प्रार्थना करने का मेरा यह आपसे प्रथम अवसर है। आशा है, आप मुझे निराश नहीं करेंगे। कृपा और प्रेम तो आपका बना ही है।

भवदीय

हनुमानप्रसाद पोद्दार, सम्पादक

श्री बालमुकुन्द विजयवर्गीय

'श्री'

गुना,

7.10.47

श्री माखनलालजी महोदय, आशीर्वाद तथा जयहिन्द !

आपका पत्र ता० 3.10.47 को मिला। चि० हरिकृष्ण[1] मय बाल-बच्चों के मई के अन्त में लाहौर से निकल आये हैं। घर में किताबें तथा कागज व फर्नीचर आदि सामान करीब 20 हजार रुपये की मालीयत लाहौर में छोड़ आये हैं। बच्चे इन्दौर में हैं और हरिकृष्ण बम्बई में हैं और चि० गोपीकिशन का हेडक्वार्टर उज्जैन में है। और वे गवा० राज्य को रिप्रेजेण्ट कान्स्टिट्यूएण्ट असेम्बली देहली में करते हैं तथा देशी राज्य लोक-परिषद के मध्यभारत के प्रेसीडेण्ट होकर(·········) रियासतों में भी काम कांग्रेस का कर रहे हैं।

इनके पते निम्न हैं :

आपका

बालमुकुन्द विजयवर्गीय

वकील, गुना

हरिकृष्ण प्रेमी के०/आ० मुरारी पिक्चर्स,
लेमिंग्टन रोड, बम्बई।

प्रेमप्रकाश विजयवर्गीय
रामबाग हाउस नं० 103, इन्दौर सिटी।

गोपीकृष्ण विजयवर्गीय
न्यूपेठ, उज्जैन।

---

1. श्री हरिकृष्ण 'प्रेमी', जिनकी भारत-विभाजन के समय साम्प्रदायिक संघर्ष में लाहौर में रह जाने की संभावना थी।

श्री रामेश्वरलाल खण्डेलवाल 'तरुण'

श्रीहरिः

मेरठ
16.2.48

पूज्य दादा, सादर प्रणाम !

आपका कार्ड यथासमय आ गया था, किन्तु अत्यधिक व्यस्त होने के कारण अब तक उत्तर नहीं लिख सका। क्षमा करें।

आपकी अस्वस्थता के समाचार पढ़कर हार्दिक दुःख हुआ। लिखिए, अब तबीयत कैसी है। क्या गुजरात जाने के बीच अस्वस्थ हो गए।

आपकी 'साहित्य-देवता' मेज पर रखी है। 'जब रसवन्ती बोल उठे' ने लीन कर दिया। जिस पांडुलिपि से आपने मुझे सुनाया था, उसे प्रकरण में लाइए न।

'प्रथम किरण' पर जिल्द और कवर आदि चढ़ रहे हैं। आते ही आपके पास भेजूंगा।

राम भाई अच्छे होंगे ?

आपकी याद आती रहती है। दूध से सफेद खादी के कपड़ों में छिपे लहराते चन्द्रिका-विभोर सिन्धु से हृदय का नाम आपके पास बैठकर सुनता रहूँ। न जाने कब ऐसा अवकाश मिले।

मैं प्रसन्न हूँ।

मकान नं० 402 है, 104 नहीं। श्याम कुटीर, प्यारेलाल शर्मा रोड, बेगम बाडा, मेरठ।

इन्दौर जायें तो लाड़ली भाई साहेब को मेरी याद दिलावें। उत्तर की साध है।

युग से आपका अपना
रामेश्वर

श्रीमती महादेवी वर्मा

[1]

प्रयाग महिला विद्यापीठ, कालेज,
एलगिन रोड, इलाहाबाद
10.3.1948

मान्य भाई,

शम्भुनाथ जी से ज्ञात हुआ कि आप आये हुए हैं। यहाँ किस समय आ

सकेंगे ? न आ सकें तो मैं ही वहाँ पहुँचने का प्रयत्न करूँ।

विश्वास है आप स्वस्थ और प्रसन्न होंगे।

विनीत

महादेवी

[2]

प्रयाग

चैत्र-शुक्ल 11, 2009 वि० (1983)

मान्य भाई, वन्दे !

इधर बहुत दिनों से आपका कोई समाचार नहीं मिला। विश्वास है कि आप बहुत अधिक अस्वस्थ नहीं हैं।

मेरा जीवन भी व्यस्तता और अस्वस्थता की सीमाओं को छूता हुआ चलता रहता है। गत कई महीनों में संसद की कृपा से एक प्रकार की चतुर्धाम यात्रा समाप्त हो सकी है। करोड़पतियों के कलकत्ते से लेकर महामहिमों की दिल्ली तक और ऐतिहासिक पाटलिपुत्र से नवाबों के लखनऊ तक अनेक यात्राएँ करने के उपरान्त एक ही सत्य की उपलब्धि हुई है कि साहित्यकार तथा कलाकार इस युग के लिए एक बेकार-सा प्राणी है। पता नहीं, आप इस निष्कर्ष से सहमत हो सकेंगे या नहीं।

साहित्यकार संसद के भवन का उद्घाटन देशरत्न राजेन्द्रबाबू द्वारा मार्च में होने वाला था, किन्तु 30 अप्रैल तक वे गांधीस्मारक निधि के कार्य में लगे हुए हैं। इस अवधि में उन्हें बुलाना बिना थैली के प्रबन्ध के संभव नहीं, और हम अपनी ही आवश्यकता भर को नहीं माँग पाते, अधिक इकट्ठा करने का प्रश्न ही क्या है। मई में वे आ सकते हैं, किन्तु यह समय तो पंचाग्नि तापने वालों के लिए अधिक उपयुक्त है। अतएव अब हम जुलाई-अगस्त में ही उन्हें बुलाना उचित समझते हैं। संसद की वार्षिक बैठक 20 अप्रैल तक गुप्तजी की अस्वस्थता के कारण चिरगाँव में रखने का विचार है। कृपया लिखें कि यह समय आपके लिए सुविधाजनक होगा या नहीं।

वर्तमान कॉपीराइट ऐक्ट में कुछ संशोधन कराने का प्रयत्न हमारी ओर से हो रहा है। भाई वृन्दावनलाल जी वर्मा ने उसकी जो रूपरेखा प्रस्तुत की है, उसकी प्रतिलिपि भेजती हूँ। आप अपनी सम्मति लिखें। उत्तर की प्रतीक्षा में,

विनीत

महादेवी वर्मा

[3]

(संभवत: 1963)

मान्य भाई, जय भारत !

आपका समाचार कभी-कभी मिल ही जाता है। भारत के संकट ने 'भारतीय आत्मा' को इतना स्पर्श न किया होता तो आश्चर्य था। 'युगों की तरुणाई के दिन आये हैं।' यह समाचार हमारे थके साहित्यकारों के कण्ठ में तरुणाई ला सके तो बड़ा काम हो।

हम लोग 30-31 जनवरी (1963) को भारतीय लेखक-सम्मेलन कर रहे हैं। अनायास हमें बापू का बलिदान-दिवस और निराला की जन्म-तिथि (वसन्त-पंचमी) एक ही समय मिल गये। आपका स्वास्थ्य कैसी स्थिति में है, यह ज्ञात नहीं, अन्यथा आने का हठ करती। आपने तो फूल में अंगारा पाल रखा है। पता नहीं किसमें अधिक बल है। कठिनाई यह है कि हमें दोनों का एक साथ अनुभव होता रहता है, अत: किसी भी विशेषता को भूलने का अवकाश नहीं मिलता। आ सकें, तो वातानुकूलित कक्ष में आने की व्यवस्था की जा सकती है। प्रयाग में तब तक शीत कम हो जायेगा। यहाँ कोई असुविधा नहीं होगी।

उत्तर की प्रतीक्षा रहेगी।

शुभेच्छुका बहिन
महादेवी

श्री पुरुषोत्तम मोदी

उर्दू बाजार, गोरखपुर
15.4.48, रात 8 बजे

मेरे दादा,

आज सुबह मेरे परचे खत्म हो गये। आखीर के दो परचे पालिटिक्स के इतने अच्छे नहीं हुए हैं और सब अच्छे ही किए हैं। आज पूरे दो महीने बाद शहर से 'आरोग्य-मन्दिर' गया। वहाँ भाई साहब ने और पोद्दारजी ने दोनों आदमियों ने पूछा, कहो अब क्या इरादा है? मैं क्या जवाब देता उन्हें। मैंने कहा अभी एक हफ्ते बाद जरा अपनी सूखी हड्डियों पर थोड़ा गोश्त इकट्ठा कर लूँ तो बताऊँ। तभी सस्ता साहित्य मण्डल के मन्त्री श्री मार्तण्ड उपाध्याय आ गये और उनके साथ श्री यशपाल जैन। दोनों आदमी आजकल यहीं हैं। मंडल कई भागों में सम्पूर्ण गांधी-साहित्य प्रकाशित करने जा रहा है। पोद्दारजी उसका संपादन करेंगे, उसीके संबंध

में वे यहाँ आये हैं और भी एक हफ्ता रहेंगे। उनसे पोद्दारजी ने कहा कि पुरुषोत्तम मेरी मदद करें तो सारा काम जल्दी से निबट जायेगा। और भाई साहब ने भी आज(············)पर अच्छा साले क्या दे डाला। सब-कुछ सुना, अब आपका सुनना बाकी है। इन दोनों में रस रहा पर अमृत नहीं, जिसके लिए मैं आपको कितने ही पहले लिख चुका हूँ। आज यह पत्र आपको इसलिए लिख रहा हूँ कि आप इसका कुछ जवाब दें। केवल फाइल में नत्थी करवा देने से मुझे सन्तोष नहीं होगा। आपकी इधर मौन चुप्पी का कारण भी समझ में नहीं आता। आप कैसे 'साहित्य-वाचस्पति' हो गये दादा? पत्रों का जवाब न देना आपको खूब आता है।

कल टण्डन जी का यहाँ भाषण हुआ, मैं अटेण्ड न कर सका। आज टण्डनजी पोद्दारजी के यहाँ ही रहेंगे। रात में आचार्य नरेन्द्रदेव आ रहे हैं। कल उनका भाषण यहाँ होगा। वे भी पोद्दारजी के यहाँ आयेंगे।

इलाहाबाद में इस गरमी में मुझसे नौकरी पार नहीं लगेगी। मैंने जवाब दे दिया है उनको।

आज पोद्दारजी के नाम पं० बनारसीदासजी चतुर्वेदी का एक लम्बा-सा पत्र आया है। वे यहाँ संभवत: एक सप्ताह के लिए आयें। इधर एक महीने से मुझे कर्मवीर का कोई अंक नहीं मिला। शायद मेरा नाम फ्रीलिस्ट में से कट गया होगा। इसी लायक है भी नाम।

क्या मैं आशा करूँ कि मुझे मेरे इस पत्र के उत्तर में अधिक नहीं तो······ मिल जायेगा?

अम्माजी की कैसी तीबयत है? जीजी, काकाजी और काकी सबको मेरा प्रणाम। बच्चों को प्यार।

आज्ञाकारी

पुरुषोत्तम

इस बार पहले-सी उत्तेजना खत्म हो गयी है, न जाने क्यों। जब जिन्दगी में आगे बढ़ने का दरवाजा खुल गया है तो न जाने क्यों एक धैर्य, संतोष और हल्का-पन अनुभव हो रहा है।

श्री इन्द्रबहादुर खरे

'श्री'

587 राइट टाउन, जबलपुर
13.3.48

आदरणीय दादा, प्रणाम!

अनायास ही मेरा पत्र पाकर कदाचित् आपको आश्चर्य ही होगा; इधर मेरा मन भी आज संकोच से भरा-पूरा है कि मैं स्वार्थ-भावना से पूर्ण होकर ही पत्र लिख रहा हूँ। सदा की भाँति, मेरी भावनाओं के विहग आज आपके स्नेहाकाश में मुक्त नहीं उड़ रहे हैं। पर सोचता हूँ कि प्रत्येक के जीवन में एक ऐसा भी अवसर आता है जब उसे बहिर्मुख होना ही पड़ता है। और बिना बड़ों के मार्ग-प्रदर्शन के एक पग भी आगे बढ़ाना असम्भव हो जाता है।

मैं इस वर्ष एम० ए० (हिन्दी) की परीक्षा में नागपुर-विश्वविद्यालय से बैठा हूँ। भली भाँति उत्तीर्ण भी हो जाऊँगा, ऐसा मेरा विश्वास है। इस सफलता के उपरान्त मुझे क्या करना होगा, इस ओर मैं आपकी अनुमति चाहता हूँ।

खण्डवा में कालिज खुलेगा। एक हिन्दी-अध्यापक की आवश्यकता तो होगी ही। यदि मैं लालसा करूँ तो कहाँ तक न्यायोचित है? नागपुर-रेडियो स्टेशन में काम करूँ तो क्या आप आज्ञा देंगे? सागर-विश्वविद्यालय में दो हिन्दी अध्यापकों की आवश्यकता है जो मिलना बड़ा असम्भव-सा दीखता है। इसके कुछ विशेष कारण हैं। मेरी प्रबल इच्छा यह है कि या तो रेडियो-विभाग में काम मिले या आपके नगर के कालिज में रहूँ जिससे कि मेरी साहित्यिक गतिविधि को आपके निर्देशन से पनपने का अवसर मिले। मुझे विश्वास है कि आपके स्नेहवारि से मेरे जीवन का साहित्य-उद्यान फूले-फलेगा। उपर्युक्त बातें आपके अंतस् के एक बालक ने लिखी हैं। बालक सदा तोतली भाषा ही जानता है और त्रुटियाँ भी—अनेक करता है।···फिर भी यदि क्षमा माँगू तो समीपता दूर होगी इसलिए क्षमा नहीं माँगूंगा। मेरे सम्बन्ध में क्या आप एक प्रमाणपत्र रूप में दो-चार शब्द लिख भेजेंगे? पत्रोत्तर आने पर ही मैं आगे की बात सोचूंगा। बिना आपकी अनुमति के एक पाँव भी आगे नहीं रखूंगा।

पत्र की प्रतीक्षा में स्नेहभाजन
इन्द्रबहादुर खरे

[मध्यप्रदेश के सुप्रसिद्ध कवि एवं शैलीकार]

श्री उमेश मिश्र

फोरटींथ आल-इण्डिया ओरियण्टल कान्फरेन्स
दरभंगा (मिथिला) दरभंगा-विश्वविद्यालय

13.9-1948

श्रीमान् चतुर्वेदीजी, नमस्कार !

मुझे यह सूचित करते हुए बहुत हर्ष है कि अखिल भारतीय प्राच्यविद्या महासम्मेलन अक्तूबर 15 से 18 तक दरभंगे में होगा। आपकी उपस्थिति 15 के प्रातःकाल के ट्रेन से दरभंगे में होनी चाहिए। बिहार के गवर्नर 15 को आवेंगे, उसी रात को मैंने हिन्दी कवि-सम्मेलन रखा है। आशा है आप अपने आगमन से मुझे और सबों को आनन्द देंगे। धन्यवाद ! आने की सूचना मुझे पूर्व ही मिलनी चाहिए।

प्रयाग इलाहाबाद सिटी स्टेशन से 7-20 प्रातःकाल जो गांड़ी जाती है, वह उसी रात को समस्तीपुर (·········) 2 बजे पहुँच जाती है। समस्तीपुर से लोकल बहुत-सी गाड़ी हैं जो डेढ़ घण्टे में दरभंगे पहुँच जाती हैं। यही गाड़ी आपके लिए उपयुक्त होगी।

भवदीय
उमेश मिश्र

श्री जनार्दनराय नागर

[1]

राजस्थान-विद्यापीठ, उदयपुर,
10 सितम्बर, 1948

आदरणीय बन्धुवर !

आपको यह विदित हो ही गया होगा कि राजस्थान-विद्यापीठ नियमित रूप से चालू हो गया है। आपको समय-समय पर बराबर सूचित किया जाता रहा है और आपने भी कृपा करके इसे अपनी संस्था माना है और बराबर सहायता प्रदान की है। इसी विश्वास के आधार पर कि आप सदैव इस संस्था की मदद करते रहे हैं, मैं आपको यह पत्र लिख रहा हूँ। मुझे पूरा विश्वास है कि आप चान्सलर श्रीमान् महाराणा भूपालसिंहजी की इस इच्छा से, कि आगामी पाँच वर्षों में राजस्थान-विद्यापीठ को भारत का प्रथम श्रेणी का विश्वविद्यालय बना दिया जाय, पूर्ण सहमत होंगे और उन श्रीमान् को और अन्य काम करने वालों को

आपकी ओर से पूरी सहायता प्राप्त होगी।

अतः इस पत्र द्वारा मैं आपसे प्रार्थना करता हूँ कि आप संयुक्त राजस्थान-सरकार को इसे प्रारम्भिक अच्छी सहायता देने तथा इसे स्वीकार करने के विषय में लिखें। आपका आग्रहपूर्वक लिखा गया पत्र इस मास में मिलने वाले हमारे शिष्ट-मण्डल की काफी सहायता करेगा। अच्छा तो यह होता कि श्रीमान् यहाँ पर पधार सकते किन्तु ऐसा तो कदाचित् सम्भव नहीं है, अतः आपको पत्र लिखने के लिए और अन्य यथायोग्य इस सम्बन्ध में करने के लिए मैं यह कष्ट दे रहा हूँ। कृपा कर मेरा यह नम्र निवेदन प्राप्त होते ही राजस्थान-सरकार के प्रधान मन्त्री श्री माणिक्यलालजी वर्मा और शिक्षा-मन्त्री श्री प्रेमनारायणजी माथुर को अलग-अलग पत्र लिखकर विद्यापीठ की मदद देने के सम्बन्ध में आग्रह करें और सम्भव हो तो एक प्रतिलिपि मेरे पास भी भेजें, जिससे मैं आपका उपयोग भविष्य की बातचीत लिए भी कर सकूँ।

भवदीय विनीत
जनार्दनराय नागर
पीठ-स्थविर (प्रो-वाइस चांसलर)

[2]

जनार्दनराय नागर — **राजस्थान विद्यापीठ, उदयपुर**
पीठ-स्थविर (प्रो-वाइस चांसलर) — 15 सितम्बर, 1948

प्रिय आदरणीय दादा, सादर वन्दे !

कई दिनों से सोच रहा था कि आपको पत्र लिखूँ किन्तु उदयपुर-विद्यापीठ को राजस्थान विद्यापीठ में बदलने के काम में काफी व्यस्त रहा। इधर 'वसुन्धरा' ने भी मुझे कम परेशान नहीं किया। अब मैंने उसे छोड़ दिया है, क्योंकि दोनों काम एक साथ होना सम्भव मालूम नहीं होता। 'वसुन्धरा' की वजह से काफी परेशानी में रहा।

आपकी तबीयत कैसी है, आप तो एक भी पत्र का उत्तर नहीं देते। आपको पीठ-मन्त्रीजी श्री अर्जुनलालजी मेहता की ओर से आवश्यक साहित्य आदि मिला होगा। संस्थापक सदस्य का भी आपको पत्र मिला होगा।

काफी प्रयत्न करने के बाद राजप्रमुख को इस लोकशिक्षण के विश्वविद्यापीठ का चांसलर निर्वाचित कर पाये हैं। इनका भाषण साथ में भेजा है। अब आप यदि 'कर्मवीर' द्वारा और व्यक्तिगत मदद करें तो क्या नहीं हो सकता।

मैं चाहता हूँ आप 'राजेन्द्र बाबू' को इस विषय से परिचित करवायें। आप जब यहाँ पर पधारे थे तब के विद्यापीठ में और इसमें बहुत ही अन्तर हो गया है।

आप यदि एक बार आकर इसको अच्छी तरह देख लें तो बड़ा कल्याण होगा।

भारत सरकार द्वारा मदद नहीं मिली तो कैसे चलेगा यह आयोजन ? यहाँ भी राजस्थान-सरकार से मदद लेने की चेष्टा तो की ही जा रही है। आप तो जानते हैं, हमारे देश के राजनीतिक वातावरण का आज क्या हाल है। क्या आप यहाँ के मुख्यमंत्री श्री माणिक्यलालजी वर्मा को एक पत्र लिखने की कृपा करेंगे।

आपका एक पत्र काफी सुविधा पैदा करेगा और क्या लिखूँ। कर्मवीर' बहुत सुन्दर निकलता है। जब कभी मिल जाता है देखता हूँ। आपके उत्तर की प्रतीक्षा में—

विनीत

जनार्दनराय नागर

श्रीमती लीलावती मुंशी

26, Ridge Road,

Bombay, 24th Septr., 48

Dear Shri Makhan lalji,

Thank you very much for your kind telegram. You must have already read about Mr. Munshi's health in the newspapers. His temperature was 103.6 last night but it came down to 102 this morning. As it is diagnosed as paratyphoid, it must run its course. We must wait patiently for some time.

With kind regards.

Yours Sincerely

Lilavati Munshi.

श्री शम्भुनाथसिंह

नव संस्कृति-संघ **काशी**

2.10.48

पूज्य दादा,

अगस्त में लखनऊ में आपसे भेंट हुई थी, उसके बाद मैं लगातार परेशानियों में ही रहा, इसी से आपको पत्र नहीं भेज सका। इधर काशी में हम लोगों ने एक

नया किन्तु महान प्रयत्न शुरू कर दिया है। नव संस्कृति-संघ नाम से हम लोगों ने एक नई संस्था संघटित की है जिसका उद्देश्य है साहित्य और कलाओं को जन-जन के पास तक पहुँचाना और संस्कृति को जन-जीवन से रस लेकर समृद्ध बनाना तथा साहित्यकारों, संगीतज्ञों, नर्तकों, मूर्तिकारों, चित्रकारों और संस्कृति के उपासकों को एक साथ सम्बद्ध करना, जिससे वे एक-दूसरे के अधिकाधिक सम्पर्क में आ सकें। इस संस्था का उद्‌घाटन इसी 6 अक्तूबर को पं० सुमित्रानन्दन पन्त करने वाले थे, किन्तु अनेक कारणों से वे 6 में न आकर 7 को आ रहे हैं—दो दिन 6-7 का कार्यक्रम है, 7 में संगीत-सम्मेलन है। हम लोगों की प्रार्थना है कि पहले दिन के सम्मेलन का सभापतित्व आप करें। जवाबी तार दिया जा रहा है—कृपया स्वीकारात्मक उत्तर दें। इतनी जल्दी मैं आपको इसी विश्वास के साथ लिख रहा हूँ कि यदि आप उस दिन खाली रहेंगे तो 5 को जरूर चल देंगे—आचार्य नरेन्द्रदेवजी सम्मेलन का उद्‌घाटन करेंगे। यदि आप किसी भी तरह समय निकाल सकें तो बड़ी कृपा होगी—पन्तजी ने हम लोगों को धोखा दिया, स्वीकार करके भी अब इन्कार कर दिया है—आप ही हम लोगों की लाज रख सकते हैं—5 को किसी समय चलें तो 6 की शाम तक बनारस पहुँच सकते हैं। मैं जानता हूँ कि यह हम लोगों की जबर्दस्ती है कि 6 को बुलाना चाहते हैं और 2 ता० को पत्र लिख रहे हैं परन्तु क्या किया जाय, पन्तजी ने कल अस्वीकार किया है जबकि हमने पूरी तैयारी कर ली थी, सम्मेलन टल नहीं सकता है।

दरभंगा में 14वाँ ओरियण्टल सम्मेलन 14-15 को शायद होने जा रहा है, उसमें कवि-सम्मेलन के अध्यक्ष आप ही हैं। कृपया लिखें कि आप उसमें जा रहे हैं या नहीं। मेरी तो राय है कि आप एक ही बार तैयार होकर आवें और 2-3 दिन काशी में रहकर फिर इधर ही से दरभंगा चले जायें। मैं भी दरभंगा चलना चाहता हूँ। निमन्त्रण तो नहीं आया, परन्तु काशी विद्यापीठ का प्रतिनिधि बनने के लिए 10 रु० फीस भेज रहा हूँ। आप पत्र तुरन्त लिखने की कृपा करें और लिखें, दरभंगा मैं भी वैसे चलूँ!

कृपया पत्र का उत्तर तुरन्त दें। बड़ी जल्दी में हूँ, इसीसे बहुत-सी बातें लिख नहीं पाया। क्षमा करेंगे।

आपका अपना ही
शम्भुनाथ सिंह
काशी विद्यापीठ

श्री मधुकर प्रसाद

हिन्दी आन्दोलन समिति,
भोपाल
5.11.48

आदरणीय दादा, सादन नमन !

अनेकों वर्षों से ऐसा क्रम चला आया है कि जनता को दुख पहुँचा है और उसकी अभिव्यक्ति खण्डवा से हुई। भोपाल की जनता के आन्दोलनों को खण्डवा से स्वर मिला, बल मिला, नेतृत्व मिला और प्रोत्साहन मिला। भोपाल-निवासियों के दुख और आवश्यकता को खण्डवा तक पहुँचाने की जरूरत नहीं रही है; बल्कि ऐसा लगता है कि भोपाल का हृदय कर्मवीर में स्पन्दन करता रहा है।

भोपाल की जनता ने गत वर्षों में अनेकों निश्चय किये और अपनी तमाम कमजोरियों के साथ उनको कार्यान्वित करने की चेष्टा की। मगर वह युग दूसरा था और उसके साथी भी वैसे ही। आज भोपाल की जनता अपने सौभाग्य के प्रवेश-द्वार पर खड़ी हुई है और उसे अन्तिम और दृढ़ निश्चय करना है। राजनैतिक दृष्टिकोण से भोपाल के सम्बन्ध में जो निश्चय किया जायेगा उसकी पृष्ठभूमि को सबल बनाने के उद्देश्य से एवं दूसरे न्यूनाधिक उतने ही महत्त्वपूर्ण प्रश्न को लेकर जन-भावना को जाग्रत एवं संगठित बनाने के लिए पहले हिन्दी को लेकर एक लड़ाई लड़ लेना उचित समझा गया। इसी उद्देश्य को लेकर 'हिन्दी-आन्दोलन समिति' भोपाल खड़ी हुई।

समिति ने एक सप्ताह का प्रोग्राम बनाया है और यह निश्चय किया गया है कि सप्ताहांत में एक विराट् सभा और दूसरे दिन एक विराट् कवि-सम्मेलन किया जाये। पहले 6 दिनों में यथासम्भव राज्य में जगह-जगह सभाएँ करके जनता तक समिति का उद्देश्य पहुँचाना है और सक्रिय संघर्ष की पृष्ठभूमि तैयार करना है। सप्ताहांत की विराट् सभा में पिछले 6 दिनों का बल एवं स्वर एकत्रित करके भोपाल-सरकार को अन्तिम चेतावनी देना है कि यदि वह भोपाल राज्य की 90 प्रतिशत जनता की मातृ-भाषा तथा हमारे महान् देश की एकमात्र राष्ट्रभाषा की उपेक्षा एवं अपमान का हिन्दी भाषी-भारत में एकमात्र स्थान बनाये रखने की स्थिति कायम रखने की धृष्टता करती है, तो भोपाल की हिन्दी-भाषी जनता एवं समस्त भारत के हिन्दी के कर्णधार इस स्थिति को बिल्कुल बरदाश्त न करेंगे और शीघ्र ही सरकार को सक्रिय आन्दोलन का सामना करना होगा।

भोपाल का कोई भी आन्दोलन दादा के सहयोग, नेतृत्व एवं आशीर्वाद के बिना न चला है और न चलेगा। भोपाल की जनता को उद्‌बोधन देने के लिए उस तेजस्वी स्वर की आवश्यकता है, जिसकी समता आज भारत में कहीं नहीं है।

सप्ताहांत की विराट् सभा और कवि-सम्मेलन की तिथियाँ समिति निश्चित नहीं कर पायी। आप सज्जनों की सुविधा तथा विधान-परिषद में हिन्दी के प्रश्न को उठाने की तिथि के अनिश्चय के कारण आपसे एवं राजर्षि टण्डनजी से पूछकर तिथि निश्चत करना तय किया गया। ता० 13 नवम्बर से ता० 18 नवम्बर तक के बीच में कोई दो दिन ये कार्यक्रम रखे जा सकते हैं, यद्यपि समिति यह अनुभव करती है कि उसके कार्यक्रम की लड़ी न टूटकर सीहोर की 12 नवम्बर की मीटिंग के बाद निकट के ही दिनों में दोनों कार्यक्रमों का आयोजन हो सके तो अति उत्तम होगा।

आपसे प्रार्थना है कि समिति को यह अधिकार देने की कृपा करें कि वह 13 नवम्बर से 18 नवम्बर के बीच में किन्हीं दो दिनों में दोनों कार्यकम निश्चित करे और तार द्वारा आपको सूचित करे। समिति की ओर से नम्रतापूर्वक निवेदन है कि आपका मार्गव्यय समिति ही वहन करेगी। पूर्ण विश्वास है कि आप वापसी डाक से स्वीकृति देने की कृपा करेंगे और यदि 13 से 18 नवम्बर के बीच में कहीं आपका कार्यक्रम निश्चित हो गया हो, तो भी इन्हीं तारीखों में से ऐसे दो दिनों का निर्देशन भी देने की कृपा करेंगे, जिनमें भोपाल की जनता को आपका दर्शन सुलभ हो सकेगा।

समिति ने राजर्षि टण्डनजी से भी नम्र निवेदन किया है कि कृपया वे सप्ताहांत की विराट् सभा में पधारकर भोपाल के हिन्दी आन्दोलन को सबल बनायें तथा आशीर्वाद दें। यह भी निवेदन कर दिया गया है कि समय का अभाव होने की स्थिति में समिति की जिम्मेदारी पर राजर्षिवर वायुयान से भी सफर कर सकते हैं। समिति को पूर्ण विश्वास है कि आप कृपा करके तार द्वारा राजर्षि टण्डनजी से अनुरोध करने की कृपा करेंगे कि वे कृपा कर 13 नवम्बर से 18 नवम्बर के बीच में किसी एक दिन कुछ घण्टों का ही समय भोपाल को देकर अनुगृहीत करें। समिति को विश्वास है कि आप भी टण्डनजी को भोपाल पधारने के लिए विवश कर सकते हैं।

आशा है, तारों का आदान-प्रदान शीघ्र होगा और समिति को शीघ्र सूचना मिलेगी।

विनम्र निवेदक
मधुकरप्रसाद
मन्त्री
[हिन्दी आन्दोलन समिति, भोपाल]

श्री ठा० रणजीत सिंह

माणिक-भवन, कोटा (राज०)
11.11.48 ई०

पूज्यवर, सविनय वन्दे !

आप मेरे पिता स्वर्गीय ठाकुर केसरीसिंहजी बारहट से अच्छी तरह परिचित हैं कि अपने प्रिय पुत्र प्रताप व भाई जोरावरसिंहजी के साथ स्वतन्त्रता-संग्राम में भाग लेने के कारण उन्हें सन् 1914 में 20 वर्ष के कठिन कारावास के दण्ड के साथ उनकी चलाचल सम्पत्ति जब्त की गयी जिसके कारण उनके पूरे परिवार को भी अनेक कठिनाइयों का सामना करना पड़ा।

आज जब देश स्वतन्त्र हो गया है, स्वतन्त्रता के सिपाहियों की छीनी गयी सम्पत्ति वापस की जा रही है, उनकी क्षतिपूर्ति की जा रही है तथा उन्हें कई प्रकार की सहायता दी जा रही है, मुझे भी आशा रखनी चाहिए कि उस समय की शासक सरकार द्वारा छिनवायी गयी वह सम्पत्ति जो उन्हें व उनकी भावी सन्तान को पंगु बनाने एवं वंचित रखने के साथ-साथ दूसरे वर्गों में आतंक फैलाने के अभिप्राय से जब्त की गयी थी (पूज्य पितुश्री की कुल सम्पत्ति) वापस की जायेगी तथा उसके फ़लस्वरूप अब तक जो हानि हुई है उसकी क्षतिपूर्ति भी की जायेगी। इन भूतकाल के कष्टों तथा वर्तमान काल की कठिनाइयों की आप पूरी-पूरी कल्पना कर सकते हैं।

मैं आपको विश्वास दिलाता हूँ कि जागीर के सम्बन्ध में सरकार की जो नीति होगी, उसका पालन करने में मैं किसी प्रकार पीछे नहीं रहूँगा।

अभी संयुक्त राजस्थान सरकार स्थापित होने से पूर्व शाहपुरा की प्रजातन्त्री कांग्रेस सरकार ने उस जब्त की हुई कुल सम्पत्ति में से केवल एकमात्र मकान लौटाया है। मकान का कब्जा लेते समय वही सरकार संयुक्त राजस्थान-सरकार में विलीन हो गयी व बाकी मकान, नौहरे, कुएँ, जमीन, जागीर आदि के बाबत कुछ भी जिक्र नहीं हुआ कि उस समय की प्रजातन्त्री सरकार को मेरी शाहपुरा से अनुपस्थिति के कारण 35 वर्ष पुराना मामला होने से यह भी ज्ञात न था कि शेष सम्पत्ति क्या-क्या है।

अतः मैं आपको अपने स्वर्गीय पितुःश्री के मित्रों में से सर्वश्रेष्ठ मित्र के नाते आपका इस ओर ध्यान आकृष्ट करना चाहता हूँ और आपकी सलाह एवं पूर्ण सहयोग की नितान्त आवश्यकता समझता हुआ विनती करता हूँ कि आप अपनी उचित सलाह एवं आगामी कार्य किस ढंग से शुरू किया जाये इसकी रूपरेखा से शीघ्रातिशीघ्र अवगत करेंगे।

आशा है कि आप सम्पादकीय लेख में मौजूदा राजस्थान-सरकार का ध्यान

आकर्षित करने हेतु कर्मवीर में स्थान भी देने का कष्ट करेंगे। उत्तर की प्रतीक्षा में।

आपके स्वर्गीय मित्र
ठाकुर केसरीसिंहजी का एकमात्र पुत्र
ठा० रणजीतसिंह

यदि कर्मवीर में प्रकाशन करें तो एक प्रति यहाँ भी भेजने की कृपा करें।

रणजीतसिंह

श्री रामचरण राय

रामचरण राय (एडवोकेट)
अध्यक्ष, हिन्दी आन्दोलन समिति,
जुमेराती, भोपाल
12.11.48

आदरणीय पूज्य दादा, सादर प्रणाम !

मैं अभी तक अच्छा नहीं हुआ हूँ और इसलिए यह पत्र स्वयं न लिखने का दोषी बन रहा हूँ। मेरा एक पत्र आपको मिला होगा। मैं तो वास्तव में उत्तर की प्रतीक्षा में हूँ।

यह अनुभव किया जा रहा है कि रार्जाषवर टण्डनजी का भोपाल पधारना अनिश्चित है और हमको यह भी नहीं मालूम हो सका कि इस मामले में आप हमारी कितनी मदद करेंगे, अतः हमने यही निश्चय किया है कि हिन्दी के प्रश्न को लेकर सरकार को जो चुनौती दी जाये, उसमें भारत के सर्वश्रेष्ठ वक्ता एवं साहित्यकार का स्वर ही बोले। अतः आपसे सविनय प्रार्थना है कि ता० 16-17-18-19 नवम्बर में से कोई भी तिथि भोपाल पधारने की निश्चित करके सूचना देने की कृपा करें अथवा हमको यह अधिकार प्रदान करें कि इन तिथियों में से कोई भी तिथि निश्चय करके आपसे तार द्वारा, भोपाल पधारने की प्रार्थना करें। हमारा जो प्रस्ताव 'नई राह' के पिछले अंक में छपा है और देहातों में कई जगह पास हो चुका है मगर भोपाल में पास करने के लिए आपके पधारने की प्रतीक्षा है। आपके यहाँ आने पर हम इस सम्बन्ध में (सक्रिय आन्दोलन) कार्यक्रम बना सकेंगे और आपसे रहबरी पा सकेंगे। आशा है शीघ्र स्वीकृति प्राप्त होगी।

विनीत
रामचरण राय

श्री कुंजीलाल दुबे

नागपुर
17.11.48

श्रद्धेय चतुर्वेदीजी, प्रणाम !

पत्र आपका मिला। आपका आग्रह स्वीकार। उससे इन्कार किया भी नहीं जा सकता। लगभग 10 दिन से मैं अस्वस्थ हूँ पर विश्वास है दो-एक दिनों में पूर्ण स्वस्थ हो जाऊँगा। विश्वास है आप प्रसन्न और पूर्ण स्वस्थ होंगे।

भवदीय
कुन्जीलाल दुबे
(वाइस-चांसलर)

श्री उदयशंकर भट्ट

आल इण्डिया रेडियो, नई दिल्ली
10.1.48

आदरणीय चतुर्वेदीजी,

प्रणाम करता हूँ। निवेदन है कि 18 दिसम्बर के 'कर्मवीर' में श्रीयुत भु० मो० निगमपंथी द्वारा आदिम युग की आलोचना निकली है। यदि नाटक की दृष्टि से उसमें गुण-दोष दिखाये जाते तो मुझे कोई आपत्ति नहींथी, किन्तु आलोचक ने बिना समझे-बूझे, बिना पढ़े ही उस पर जो कुठाराघात किया है, उसे पढ़कर मुझे अत्यन्त क्षोभ हुआ। निगम पंथी महाशय का या तो ज्ञान इतना संकुचित है कि वे उस विषय की महत्ता को ग्रहण ही नहीं कर सके। या फिर उन्होंने जान-बूझकर एकांगी अधूरी आलोचना लिखने का दुःसाहस किया है। कम-से-कम आपके पत्र में वैसा लिखा जाना मुझे बहुत खला। यदि इसी दृष्टिकोण से देखा जाये तो अधिकतर अन्तर्मुखी साहित्य-रचना निरर्थक है। मैं एक बार आपसे पुस्तक तथा उसकी आलोचना पढ़ जाने की प्रार्थना करता हूँ। आशा है, आपका स्वास्थ्य ठीक है। कृपाभाव बना रहे। उत्तर की प्रतीक्षा में—

विनयावनत
उदयशंकर भट्ट

पुनश्च : मुझे भी नाटक आलोचनार्थ भेजने थे, किन्तु भय है कहीं उनका भी वही घृणित परिणाम न हो।

श्री बन्देअली फातमी

अत्यावश्यक

सिविल लाइन, रायगढ़
21.1.49

आदरणीय श्री चतुर्वेदीजी, सादर वन्दे !

निवेदन है कि एक पत्र प्रियवर श्री सुरेन्द्रनाथजी त्रिपाठी अध्यक्ष प्रेम-मन्दिर रायगढ़ का लिखा हुआ आपको पहले ही मिल चुका होगा। उनके अनुरोध करने से यह व्यक्तिगत पत्र मैं आपको लिख रहा हूँ। प्रे० म० की व्यवस्थापिका ने आगामी वसन्त-पंचमी पर आपकी अध्यक्षता में 'मन्दिर' का 19वाँ वार्षिकोत्सव मनाने का निश्चय किया है। अतः पूर्ण विश्वास है कि आप अपनी स्वीकृति प्रदान कर व्यवस्थापिका के सदस्यों को आभारी करेंगे। एक बार आप रायगढ़ में शासन के मेहमान बनकर आ चुके हैं। आज सेवा में जनता का चिरवांछित न्यौता जा रहा है। आशा है इसे अस्वीकृत होने का असौभाग्य प्राप्त न होगा।

पत्रोत्तर की प्रतीक्षा है।

अधिक क्या ?

आपका
ब० अ० फातमी

श्री रामेश्वरदयाल दुबे

राष्ट्रभाषा-प्रचारक सम्मेलन

वर्धा
27-1-1949

आदरणीय दादाजी, सादर प्रणाम !

बहुत दिनों से विचार था कि एक ऐसे प्रचारक सम्मेलन का आयोजन हो जिसमें हमारे वे प्रचारक और केन्द्र व्यवस्थापक भाई एकत्र हो सकें जो गत 12 साल से राष्ट्रभाषा के प्रचार कार्य में हमारा हाथ बँटाते रहे हैं। यह लिखते हर्ष होता है कि ऐसे प्रचारक सम्मेलन का आयोजन फरवरी के अन्तिम सप्ताह में हो रहा है। स्थान वर्धा और तिथि 26-27 फरवरी निश्चित हुई है। श्री सेठ गोविन्ददास जी पधार रहे हैं। पं० द्वारकाप्रसादजी मिश्र भी। श्री टण्डनजी और श्री राहुलजी के आने की भी पूर्ण आशा है।

इसी अवसर पर ता० 26 को कवि-सम्मेलन का आयोजन कर रहे हैं। अपने

मध्य प्रान्त के दो कवियों को निमन्त्रित किया गया है। आपकी सेवा में निमन्त्रण-पत्र पहुंचेगा ही। परन्तु यह पत्र तो यह प्रार्थना करने के लिए पहुँच रहा है कि आप इस कवि-सम्मेलन का अध्यक्ष-पद स्वीकार करें।

समिति के प्रति आपका जो सरल स्नेह रहा है, उसी के आधार पर यह प्रार्थना की जा रही है। कवि-सम्मेलन की अध्यक्षता के अलावा हमारा एक और भी लोभ है। जो अहिन्दी-भाषी भाई यहाँ एकत्र होंगे, उन्हें आप के मधुर भाषण सुनने का भी मौका मिलेगा।

मेरी प्रार्थना तो स्वीकार होगी ही। मैं तो मंगलमय विभु से इतनी ही प्रार्थना करता हूँ कि वह आपके स्वास्थ्य का ध्यान रखे।

कृपया लौटती डाक से स्वीकृति भेज दें ताकि मैं उसे प्रकाशित कर सकूँ।

आशा है आप स्वस्थ होंगे।

विनम्र

रामेश्वरदयाल दुबे

पुनश्च—इधर बहुत दिनों से आप वर्धा पधारे भी नहीं हैं। समिति के जिस पौधे को आपने लगाया है उसकी खोज-खबर भी तो बीच-बीच में लेनी चाहिए। उत्तर की अपेक्षा क्या, प्रतीक्षा रहेगी।

श्री बैजनाथप्रसाद दुबे

महू (मध्य भारत)
3.4.49

पूज्य दादा, सादर प्रणाम !

पूरे एक सप्ताह बाद आपको पत्र लिख रहा हूँ। आशा है, अब आपका स्वास्थ्य ठीक होगा। यहाँ आने पर मैंने बैठक बुलवाकर 17 अप्रैल निश्चित करा ली है। आज से पत्रों में प्रकाशनार्थ सूचनाएँ भेज रहा हूँ। भाषण यहीं छपवाना निश्चित हुआ है। उसे उत्सव-समिति कलात्मक ढंग से अपने तत्त्वाधान में छपवाने का विचार कर चुकी है। यदि आप उचित समझें तो महू की साहित्यिक हलचलों में प्रताप-सेवा संघ का नामोल्लेख करते हुए मध्यभारत हिन्दी साहित्य सम्मेलन की स्थापना का भी जिक्र कर दें। साथ ही गत तीन वर्षों से विद्यापीठ ने जो कार्य किया है उसी के फलस्वरूप सम्मेलन की परीक्षाओं का फल सन्तोषजनक निकलता रहा है। यहाँ की हलचलों में नवयुवकों का ही विशेष हाथ रहा है। अस्तु ! भाषण आप 10 अप्रैल तक यहाँ भिजवा सकें तो हमें सुविधा से छपवाकर समारोह से तीन दिनों पूर्व पत्रों में प्रकाशनार्थ भिजवा सकेंगे। इसी से 10 अप्रैल

तक भेजने का कष्ट दे रहा हूँ। आप यहाँ आ रहे हैं, इससे इन्दौर व महू के साहित्यिक जीवन में एक नई लहर दौड़ गयी है। यहाँ के स्थानीय शिक्षकों के संघ को आपके आने पर बड़ी खुशी है। वे 12 अप्रैल को आपका अभिनन्दन करेंगे और इस सम्बन्ध का निमन्त्रण आपके पास इस सप्ताह में भेजेंगे।

हाँ, साहित्यकारों के संगठन की चर्चा की बात जो मैंने आपसे की थी, बड़े पैमाने पर न हो सकेगी। केवल महू, इन्दौर, उज्जैन, रतलाम, मन्दसौर, बड़नगर, व नीमच आदि नगरों से जो लोग आयेंगे, उन्हींसे प्रारम्भिक परामर्श कर हम इस बात की बुनियाद डाल सकेंगे।

कार्यक्रम अभी इसी प्रकार निश्चित हुआ है : **प्रथम दिवस 17 अप्रैल संध्याकाल 5 बजे**

(1) विद्यापीठ का विवरण, दीक्षांत-भाषण, उपाधिपत्र-विवरण आदि।

(2) स्नेह-सम्मेलन—साढ़े पाँच बजे परीक्षार्थी, उत्सव-समिति, हिन्दी-प्रेमी नार्गरिकों एवं महानुभावों का।

(3) कवि-सम्मेलन—रात्रि साढ़े 9 बजे।

द्वितीय दिवस—18 अप्रैल सोमवार प्रातःकाल स्थानीय परिचित नागरिकों से भेंट, राय सी० बी० महेश के भवन का निरीक्षण।

दोपहर—(2 से 3 बजे) स्वाध्याय-मण्डल के सदस्यों से वार्तालाप।

सायंकाल—साढ़े 5 बजे शिक्षक संघ, महू द्वारा अभिनन्दन।

रात्रि—9 बजे 10 तक (.........) की नाव द्वारा सैर। (.........)

आपके ठहरने की व्यवस्था आपके कहे अनुसार की जा रही है। और कोई विशेष आज्ञा हो तो लिख भेजेंगे।

आपका

बैजनाथप्रसाद दुबे

श्रीमती इन्दिरा सेठ

वर्धा, सी० पी०

18.4.49

पूज्य श्री माखनलाल चतुर्वेदीजी, सादर नमस्ते !

खण्डवा छोड़ने के पहले मैं आपके भवन पर गयी थी। लेकिन आप आराम में थे इसीलिए मैंने आपको तकलीफ नहीं दी। मैं आपको पुनः एक बार हम सब महिलाओं की और मेरी दृढ़ कृतज्ञता अर्पण कर रही हूँ आपका स्वास्थ्य ठीक नहीं था, लेकिन आप वैसी ही उस हालत में समारोह के लिए पधारे। आपको भाषण

करने में भी बहुत थकान आयी होगी। 'वनिता-विश्व' के लिए आपकी सहानुभूति और सहयोग के लिए मैं आपको फिर धन्यवाद देती हूँ। आशा है, आप मेरी बहनों को उपदेश देके समयानुसार मार्ग दिखायेंगे।

इन्दिरा सेठ

श्रीमती सरस्वती भारती

'श्री'

जबलपुर
26.4.49

पूज्य दादाजी, प्रणाम !

मैं ता० 15.6.49 को जबलपुर नार्मल में भरती हो गयी हूँ और मेरे पास रुपया नहीं है, तो कृपा करके मुझे खर्च भेजने की कृपा करना जी, क्योंकि 3 माह तक का खर्च देना पड़ता है। और 30 रु० की पुस्तक खरीदने के लिए चाहिए और घनश्याम को बेतूल भेज दिया है। उसका खर्च उनके ऊपर है और मेरे पास खर्च नहीं है। मुझे आते समय श्री हीरालालजी ने 25 रु० दिये थे और 10 रु० वृद्धिचन्द्र ने दिये थे, जिसमें से 22 रु० रेल खर्च हो गये, क्योंकि बेतूल गयी। दो-दो बार जाने में खर्च अधिक हो गया और मैंने सुना है कि पुस्तक[1] छप गयी है सो भी कृपा करके एक भेज देना, और प्रयाग भेज देना जी उनका पता यह है, महादेव-गिर, सम्पादक, प्रयाग, दारागंज के पते पर एक भेजोगे, उनके यहाँ से 'गोस्वामी' नाम की पत्रिका निकलती है। बृज भैया व बृजरानी को नमस्ते ! बच्चों को प्यार, सरस्वती बाई भारती।

सरस्वती भारती

[विख्यात गीतकार स्व० विनयकुमार
भारती की धर्मपत्नी]

---

1. श्री विनयकुमार भारती के गीत।

डा० बलदेवप्रसाद मिश्र

[1]

'रक्षक'
हलवासिया कोर्ट
हजरतगंज, लखनऊ
7.6.49

मान्यवर,

स्वतन्त्रता-दिवस के उपलक्ष्य में हमारे मासिक पत्र का विशेष अंक प्रकाशित होगा, तदर्थ आपकी एक रचना के हम भिखारी हैं। भीख माँगना और देना कदाचित् कुछ प्रान्तों में सरकारों ने वर्जित किया है। पर आपका यह प्रान्त अभी मुक्त है। अतः अभी भीख न देना दाता की कृपणता सिद्ध करेगा। कब कृपा होगी? अन्य दाताओं ने 20 जून तक कृपा करने का वचन दिया है।

पुनश्च : अपना एक चित्र भी रचना के साथ भिजवावें।

निवेदक
बलदेवप्रसाद मिश्र
(सह सम्पादक)

[2]

'रक्षक', लखनऊ
14.6.46

श्रीमन्,

विशेषांक के लिए कुछ 'प्रसाद' की प्रार्थना की थी, भिक्षा माँगी थी। अभी मिली नहीं। यह भिक्षुक आशावादी है, अतः धैर्य पर्याप्त है। श्रीमान् कब तक तगादा सहेंगे, यह देखना है।

भवदीय
बलदेवप्रसाद मिश्र
(सह-सम्पादक)

श्री झाबरमल शर्मा

[1]

नवलकिशोर बंशीधर एण्ड कं०
आफिस 21 बी, केनिंग स्ट्रीट, कलकत्ता
13.6.1949

आदरास्पद श्री चतुर्वेदीजी, सादर नमस्कार !

पिछले दिनों मैंने एक पत्र भेजकर स्वर्गीय बा० बालमुकुन्द गुप्तजी के प्रस्तावित स्मारक ग्रन्थ के लिए एक लेख भेजने की विशेष प्रार्थना थी—किन्तु आपका कोई उत्तर नहीं मिला। मैंने यह भी निवेदन किया था कि इस पुस्तक के सम्पादन का भार मैंने और बनारसीदासजी चतुर्वेदी ने आप-जैसे मनीषी साहित्य-महारथियों का सहयोग पाने की आशा पर ही स्वीकार किया है। गुप्तजी एक विख्यात साहित्य-सेवी थे और उनकी साहित्य-सेवा से आप सुपरिचित भी हैं। अपने पत्र का उत्तर न पाने से यह सन्देह होता है कि आप कार्य-बाहुल्य में भूल गये हों, इसलिए यह पत्र भेजकर पुनः प्रार्थना की जाती है। कष्ट के लिए क्षमा कीजियेगा।

भवदीय
झाबरमल शर्मा

[2]

बालमुकुन्द गुप्त-स्मारक समिति,
147, हरिसन रोड, कलकत्ता
20.7.50

महाभाग श्री चतुर्वेदीजी, सादर प्रणाम !

स्वर्गीय 'भारत मित्र'-सम्पादक बा० बालमुकुन्द गुप्तजी की स्मृति-रक्षार्थ प्रस्तावित श्री बालमुकुन्द गुप्त-स्मारक ग्रन्थ के लिए गुप्तजी की साहित्य-साधना के अनुस्मरण में श्रद्धांजलिस्वरूप एक लेख प्रदान करने की आपसे प्रार्थना की गयी थी, पत्र द्वारा भी और मेरठ में हिन्दी साहित्य सम्मेलन के अवसर पर मौखिक भी। किन्तु आपका वह लेख अब तक प्राप्त नहीं हुआ। ग्रन्थ का मुद्रण कार्य समाप्ति पर है और भाद्र-शुक्ल 11 सामने आ रही है, जिसपर गुप्त-निबन्धावली के साथ उक्त स्मारक ग्रन्थ प्रकाशित होगा। अतएव पुनः स्मरण दिलाने के लिए यह पत्र भेज रहा हूँ। कृपया अब अपना लेख यथासम्भव एक सप्ताह के भीतर ही भेजने का अनुग्रह कीजियेगा। जिन महानुभावों से निवेदन किया गया था, उनके लेख आ चुके और छप भी चुके। केवल आपके लेख के लिए मुद्रण कार्य रोक लेना पड़ा है। अब थोड़े बिलम्ब के लिए भी गुंजाइश नहीं है। कारण समय का संकोच है। श्री

बालमुकुन्द गुप्त-स्मारकोत्सव का सभापतित्व करने की स्वीकृति राजर्षि टण्डन जी ने कृपया दे दी है। मैं लखनऊ में उनसे मिलता हुआ, कल ही यहाँ पहुँचा हूँ। आप अपना लेख तो ग्रंथ के लिए भेजें ही, साथ ही उस अवसर पर अपने पधारने की स्वीकृति भी दें। बंगाली साहित्य-सेवियों को हम आप सदृश अपनी हिन्दी की विभूतियों के दर्शन कराना चाहते हैं। इस शुभानुष्ठान को सम्पन्न कराके स्वर्गीय गणेशशंकर जी विद्यार्थी के स्मृति-यज्ञ में सहयोग देने की तैयारी कीजिये।

आशा है, आप सानन्द होंगे।

चिरस्नेहानुबद्ध
झाबरमल शर्मा
[के०/आ० श्री नवलकिशोर बंशीधर एण्ड कं०
21 बी, केनिंग स्ट्रीट, कलकत्ता]

[3]

कलकत्ता
4.8.50

महाभाग चतुर्वेदीजी,

गुप्तजी की साहित्य-सेवा और देशभक्ति के शुभानुस्मरण में आपका लेख पाने की प्रतीक्षा में प्राय: दो वर्ष पूरे होने को आये। बालमुकुन्द गुप्त-स्मारक ग्रन्थ का मुद्रण-कार्य भी समाप्ति पर जा पहुँचा है। भूमिका और सूची को छोड़कर केवल एक कार्य बाकी रहा है सो भी आपके लिए रुका हुआ है।

क्या अपने एक प्रणम्य पूर्वाचार्य के नाम पर अपनी श्रद्धा का एक फूल लेख के रूप में इस पत्र को पाते ही भेजने का कष्ट न करेंगे ? बालमुकुन्द-गुप्त-स्मृति महोत्सव की तारीखें 22-23 सितंबर हैं। कृपया कलकत्ते पधारने के लिए स्मरण रख लें। हम आप सदृश हिन्दी साहित्य-संसार की अपनी विभूतियों के दर्शन बंगाल के साहित्य-सेवियों को कराना चाहते हैं। आपकी उपस्थिति से पश्चिम बंगाल की राजधानी कलकत्ता महानगर में बालमुकुन्द गुप्त-स्मृति महोत्सव की शोभा के साथ राष्ट्रभाषा हिन्दी की महिमा का विस्तार होगा। आशा है, आप यह प्रेमानुरोध स्वीकार करेंगे।

भवदीय
झाबरमल शर्मा
संयोजक
श्री बालमुकुन्द गुप्त-स्मारक समिति
147, हरिसन रोड, कलकत्ता

श्री प्रयागदत्त शुक्ल

अकोला
8.7.49

आदरणीय चतुर्वेदीजी, सादर प्रणाम !

आपके समाचार पांडुरंग के द्वारा ज्ञात हो जाते थे, इसलिए पत्र लिखने की आवश्यकता नहीं थी। अस्तु। मानवता का काम यहाँ मेरे पीछे अत्यधिक हो गया है। छपाई के काम के बारे में यहाँ व्यवस्था अब तक भी सुचारु रूप से नहीं हुई है और न योग्य क्लर्क ही हैं। बाहर जाने के कारण छपाई और प्रूफ-संशोधन में भूलें हो जाती हैं। यदि आप खण्डवा से प्रूफ-संशोधन के लिए कोई आदमी दे सकें तो काम अच्छा होगा—कोई योग्य क्लर्क भी अब तक नहीं मिला। मेरे स्वभाव के कारण मैं अपनी ओर से कोई आदमी रखना नहीं चाहता।

आप इन बातों के पूरे जानकार हैं। अतएव इस दृष्टि से आपको लिखा है। क्या आप यहाँ आ रहे हैं ? तुलसी-जयन्ती पर आ सकें तो अच्छा हो। मैं आपसे मिलने के लिए 12 जुलाई तक खण्डवा पहुँचूंगा।

अधिक मिलने पर निवेदन करूँगा। आपका पत्र श्रीमती राधादेवीजी के पास आया था। आपने सम्पादकीय टिप्पणी लिखने का सुझाव दिया है। आगामी अंक से वह कार्य भी कहीं से लिखकर भेज दिया करूँगा। अतएव इस बार तो आप काम निभा दें—बस, यही प्रार्थना है।

आज खामगाँव जा रहा हूँ।

विनीत
प्रयागदत्त

श्री रामेश्वर गुरु

[1]

अमृत बाजार पत्रिका, लिमिटेड

दीक्षितपुरा, जबलपुर
14.7.49

पूज्यवर,

बहुत दिनों बाद आपको पत्र लिख रहा हूँ और लिख रहा हूँ, इस उम्मीद से कि न केवल उत्तर देंगे बल्कि पूरा सहयोग और मदद देंगे। और जिस काम के लिए आपसे प्रार्थना कर रहा हूँ वे सब काम पूरे कर देंगे। सुभद्राजी की मूर्ति

बम्बई आ गयी है, 2-4 दिन में जबलपुर के लिए रवाना हो जायेंगी। मूर्ति अनावरण का समारोह करना है हम लोगों को और यही एक काम है जिसे ऐसा करना है कि हिन्दी साहित्य-क्षेत्र में यह घटना अभूतपूर्व ही न रहे, स्थायी और चिरस्मरणीय हो जावे। हिन्दी साहित्य में यह पहला अवसर है जब Life-Size प्रस्तर-मूर्ति समाज में स्मृति बनकर हमेशा रहेगी। इस लिए मैं चाहता हूँ यह फंक्शन मामूली सा न तो समझा ही जावे और न आयोजित ही किया जावे। इसका रूप ऐसा आशीर्वादमय हो कि भविष्य में हम लोग इस दिशा में आपकी सद्भावना और सदिच्छाएँ लेकर और कदम बढ़ा सकेंगे। उत्सव शरद् पूर्णिमा को करने का बिचार है। आपसे प्रार्थना है कि आप सब आत्मीय साहित्यिकों को निमन्त्रित कर बुलावें और उन्हें अभी से वचनबद्ध कर लें। आप पर्सनल पत्र सबको लिख दें और एक आत्मीय पत्र मुझे भेज दें जिसे छपवाकर अपने पत्रों के साथ मैं अन्य साहित्यिकों को भेज सकूँ। आप इन सबके साथ आयोजन में उपस्थित अवश्य हों यह प्रार्थना नहीं, आग्रह है। बाकी बातें मैं फिर लिखूँगा। 'प्रहरी' के विशेषांक के लिए आपसे एक कविता की प्रार्थना है। काश, आप इस प्रार्थना को सफल बना सकते। शेष शुभ, योग्य सेवा।

आपका

रामेश्वर

[2]

Amrita Bazar Patrik Ltd.

Officer in Charge
R.P. Guru

Jawaharganj,
Jubulpora
दीक्षितपुरा, जबलपुर
30.7.50

पूज्य, सादर प्रणाम!

पत्र लिख रहा हूँ। इस बार पूरी उम्मीद है कि आपका उत्तर मिलेगा ही। कई दृष्टियों से यह महत्वपूर्ण बातों के सिलसिले में लिख रहा हूँ। इसलिए पूरा विश्वास भी है कि आपका स्नेहपत्र आयेगा ही।

1. पूज्य पिताजी की जीवनी तथा उनकी साहित्य-सेवा पर पुस्तक तैयार कर रहा हूँ। इस सम्बन्ध में आपके संकेत चाहिए। उनके सम्बन्ध में आप कुछ लिख सकें या सामग्री दे सकें तो बड़ी कृपा हो। उनका कोई चित्र हो, उनके कोई पत्रादि हों, पुरानी मासिक पत्रिकाओं में उनकी कोई रचनाएँ हों आप अवश्य ही भिजवा दें। बड़ी कृपा होगी।
2. 'प्रहरी' के लिए आपकी कोई रचना चाहिए ही, इस बार निराश न रहेंगे।

3. सागर वि० वि० के कोर्ट की मेम्बरी के लिए मैं फिर खड़ा हो रहा हूँ। खण्डवा में अपने आत्मीयों में से तीन-चार के ही फर्स्ट प्रिफ्रेंस आप दिलायें तो बड़ा बल मिले और परम सन्तोष हो। काफी बड़ा संघर्ष और स्वार्थ-युद्ध चल रहा है और उसके बीच में किसी खास स्थायी उद्देश्य से सागर जाना चाहता हूँ। आपका आशीर्वाद और सहयोग चाहिए। पत्रोत्तर की बड़ी उत्सुकता से प्रतीक्षा करूँगा। योग्य सेवा ?

आपका ही
रामेश्वर

[3]

दीक्षितपुरा, जबलपुर
14.10.48

पूज्यवर,

मैं समझता हूँ मेरा यह दसवाँ-ग्यारहवाँ पत्र है, उत्तर जो नहीं पा सका हूँ। सम्भव है इसमें मेरा ही दोष हो—फिर भी इस आशा से कि आप पर मेरा अधिकार है यह अन्तिम पत्र तक पहुँचा रहा हूँ—इस बार पूरी आशा है कि आप केवल उत्तर ही नहीं देंगे—कृपा भी करेंगे। प्रो० राजनाथ पाण्डेय का चैक अग्निहोत्री जी के पत्र के साथ मिला। मैंने धन्यवाद और आभार का पत्र पाण्डेयजी को और अग्निहोत्रीजी को लिख दिया है। आपको भी इस सहयोग के लिए मैं नतमस्तक नमन करता हूँ। आपसे थोड़े-बहुत सहयोग की अभी और माँग है—उसे आप ही पूरा कर सकते हैं—थोड़ा-थोड़ा करके आपके उस भाग से 200-250 रु० और चाहिए। राधादेवी गोयनका तो अभी केवल मौखिक सहानुभूति भर देती जाती हैं। लगभग 6000 रु० हो जाते तो मैं सन्तोष की साँस ले लेता। सुभद्राजी पर जो पुस्तक तैयार की है उसकी भूमिका आपको लिख देनी है। नम्बर दो काम की बात—आपकी कोई सुन्दर नवीन रचना चाहिए, उसका उपयोग 'प्रहरी' में करना है। यदि आप 'प्रहरी' शिशु को स्नेह और ममता की दृष्टि से देखते हैं, तो आपको इतना सहयोग देना ही पड़ेगा। आशा है आप निराश न करेंगे। यदि आप अपना कोई नवीन चित्र भेज सकें तो उपकृत होऊँगा। जबलपुर की ओर कब आ रहे हैं ? शेष शुभ !

आपका आशीर्वादाकांक्षी
रामेश्वर

[4]

अमृत बाजार पत्रिका

दीक्षितपुरा जबलपुर,
6.11.48

पूज्यवर, सादर प्रणाम !

पत्र आपका आया, मैं कहूँ तो शायद आप विश्वास न करेंगे कि इस पत्र से मेरे अशान्त मन को परम सन्तोष मिला। मुझे तो विश्वास है आप इसी प्रकार पत्रोत्तर द्वारा तथा समय-समय पर दर्शनों द्वारा मुझे सन्तुष्ट करेंगे। सुभद्राजी के स्मारक की योजना तैयार होती जा रही है। आप जो कुछ भी दे सकें और दिला सकें मेरे लिए अमूल्य सहयोग है, वैसे व्यक्तिगत रूप से मैं आपका और मँडलोई साहब का थोड़ा-बहुत योगदान चाहूँगा। इतना अवश्य करें, कोटे का 200 रुपया आप चाहे जब जहाँ से भिजवायें। यह उत्तरदायित्व मुझे निबाहना है और मैं साधिकार आपसे सहयोग चाहता हूँ। पुस्तक की भूमिका आप और चौहान सा० अलग-अलग रूप में लिखेंगे। पांडुलिपि तैयार हो रही है, आपको सूचित करूँगा। यदि सुभद्राजी के अर्ली लाइफ या साहित्यिक जीवन पर आप कुछ प्रकाश डाल सकें, अन्यथा उनकी कुछ सामग्री भेज सकें—तो बड़ी कृपा हो—इस काम में मुझे निराश न होना पड़े, इतना ही चाहता हूँ। प्रहरी आपको पसन्द आया या नहीं—आलोचना आपके हाथों, विशेषांक की, कर्मवीर में चाहता हूँ। आपकी रचना, पुरानी, प्रकाशित करनी पड़ी, क्या करूँ लाचार जो हूँ—कविता या लेख माह में एकाध तो आप दे ही सकते हैं—इतनी प्रार्थना आपको सुननी ही चाहिए। आरम्भिक संस्मरण ही भेजिये। कुछ तो आप दे ही सकते हैं, आपका नवीनतम चित्र चाहिए, ब्लाक बनवाना है—यह काम भी बड़ा आवश्यक है। शेष शुभ। पत्रोत्तर दें।

आपका आ० कां०
रामेश्वर

पुनश्च—

भवानी तिवारी के बड़े भाई कैंसर से सख्त बीमार हैं। काफी चिन्ता और परेशानी से भींगा यह तरुण दिलेरी के साथ लड़ रहा है। आप उन्हें पत्र लिखें और छोटी सी टिप्पणी अपनेपन की दे दें—यही चाहता हूँ।

सवाईमलजी के बड़े भाई तेजमलजी का मूल दिवाली को ठीक लक्ष्मी-पूजन के समय देहान्त हो गया। बड़ी अनहोनी घटना है यह। उन्हें भी पत्र लिख देंगे।

रामेश्वर

[5]

दीक्षितपुरा, जबलपुर
23.1.54

श्रद्धेयवर, सादर प्रणाम !

पत्र मिला। परम संतोष हुआ। आपके स्नेह-पत्र से बड़ा सुख और संतोष मिला। आपसे करजोड़ प्रार्थना है कि आप जबलपुर 2-4 दिन के लिए अवश्य आवें। काफी अरसा हो गया। दिसम्बर के आसपास आप आवेंगे, तो मैं आपके साथ रहूँगा—मेरी छुट्टियाँ हो जायेंगी। चिदम्बरम् पिल्लै के लिए मैं प्रयत्नशील हूँ, उनके भाई से मैं मिल चुका हूँ। मुझे ज्यों ही कुछ सामग्री मिलेगी, मैं आपके पास भेजूंगा। पिल्लै के चार अन्य साथियों की जीवनियाँ भी मेरे पास हैं। जिसके लिए मैं भरसक प्रयत्न करता रहूँगा। राजेश्वर भोपाल में हैं। अच्छे हैं, उस ओर से निकलें तो उन्हें आप सूचना अवश्य दे दें। आपकी पीढ़ी हम लोगों को स्नेह-सिक्त आशीषदान देती रहे यही चाहता हूँ। प्रहरी आपके पास नियमित पहुँचेगा, अभी तक रजिस्टर्ड नं० नहीं मिला था, भवानी अच्छी तरह हैं। उनका स्नेह और अनुराग मेरे ही जैसा आपके प्रति है। आप विश्वास मानिये, सत्ता से दूर रहकर और उसकी उपेक्षा कर वाणी-मन्दिर और वाणी-पुजारियों की सेवा और उनके प्रति श्रद्धा के भाव सदा हम लोग रखे ही रहेंगे। सुभद्राजी के बच्चे यहाँ हैं : अजय और अशोक। ममता सुधा के पास प्रयाग में पढ़ती है। विजय एम० ए० होकर दिल्ली में रिसर्च-स्कॉलरी करते हैं। व्यवसाय ठण्डा है। अजय सबसे बड़े होने के कारण काफी झंझट और चिन्ता में है। हिम्मत ऐसी पायी है कि सब दुःख सहता है पर भाई-बहिनों के मुँह पर शिकन नहीं आने देता। मंगलमय कल्याण करें, बाणेश्वर बम्बई में हैं—आने वाले हैं। काश, आप जबलपुर आकर हम लोगों के पास कुछ दिनों रहते।

शेष शुभ। पत्रोत्तर की प्रतीक्षा करूँगा।

आज्ञाकारी
रामेश्वर

श्री आर० एन० टण्डन

जेशपुर, सी० पी०
24.7.1949.

परमपूज्य, प्रातःस्मरणीय, पंडितजी अनेक प्रणाम !

आपके आशीर्वाद से प्रसन्न हूँ। विगत वर्ष मैं इटारसी से यहाँ ग० हा० स्कूल

मे आया। यह स्थान मध्यप्रान्त में अपना एक विशेष स्थान रखता है। बिहार तथा उड़ीसा को स्पर्श करता हुआ, वनों तथा पर्वत,मालाओं के मध्य, आदिवासियों से परिपूर्ण है यह भूमिखण्ड। अनन्त काल से सभ्यता से दूर उपेक्षित और तिरस्कृत। मध्य प्रान्त में क्रिश्चियन मिशन का सबसे बड़ा कार्यक्षेत्र $2\frac{1}{4}$लाख की जनसंख्या में 60 हजार क्रिश्चियन्स। मुझे प्रान्तीय सरकार ने ऐसे क्षेत्र में कार्य करने के लिए भेजा है। आपका आशीर्वाद सदैव मुझे यशस्वी ही सिद्ध करता रहे, ऐसी मेरी कामना है।

आपको विदित ही है कि मैं इटारसी में साहित्य सम्मेलन की परीक्षाओं का ब्यवस्थापक रहा और अपने कार्यकाल में सफलतापूर्वक केन्द्र का संचालन करता रहा। मैं गत सितम्बर मास में यहाँ आया तब से यहाँ साहित्य सम्मेलन की परीक्षा का केन्द्र प्रारम्भ करने के प्रयत्न में रहा। इस वर्ष कार्याधिक्य एवं अनेक उलझनों में फँसे रहने के कारण केन्द्र को प्रारम्भ करने की अवधि समाप्त हो गयी। मैंने रेजिस्ट्रार को इस आशय का पत्र भेजा। उत्तर इस पत्र के साथ प्रेषित करता हूँ।

इस स्थान से रेलवे-स्टेशन 104 मील, 110 मील, 138 मील पर है। यहाँ के परीक्षार्थियों के लिए अन्य केन्द्रों में जाना नितान्त असम्भव है।

विलम्ब तो हो चुका है परन्तु समय, आवश्यकता एवं परिस्थिति का विचार रखते हुए आपसे अनुरोध है कि आप हिन्दी साहित्य-सम्मेलन को लिखें कि इसी वर्ष यहाँ केन्द्र आरम्भ हो जावे। परीक्षार्थी परीक्षा के लिए प्रस्तुत हैं, केवल आपके सद्प्रयत्न की आवश्यकता है।

आशा और विश्वास है कि इस तुच्छ साहित्य-प्रेमी को निराशा न होगी।

आपका ही विनम्र सेवक

रामनारायण टण्डन

प्रधान अध्यापक, गव्ह० हाई० स्कूल

श्री नन्ददुलारे वाजपेयी

[1]

आफीस आफ दी डेन आफ दी फंकल्टी आफ आर्ट्स

यूनिवर्सिटी आफ सागर, सागर, सी० पी०

31.1.50

माननीय श्री चतुर्वेदीजी, सादर प्रणाम !

आपके दर्शन के पश्चात् ज्यों ही स्टेशन पर पहुँचा और गाड़ी पर बैठा, एक

सज्जन फलों से भरी डालियाँ लेकर मेरे समीप आए और बोले, "पंडितजी ने यह आपके लिए भेजा है।" मैं सहसा कुछ विस्मित हुआ, किन्तु दूसरे ही क्षण आपकी स्नेह-सिक्त मुद्रा मेरे सामने आई और मैंने आपका उपहार सहर्ष सिर-माथे लिया। तब से कई बार यह जिज्ञासा हुई कि कृतज्ञता-ज्ञापन किन शब्दों में करूँ ? हर्षोल्लास की सूचना किस प्रकार दूँ ? परन्तु प्रत्येक बार शब्द-चयन में असमर्थ रहा हूँ।

आजकल 'संगम' में आपकी नवीन रचनाओं का पारायण कर रहा हूँ। प्रत्येक (रचना) में आपकी अपनी छाप है। भावना में वही मौलिकता और ताजगी है जो एक तरुण गायक को भी ईर्ष्यालु बना सकती है। फिर भी वयानुरूप गाम्भीर्य सर्वत्र दिखायी देता है। इन रचनाओं का संग्रहीत स्वरूप कब तक प्रकाशित हो सकेगा ? मुझे 'आधुनिक इतिहास' में इनके उपयोग करने की चिन्ता है।

विश्वविद्यालय की हिन्दी-परिषद का वार्षिक अधिवेशन अब पूर्णत: आपके ही आगमन पर अवलंबित है। गत वर्ष राहुल जी ने इसी की अध्यक्षता की थी। अधिवेशन जनवरी के द्वितीय सप्ताह में हुआ था। इस वर्ष कुछ विलंब अवश्य हो गया है परन्तु विलंब की उतनी चिन्ता नहीं, जितनी आपकी स्वीकृति की निश्चित तिथि की जानकारी की लालसा है। कृपया इस सम्बन्ध में शीघ्र सूचना देकर हमारा समाधान करें।

आपका स्नेहापन्न
नन्ददुलारे वाजपेयी

[2]

यूनिवर्सिटी आफ सागर

सागर, सी० पी०
20.2.54

मान्यवर, सादर सप्रेम प्रणाम !

आपका कृपापत्र मिला। आपकी हार्दिक स्वीकृति हमें मिली, इसकी हमें अपार प्रसन्नता है। शरीर की चिन्ता हमें भी है, और हम परमेश्वर से प्रार्थी हैं कि आपका स्वास्थ्य इस योग्य हो कि आप यात्रा का आयास उठा सकें और अपने दर्शनों से हम सबको उपकृत कर सकें। देखना है, हमारी प्रार्थना में कितना बल है।

मार्च के प्रथम सप्ताह का तिथि-पत्र देखने पर ज्ञात हुआ कि 4-5 मार्च को होली है। 5 के पश्चात् दो-तीन दिन बाहर निकलना कठिन होगा। इधर हमारी वार्षिक परीक्षाएँ भी समीप आ रही हैं। ऐसी अवस्था में परिषद का अधिवेशन होली के पहले ही करने का निश्चय करना पड़ा है। दूरवर्ती स्थानों को सूचना

देनी थी कि वे हमारी प्रतियोगिताओं में भाग लेने वाले प्रतिनिधियों को ठीक समय पर अधिवेशन में भेजें। इस कारण हम निश्चित तिथि की अन्तिम स्वीकृति आपसे नहीं ले सके। सूचनाएँ भेजी जा रही हैं। आप हमारी इस विवशता को, ज समय-संकोच के कारण उपस्थित हुई है, क्षमा करें।

कार्यक्रम 2 दिन का है। 1 मार्च को आपका आरम्भिक भाषण हो जायेगा। 2 को प्रतियोगिताएँ, पारितोषिक-वितरण और कविगोष्ठी होगी। आपकी इच्छा होगी तो 2 की रात्रि की गाड़ी से आप प्रस्थान कर सकेंगे। होली के एक दिन पूर्व आप तथा अन्य अतिथि अपने-अपने स्थान पहुँच सकेंगे।

इसी दृष्टि से ये तिथियाँ और यह कार्यक्रम रक्खा है। आशा है, यह आपके लिए सुविधाजनक होगा। श्री रामचन्द्र बिल्लौरे जी से हमने निवेदन किया है कि वे आपके साथ यहाँ आने की कृपा करें। उनके कालेज के दो छात्र भी आपके साथ रहेंगे। अधिक क्या लिखूं।

आपका सविनय
नन्ददुलारे वाजपेयी

[3]

नन्ददुलारे वाजपेयी,
(अध्यक्ष, हिन्दी-विभाग)

सागर-विश्वविद्यालय,
सागर, म० प्र०
15.4.62

सम्मान्य श्री चतुर्वेदीजी,

मैंने एक तार श्रीकान्तजी जोशी को दिया था। उन्हें खण्डवा स्टेशन पर मिलने का सन्देश भेजा था। पर वे मिल नहीं सके। कदाचित् वे इन दिनों कहीं बाहर चले गये हैं।

सागर-विश्वविद्यालय में उपकुलपति का निर्वाचन 29 अप्रैल को होने वाला है। मिश्रजी ने इस बार खड़े न होने का निश्चय किया है। उनकी सम्मति लेकर मैं इस पद का प्रत्याशी हो रहा हूँ।

इस प्रदेश के अग्रणी साहित्यकार और स्वदेश-प्रेमी के नाते आपकी शुभ-कामना और आशीर्वाद की याचना करता हूँ। खण्डवा का क्षेत्र तो आपका अपना क्षेत्र है। बाहर के लोगों पर भी आपका अकाट्य प्रभाव है। मैंने सोचा था कि श्रीकान्तजी से आपको अनुरोध कहला दूंगा। पर वे मिले नहीं। पत्र में कुछ अधिक लिखना उचित न होगा। फिर भी इतना अनुरोध करूँगा कि अपने परिचय के कुछ व्यक्तियों को आप प्रेरित कर सकें, तो कृपा हो। श्री मँडलोई जैसे राजनीतिक नेतागण भी बहुत-कुछ कर सकते हैं।

मैं यह नहीं चाहूँगा कि आप इस सम्बन्ध में अनावश्यक कष्ट उठावें, क्योंकि

मैं आपके स्वास्थ्य की स्थिति से परिचित हूँ। परन्तु आपके न्यूनतम प्रयत्न से जो कुछ साध्य है, वह मेरे लिए यथेष्ट से भी अधिक है।

शेष प्रसन्नता है। कृपया स्वास्थ्य-संवाद दीजियेगा।

आपका

नन्ददुलारे वाजपेयी

श्री गोपीकृष्ण गोपेश

[1]

रानीमण्डी, प्रयाग

3.9 (संभवत: 1949)

दादा, नमन !

अखबार पढ़ता रहा, राजनाथजी[1] और धर्मवीर[2] से हाल मालम करता रहा और परेशान होता रहा। मेरी समझ में ही नहीं आया कि मैं क्या लिखूँ, किसे लिखूँ। मैं समझता था कि परेशानी के आलम में कौन महाकवि गोपेश के पत्र का उत्तर देगा। पर, शीघ्र ही महाकविता हवा हो गई और मुझे मालूम हुआ कि धर्मवीर ने पत्र लिखा और, फिर मैंने यह भी सुना कि उसे उत्तर भी मिला।

अब, जब सभी क्वार्टर्स से पता चल रहा है कि आप प्रगति के पथ पर हैं, यह पत्र लिख रहा हूँ। उत्तर चाहता हूँ और केवल दो लाइनों का। फिजूल परेशान करने का, इस समय, मेरा इरादा नहीं—मैं, तो उत्तर आपके हाथों से लिखा हुआ—आशय केवल यह कि आप पहले से अच्छे हैं और हो रहे हैं।

उत्तर पाने पर और आपको 'ऐट-हांम' की स्थिति में पाने पर शेष—एक 'लम्बा पत्र'—लिखूँगा।

आपका अपना

गोपेश

[2]

वाल्टेयर

29.6.

दादा,

पहले दो बार क्षमा माँगनी है, एक बार अब तक क्षमा-पत्र न लिखने के लिए

---

1. श्री राजनाथ पाण्डेय।
2. श्री डॉ० धर्मवीर भारती।

और दूसरी बार कानपुर न पहुँच सकने के लिए। बच्चन ने मेरे कार्यक्रम और मेरी मजबूरी की कुछ न कुछ चर्चा अवश्य की होगी आपसे। मैं भी 10-15 दिनों के लिए प्रयाग के बाहर कहीं जाना ही चाहता था।

यहाँ बजाय सुधरने के मैं पहिले से बदतर ही रहा—पल्पीटेशन—जब-तब होने ही लगा, इसीलिए आगे कहीं न जा सका, केवल दो दिनों के लिए मद्रास गया था। अब जाते समय पुरी रुकने का खयाल है, यदि स्वास्थ्य साथ दे गया तो और उतरना सुविधाजनक हुआ तो।

मैं अब छः या सात को ही प्रयाग पहुँच सकूँगा, पहले पहली को पहुँचनेवाला था। पता नहीं, कैसे कटेंगे दिन। बड़ा 'होम-सिक' हो रहा हूँ—समुद्र के किनारे होने पर भी इस नील-प्रलय से मेरा विनाश ही होता है, निर्माण और विकास नहीं—कितनी जी अन्यमनस्क लगती हैं ये लहरें,सबकी ओर से। 'सेल्फ कन्सीटेड' हैं ये, अब बड़ी अजब सी लगती हैं। मैं इनकी पैनी निगाहों से दूर भाग जाना चाहता हूँ। जल्दी से जल्दी। इसे जो चाहे मेरा पलायन कहे—

अभी समुद्र के किनारे गया तो कुछ देना तो दूर रहा, बेवकूफ मेरी चिट्ठियाँ बहा ले गया और छोड़ गया मेरे पैरों पर सिसकनेवाली बालू और टूटे-फूटे सीप-घोंघे घोंघों जैसे। फिर भी एक शेर गाता रहा, खोकर अपने को—

तुम मेरे पास होते हो गोया,
जब कोई दूसरा नहीं होता।
......अब कुछ नहीं लिखना मुझे।

आपका
गोपेश
(संभवतः 55 या 56)

श्री प्रभाकर माचवे

4.3.50

आदरणीय पं० माखनलालजी,

जीवन-सोपान की साठवीं सीढ़ी पार करते समय आपके दीर्घायुष्य की कामना के साथ अपने साहित्य-गुरु को मैं पुनः एक बार प्रणाम करता हूँ।

रेडियो के कुंठित वातावरण में किसी प्रकार अपना जीवन संबल जुटा रहा हूँ और निरन्तर संघर्ष में से प्रकाश की कामना करता हूँ। आप-जैसों के आशीर्वादों के फल से मैं कुछ आकार अपने भविष्य को दे पाऊँगा, ऐसी आशा है।

श्रीमती शरद माचवे और चि० असंग की ओर से प्रणाम।

सादर

प्रभाकर माचवे

पुनश्च : कर्मवीर भेजते समय उसे मेरे नये पते पर भेजें :
7 ड्रमंड रोड, इलाहाबाद

श्री कन्हैयालाल खादीवाला

इन्दौर कांग्रेस कमेटी **फोन** : 254

गांधीभवन, यशवन्त रोड, **इन्दौर**

5.3.1950

पूज्य दादा, प्रणाम !

मैंने यहाँ से भाई श्री पन्नालालजी जैन को आपके पास भेजा ही है, हमारे यहाँ बालिग मताधिकार के आधार पर प्रथम बार म्युनिसिपल कौंसिल के चुनाव आगामी 19 मार्च को हो रहे हैं।

उपरोक्त चुनाव-सम्बन्धी सब चर्चा भाई साहब पन्नालालजी जैन ने आपसे कर ही ली होगी। अत: आपसे निवेदन है कि आप इसके लिए एक दिन का पूरा समय इन्दौर को देने की कृपा करेंगे, एवं अपने आने की तिथि की पूर्व सूचना भेजने का कष्ट करेंगे, ताकि सम्बन्धित प्रचार किया जाने में सुविधा हो सके।

आपका

कन्हैयालाल खादीवाला

(अध्यक्ष, इन्दौर कांग्रेस कमेटी)

श्री बाबूराव विष्णु पराडकर

सम्वत् 1977-2007

ज्ञानमण्डल लिमिटेड **'आज'** **पोस्टबाक्स 7**

टेलीफोन—40 **(तीसवाँ वार्षिकोत्सव—नववार्षिक)** **कबीरचौरा**, **बनारस**

तार—'आज' 15 मार्च, 1950

प्रिय महोदय,

यह प्रसन्नता की बात है कि आगामी जन्माष्टमी के दिन, सितम्बर के प्रथम

सप्ताह में 'आज' अपनी आयु के तीस वर्ष पूरे कर रहा है। इस अवसर पर हमने 'आज' का एक विशेषांक निकालने का निश्चय किया है और हम चाहते हैं कि यह विशेषांक सब दृष्टियों से सचमुच विशेष हो। हम इसे ऐसा बनाना चाहते हैं कि यह अंक पढ़ कर हमारे पाठक राष्ट्रीय और अन्तर्राष्ट्रीय जीवन के हरएक अंग को अच्छी तरह समझें। हम प्रतिवर्ष जन्माष्टमी पर ऐसा ही एक विशेषांक निकालना चाहते हैं जो अपने समय के स्वरूप को यथार्थ रूप में उपस्थित कर सके और श्रेष्ठ इतिहास-पुस्तक का काम दे सके।

सौभाग्य है कि आप इस युग के हिन्दी के प्रतिनिधि कवि हैं और आपकी सभी रचनाओं में युग प्रतिबिम्बित हो रहा है। हम चाहते हैं कि आप हमें इस विशेषांक के लिए अपनी एक ऐसी रचना अवश्य दें जो आपकी इस वर्ष की सर्वश्रेष्ठ रचना कही जा सके और उसके प्रकाशन का गौरव हमें प्राप्त हो। हम जानते हैं कि आप बहुत अधिक व्यस्त रहते हैं, फिर भी रचना के लिए आपसे प्रार्थना कर रहे हैं। कृपया रचना भेजकर हमें और हमारे पाठकों को अवश्य अनुग्रहीत करें।

हमें पूरा विश्वास है कि हमें निराश न होना होगा।

हमारे अनुरोध की कृपापूर्वक स्वीकृति लिख भेजें तो हमारी बहुत सहायता होगी।

भवदीय,
बाबूराव विष्णु पराडकर
(सम्पादक, 'आज')

श्रीमती प्रफुल्लमयी देवी

जबलपुर,
30.3.50

चतुर्वेदीजी, सविनय निवेदन !

आज बहुत समय के पश्चात् मैं आपको पत्र लिख रही हूँ तथा मुझे यह पूरा विश्वास है कि इस कार्य में मुझे आपका हार्दिक सहयोग प्राप्त होगा। शायद आपको वे दिन अभी विस्मृत नहीं हुए होंगे जब श्री पंचानन गोस्वामी खण्डवा में पोस्टमास्टर थे। उनका-आपका काफी परिचय भी था। पर आज जब मैं आपको पत्र लिख रही हूँ तब वे इस नश्वर संसार में नहीं रहे। मोटर-दुर्घटना के शिकार होकर 31 मार्च 1946 को उनका देहान्त हो गया। अब मैं ही बची हुई हूँ, इस दुनिया में अकेली। पर क्या करूँ, जीवन में संघर्ष तो करना ही पड़ता है। आज से आठ-दस वर्ष पूर्व की घटनाओं की स्मृति ! जब मैं वसन्त-पंचमी के उपलक्ष्य में

चटर्जी के घर पर छोटी बच्चियों को नाटक का अभिनय कराया करती थी, अब भी आपके मानस पट पर अंकित होगी, इधर मेरे तीन उपन्यास कलकत्ते में बंगाली भाषा में अभी तक प्रकाशित हो चुके हैं। पर आज जबकि हिन्दी हमारी राष्ट्र-भाषा होने जा रही है, मैं चाहती हूँ कि इन उपन्यासों का हिन्दी में अनुवाद हो जाय, ताकि हिन्दी भाषा-भाषी जनता बँगला-साहित्य से अच्छी तरह परिचित हो सके और हो सके तो कुछ लाभ भी उठा सके।

एक दिन श्रीमती उषादेवी मित्रा, जो कि हिन्दी की प्रसिद्ध लेखिका हैं, मेरे घर आईं, और मेरे उपन्यासों को देखकर बोलीं कि आप अपने उपन्यासों का हिन्दी में अनुवाद करा डालिये ताकि हिन्दी का भण्डार और भी भर जाय। तभी मुझे आपका स्मरण आया। जब हम लोग खण्डवा से ग्वालियर जा रहे थे, तब मेरे पति को आपने किसी सम्पादक के नाम पत्र दिया था, ताकि मैं अपनी रचनाएँ प्रकाशित करा सकूँ। कलकत्ते से प्रकाशित होने वाली 'बंग-लक्ष्मी' और 'देश' में मेरी अनेक रचनाएँ निकल चुकी हैं। आज भी भारत में नारियों का वैधव्य एक अभिशाप ही है। यह आप-जैसे योग्य और बुद्धिमान पुरुष भली भाँति जानते हैं। मैं चाहती हूँ कि मेरे उपन्यासों का हिन्दी में भी अनुवाद हो जाय। इस कार्य के लिए मुझे आपकी सहायता की आवश्यकता है और मुझे पूर्ण विश्वास है कि आप मुझे अपना पूर्ण सहयोग देंगे।

पत्र की प्रतीक्षा करूँगी। कष्ट के लिए धन्यवाद!

(श्रीमती) प्रफुल्लमयी देवी
गोस्वामी

श्री बाबूलाल डेरिया

श्री भारत जैन महामण्डल
प्रधान कार्यालय : वर्धा

4.4.1950

पूज्य दादाजी, प्रणाम!

आज सवेरे श्री राँकाजी के साथ पूज्य विनोबाजी के दर्शन किये। परिचय में जब बाबई का नाम आया तो भावेजी बोले पं० माखनलालजी चतुर्वेदी की बाबई? 'जी हाँ', मैंने गर्वीले स्वर में कहा। करीब 15 मिनिट तक मैंने अपने जीवन के पिछले चढ़ाव-उतार तथा भविष्य की रूपरेखा पर चर्चा की। अन्त में कहा, "माखन-लालजी से मेरा प्रणाम कहिये!" अवश्य मैं तो इन शब्दों का संदेश-वाहक बनने में ही अपनेको गौरवान्वित अनुभव करता हूँ। व्यक्तिगत चर्चा और संदेश मेरे जीवन

की स्थायी स्मृति रहेंगे—मैंने अंतिम प्रणाम करते हुए कहा और वापस आ गया। कल नागपुर होता घर चला जाऊँगा।

आपका अपना,
बाबूलाल डेरिया, बाबई
[बाबई (होशंगाबाद) के स्वतन्त्रता-सेनानी, पत्रकार]

श्री सीताराम सेकसरिया

'नया समाज'

33, नेताजी सुभाष रोड,
कलकत्ता
29.6.50

आदरणीय चतुर्वेदीजी, प्रणाम!

कर्मवीर का अंक मिला जिसमें 'स्मृति-कण' के धूरे के घर का शेष हिस्सा उद्धृत करने की आपने कृपा की है। 'स्मृति-कण' आपका पसन्द आने लगी है, यह मेरे लिए खुशी और सन्तोष की बात है।

आपसे मिले बहुत दिन हो गये, इच्छा तो होती है, पर मिलना कैसे हो? आपकी तबीयत भी बहुत दिनों से अच्छी नहीं रहती। इसलिए आप बाहर प्रायः नहीं जा-आ सकते। मेरा भी उस तरफ आने का संयोग नहीं होता है।

आपकी तबीयत के बारे में कई बार खयाल आता है, आप जैसे लोगों का अस्वस्थ रहना देश की एक बड़ी क्षति है। साहित्य की तो यह खास क्षति है ही। आज स्वस्थ और शुद्ध साहित्य की शायद हमें सबसे ज्यादा जरूरत है। हमारा समाज अस्वस्थ हो गया है। हमारे आचार-विचार में सब जगह अस्वस्थता आ गयी है। यह बीमारी हर क्षेत्र में बढ़ रही है, ऐसे मौके पर सुन्दर स्वस्थ सात्त्विक साहित्य के द्वारा ही यदि समाज के शरीर को स्वस्थता दी जा सके, तो दी जा सकती है।

'नया समाज' तो आपकी सेवा में बराबर जाता ही है। अभी तक वह आपकी किसी भी रचना को प्रकाशित नहीं कर सका है। उसकी बहुत उत्कण्ठा रही है और है कि वह आपकी कोई चीज प्रकाशित करे। आपके स्वास्थ्य को देखते हुए आप पर ज्यादा जोर डालने में भी संकोच होता है। तब भी उसकी चाह तो है ही।

मेरे योग्य सेवा लिखें। घर के सब लोग प्रसन्न होंगे। विशेष कृपा—

विनीत
सीताराम सेकसरिया

श्री मोहनसिंह सेंगर

'नया समाज' 33, नेताजी सुभाष रोड
कलकत्ता
8.7.1950

आदरणीय चतुर्वेदीजी,

सादर नमन !

आपको यह जानकर प्रसन्नता होगी कि आगामी पूजा के अवसर पर 'नया समाज' का संस्कृति-अंक निकालने का तय किया गया है। इसमें सर्वसाधारण की जानकारी और मार्ग-दर्शन के विचार से भारतीय संस्कृति के विविध पहलुओं पर प्रकाश डालने वाली रचनाएँ रहेंगी और साथ ही विविध भारतीय भाषाओं तथा साहित्यों की भारतीय संस्कृति को देन और संस्कृति के भावी रूप के सम्बन्ध में अधिकारी विद्वानों के विचार आदि। आपकी कृपा 'नया समाज' पर सदैव रही है। इस अवसर पर वह विशेष रूप से आपके कृपा-कण का आकांक्षी है। आप यदि अगस्त के दूसरे सप्ताह तक इस अंक के लिए कुछ भेजने की कृपा करें तो सुविधा रहेगी। विश्वास है, आप हमें निराश नहीं कीजियेगा।

आशा है आप प्रसन्न हैं। कृपा बनी रहे। योग्य सेवा लिखें।

विनीत
मोहनसिंह सेंगर

श्री विद्यावती कोकिल

[1]

इलाहाबाद
14.7.50

श्रद्धय चतुर्वेदी जी,

मैंने न जाने कितनी बार पत्र लिखने को सोचा और न जाने कितनी बार खण्डवा आने को सोचा। पर एक भी काम पूरा न हो पाया। अतः इस पत्र में पिछली सभी जिज्ञासाओं का जोड़ है।

इधर मैंने एक नन्हीं-सी पुस्तक कविता-संग्रह की तैयार की है। मैं उसे सर्वप्रथम आपके आशीर्वाद के लिए भेजना चाहती हूँ। यदि कहीं आप इस ओर आ सकें तो बड़ा ही अच्छा हो। मैं उस पर आपकी व्यक्तिगत सम्मति अपने कर्तव्य के

लिए ही चाहती हूँ। यह कार्य आप जैसे चाहें, सम्पन्न करें। मुझे शीघ्र ही उचित आज्ञा दें।

आप अपने स्वास्थ्य का हाल लिखें। मैं अच्छी हूँ। विशेष कृपा।

सादर

विद्यावती

[2]

2, लाउदर रोड,
इलाहाबाद
25.8.50

श्री श्रद्धेय चतुर्वेदी जी,

मेरे पास खण्डवा से एक निमन्त्रण आपके भी पत्र का उत्तर आने के पूर्व आया था। भला आपकी जयन्ती मनायी जाय और मैं न पहुँचूं, ऐसा कैसे हो सकता था ! पर उन लोगों ने कोई उत्तर ही नहीं दिया। या तो मेरा पत्र नहीं मिला या उन्होंने विचार स्थगित कर दिया। मैंने वे पत्र वगैरा भी फाड़कर फेंक दिए हैं। पता भी मुझे नहीं मालूम।

मैंने सोचा था, इस बहाने आपसे मिल लूंगी। पर योग बैठता नहीं दिखाई देता। यों तो मैंने सब कहीं आना-जाना अब बन्द-सा ही कर दिया है। फिर भी आपके यहाँ आने का लालच अभी है। सादर प्रणाम।

विद्यावती कोकिल

[3]

2, लाउदर रोड,
3.11.50

परम माननीय चतुर्वेदी जी,

अस्वस्थ होते हुए भी आपने अपनी व्यस्तता के बीच मेरे पत्र का उत्तर लौटती डाक से देने का कष्ट किया। इसके लिए मैं आपका आभार मानती हूँ।

मैं ऐसी स्थिति में हूँ कि कहना तो कुछ नहीं चाहती, फिर भी यदि आपके दर्शन हो सकें तो कितना अच्छा होगा। मुझे कानपुर तो आना ही चाहिए था। लेकिन नहीं आ सकी। आशा है इस लाचारी के बीच आप मुझे निराश न करेंगे। आने की तिथि यदि विदित हो गई तो हम लोग स्टेशन पहुँच जायेंगे।

मुझे विश्वास है कि आप आयेंगे, इसलिए अधिक क्या ?

कृपाभिलाषिनी

विद्यावती

कैप्टन आर० डी० चन्दोला

2, ओल्ड बेल्वेडियर मैस
लोदियन रोड, पूना
9.9.50

मान्यवर चतुर्वेदी जी, सप्रेम प्रणाम !

हिं० सा० स० के 33वें अधिवेशन के अवसर पर आपके शुभ दर्शन बम्बई में हुए थे। साथ ही राजर्षि टण्डन जी के भी। श्री मुंशीजी के यहाँ प्रीतिभोज का सौभाग्य भी प्राप्त हुआ था। उसके उपरान्त सैनिक-जीवन के कठोर बन्धनों में जकड़ा रहने के कारण आपसे मिलने का अवकाश नहीं मिला। विरह-वेदना सता रही है। इच्छा तो होती है कि आपके दर्शनार्थ नासिक पहुँचूं। किन्तु यदि आप मेरे निमित्त एक 'निमन्त्रण-पत्र' भिजवा दें तो सुविधा होगी। अब मैं सैनिक-जीवन से मुक्त हो गया हूँ, और कांग्रेस-अधिवेशन में सम्मिलित होने के लिए स्वतन्त्र हूँ। मेरी सहधर्मिणी यशोधराजी—आज प्राय: 8 मास से अत्यन्त रुग्णावस्था में हैं। इनका इलाज बम्बई के टाटा मैमोरियल अस्पताल में कराता रहा हूँ। अब आपके आशीर्वाद से कुछ स्वस्थ हो रही हैं।

मुझे पेंशन 365 रु० मासिक के साथ 'ऑनरेरी कैप्टन' की उपाधि भी प्राप्त हुई है। गृहस्थी बड़ी है। बच्चे छोटे-छोटे हैं। मेरी आयु 48 वर्ष की है। सो यदि मेरे योग्य आप कोई 'स्कीम' सोच दें—कि भविष्य में कैसे साहित्य तथा देश की सेवा करूँ—तो आपका अनन्य उपकृत हूँगा। विशेष वार्ता मिलने पर—

आपका पुराना सेवक
रत्नाम्बरदत्त चन्दोला

श्री वियोगी हरि

[1]

आवश्यक

हरिजन-निवास, किंग्सवे, दिल्ली
21.10.50

प्रिय श्री चतुर्वेदी जी, सादर नमस्कार !

आप भूले नहीं होंगे, मैंने आपको दो हरिजन लड़कियों के लिए वर तलाश देने के विषय में निवेदन किया था, आपको उनके फोटो भी दे आया था। कुछ दिनों बाद एक पत्र आपको और एक श्री अनोखेलालजी को भी, इस बारे में लिखा

था। उत्तर किसी भी पत्र का नहीं मिला। इस सम्बन्ध में मुझे चिन्ता है। इन जाड़ों में लड़कियों का विवाह कर ही देना है। सो कृपा कर अवश्य ही हरिजन अथवा सवर्ण कोई भी सुयोग्य वर हों, तलाश देने का कष्ट करें। आप थोड़ा-सा ध्यान देंगे तो यह काम मुझे आपके द्वारा पूरा होना सम्भव दीखता है। अवश्य प्रयत्न करें। आशा है, प्रसन्न होंगे।

आपका
वियोगी हरि

[2]

इलाहाबाद
11.12.50

प्रियवर चतुर्वेदी जी, सादर नमस्कार !

सम्मेलन के काम में इलाहाबाद आया हूँ। सम्मेलन की अवस्था दिन-पर-दिन शोचनीय होती जा रही है, दुःख होता है देख-देखकर।

कोटा-अधिवेशन में प्रतिनिधित्व करने के लिए सम्मेलन के पुराने हितैषी श्री भवानीप्रसाद गुप्त को कृपया, अपने भूतपूर्व अध्यक्ष के नाते, प्रतिनिधि बना लें यह मेरा अनुरोध है, हैदराबाद-सम्मेलन में इन्होंने बड़ा काम किया था। इतना लिखकर नीचे लिखे पते पर भेज दें—

"मैं, सम्मेलन के पूर्व अध्यक्ष के नाते श्री भवानीप्रसाद गुप्त,
प्रयाग-निवासी को हिन्दी साहित्य सम्मेलन के कोटा-अधिवेशन का
प्रतिनिधि नियुक्त करता हूँ।" (ह० माखनलाल चतुर्वेदी)

पता यह है—
श्री भवानीप्रसाद गुप्त,
अध्यक्ष, कृष्ण कला पुस्तकमाला,
51 के० ई०, मुट्ठीगंज इलाहाबाद

आपका
वियोगी हरि

श्री जयप्रकाशनारायण

जन-साहित्य-संघ, पटना

जन-साहित्य-संघ के संस्थापक सदस्यों की सेवा में,
प्रिय महोदय,

संघ के संस्थापक सदस्यों की एक सभा दिल्ली में ऑल-इण्डिया कन्वेन्शन के

समय 19.3 के सवेरे ऑल-इण्डिया कांग्रेस कमेटी के पण्डाल में होगी। निवेदन है कि आप उसमें शामिल हों।

आपका

जयप्रकाश नारायण

कार्यक्रम

1. मैनेजिंग बोर्ड का चुनाव।
2. दूसरा कोई काम जो पेश किया जाय।

श्री एच० व्ही० कामथ

(भारत संसद-सदस्य)

140, Constitution House,
New Delhi.
November 8, 1950

My dear Pandit ji,

I have given notice of a resolution regarding maintenance of political sufferers destitute families and it is likely to come up for discussion in Parliament on the 23rd instand. Please therefore send me all the necessary material as soon as possible. Kindly make your letter Regd. Post with acknowldgement due.

I hope this will find you in good health and cheer by the grace of God. Please convey my cordial greetings to Mandloi, Pande, Tiwari and other friends.

Yours Sincerely,
H. V. Kamath

श्री श्यामसुन्दर खत्री

के०/आ० इलाहाबाद बैंक लिमि०, कलकत्ता
5.12.50

पूज्यवर, सविनय प्रणाम !

हाल में पूज्य श्री बनारसीदास जी चतुर्वेदी के पत्र से ज्ञात हुआ कि आपका

स्वास्थ्य ठीक नहीं रहता और आप बहुत ही कमजोर हो गए हैं। इस समाचार से चित्त अत्यन्त चिन्तित हुआ। देश-सेवा और साहित्य-सेवा के लिए आपने जिस जीवट से वर्णनातीत विपत्तियाँ झेली हैं, वह हमारे देश के लिए गर्व की वस्तु है। आप आधुनिक हिन्दी काव्य के उन परम आदरणीय पथ-प्रदर्शकों में हैं जिनसे हमारे काव्य-जगत् का वास्तविक उपकार हुआ है। हिन्दी साहित्य की आज जो कुछ उन्नति दृष्टिगोचर हो रही है उसका प्रारम्भिक श्रेय कतिपय विद्वानों को है और आप उन्हीं में हैं। हम ईश्वर से प्रार्थना करते हैं कि आप शीघ्र स्वास्थ्य-लाभ करें और अभी बहुत दिनों तक हम लोगों का पथ-प्रदर्शन करते हुए हिन्दी साहित्य की चरम उन्नति साधन करें।

श्री चतुर्वेदी जी के पत्र से ही विदित हुआ कि आपके यहाँ एक-दो नहीं, बल्कि तिरसठ तलाशियाँ हुई थीं। हमारा काव्य-संग्रह—जो उन्होंने बहुत दिन हुए, आपके पास भेजा था; उन्हीं तलाशियों के कारण कहीं गुम हो गया। मेरा जहाँ तक अनुमान है, उन तलाशियों के कारण आपकी बहुतेरी बहुमूल्य वस्तुएँ लापता हो गई होंगी, फिर भला मुझ-सरीखे अकिंचन का काव्य-संग्रह किस गिनती में था। तिरसठ तलाशियों का कुछ ठिकाना है! अस्तु, मेरी आपसे करबद्ध प्रार्थना है कि आप उस संग्रह के लिए जरा भी चिन्तित न हों। वह ऐसी कोई वस्तु नहीं जिसका कुछ भी महत्त्व हो। आप अपने मन में किसी बात का खयाल न कीजिएगा। मैं चाहूँगा तो उसमें से सब नहीं तो अधिकांश पद्यों को फिर संग्रह कर लूँगा; परन्तु मुझे तो वैसा करने की कोई आवश्यकता ही प्रतीत नहीं होती, और फिर उसके खो जाने में आपका क्या दोष है?

आरम्भ में आपने ही मुझे आश्रय प्रदान किया था। इसके लिए मैं आपका हृदय से कृतज्ञ हूँ। आपके उत्साह-दान का ही यह फल है कि मैं यदा-कदा दो-चार पंक्तियाँ जोड़-जाड़ लेता हूँ। आपके इस उपकार को मैं आजीवन भूल नहीं सकता। आपकी सहृदयता का ऋण-भार मुझ पर सदैव बना रहेगा। आपका आशीर्वाद ही मेरे लिए सब-कुछ है। कृपादृष्टि बनी रहे।

विनीत

श्यामसुन्दर खत्री

[सुप्रसिद्ध हिन्दी कवि]

श्री आचार्य नरेन्द्रदेव

लखनऊ
1.12.50

प्रिय चतुर्वेदीजी, नमस्कार !

आपको स्मरण होगा कि कानपुर में मैंने आपसे कन्वोकेशन के अवसर पर विश्वविद्यालय में व्याख्यान देने की प्रार्थना की थी और आपने उसे कृपया स्वीकार कर लिया था। स्मरण दिलाने के लिए पत्र लिख रहा हूँ।

कन्वोकेशन 20 दिसम्बर को है और राजाजी दीक्षान्त-भाषण देंगे। कई व्याख्यानों की व्यवस्था की गई है। आपका व्याख्यान 18 या 19 तारीख को हो सकता है। कृपया लिखिए कि आप किस तारीख को और किस ट्रेन से पहुँचेंगे।

भवदीय
नरेन्द्रदेव
[वाइस-चान्सलर]

श्री ब्यौहार राजेन्द्रसिंह

जबलपुर
6.12.50

पूज्य चतुर्वेदीजी !

ऐसा लगता है कि आपकी कृपा का मैं पात्र नहीं रहा—इसीलिए कभी खबर नहीं लेते। पत्र का उत्तर तक पाने से वंचित हूँ।

सेवा में 'मौन के स्वर' छोटी-सी पुस्तिका भेजी है। इच्छा है कि भूमिका के रूप में आपके दो शब्द मिल जाते तो यह पुस्तिका धन्य हो जाती। क्या इतना कष्ट आप करेंगे ? पूर्ण आशा है, भेज रहा हूँ।

आशा है प्रसन्न होंगे। स्वास्थ्य कैसा है ?

भवदीय
ब्यौहार राजेन्द्रसिंह

श्री रामनिवास शर्मा

झालावाड़ (राजस्थान)
10.12.50

परम श्रद्धेय पण्डितजी, सादर प्रणाम !

मोहवश आपको लेख के लिए भूल से लिख दिया। कृपया क्षमा करें। आपका स्थान भारतवर्ष और हिन्दी-संसार साहित्य में है, इसे मैं अच्छी तरह से जानता हूँ। आप एक नेता हैं, पत्रकार हैं, आचार्य हैं और ग्रन्थकार हैं और भी न जाने क्या-क्या हैं। वह तो भूल हो ही गयी।

मुझे कोटा में होने वाले राजस्थान हिन्दी-साहित्य-सम्मेलन का सभापति बनाया है इसीलिए कृपया आप मुझे या इस सम्मेलन के स्वागताध्यक्ष (संयोजक) श्री नाथूलालजी जैन को अपना आशीर्वाद अवश्य भेज दें। दया-कृपा सदैव बनी रहे, यही प्रार्थना है। इस समय के आप ही एक सहृदय महान् पुरुष हैं, इसीलिए इतना लिखने में आया। आपसे मिलने की इच्छा रही परन्तु संयोग अब तक हुआ ही नहीं।

अनुग्रहीत
रामनिवास शर्मा
(भू० पू० सौरभ-सम्पादक)

श्री भगवतीचरण वर्मा

[1]

आल इण्डिया रेडियो, लखनऊ
12 दिसम्बर, 1950

पूज्य चतुर्वेदीजी,

आप लखनऊ आने वाले हैं...और इसलिए मैं आपको याद दिला रहा हूँ कि आपको यहाँ 15 मिनट का कविता-पाठ देना है तथा एक वार्ता भी रिकार्ड करानी है। हम लोग आपकी वाणी से अनुग्रहीत होंगे।

18-19 दिसम्बर को मुझे सरकारी काम से दिल्ली जाना है इसलिए बहुत सम्भव है मैं आपके दर्शन न कर सकूँ। इसके लिए अभी से क्षमा-प्रार्थना कर लूँ।

वार्ता का विषय 'हिन्दी साहित्य का भविष्य' यदि हो तो अच्छा है, नहीं तो आप अपनी सुविधानुसार कोई अपना ही विषय चुन लें। आशा करता हूँ आप सानन्द होंगे।

आपका
भगवतीचरण वर्मा

[2]

राष्ट्रकवि मैथिलीशरण गुप्त अभिनन्दन

(योजना-प्रबन्ध : बड़ा बाजार लाइब्रेरी, कलकत्ता-7)

साउथ एवन्यू, नई दिल्ली

31.12.54

प्रिय चतुर्वेदीजी,

राष्ट्रकवि श्री मैथिलीशरण गुप्त के सत्तरवें वर्ष-दिवस के अवसर पर उन्हें एक अभिनन्दन-ग्रन्थ भेंट करने की जो योजना बनी है, उसमें हिन्दी कवियों का सहयोग प्राप्त करने का भार मुझ पर सौंपा गया है। यह अभिनन्दन-ग्रन्थ लगभग 1000 पृष्ठों का होगा। इसमें 100 पृष्ठ हिन्दो के वर्तमान कवियों की श्रद्धांजलियों के रूप में होंगे।

कविगण अपनी उन कविताओं को जिन्हें वे श्रेष्ठ समझते हैं, अपने महान् कवि के अभिनन्दन-ग्रन्थ में श्रद्धांजलि के रूप में दे सकते हैं।

आप हिन्दी के सुविख्यात कवि हैं, इसलिए आपसे प्रार्थना है कि आप अपनी प्रायः सौ पंक्तियों की कविताएँ मेरे पास जल्दी से जल्दी भेज दें। प्रायः पचास कवियों को हम इसके लिए आमन्त्रित कर रहे हैं और प्रत्येक कवि के लिए मैंने दो पृष्ठ संरक्षित रखे हैं जिनमें प्रायः साठ या सत्तर पंक्तियाँ आएँगी। 100 पंक्तियों में 60 या 70 पंक्तियाँ चुन सकने की आज्ञा आप मुझे दे सकेंगे, मुझे इसका विश्वास है।

आपकी असुविधा जानते हुए भी मेरी आपसे व्यक्तिगत प्रार्थना है। कविताएँ जनवरी के अन्त तक मिल जायँ तो कृपा होगी। आशा है आप स्वस्थ और सानन्द होंगे।

आपका

भगवतीचरण शर्मा

श्री गोपालप्रसाद व्यास

साप्ताहिक 'हिन्दुस्तान', नई दिल्ली

12.12.50

आदरणीय चतुर्वेदीजी,

सादर प्रणाम ! कृपा-पत्र मिला। मैं तो 5-6 साल से 'हिन्दुस्तान' में ही हूँ। रेडियो तो कभी-कभी बुलाने पर चला जाया करता हूँ। पहले दैनिक में था, अब

साप्ताहिक में कार्य कर रहा हूँ।

यह अच्छा ही है कि आपसे दिल्ली दूर ही है। कम-से-कम कुछ तो स्वाभिमानी हम लोगों की बिरादरी में होने ही चाहिए; नहीं तो 'सन्तन कहा सीकरी सों काम' वाली उज्ज्वल परिपाटी कैसे टिकेगी?

साप्ताहिक 'हिन्दुस्तान' के लिए अपनी कोई रचना भेजिए। मुकुटजी आपको नमस्कार लिखवाते हैं, शंकरलाल जी भी। योग्य सेवा?

विनीत
गोपालप्रसाद व्यास

श्री गिरिधारीलाल शर्मा

(पीठ-स्थविर अधिकरण)

राजस्थान विश्व-विद्यापीठ
उदयपुर (राजस्थान)
19.12.50

आदरणीय माखनलाल जी, सादर प्रणाम!

आशा है आप स्वस्थ तथा प्रसन्न होंगे। राजस्थान विश्व-विद्यापीठ, उदयपुर का काम सामान्य तौर पर ठीक तरह से चल रहा है। आपने जब इसका निरीक्षण किया था, तब से अब तक इसकी स्थिति तथा स्वरूप में काफी अन्तर आ गया है। इस समय इसका काम और व्यय बढ़ गया है। प्रति मास इसका मासिक व्यय 4,000 रु० चार हजार रुपये हो रहा है। इस रकम में से 2000 रु० दो हजार प्रति मास राजस्थान-सरकार की ओर से दिया जाता है। शेष सारी रकम प्रमुख सेठों और व्यापारियों से संग्रह कर पूरी करने का प्रयत्न किया जाता है। फिर भी इस समय संस्था पर 30,000 रु० तीस हजार रुपये का कर्ज हो गया है। कर्ज को उतारने की चिन्ता में रात-दिन तिल-तिल घुलना पड़ता है।

इस काम के लिए इस बार मैं यू० पी० और बरार की ओर जाना चाहता हूँ। कृपया सूचित कर अनुग्रहीत करें कि सहायता प्राप्त करने के लिए उधर किसके पास में जाना अधिक उपादेय सिद्ध हो सकता है? आपके मार्ग-दर्शन की हमें अब आवश्यकता है। यदि उधर के दानदाताओं के नाम-पते हमें मिल जायँ तो आने की पूर्व भूमिका बना लें। क्या आप अपनी इस संस्था के लिए यह करवा सकते हैं?

आपको जानकर हर्ष होगा कि इस बार राजस्थान-विद्यापीठ के कुलपति-पद के लिए श्रीमान् राहुलजी ने स्वीकृति प्रदान कर दी है। उपकुलपति-पद पर महा-

राज कुमार डॉ० रघुवीरसिंह जी पहले से ही चुन लिये गये हैं। इन दोनों विद्वानों के सहयोग और नेतृत्व में विद्यापीठ का विकास अवश्य ही अधिकाधिक होगा, ऐसी आशा हमें करनी चाहिए।

विद्यापीठ अपनी परीक्षाओं के प्रारम्भ के लिए प्रयत्नशील है। विशेष क्या?

आपका ही
गिरिधारीलाल शर्मा

पुनः—श्री जनार्दनरायजी आपको अलग से लिखने वाले हैं।

श्री जैनेन्द्रकुमार

जैनेन्द्रकुमार

7 दरियागंज, दिल्ली
21.12.50

मान्य दादा,

चि० दिलीप ने मेरी पुस्तकें स्वयं ही छापने का विचार किया है। और जो भी रचनाएँ प्रकाशित हुई हैं, अलग से आती हैं। समालोचना तो उनकी खैर 'कर्मवीर' में निकल ही जायेगी। पर 'पूर्वोदय' पर आप अपना अभिप्राय कुछ विशद भाव से दे सकें तो मेरा लाभ होगा। गांधीवाद 'पंथवाद' बना तो किया-धरा सब मिट्टी हो रहेगा। इसी से यह पुस्तक इस रूप में है। दिलीप के प्रकाशन का नाम भी पूर्वोदय है। उसके लिए आपका लिखना लाभ की चीज होगी।

पिछली बार खण्डवा से चलते वक्त मैं आपसे एक पुस्तक ले गया था। राह में उसे पढ़ गया। खूब रस आया। अभी खरे ने जबलपुर से 'रेवा' भेजी और शुरू में ही आपकी कहानी पढ़ी। खूब ही चीज है। लगता है, कहीं मैं पहले आपकी रचनाओं के प्रति अन्याय तो नहीं करता रहा। आपका साक्षात्कार तो जैसे अब मुझे हो रहा है।

खैर, वह छोड़िए। अब आपका स्वास्थ्य कैसा है? और परिवार के सब लोग ठीक हैं न? मैं तो कुछ चक्कर में हूँ। बालक बड़े हो रहे हैं। जिम्मेदारी बढ़ रही है और बेफिक्री भाग रही है। अपने पर नाराज भी हूँ कि इधर मैं लिख क्यों नहीं रहा हूँ। लेख लिखना भर्ती का काम है। उपन्यास कुछ होना चाहिए था वही नहीं हो रहा है। पर आप गुरुजनों का आशीर्वाद रहा तो सब ठीक होगा। मेरे योग्य काम-काज लिखें।

आपका विनम्र
जैनेन्द्र

श्री शंकरराव देव

नवभारत (सांस्कृतिक मासिक) 291 शनिवार पेठ, पुणे 2

संचालक : श्री शंकरराव देव 26.12.50

सप्रेम वन्दे,

आपने 'नवभारत' के शुरू से सब अंक व्ही० पी० से मँगाए थे और आगे के लिए ग्राहक बनने की इच्छा प्रकट की थी, उसके बारे में 'नवभारत'-व्यवस्थापक ने आपको एक चिट्ठी भेजी थी। लेकिन उसका कुछ जवाब अभी तक नहीं मिला। उम्मीद है कि जल्द आपका जवाब आएगा और 'नवभारत' आपको जाना शुरू होगा।

लेकिन मैं यह खत जो लिख रहा हूँ, उसका एक खास उद्देश्य है। 'नवभारत' जैसे उच्चश्रेणी के मासिक में जो लेख प्रसिद्ध होते हैं, वे हिन्दी-जगत् के वाचकों के सामने जाने का कुछ-न-कुछ प्रबन्ध होना चाहिए। आपको यह भी मालूम होगा कि 'नवभारत' जिस 'सुलभ राष्ट्रीय ग्रन्थमाला' ट्रस्ट के ओर से प्रकाशित होता है उस ट्रस्ट के तरफ से एक 'सुलभ राष्ट्रीय ग्रन्थमाला' नाम का एक 'पब्लिशिंग हाउस' भी है। आपके तरफ से अभी तक श्रेष्ठ ग्रन्थ प्रकाशित हुए हैं। महाराष्ट्र में मासिक 'कर्मवीर' की बड़ी प्रतिष्ठा है। इस माला में जो अच्छे-अच्छे ग्रन्थ प्रकाशित होते हैं उनका हिन्दी में अनुवाद करके प्रकाशन किया जाय, ऐसी मेरी आयोजना है। जैसे मराठी के (हिन्दी में वैसे ही) हिन्दी में से मराठी में होना चाहिए।

मैं जानता हूँ कि आप जैसे सज्जनों की इस काम में बहुत सहायता हो सकती है। क्योंकि आप हिन्दी और मराठी जनमत की सरहद पर रहने वाले हैं, आपके इस खत का जवाब मिले तो मैं इस विषय पर गद्य लिखूँगा। जरूरतन हम मिलेंगे भी। आशा है, आपका सब कुशल है।

आपका

शंकरराव देव

श्री शिवपूजनसहाय

बिहार राष्ट्रभाषा परिषद

सिन्हा लाइब्रेरी, पटना

2.1.51

पूज्य चतुर्वेदीजी, सादर चरणस्पर्शपूर्वक सविनय प्रणाम !

यह संस्था बिहार-सरकार के शिक्षा-विभाग से सम्बद्ध है। इसके द्वारा ग्रन्थ-

प्रकाशन, साहित्यिक पुरस्कार-वितरण आदि के अतिरिक्त प्रतिवर्ष दो भाषण हिन्दी में कराये जायँगे। वे भाषण लिखित होंगे। वक्ता को यहाँ आकर लगातार पाँच दिनों तक एक-एक घण्टा भाषण करना होगा। विषय का चुनाव स्वयं वक्ता ही स्वेच्छानुसार करेंगे। किन्तु विषय की सूचना यहाँ दे देंगे, ताकि प्रचारार्थ घोषणा की जा सके। वक्ता को आने-जाने का राह-खर्च— सेकण्डक्लास रेलभाड़ा — दिया जायेगा। उनके स्वागत-सत्कार आदि का प्रबन्ध भी स्वयं यह परिषद् ही करेगी। उनको भाषण के बाद एक हजार रुपये की दक्षिणा दी जायगी। फिर लिखित भाषण को परिषद् ही प्रकाशित करेगी। उस छपी पुस्तक पर भी उपर्युक्त दक्षिणा के अतिरिक्त बराबर रॉयल्टी मिलती रहेगी।

यह चालू साल आगामी मार्च में समाप्त हो जायगा। अत: परिषद् का विचार है कि फरवरी के अन्त या मार्च के आरम्भ तक एक भाषण करा दिया जाय। मैं जानना चाहता हूँ कि आपके लिए क्या यह सुविधाजनक और सम्भव हो सकेगा ? यदि मार्च के मध्य तक भी आप तैयार हो सकें, तो यहाँ आपके आदेश-अनुसार व्यवस्था की जा सकती है। यदि इस साल आपको किसी तरह की कठिनाई हो, तो अप्रैल के बाद अगले नये साल में ही कोई समय ठीक कर दीजिए। आपकी मर्जी के मुताबिक ही यहाँ घोषणा की जायेगी।

विश्वास है कि आप परिषद् की यह प्रार्थना सहर्ष स्वीकृत करेंगे और हमें अपनी इच्छा और सम्मति से शीघ्र ही सूचित करेंगे कि आप कब तक और किस विषय पर भाषण तैयार करके यहाँ पधारकर अपनी व्याख्यान-माला शुरू कर सकेंगे।

शुभाशीष-अभिलाषी

शिवपूजनसहाय, मन्त्री

[2]

बिहार राष्ट्रभाषा परिषद्

सिन्हा लाइब्रेरी, पटना

19.1.51

पूज्य चतुर्वेदीजी,

चरणस्पर्शपूर्वक सविनय प्रणाम !

मैंने आपकी सेवा में 3.1.51 को एक पत्र भेजा था, जिसका उत्तर आज तक नहीं मिला है। कृपया उसकी ओर शीघ्र ध्यान देकर कृतज्ञ करें।

उस पत्र में आपसे निवेदन किया गया था कि आप पटना पधारकर परिषद् के तत्त्वावधान में भाषण करें। इसके लिए मार्गव्ययादि परिषद् देगी। भाषण एक सहस्र मुद्रा से पुरस्कृत होगा। वह हिन्दी में लिखित होगा और परिषद् उसे छपवावेगी। छपी पुस्तक पर उक्त पुरस्कार के सिवा रॉयल्टी भी मिलेगी। भाषण

चि० बृज को आशीर्वाद। बच्चों को प्यार। नन्दो-पुष्पा का प्रणाम स्वीकार कीजिए।

भवदीय
हीरालाल खन्ना

[2]

विज्ञान-परिषद, इलाहाबाद

सभापति : प्रिंसि० हीरालाल खन्ना
प्रधानमन्त्री : डॉ० रामदास तिवारी

8/215 आर्यनगर, कानपुर
23 मार्च

प्रिय माखनलालजी,

बहुत दिनों के बाद मुझे आपका उत्तर मिला। खेद है कि मेरा पत्र इधर-उधर हो गया था, जिस कारण उत्तर भेजने में विलम्ब हुआ। मालूम होता है कि अपील का मसविदा, जो मैंने आपके हस्ताक्षर पाने के लिए भेजा था, शायद पत्र के साथ में वह भी इधर-उधर हो गया। आपकी सुविधा के लिए मैं उसकी एक प्रति इस पत्र के साथ और भेज रहा हूँ। आशा है, अब आप इसे हस्ताक्षर करके शीघ्र मुझे वापस भेज देंगे।

आशा है कि आप नागपुर हो आये होंगे। पं० रविशंकर जी शुक्ल से आपका साक्षात् तो हुआ ही होगा। उनका पत्र मुझे अभी तक नहीं मिला है। पं० कुन्जीलालजी दुबे का पत्र मिल गया है। यदि आप उचित समझें तो अपील पर हस्ताक्षर कराके आप उसे मेरे पास खुद भेज दें।

मैं आशा करता हूँ कि आप फिर हमारे प्रान्त में आयेंगे और थोड़े दिन मेरे पास रहकर मुझे कृतार्थ करेंगे। इलाहाबाद तो शायद आप न आवें। मेरा मन भी उधर आने को हो रहा है। कह नहीं सकता कि कब तक आ सकूँ। चि० बृज तथा बच्चों को प्यार।

सस्नेह आपका
हीरालाल खन्ना[1]

पुनश्च :

एक पत्र साथ में चि० कैलाश के लिए भेज रहा हूँ। कृपया करके यह उसे दे दें।

---

1. सुप्रसिद्ध शिक्षाविद्, भूतपूर्व प्राचार्य बी. एन. एस. डी. कालेज, कानपुर।

श्री वि० अच्युतराव

दक्षिणी विशाखा जिला हिन्दी पंडित संघ

अनकापाल्ले

11 जनवरी, 1951

प्रिय महोदय,

मैं वि० अच्युतराव हूँ। उपर्युक्त संघ का कार्यदर्शी हूँ। मद्रास प्रान्त में कई सैकड़े हिन्दी अध्यापक पाठशालाओं में राष्ट्रभाषा सिखा रहे हैं। मद्रास सरकार यद्यपि कांग्रेसी उसूलों से जबानी सहानुभूति दिखाती है, सचमुच अमल में उदासीन है। हिन्दी के प्रति वह कट्टर शत्रु भी बन रही है। आंध्र लोग हिन्दी का हार्दिक स्वागत करते हैं। मगर तमिल लोग उसको फटकार बताते हैं। उनके हाथ में सरकार की बागडोर है। संक्षेप में कहा जाय तो हम हिन्दी अध्यापक अधमरे हैं, वेतन साठ पाना सशरीर स्वर्ग पाना है। हिन्दी परीक्षा के उत्तीर्णता के लिए अंक आवश्यक नहीं। इस तरह मैं कहाँ तक हमारी तकलीफों की माला बताऊँ ? एक कागज हमने छपवाया है।

आपकी दिलचस्पी का सबूत पाया तो जरूर भेजूँगा। आपके साप्ताहिक के बारे में सुना है आप कृपया एक प्रति भेज दें। यदि आपको हमारी तरफ करुणामय बना सकूँ तो क्या आप अपने पत्र में थोड़ी जगह हर सप्ताह मुफ्त में हमारे न्याय के लिए देंगे ?

उत्तर और दक्खिन में भाषा भोजन, रस्म-रिवाज सभी एक हो जाएँ तो हमारा देश लहरायेगा।

भवदीय

वि० अच्युतराव (हिन्दी विद्वान्)

साईंबाबा स्ट्रीट, वाल्टेयर, आर० एस० पोर्ट

श्री कन्हैयालाल मिश्र 'प्रभाकर'

[1]

सम्पादक :
कन्हैयालाल मिश्र 'प्रभाकर'

विकास लिमि०, सहारनपुर, उ० प्र०

28.2.51

मेरे परमपूज्य दादा, चरणों में प्रणाम !

आज दुखी होकर यह पत्र आपको लिख रहा हूँ। आशा है, आप ध्यान देंगे।

मैं पिछले नौ वर्षों स यह प्रयत्न कर रहा था कि आपकी स्मृति में जो इतिहास समाया हुआ है, वह भावी पीढ़ियों के लिए सुरक्षित कर लिया जाए।

अब यह प्रयत्न सफल हुआ कि बरुआ 3-4 महीने आपके पास रहें और तब दो माह में जीवन-चरित्र लिखें। आपका जीवन-चरित्र, हिन्दी पत्रकार-कला का इतिहास है, क्रान्तिकारी आन्दोलन का इतिहास है, देश की स्वतन्त्रता का इतिहास है और मानवीय षड्यन्त्रों का इतिहास है। उसकी उपेक्षा राष्ट्रीय अपराध है।

श्रीकान्तजी का पत्र मुझे मिला था। ठीक है, आपको इसमें दिलचस्पी नहीं है, पर दादा, मेरी दिलचस्पी भी तो कोई चीज है। मेरा विश्वास है कि मेरे लिए ऐसा तो कुछ भी नहीं, जो आप न कर सकें। फिर इसे मेरा काम समझकर भी क्यों उपेक्षा करें? आप जो आता है, उससे बात करते हैं, तो बरुआ से भी बात करते रहें। मैं मार्च में स्वयं आऊँगा और देखूँगा कि क्या हो रहा है, क्या होना है। तो आशा करूँ कि आप मुझे दुत्कारेंगे नहीं, दुलारेंगे ही। विश्वास कीजिये, आपकी आज्ञा मेरे लिए ब्रह्म-वाक्य है, पर इस बारे में मैं आपकी एक नहीं सुनूँगा।

वड़े अच्छे दादा हैं आप मेरे। है न दादा? हाँ, तो मेरा काम आपको करना ही पड़ेगा। अच्छा, शत-शत प्रणाम लें।

विनम्र

क० ला० प्रभाकर

[2]

12.4.53

पूज्य दादा, प्रणाम और चरणस्पर्श!

वहुत संक्षेप में यह कहना है कि 'ज्ञानोदय' में मेरी सफलता का डिंडिम घोष करने के लिए घोर प्रयत्न हुए हैं और अगले 6 महीने मेरी सफलता-असफलता का मानदण्ड होंगे। आप यदि 3 अंकों में हर बार 3 पेजों की टिप्पणियाँ लिख दें, तो बस, गाड़ी गंगा के पार हो जाय। शीर्षक तो--मैं सोचता हूँ। या जो आप ठीक समझें। फुटकर टिप्पणियों में जोर पड़े स्वास्थ्य पर, तो तीन लेख दे दें—आपके रहते मैं हारूँ, यह तो फिर मुझे अच्छा लगता नहीं।

'ज्ञानोदय' का व्यवस्था-विभाग मैंने कलकत्ता भिजवा दिया है और सिर्फ सम्पादन अपने पास रख लिया है। नई व्यवस्था के लिए 20 तक कलकत्ता पहुँच रहा हूँ। यदि 21 को आपके प्रसाद का पहला दोना मुझे मिल जाये, तो दिग्विजय मानूँ।

वहाँ मेरा पता है—9, अलीपुर पार्क प्लेस, कलकत्ता 29

वड़ी आशा से लिख रहा हूँ दादा, बस भेजा और बड़ा हो जाऊँगा मैं। कृपा

तो आपकी सदा है ही । कलकत्ता से खण्डवा आने का विचार है ।

विनम्र

क० ला० 'प्रभाकर'

श्री श्रीधरन

एम० श्रीधरन, बी० ए०, टेलीचेरी (मलाबार)
सहा० लैक्चरार हिन्दी, 22.10.51
गवर्नमेंट ब्रेन्यु कालेज, टेलीचेरी (मलाबार)

माननीय चतुर्वेदीजी,

मैं मद्रास-विश्वविद्यालय की एम० ए० परीक्षा की तैयारी कर रहा हूँ। आपका नाटक 'कृष्णार्जुन युद्ध' इसमें पाठ्य-पुस्तक रूप में निर्धारित किया गया है। मैंने दक्षिण और उत्तर हिन्दुस्तान के कई पुस्तक-विक्रेताओं को लिखा; लेकिन अब तक उसकी एक प्रति की प्राप्ति में सफल नहीं हुआ हूँ। प्रत्येक विक्रेता से यही जवाब मिला कि पुस्तक हमारे पास नहीं है; आउट ऑफ स्टॉक है; आउट ऑफ प्रिंट है। आप कृपा करके सूचना दीजियेगा कि वह कहाँ मिलेगी। और कहीं मिलने वाली नहीं हो तो आप ही अपनी प्रति भेजकर इस संकट-ग्रस्त भाई पर अनुग्रह कीजियेगा। परीक्षा के बाद मैं वापस दे दूँगा।

मैं जानता हूँ इस तरह आपकी कृपा-बुद्धि का लाभ उठाना अविवेक है। इसके लिए क्षमा माँगता हूँ। आशा है, आप मेरी इस प्रार्थना को ठुकरा नहीं देंगे।

भवदीय कृपाभिलाषी

श्रीधरन

श्री रामधारीसिंह 'दिनकर'

[1]

सदस्य, राज्य-परिषद श्री अजन्ता प्रेस, पटना-4
3.9.52

मान्यवर दादा, प्रणाम !

वायदे के मुताबिक मैं खण्डवा से लौटने पर पत्र नहीं लिख सका, इसके लिए

क्षमा चाहता हूँ। दिल्ली से इधर मैं अहमदाबाद, बम्बई और पूना गया था। कल मुजफ्फरपुर लौटा हूँ, जहाँ से यह पत्र लिख रहा हूँ।

एक मुसीबत में सहायता कीजिए। पटना से हम लोग 'अवन्तिका' नामक एक मासिक पत्रिका निकालने जा रहे हैं। सुधांशु जी ने उस सम्बन्ध में आपको लिखा था, मगर, आपका उत्तर नहीं आया। अतएव, मैंने अवन्तिका के प्रथमांक का प्रकाशन एक पन्द्रह दिनों के लिए स्थगित करवा दिया है। मेरी भावना है कि उसके प्रथमांक में आपकी रचना अंवश्य रहे। अतएव, मेरे दुलार की रक्षा करते हुए आप अपनी कोई एक कविता और 'रंगों की बोली' में से एक लेख लौटती डाक से ऊपर के पते पर भिजवा देने की कृपा करें। आपका एक फोटो भी आना चाहिए। मुझे पूर्ण विश्वास है कि औसत पत्रों में इस पत्र को न डालकर इस पर तुरन्त ध्यान देंगे। शेष कुशल है।

आपका

दिनकर

[2]

पटना 6

7.2.55

मान्यवर ! प्रणाम !

साहित्य अकादमी 'भारतीय कविता, 1953' नाम से एक संग्रह प्रकाशित करने जा रही है जिसमें भारत की चौदह भाषाओं से 1953 में प्रकाशित सर्वोत्तम कविताओं में से चुनी हुई दस-दस कविताएँ देवनागरी लिपि में हिन्दी-अनुवाद सहित रहेंगी। सन् 1953 ई० में प्रकाशित सभी हिन्दी कविताओं में से सर्वश्रेष्ठ दस कविताओं का चुनाव करने के लिए अकादगी की हिन्दी परामर्शदात्री समिति आगामी 18 फरवरी को दिल्ली में बैठ रही है। इस समिति का एक सदस्य मैं भी हूँ, अतएव, समिति में मुझे भी अपना मत देना है। किन्तु, यह प्रकाशन जितना महत्त्वपूर्ण है उतना ही कविताओं का चुनाव भी कठिन कार्य है। विशेषतः हिन्दी-क्षेत्र की विशालता को देखते हुए यह आवश्यक प्रतीत होता है कि अन्तिम निर्णय के पूर्व अधिक से अधिक कवियों की रचनाओं पर विचार कर लिया जाय।

गुझे यह पता नहीं कि अकादेमी के अधिकारी अथवा हिन्दी-समिति के संयोजकजी ने आपसे इस सम्बन्ध में पूछ-ताछ की है या नहीं, किन्तु मेरा विचार है कि यह समिति अधिक से अधिक कवियों की कविताओं पर विचार करके ही कोई निश्चय करे। अतएव, मेरी आपसे विनम्र प्रार्थना है कि आप अपनी सन् 1953 ई० की विरचित अथवा प्रकाशित कविताओं में से एक या दो की प्रति-लिपियाँ मेरे पास भिजवा देने की कृपा करें। यदि इस काम के लिए आपकी

कविताएँ अकादमी वालों ने या संयोजकजी ने मंगवा ली हों तो दुबारा कष्ट करने की आवश्यकता नहीं है। अन्यथा, आप इतनी-सी प्रार्थना अवश्य स्वीकार करें और कविताएँ मेरे पास अवश्य भिजवा दें।

16 फरवरी, 1955 ई० तक मैं चौधरी विला, पटना-6 के पते पर हूँ। 17 फरवरी से मेरा पता होगा, 52, साउथ एवेन्यू, नई दिल्ली।

आपका

दिनकर

श्री श्रीमन्नारायण अग्रवाल

गोविन्दराम सेकसरिया कॉमर्स कालेज, वर्धा

वर्धा

4 अगस्त

पूज्यवर पं० माखनलालजी, सादर प्रणाम !

आपका ता० 28 जुलाई का कृपा-पत्र मिला और परमेश्वरीलाल के मार्फत कविता-संग्रह भी मिल गया। आपकी 'भूमिका' व सुधारों के लिए बहुत आभारी हूँ। मुझे जानकर दुःख हुआ कि आप बीच में काफी बीमार रहे। कई चिट्ठियों और संदेशों को भेजने के बाद जब आपका मुझे कोई भी उत्तर इतने महीनों तक नहीं मिला तो मुझे परेशानी काफी रही, आश्चर्य भी हुआ। आपसे कुछ-न-कुछ उत्तर की अपेक्षा रखता था, किन्तु अब आपका विस्तृत पत्र पाकर आनन्द हुआ। मुझ पर आपकी जो कृपा रही है, और जिस आत्मीयता से आपने मुझे सदा देखा है, उसके लिए मैं आपका हृदय से आभारी हूँ।

आपने वर्धा आने का विचार किया था यह जानकर बहुत खुशी हुई। मदालसा भी बहुत प्रसन्न हुई। जब आपको सुविधा हो आप अवश्य हमारे यहाँ पधारें। यह आपका अपना घर है। किसी प्रकार का संकोच न करें। बस, अपने आगमन की सूचना कुछ दिन पहले दीजियेगा ताकि मैं उन दिनों वर्धा में ही रहूँ। बीच-बीच में वाहर जाते रहना पड़ता है।

आपका स्वास्थ्य अब अच्छा होगा। मेरे लायक काम-काज लिखियेगा। कृपा बनाये रखें।

विनम्र

श्रीमन्नारायण

श्री हरिसिंह हाड़ा

उज्जयिनी विकास समिति,
उज्जैन (मध्य भारत)
10.2.53

आदरणीय पं० माखनलालजी साहब चतुर्वेदी !

भारत की स्वतन्त्रता के अभ्युत्थान के साथ जन-मानस में यह भावना भी सहज जाग्रत हुई थी कि भारत की साहित्य, कला एवं संस्कृति का अब पुनरुत्थान होगा एवं विश्व को पुनः भारत की उस गत गरिमा के प्रांजल रूप का दर्शन प्राप्त हो सकेगा। हर्ष का विषय है कि भारत-सरकार ने इस विषय में कतिपय कदम बढ़ाये हैं व नालन्दा, साँची, सोमनाथ, भुवनेश्वर को फिर मे प्रकाश में लाने का प्रयत्न किया है। शान्ति-निकेतन विश्वविद्यालय को केन्द्रीय रूप देना प्राचीन भारतीय संस्कृति, साहित्य एवं कला के महत्त्व के पुनःस्थापन की ओर एक विशिष्ट कदम है।

बनारस एवं उज्जयिनी भारतीय संस्कृति, कला एवं शिक्षा के प्राचीनतम पीठ-स्थान हैं एवं इस नवीन युग में इनका पुनरुत्थान भारतीय संस्कृति, कला एवं शिक्षा का ही पुनरुत्थान होगा। यह गौरव की वस्तु है कि महामना मालवीयजी की दूरदर्शी प्रतिभा ने आज के युग में बनारस को फिर जाग्रत कर दिया है, परन्तु उज्जयिनी आज विस्मृति के गर्भ में भयंकर बवण्डरों से आत्रस्त है। भारत के इस युग के प्रत्येक मनीषी से व भारतीय संस्कृति, साहित्य एवं कला के पुजारी से यह स्वाभाविक आशा है कि वह उज्जयिनी को पुनः उसके प्राचीन गौरव पर प्रतिष्ठापित कराकर भारतीय संस्कृति, कला एवं शिक्षा को अपना प्राप्य महत्त्व प्रदान करें। मध्यभारत शासन के विचाराधीन विश्वविद्यालय प्रश्न पर आप-से संस्कृति साहित्य कला एवं शिक्षा-प्रेमी का अभिमत इस दृष्टि से वास्तव में अत्यन्त महत्त्वपूर्ण होगा और आपका आशीर्वाद व सक्रिय सहयोग इस प्राचीन नगरी को फिर भारतीय संस्कृति, कला, साहित्य एवं शिक्षा का गौरवमय प्रतीक बनने में सहायक होगा। हम इस नगरी के विनम्र नागरिक आपके अभिमत एवं सक्रिय सहयोग के लिए विश्वास के साथ हार्दिक अनुरोध करते हैं।

विनम्र
हरिसिंह हाड़ा
मंत्री, उज्जयिनी विकास समिति

डा० पद्मसिंह शर्मा 'कमलेश'

गोकुलपुरा, आगरा
24.11.53

परमपूज्य दादाजी, सादर चरण-वन्दन !

सुना है कि आप ब्रज-साहित्य मण्डल के अधिवेशन में पधार रहे हैं। ब्रज साहित्य-परिषद का उद्घाटन भी करेंगे। क्या मुझे यह अवसर देंगे कि मैं नागरी-प्रचारिणी सभा में अपना एक घण्टे का कार्यक्रम रख लूँ। कब चलेंगे, कब तक यहाँ रहेंगे, यह सब सक्षेप में लिख दें तो कृपा हो। मैंने पी-एच० डी० का कार्य समाप्त कर दिया है। कुछ साधारण-सी तकलीफ हो गई है इसलिए परेशान हूँ। ठीक हो जाएगी।

एक दिन मेरी कुटिया में भी पधारें। पलकें बिछाये हूँ। बृज भैया को मेरा प्रणाम। सबको यथायोग्य।

आपका ही
कमलेश

[2]

22.12.54

पूज्यपाद दादाजी,

आपका 16-12-53 का पत्र मिला। आपकी बात डॉ० रामविलास शर्मा तथा अन्य साहित्यकारों के पास पहुँचा दी है। आपकी पीढ़ी की महानता छूने की सामर्थ्य भी आज के तथाकथित साहित्यकारों में नहीं है।

दादाजी, इधर मैं बड़ा परेशान रहा। बहनोई का जून में हार्ट-फेल हो गया। पूरा परिवार अनाथ हो गया। माताजी उसी शोक में लम्बी बीमारी से चल बसीं। अकेला घिर गया। आदत यह है कि दुःख मैं अकेले ही भोगता हूँ—सो किसी से कहा भी नहीं। काल-चक्र में फँस गया।

पी-एच० डी० हो गया हूँ। आप पर अलग से एक लेख है। 'नई धारा' में उसका स्पेसीमैन भेजा है। देखियेगा, इसी कन्वोकेशन में डिग्री मिलेगी। श्री विनयमोहन शर्मा भूमिका लिख रहे हैं। राजकमल छाप रहा है। अब जमकर लिखने वाला हूँ।

आशीषेच्छुक
कमलेश

श्री सद्‌गुरुशरण अवस्थी

स्वप्नभूमि,
मेकराबर्टगंज, कानपुर
20.12.53

आदरणीय चतुर्वेदीजी, कोटिशः प्रणाम !

मिलिन्दजी के पत्र के मुख-पृष्ठ पर आपकी कविता पढ़कर मुझे अपना कवि स्मरण हो आया। आप जिस तथ्य पर इतनी आयु पर पहुँचे हैं, वह कँपकँपी मुझे केवल 52 वर्षों में ही होने लगी है। कोई हमेशा ही सामने रहता है। अपने पराये हो रहे हैं। यही तो अन्तिम समय का लक्षण है।

विनीत
सद्‌गुरुशरण

श्री बालकृष्ण जोशी 'विपिन'

देशबन्धुपुरा, इटारसी
15 मार्च, 54

पूज्य दादा, सभक्ति नमन !

अखबारों में आपका नाम पढ़कर कल नागपुर-रेडियो से होनेवाला कवि-सम्मेलन सुना। पता चला कि आप अस्वस्थता के कारण नागपुर नहीं जा सके। अस्वस्थता की बात सुनकर चिन्ता हुई और साथ ही कवि-सम्मेलन का आनन्द भी आधा हो गया। आशा है, अब आपका स्वास्थ्य अच्छा होगा। यदि एक पत्र द्वारा सूचना मिल सके, तो मैं अपना सौभाग्य समझूँगा। बहुत दिनों से आपके अक्षरों का दर्शन नहीं हुआ है। साथ में एक तुकबन्दी भी भेज रहा हूँ; यदि कविता का केन्द्रीय भाव अच्छा हो, आप उसे पसन्द करें, तो प्रकाशनार्थ दे दीजियेगा, अन्यथा आपके पास ही रहने दीजियेगा। पत्र की आशा में—

आपका ही
विपिन
(सुप्रसिद्ध गीतकार)

श्री० ठा० गोपालशरणसिंह

5, म० गांधी मार्ग, प्रयाग
8.4.54

प्रिय चतुर्वेदीजी, प्रणाम !

आपका 29 मार्च का कृपा-पत्र नई गढ़ी से घूमकर आज मुझे यहाँ मिला। आपकी बधाइयों के लिए मैं अत्यन्त कृतज्ञ हूँ। मेरे लिए पुरस्कार की अपेक्षा, आपकी प्रसन्नता और शुभकामना का मूल्य कहीं अधिक है।

मैं इधर कई महीनों से प्रयाग ही में रह रहा हूँ। गत फरवरी में 'साहित्यकार संसद' की ओर से आपके सम्मानार्थ जो उत्सव मनाया गया था, उसमें मैं उपस्थित था। आशा थी कि उस अवसर पर आपके दर्शन होंगे, परन्तु यह जानकर दुःख हुआ कि अस्वस्थता के कारण आप नहीं आ सके।

आशा है, अब आप स्वस्थ और प्रसन्न हैं।

विनीत
गोपालशरणसिंह

श्री नाना बापट

आदिम जाति सेवक विद्यालय, मध्यप्रदेश

संचालक : नाना बापट, एम० ए०

छिंदवाड़ा
25.4.1954

श्रद्धेय पं० माखनलालजी,

मैं आदिवासी आश्रमवासियों की एक टोली लेकर दिनांक 11 मई को आपकी सेवा में उपस्थित होना चाहता हूँ।

यह टोली आपको नयन-मनोहर आदिवासी नृत्य दिखाने वाली और श्रुति-मधुर आदिवासी संगीत सुनावेगी। मेरी आपसे कई वर्षों से प्रार्थना थी कि आप हमारे आदिवासी आश्रमों को भेंट देकर हमें कृतार्थ करें, किन्तु यह हमारी कामना सफल न हो सकी। अब हम लोग आपके दर्शन के लिए आना चाहते हैं।

आपके सभापतित्व में इनका प्रदर्शन होगा। हमारे आश्रमवासी गरमी की छुट्टियों में गुजरात का भील-क्षेत्र और बम्बई राज्य का आदिवासी क्षेत्र देखना चाहते हैं। राह और भोजन-व्यय प्रदर्शन द्वारा प्राप्त होगा, ऐसी इच्छा है। यदि खण्डवा में टिकट लगाकर यह प्रदर्शन किया जाता है, तो लोगों के मनोरंजन के साथ-साथ आश्रम के बालकों को सहायता भी प्राप्त हो सकती है।

यदि कोई संस्था इस व्यवस्था में सहयोग देना चाहे, तो उसे कुल प्राप्ति का कुछ हिस्सा मिल सकेगा, बशर्ते कि मूल उद्देश्य सिद्ध हो।

इस पत्र का आप कृपया अविलम्ब उत्तर दें, जिससे कार्यक्रम निश्चित करने में सुविधा हो जावेगी। आशा है, आप प्रसन्न होंगे।

भवदीय

नाना बापट

श्री शिवकुमार श्रीवास्तव

स्वागत-समिति :
प्रान्तीय तरुण साहित्यकार सम्मेलन

सम्मेलन-कार्यालय, गुजराती बाजार
सागर, 1 मई, 54

पूज्य दादा,

23 मई 54 को स्वागत-मन्त्री ने एक पत्र आपको लिखा था। उसका अभी तक कोई उत्तर प्राप्त नहीं हुआ। आशा है, आप स्वस्थ एवं प्रसन्न होंगे। प्रान्त के सभी तरुण साहित्य-साधकों की यह इच्छा थी कि आप इस सम्मेलन में पधारकर उनका मार्ग-निर्देश करते। माँ भारती की अर्चा की साध रखने वाले हर तरुण को आपने दीक्षा दी है। हम महसूस करते हैं कि हमारी पीढ़ी को कलम पर सिर उतारने की कला सीखनी है, यह कार्य आपके अतिरिक्त और कौन कर सकेगा?

हमें आशा है कि आप इस अवसर पर सागर अवश्य पधारेंगे। कई बार आप हमारे अनुरोधों को टाल चुके हैं—जानबूझकर नहीं, स्थितिवश। परन्तु इस बार यहाँ के तरुण साहित्यिकों को आपके दर्शनों का लाभ अवश्य होना चाहिए।

आपका ही

शिवकुमार श्रीवास्तव

श्री पुरुषोत्तमदास काबरा

होशंगाबाद जिला हिन्दी साहित्य सम्मेलन
पिपरिया (म० प्र०)

21 जून, 54

आदरणीय दादाजी, चरणस्पर्श !

सेवा में सम्मेलन के तिथि-परिवर्तन की सूचना भेज चुका हूँ। राजर्षि टण्डनजी

अधिवेशन का उद्घाटन करेंगे। साहित्य-सम्मेलन 8 जुलाई को तथा सांस्कृतिक एवं कवि-सम्मेलन 9 जुलाई को होगा।

मैं प्रयाग गया था। डॉ० रामकुमार वर्मा, इलाचन्द्रजी जोशी, कोकिलजी, डॉ० सुमन ने भी जुलाई में पधारने का आश्वासन दिया है। डॉ० रघुवीर तथा श्री कुंजीलालजी दुबे के भी पधारने की सम्भावना है। श्री ब्रिजलालजी बियाणी आदि पधारेंगे ही। मैंने डॉ० रामकुमारजी वर्मा से कवि-सम्मेलन के उद्घाटन-हेतु प्रार्थना की थी। उन्होंने आपको प्रणाम निवेदित करते हुए कहा था कि "दादा तो तरुणाई के स्रोत हैं और यह कार्य उन्हीं के द्वारा होना चाहिए।" प्रार्थना है, आप निराश न करेंगे। यह सम्मेलन तो आपके अपने ही घर में हो रहा है और आपके ही बल पर हम गब यह उछल-कूद कर रहे हैं।

स्वागत-समिति के मन्त्री श्री गणेशप्रसादजी व्यास का भी आपसे अनुरोध है। वे उक्त अवसर पर यहीं रहेंगे। विश्वास है, प्रत्युत्तर शीघ्र ही प्राप्त होगा।

आपका स्नेहाकांक्षी

पुरुषोत्तमदास काबरा, मन्त्री

श्री महेन्द्र शर्मा

12 अक्टूबर, 54

परम पूजनीय दादा, चरणों में सादर......

एक बार धृष्टता कर चुका हूँ, साहस बढ़ गया है। आपको श्रीनिकेतन से लिखा था, किन्तु उत्तर की प्रतीक्षा कर सकूँ, इसके पूर्व ही पूजा की छुट्टियाँ हो गईं। सोचा था, इन चन्द दिनों के लिए घर नहीं जाऊँगा, किन्तु जिन विषम मानसिक विकृतियों और संघर्षों में प्राण घुट रहा था, उसे सहन कर सकना जब असम्भव हो गया तो चला आया।

यहाँ आकर लगता है, कुछ ठीक नहीं किया। पैरोल पर छूटे हुए कैदी को कितना सुख और यन्त्रणा—यह कुछ आपसे छिपा थोड़े ही है।

मैंने आपको जो पत्र लिखा था, सम्भव है, कुछ बचकानापन उसमें रहा हो, उसके लिए उतने ही बचकानेपन से मैं क्षमा भी माँग लूँ, किन्तु मुझे लगता है लिखकर भी मैं अपने आपको हलका कर नहीं पाया हूँ। मैंने इन तीन महीनों में जो भीषण दुःस्वप्न देखा है, वह मेरे किन्हीं पूर्व जन्मों के या इसी जन्म के पापों का फल है। इसमें मुझे जरा भी सन्देह नहीं। [लगातार Torture (टार्चर) सहते-सहते बुद्धिवाद की नींव धँस गई। मैं क्या करूँ?] किन्तु, दण्ड शायद सीमाओं का हर बन्धन तोड़ चुका है और मैं सोचता हूँ—काश, मैं अजन्मा ही रह जाता। आप शायद हँसें, शायद नाराज हों और फाड़कर फेंक दें, किन्तु सत्य

की अँधेरी अभिव्यक्ति इससे अधिक और क्या हो सकेगी—नहीं जानता। और निष्कम्प-निर्धूम सत्य तो शायद बड़े मनीषी भी कहने में हिचकते रहे हैं।

दादा, मैं वस्तुतः बहुत दुःखी हूँ। और इस असीम निराशा के बीच बड़ी दयनीय स्थिति में, संकोच और सम्मान और सीमाओं के बीच आपकी शरण में हूँ। नहीं जानता, भाग्य वस्तुतः मुझे क्या दिखायेगा, किन्तु इस विषमयी असह स्थिति से मैं किसी भी तरह बच जाना चाहता हूँ। नियति का जो क्रूरतम प्रहार मुझ पर हुआ है, उसे आपके चरणों की छाँह बैठकर बचा जाना चाहता हूँ। मुझे विश्वास है—और विश्वास का बड़ा सहारा है—दादा, कि इस अकिंचन को यदि इस बार आप सहारा न देंगे, तो जीवन की रीढ़ जो टूटी तो खड़ा न रहने देगी।

मुझे यदि अपने चरणों में बैठकर सेवा करने का अवसर दें—या कहीं का भी, तो मैं विश्वास से कहता हूँ, आपके आशीर्वाद का गौरव नष्ट नहीं होने दूँगा—हाँ, इस रौरव से मेरा उद्धार कर दीजिए! घर की आर्थिक स्थिति यदि अच्छी होती, तो शायद मैं इस भीषण कष्ट को तीन महीने तो क्या, तीन दिन तक भी न सहता, पर...आपके चरणों में विश्वास से।

आज्ञाकारी
महेन्द्र

महेन्द्र शर्मा
76, 'ठाकुर-प्रेम-कुटी'
पलासिया, इन्दौर, म० भा०

पी० एस० —यहाँ क्रिश्चियन कॉलेज में हिन्दी के लिए जगह है, ऐसा सुना है। यदि आप श्री डेविड को संकेत कर दें, तो बड़ी कृपा हो। या कहीं भी, किन्तु अब लौटना नहीं चाहता।

श्री प्रतापकृष्ण

स्टेशन-डाइरेक्टर, आल इण्डिया रेडियो, त्रिवेन्द्रम

5.11.54

मान्यवर चतुर्वेदीजी,

सर्वप्रथम मैं अपना परिचय करा दूँ—मेरा नाम प्रतापकृष्ण है। मैं दो साल पहले नागपुर रेडियो-स्टेशन पर एसिस्टेण्ट स्टेशन-डाइरेक्टर के पद पर काम करता था, और वहीं मुझे आपका परिचय प्राप्त करने का सौभाग्य प्राप्त हुआ था। आशा है, आप मुझे अब पहचान गए होंगे।

मैं आपके शुभाशीर्वाद और परमपिता की कृपा से आजकल त्रिवेन्द्रम-स्टेशन

पर स्टेशन-डाइरेक्टर के पद पर काम कर रहा हूँ।

कल रात को यानी 4 नवम्बर को नागपुर रेडियो-स्टेशन से आपके एक कविता-पाठ का रिकार्ड ब्राडकास्ट किया गया था, जिसमें आपने जीवन और कला के सम्बन्ध में कुछ इस ढंग से बातें बताईं और वह-वह चीजें सुनाईं कि मैं कृतज्ञता के रूप में आपको लिखे बिना नहीं रह सका। मैंने इतनी सरल भाषा में जीवन-दर्शन की इतनी मार्मिक समीक्षा पहले कभी नहीं सुनी। आपके हाथों में भाषा कितनी समर्थ और कुशल हो जाती है, यह देखकर अचम्भा होता है। मैंने जो कुछ कल सुना और उसका मेरे हृदय पर जो प्रभाव पड़ा, उसे मैं बयान नहीं कर सकता। यह सब आपकी कलम का जादू है। आपके अनुपम तप, विवेक और गम्भीर चिन्तन का फल है। मैंने कल आपकी गहराई का कुछ अन्दाजा लगाया। आपको मैं उस प्रोग्राम के हेतु हार्दिक धन्यवाद देता हूँ। मैंने नागपुर से उसकी एक Recording माँगी है, यहाँ से ब्राडकास्ट करने के वास्ते। हम यहाँ से हिन्दी-प्रोग्राम कभी-कभी ब्राडकास्ट करते हैं। सादर प्रणाम-सहित।

आपका

प्रतापकृष्ण

रा० दी० गौर

रा० दी० गौर, आई० ए० एस०
जिलाध्यक्ष

नागपुर
10.11.54

पूज्य दादा, सादर वन्दे !

आपका कृपा-पत्र दि० 10.11.54 का आज यहाँ (नागपुर) में प्राप्त हुआ।

आपका तथा आपके समस्त परिवार का मुझ पर अत्यन्त प्रेम था और रहेगा भी, यह पढ़कर अत्यन्त प्रसन्नता हुई।

मैं यहाँ ता० 10-11 को आ गया था और 4-6 रोज बाद इटारसी लौट जाऊँगा। दिसम्बर के प्रथम सप्ताह में कानपुर-लखनऊ इत्यादि स्थानों में जाने का इरादा है। 10-15 रोज में इटारसी लौट आऊँगा।

आपका प्रथम बार लिखा हुआ पत्र मुझे नहीं मिला। वह शायद डाला ही नहीं गया।

मँडलोई सा० से यहाँ एक-दो बार भेंट हुई थी। उनके कहने से तो मालूम होता है कि शायद मैं छुट्टी समाप्त होने पर यहाँ आऊँ। पर कह नहींसकता।

There are many a slips between the cup and the lips. ख़ैर, मुझे इसकी कोई चिन्ता नहीं।

मेरे पास खण्डवा से अनेक पत्र आये। सब लोगों का (निमाड जिले के) मुझ पर प्रेम था और रहेगा, यह पढ़कर हर्ष हुआ मैं तो खण्डवा जिले की जनता की पूरी तरह से सेवा नहीं कर पाया, इसका थोड़ा मुझे दुःख ही है। पर, जो कुछ भी कर पाया, उसे उनने पर्याप्त समझा, यह जानकर सन्तोष हुआ। करीब ढाई वर्ष और नौकरी करना है। ईश्वर मुझे ज्यादा से ज्यादा जनता-जनार्दन की सेवा करने की सुबुद्धि दे, यही उससे प्रार्थना है।

बृजभूषण को सप्रेम आशीष तथा बच्चों को प्यार।

आपका स्नेही,
रा० दी० गौर

श्री ब्रिजलाल बियाणी

मध्यप्रदेश हिन्दी साहित्य सम्मेलन
कार्यालय, नागपुर-2

26 नवम्बर, 1964

आदरणीय माखनलालजी, सविनय वन्दे,

आपका तारीख 18 का पत्र मिला। हिन्दी साहित्य सम्मेलन की कार्यकारिणी में आपको मैंने उप-सभापति नियुक्त किया है, इसमें आपका सम्मान नहीं बढ़ा है। हिन्दी साहित्य के सम्मान के लिए और मेरी अपनी सेवाओं में आपके नाम-मात्र के सहयोग से सफलता मिलेगी, इसी दृष्टि से आपकी नियुक्ति की गई है। आपके नाम में प्रेरणा है और हम सबके लिए बल। आपकी प्रकृति अस्वस्थ है और आप पधार नहीं सकते, इसे मैं जानता हूँ, तथापि आपके आशीर्वाद से ही हमारे काम सफलता से चलते रहेंगे। अतः मुझे प्रसन्नता होगी कि आप इस पद पर रहने की कृपा करें। तारीख 28 को कार्यकारिणी की सभा है, उस समय मैं आपके पत्र को उपस्थित कर दूँगा।

आशा है, आपकी तबीयत ठीक होगी। कृपा और प्रेम बनाये रखें।

आपका नम्र,
ब्रिजलाल बियाणी

श्री अ० भ० मँडलोई

अ० भ० मँडलोई
(राजस्व मन्त्री)

नागपुर
4 दिसम्बर, 1954

श्रद्धेय श्री चतुर्वेदी जी, सादर प्रणाम !

परसों दूरभाष द्वारा आपके आशीर्वाद तो मुझे प्राप्त हो ही चुके हैं। इस पत्र के द्वारा मैं अपनी कृतज्ञता प्रकट करता हूँ। आशा है, भविष्य में भी मुझे आपके आशीर्वाद प्राप्त होते रहेंगे।

2. वल्लभदास ईश्वरदास सुभाष हाईस्कूल भवन में शास्त्रोक्त विधि से गृह-प्रवेश होने जा रहा है। यह विद्यालय उत्तरोत्तर वृद्धि करे और इस विद्यालय द्वारा शिक्षा-जैसे एक महान् कार्य में उन्हें सफलता मिले, यह मेरी शुभ कामना है। शेष कुशल।

आपका
अ० भ० मँडलोई

श्री वृन्दावनलाल शर्मा

झाँसी
19.12.54

प्रियवर भाई चतुर्वेदीजी, सादर नमस्कार !

16.12 का स्नेह-पत्र मिला। पढ़कर पुलकित हो गया। आयुष्मान् कमलेश को मैं अपने बहुत निकट पाने लगा हूँ, जैसे परिवार के ही हों।

मेरे प्रति आपका जो प्रचुर प्रेम है, वह मेरा बड़ा सम्बल है।

ढाई वर्ष हो गए, तब मिले थे। भेंट करने की बड़ी लालसा है। आशा है कि दो-तीन महीने के भीतर खण्डवा पहुँचूंगा। परमात्मा से प्रार्थना है कि आप दीर्घायु हों और स्वस्थ रहें।

स्नेही
वृन्दावनलाल वर्मा
मयूर प्रकाशन, झाँसी

ऋषि जैमिनी कौशिक बरुआ

राष्ट्रकवि मैथिलीशरण गुप्त अभिनन्दन
योजना-प्रबन्ध : बड़ा बाजार लाइब्रेरी, कलकत्ता-7

[1]

10/1/1 सैयद साली लेन,
कलकत्ता-7
28 दिसम्बर, 54

प्रिय महोदय,

श्रद्धेय श्री मैथिलीशरण जी गुप्त सम्वत् 2012 के श्रावण मास में अपनी आयु का 70 वाँ वर्ष पूर्ण करेंगे। इस अवसर पर उनके अभिनन्दन के लिए एक ग्रन्थ समर्पण करने की योजना हुई है। ग्रन्थ में ये विभाग रखे गये हैं। प्रथम खण्ड : जीवनी और संस्मरण; द्वितीय खण्ड : चयन (गुप्तजी की कविताओं के चुने हुए अंश); तृतीय खण्ड : अध्ययन (गुप्तजी के काव्यों से सम्बन्धित : विमर्श, अध्ययन); चतुर्थ खण्ड : रामकथा और साहित्य; पंचम खण्ड : राम-चरित्र; षष्ठ खण्ड : संस्कृति; सप्तम खण्ड : राम-काव्यों की भाषा; अष्टम खण्ड : आधुनिक काव्यों में राम। यह ग्रन्थ लगभग 1000 पृष्ठों में समाप्त होगा। इसमें राम-विषयक कई प्राचीन भारतीय चित्रकला के चुने हुए रंगीन चित्र भी रहेंगे।

प्रथम खण्ड के सम्पादक श्री राय कृष्णदासजी के आदेश से आपसे प्रार्थना है कि गुप्तजी से सम्बन्धित एक महत्त्वपूर्ण संस्मरण प्रेषित करते हुए इस ग्रन्थ में सहयोग देने का अनुग्रह करें एवं अपना लेख 31 जनवरी, 55 तक भिजवाने की व्यवस्था कर दें। शुभ उत्तर की प्रतीक्षा में।

सादर,
बरुआ

पुनश्च—श्रद्धेय गुप्तजी के कोई साहित्यिक पत्र तथा चित्र हों, तो उनकी सूचना देने की कृपा करें।

[2]

1 जून, 1957

आदरणीय श्री दादाजी,

आपकी शुभकामनाओं के फलस्वरूप मैं सपरिवार यहाँ सकुशल पहुँच गया था। इधर कल से वर्षा ऋतु का शुभागमन हो गया है। सम्भवतः खण्डवा में भी बारिश का आगमन हुआ होगा।

यहाँ आते ही राष्ट्रकवि मैथिलीशरण जी के आयोजन में व्यस्त हो गया हूँ। यह आनन्द की बात है कि ग्रन्थ का प्रकाशन पूर्व गति से चल रहा है।

आप मुझे यह प्रार्थना करने की अनुमति दें कि इस ग्रन्थ के प्रथम संस्मरण-खण्ड के लिए गुप्तजी से सम्बन्धित अपने कतिपय संक्षिप्त संस्मरण भिजवाने की कृपा कर दें। यह संस्मरणात्मक लेख मुझे आगामी सप्ताह ही चाहिए। उसके लिए मैंने स्थान सुरक्षित रखा है। और उसकी प्रतीक्षा में, मुझे भय है, कहीं मुद्रण का कार्य रोकना न पड़े। 'कर्मवीर' में आपके जो लेख गुप्तजी पर हैं, यदि उनका स्थानक्रम आप श्री भैयाजी को ही बता दें, तो वे उसी टाइपिस्ट से उसे टाइप करवा लेंगे, जिसने 'प्रभा' के नोट्स टाइप किए थे। सूचना मिलते ही मैं टाइपिस्ट का पारिश्रमिक यहाँ से भिजवा दूँगा।

कृपया अपने स्वास्थ्य की असुविधाओं के बावजूद मेरी यह प्रार्थना स्वीकार कर लें। शुभ उत्तर की प्रतीक्षा में।

सादर
बरुआ
(प्रबन्ध-सम्पादक)

श्री चिरंजीलाल बड़जात्या

जमनालाल सन्स, लिमिटेड
तार : 'बच्छराज'

वर्धा
9.2.55

सप्रेम वन्दे !

काफी समय के बाद आपको पत्र लिखते हुए प्रसन्नता हो रही है। यह पत्र पू० माताजी जानकीदेवी बजाज के कहेनुसार आपको लिख रहा हूँ।

वर्धा में श्री गजानन्दजी चौबे की एक लड़की है, जिसकी शादी करना है। लड़की की उम्र 16 साल की है और मैट्रिक तक पढ़ी हैं। देखने में सुन्दर है। गोत्र खुद-चौबे, माँ चुलाईट, दादी बयालो, नानी पचौरी और गोत्र भारद्वाज है।

एक लड़का नागपुर में राजेन्द्रकुमार नाम का सीताबर्डी, टेकड़ी रोड पर रहता है। यह लड़का बैतूल का रहने वाला है और सबको पसन्द आ गया है। सुना है कि उस लड़के को आप भी जानते हैं। यदि आप थोड़ा प्रयत्न करें तो यह काम जम सकता है। पूज्य माताजी भी इसमें इण्ट्रेस्टेड हैं। सो आप हो सके तो कोशिश करके यह मामला जमा देवें या और कोई लड़का आपके खयाल में हो, तो

उनके पते-आदि लिखने की कृपा करें। विशेष कुशल। कृपा रखें।

आपका

चिरंजीलाल बडजात्या

श्री पीताम्बरनाथ धर काश्मीरी

सेवानगर (लोधी रोड), नई दिल्ली

11.2.55

पूज्य दादजी, सादर नमन !

मुझे आपका चिरप्रतीक्षित स्नेहसिक्त पत्र प्राप्त हुआ। जहाँ हम, आप और आपके परिवार की कुशलता सुनकर गद्‌गद हुए, वहाँ यह जानकर अत्यन्त विक्षुब्ध भी हुए कि माताजी 22 महीने बीते इस संसार से उठ गयी हैं। उनके निधन पर हम अपार शोक और आप सबके साथ अपनी हार्दिक सहानुभूति प्रकट करते हैं, यद्यपि हमारा ऐसा करना अब असामयिक मालूम होता है। हमारा-आपका पारस्परिक पत्र-व्यवहार न होने के कारण हम आपकी पारिवारिक स्थिति से अवगत न रह सके।

मैं आजकल सेवानगर की एक पाठशाला में अपने जीवन-यापन के लिए प्रधानाध्यापक की हैसियत से काम कर रहा हूँ। यह शाला और इसके अतिरिक्त और पाँच शालाएँ भारतीय विद्यापरिषद् के अन्तर्गत चलती हैं, जिसके प्रधान पं० ब्रजलालजी नेहरू और मैनेजिंग डाइरेक्टर पं० शिवनन्दनजी ऋषि हैं। ऋषि-जी दिल्ली राज्य की धारा-सभा के एक कांग्रेसी सदस्य हैं। दिल्ली में तो अब जगह-जगह काश्मीरी पंडित और मुसलमान रह रहे हैं, परन्तु हमारे घरवाले श्रीनगर में ही हैं। हाँ, यहाँ भी कुछ-कुछ सम्बन्धी जरूर हैं जिनके यहाँ हमारा आना-जाना रहता है।

जैसाकि मैंने अपने पहले पत्र में लिखा था, मैं आपकी सेवा में अनुवाद-सहित अपनी काश्मीरी कविताओं का एक नवप्रकाशित संग्रह समीक्षार्थ भेज रहा हूँ, जिस पर कि आज तक दिल्ली, जम्मू और पाकिस्तान के कई समाचार-पत्रों ने टिप्पणियाँ लिखी हैं। मुझे आशा है कि आप भी 'कर्मवीर' में इस पर अपने बहुमूल्य विचार व्यक्त करके मुझे कृतज्ञ करेंगे। मैं जानता हूँ कि काश्मीरी कविताएँ, वे भी फारसी लिपि में, आपकी समझ में नहीं आयेंगी, लेकिन फिर भी उनके उर्दू-अनुवाद से आप शायद उनके भावार्थ का स्वाद ले सकते हैं।

हर्ष की बात है कि बहिन सरलाजी अब सुहागवती हो चुकी हैं और प्रिय विनोदकुमारजी और बड़े भैयाजी अपनी-अपनी जगह शिक्षा ग्रहण करने में व्यस्त

ईं। उनको और दूसरे नन्हों को हमारा बहुत-बहुत प्यार। सौ० भाभीजी, बड़ी बहिनजी, सरलाजी और अरुणाजी को प्रभाजी का स्नेहपूर्ण प्रणाम और आपको आदरपूर्वक नमन। मेरा भी उन सबको करबद्ध अभिवादन। हमें बारम्बार आपके परिवार की याद रह-रहकर सताती है। भाई साहब को मेरा नमन।

अपने स्वास्थ्य से समय-समय पर हमें सूचित कीजिए।

आपका सेवक

पीताम्बरनाथ धर काश्मीरी

श्री कृष्णदास जाजू

बजाजवाडी, वर्धा

16.2.55

भाई माखनलालजी, प्रणाम !

आपका 11 फरवरी का पोस्टकार्ड मिला। बहुत समय के बाद पत्र पाकर बड़ी खुशी हुई। भाई जमनालालजी की देश-सेवा सदा स्मरण करने लायक ही है। उनकी प्रेरणा अब तक काम कर रही है और भविष्य में भी लम्बे अर्से तक करती रहेगी।

आपने आपके स्वास्थ्य के बारे में समाचार नहीं लिखे। यों कमजोरी तो होगी ही। परन्तु आशा करता हूँ, स्वास्थ्य ठीक रहा होगा।

मेरे लायक काम-काज लिखते रहें। कभी खण्डवे से निकलूँगा तो मिलने की कोशिश करूँगा। पहले भी मिलने का योग इसी प्रकार आता रहा।

आपका

श्रीकृष्णदास

[विख्यात गांधीवादी विचारक]

श्री प्रयागदत्त त्रिपाठी

असिस्टेण्ट एडीटर (हिन्दी)
पब्लिकेशन डिवीजन,
ओल्ड सेक्रेटेरिएट, दिल्ली
(संभवतः 1955-56)

दादाजी, पालागन !

मैं 'आजकल' में आ गया हूँ। 20 जून से कार्य आरम्भ कर दिया है।

आपकी चुप्पी इतनी लम्बी हो सकती है, यह न सोचा था। खैर, आप अपने मन के राजा हैं। जो चाहे, कीजिए। आशा है, आप सर्वथा स्वस्थ होंगे। इलाहाबाद में भारती मिला था। कहता था कि आप ठीक ही हैं। अवस्थीजी की तबीयत इतनी खराब हुई और आप सनके भी नहीं। खन्नाजी हाल ही में मरण-शय्या से उठकर मसूरी गये हैं। प्रभु-कृपा से वे अब सर्वथा स्वस्थ हैं। पर आप तो लगता है, कानपुर और कानपुर वालों से एकदम ही रूठ गए! "मेरे राजा, मत मान करो, मुझसे पूजा कैसे होगी?"

मैं आ तो गया हूँ, पर अभी खानाबदोशी में ही दिन बीत रहे हैं। मकान मिलना यहाँ भगवान् मिलने से कुछ ही कम कठिन है। खैर—

सत्यार्थी जी वन्दे कहते हैं। शेष ठीक। तबीयत आ जाय तो जवाबी मार दीजिएगा।

आपका एक कोई

प्रयागदत्त त्रिपाठी

श्री कालिकाप्रसाद दीक्षित

मध्यप्रदेश हिन्दी साहित्य सम्मेलन
कार्यालय—'नवभारत-भवन'
नागपुर-2.

श्रद्धेय चतुर्वेदी जी, सादर प्रणाम!

माननीय शुक्लजी को भेंट किए जाने वाले अभिनन्दन-ग्रंथ के सम्बन्ध में कुछ परामर्श लेने तथा जानकारी प्राप्त करने के हेतु मैं आपसे मिलना चाहता हूँ। आशा है, खण्डवा पहुँचने पर आप अपने स्वास्थ्य के अनुकूल मुझे थोड़ा-बहुत समय अवश्य देने की कृपा करेंगे। प्रान्त की गति-विधि के सम्बन्ध में आपका दृष्टिकोण मौलिक होगा, क्योंकि आप सभी बातों पर मौलिक दृष्टि से सोचते हैं। अतएव इस अवसर पर आपके विचारों का लाभ उठाना आवश्यक है। वे विचार बड़े महत्त्व के होंगे।

कष्ट के लिए क्षमा करें। योग्य सेवा से सूचित करते रहें।

विनीत

कालिकाप्रसाद दीक्षित

वर्धा (म०, प्र०)

(संभवत: 1955-56)

सेक्रेटरी, सी० पी० एण्ड बरार इण्डस्ट्रियल एण्ड कर्माशियल कान्फ्रेंस

कमानिया गेट, जबलपुर,
20 जुलाई,

सेवा में,

श्रद्धेय चतुर्वेदीजी,

आपको यह पढ़कर हर्ष होगा कि जबलपुर में गत वर्ष मध्यप्रान्तीय उद्योग-व्यापार परिषद् का प्रथम अधिवेशन, अहमदाबाद-निवासी श्री सेठ वाडीलाल लल्लूभाई मेहता के सभापतित्व में बड़े समारोह से हुआ था। मध्यप्रान्त के गवर्नर, परमश्रेष्ठ श्री मंगलदास पकवासा ने परिषद् का उद्‌घाटन किया था और प्रान्तीय उद्योग-मन्त्री माननीय श्री दुर्गाशंकरजी मेहता ने परिषद् में सरकार की उद्योग नीति का स्पष्टीकरण किया था। अन्य प्रान्तों के विशेषज्ञों ने भी पदार्पण किया था और मध्यप्रान्त के खनिज पदार्थों की प्रशंसा करते हुए उद्योग-धन्धों को खोलने के लिए उत्साहित किया था।

देश की गरीबी दूर करने के लिए उद्योग-धन्धों का नवीन विस्तार होना अति आवश्यक है। देश की तरक्की के लिए इस समय कारखानों का खुलना ही एकमात्र साधन है। हरएक नागरिक का यह प्रथम कर्तव्य है कि वह इस आदर्श की पूर्ति में पूरा ससयोग दे।

परिषद् का कार्य सुचारु रूप से चलने के लिए यह आवश्यक है कि वार्षिक अधिवेशन पृथक्-पृथक् जिलों में हुआ करे। मेरी यह इच्छा है कि परिषद् का दूसरा अधिवेशन आपके नगर में ही हो। हमें पूर्ण आशा है कि इस शुभ कार्य में आपसे पूरा सहयोग मिलेगा। इस सम्बन्ध में खण्डवा के प्रसिद्ध और धनी-मानी सज्जनों तक यह बात पहुँचाना आवश्यक है। इसके पहले कि मैं अन्य सज्जनों को लिखूँ, आपकी अनुमति अपेक्षित है।

विनीत
(हस्ताक्षर-अस्पष्ट)
सेक्रेटरी

श्री इन्द्र संघी

OSMANIA UNIVERSTTY
ओसमानिया यूनिवरसिटी
हैदराबाद डेक्कन

मनोहर विला
बालाप्रसाद बाघ
पुन्जनगट्टा मार्केट, हैदराबाद
30.6

पूज्य दादा के चरणों में सादर प्रणाम !

अस्त कुशलं तत्रास्तु। हम सब लोग औरंगाबाद होते हुए यहाँ सकुशल सानंद पहुँच गए थे। औरंगाबाद में हमने अजन्ता, एलौरा, बीवी का मकबरा, गोलकुण्डा और श्री घृष्णेश्वर मन्दिर आदि खूब देखे। यहाँ पहुँचते ही कार्य में बहुत अधिक व्यस्त हो गया, इसीलिए आपको पत्र शीघ्र ही नहीं लिख सका। आशा है आप क्षमा करेंगे।

हम लोग 8, 9 और 10 जुलाई को यहाँ All India Prem Chand Society का वार्षिकोत्सव कर रहे हैं। उसमें बाहर से भी काफी लोगों को बुला रहे हैं। उसमें भाषा का प्रश्न न होकर मानवता और संस्कृति का प्रश्न है इसीलिए हिन्दी और उर्दू दोनों के ही विद्वानों को बुलाने का विचार है और इसमें हमें यहाँ की समस्त जनता का सहयोग प्राप्त होगा। हमने अपनी अपील भी अंग्रेजी, हिन्दी, उर्दू आदि तीनों भाषाओं में निकाली है। हमारी विचारधारा भी प्रगतिशील और जनतन्त्रवाद की ओर झुकी हुई होगी।

प्रेमचन्द सोसाइटी की कार्यकारिणी की ओर से मैं प्रार्थना करता हूँ कि आप इस सम्मेलन में अवश्य सम्मिलित हों। दादा, हिन्दी साहित्य सम्मेलन के सुअवसर पर तो बहुत चाहकर भी मैं आपको हैदराबाद न ला सका। प्रभु की कृपा से अब यह सुयोग पुनः इतना शीघ्र मिल गया है, अतएव मैं प्रार्थी हूँ कि आप अवश्य पधारें और यहाँ मेरे ही पास ठहरें। यह अवश्य है कि मैं गरीब हूँ और यहाँ बड़े-बड़े लोग आपको ठहराना चाहेंगे, परन्तु मुझे विश्वास है कि मेरा अधिकार सुरक्षित है। आवश्यक प्रबन्ध करने का प्रयत्न करूँगा।

आज तार से भी मैं आपको आमन्त्रित कर रहा हूँ। आपकी स्वीकृति आते ही मैं सेवा में मार्गव्यय भिजवाने का प्रयास करूँगा। उत्तर आप भी तार से दें। मैंने अपने घर का पता ऊपर लिख दिया है। उसी पर उत्तर दें, ताकि हर समय मिल सके।

शेष सब कुशल हैं। पूज्य बृज भैय्या, काकी, बुआ आदि सबको मेरा यथायोग कहियेगा। बच्चों को प्यार। पत्रोत्तर फौरन देने की कृपा करें। मुझे आशा है कि आपका स्वास्थ्य इस समय इस योग्य होगा कि आप हैदराबाद आ सकें।

विनीत आपका ही

इन्द्र संघी

श्री कन्हैयालाल नन्दन

'धर्मयुग' सचित्र हिन्दी साप्ताहिक
पो० आ० बाक्स न० 213,
टाइम्स ऑफ इण्डिया बिल्डिंग, बम्बई-1

10 दरियागंज, दिल्ली
13/1 व 13/2 गवर्नमेंट प्लेस ईस्ट, कलकत्ता
3, आल्बेमार्ट स्ट्रीट, लन्दन

15.11.61

आदरणीय,

पिछले दिनों लिखे आपके पत्र में मैंने 'जीसस की आत्मकथा' लेख की चर्चा की थी कि वह लेख मुझे अतिशीघ्र चाहिए। उसके सम्बन्ध में अभी तक कुछ नहीं जान सका। लेख शीघ्र भेजें तो बड़ी कृपा होगी।

इधर जब हम लोगों ने सन् 62 के अंकों की योजना बनानी शुरू की, तो उसमें आपके जिम्मे भी दो लेख आये।

1. गणेशशंकर विद्यार्थी के संस्मरण और साम्प्रदायिकता पर पुनर्विचार।
2. पत्रकारिता—तब और अब।

इन दोनों लेखों के माध्यम से हम उक्त विषयक आपके विचार रोचक शैली में पाठकों तक पहुँचाना चाहते हैं। 'धर्मयुग' में आपने देखा होगा कि उसमें एक विशेष लेख आप-जैसे विशिष्ट व्यक्तियों से लिखवाकर दिया जाता रहा है। आपके ये दोनों लेख उसी विशिष्ट कोटि में हैं। इनमें आप विभिन्न गम्भीर और अगम्भीर समस्याओं का समावेश संस्मरण या रोचक कथाशैली में कर सकेंगे। आशा है आप हमारे इस निवेदन को स्वीकार कर धर्मयुग के एक पृष्ठ का, जिसमें लगभग पन्द्रह सौ शब्द आते हैं, एक-एक लेख तैयार करके अतिशीघ्र भेजने की

कृपा करेंगे। लौटती डाक से यह सूचित करें कि इन लेखों की प्रतीक्षा कब से प्रारम्भ करूँ ?

पत्र की प्रतीक्षा में।

आपका स्नेहाकांक्षी

नन्दन

(सुप्रसिद्ध पत्रकार एवं कवि)

श्री कैलाशनाथ त्रिपाठी

35/51 बंगाली मुहाल, कानपुर

5.4.1962

श्रद्धेयवर, प्रणाम स्वीकार हो !

एक लम्बी अवधि के पश्चात् आपकी सेवा में पत्र प्रेषित कर रहा हूँ। आज आपके जन्म-दिन पर मैं भगवान् से दोनों हाथ फैलाकर यही माँग कर रहा हूँ कि प्रभु वह हमारे दादा को स्वास्थ्य एवं दीर्घायु प्रदान करें।

कानपुर आने के बाद आपके साथी श्री गणेशशंकर विद्यार्थी के नाम पर हम दो साथियों ने एक शिक्षा-समिति की स्थापना की है। आपके आशीर्वाद से एक विद्यालय चल रहा है आशा है कि इस वर्ष डिग्री कालेज की मान्यता मिल जावेगी। 25 सितम्बर को जवाहरलाल जी द्वारा उनकी आदमकद मूर्ति की स्थापना कर उसका अनावरण करवाया। और अभी यह माँग उनसे की थी कि विद्यार्थीजी के टिकट निकाले जावें जिसका आश्वासन तो उन्होंने दिया था, फिर दिल्ली से पत्र लिखा था कि डाक-तार विभाग ने उनका सुझाव और हम लोगों का प्रस्ताव स्वीकार कर लिया है। 25 मार्च को उनके टिकट भी निकल गए। यह तो नहीं कह सकता कि श्रद्धेय विद्यार्थीजी के अनुकूल हम लोग कोई कार्य कर सके हों, परन्तु सीमित साधनों एवं शक्ति के अनुसार कुछ करने का प्रयास अवश्य किया है।

खण्डवा में व्यतीत कुछ वर्ष मेरे जीवन के महत्त्वपूर्ण दिन रहे हैं, उन्हीं के सहारे आज मन में इस बात का गर्व करता हूँ कि दादा का मुझे आशीर्वाद प्राप्त है। आपके स्वास्थ्य की जानकारी मैं प्रायः अपने खण्डवा के दोस्तों से किया करता हूँ। ऐसा मन होता है कि आपको कानपुर ला सकूँ। पुरुषोत्तमजी से भी इस विषय में बात की थी, परन्तु आपके स्वास्थ्य के कारण हिम्मत नहीं कर पाता।

हे कवीश्वर ! आज के पावन दिन पर मेरे शत-शत प्रणाम स्वीकार करने

की कृपा करें। ईश्वर करे कि आने वाले अनेक वर्षों तक मुझ जैसे सहस्रों आराधका को आपकी कृपा एवं संरक्षण प्राप्त रहे।

आज्ञाकारी
कैलाश त्रिपाठी

श्री जमीला कुरैशी

[1]

यूनिवर्सिटी गर्ल्स होस्टल, वाराणसी
28 अप्रैल, 1962

पूज्य दादा, सादर प्रणाम !

आपको एक पत्र लिख चुकी हूँ जिसमें यहाँ की चर्चा की थी। आपको एक 'एयर लेटर' भेज रही हूँ कृपया वेणीशंकरजी झा को एक पत्र आप अवश्य ही लिख दें जिससे मेरे 'केस' पर कुछ विचार किया जा सकेगा, अन्यथा कोई उम्मीद नहीं है। भगवतीजी इस मामले में केवल वेणीशंकरजी झा का ही कहना मान सकते हैं। मैंने कोशिश की है और यहाँ की वस्तुस्थिति समझाने की चेष्टा की है। श्री पद्मनारायणजी आचार्य से भी मिली थी, उन्होंने भी रजिस्ट्रार से मिलकर यही बात पता लगायी है कि······को लाने के लिए यह उथल-पुथल की जा रही है। अगर इस अवसर पर वेणीशंकरजी झा का लिखा हुआ पत्र आ जाय, तो बात बन सकती है। अतः आचार्यजी ने कहा है आपका कहना वे किसी भी कीमत पर नहीं टाल सकते। इसलिए दादा, आप कृपा करके उन्हें अवश्य लिख दें तथा मेरे पास सूचना भेजने का कष्ट करें। आचार्यजी आपको प्रणाम कह रहे हैं। शेष शुभ है। पत्र की प्रतीक्षा करूँगी।

आपकी बेटी
जमीला कुरैशी

[2]

जी/1, लेडीज़ कालोनी के पीछे,
का० हिं० वि० वि०
वाराणसी 5 (उ० प्र०)
26 सितम्बर, 67

पूज्य दादा, सादर प्रणाम !

मैं इस समय आपके वाङ्मय एवं जीवन-दृष्टि पर कार्य कर रही हूँ। आशा

है अप्रैल तक पूरा कर लूँगी और गर्मी की छुट्टियों में आपको सुनाकर आपके अमूल्य सुझावों द्वारा उसके स्वरूप को पूर्णतया सँवार पाऊँगी। पूज्य नन्ददुलारे बाजपेयी जी की भी यही इच्छा थी कि इस प्रबन्ध को मैं शीघ्र समाप्त कर सागर-विश्वविद्यालय में डी० लिट्० के लिए जमा कर दूँ। किन्तु बीच में कुछ झपकी-सी आ गयी थी। एक तो अस्वस्थता, दूसरे यहाँ का निरन्तर चलने वाला संघर्ष, जो किसी को पैर रखने की भी जगह नहीं देना चाहता। और यदि जैसे-तैसे पैर रख लिया जाए तो रात-बिरात मौके-बेमौके उसे ढकेल देना चाहता है। सचमुच दादा, नौकरी बड़ी भयंकर होती है। मौज में वे ही हैं, जो अपने अधिकारी के यहाँ शाम-सुबह चप्पलें घिसते हैं और कलम की मजदूरी से जिन्हें कोई मतलब नहीं।

किन्तु आपका आदर्श हमारे सामने है। प्रेमी जी के शब्दों में—"दौलत और सत्ता इनके आसपास चक्कर काटती रही, किन्तु इन्होंने कभी उनकी तरफ देखा तक नहीं। कभी लक्ष्मी को सरस्वती पर हावी नहीं होने दिया।"

इस समय यही आदर्श हमें जीवन देता है। इसी की आवश्यकता भी है। आशा है आप पूर्ण स्वस्थ एवं सानन्द हैं।

आपकी पुत्री
जमीला कुरैशी

श्री मैथिलीशरण गुप्त

'श्रीराम' चिरगाँव (झाँसी)
11.4.63

प्रिय चतुर्वेदीजी,

सहानुभूति के लिए आभारी हूँ।

भाई सियारामशरण जी की न स्त्री है, न कोई सन्तान। वे घर में रहते हुए भी साधु के समान थे।

मैं अपनी दशा क्या कहूँ ! अन्त में यह भोग भी भोगना था। हरीच्छा !

आपका
मैथिलीशरण

श्री सेठ गोविन्ददास

राजा गोकुलदास महल, जबलपुर
4.8.1963

श्रद्धेय चतुर्वेदीजी,

मेरे वसीयतनामे पर आपका आशीर्वादात्मक सन्देश तार द्वारा प्राप्त हुआ। सार्वजनिक जीवन में प्रवेश करते ही मैंने तो सदा आपको बड़ा माना है और सदैव ही आपकी कृपा और स्नेह मुझे प्राप्त रहे हैं। मेरे छोटे-से-छोटे काम की आप सराहना करते रहे हैं और मुझे प्रेरणा देते रहे हैं।

मेरे जीवन का यह सन्ध्याकाल है। घर की सम्पत्ति को मैंने सन् 1932 में ही छोड़ दिया था। उसके बाद चौदह वर्ष एक किराये के मकान में रहा और पिताजी की मृत्यु के बाद जब गांधीजी ने माताजी के पास रहने की आज्ञा दी तभी राजा गोकुलदास महल में लौटा। परन्तु 1932 के बाद मैंने कौटुम्बिक सम्पत्ति से कभी एक पाई भी नहीं ली। अभी भी इस महल में एक महमान के रूप में रहता हूँ। गये 31 वर्षों में जो कुछ एकत्रित किया वह साहित्य से, और मेरे बाद इस धन का उपयोग भी साहित्यकारों के लिए ही होना उचित था वही मैंने किया। यह वसीयतनामा मेरी मृत्यु के बाद ही प्रकाशित होना चाहिए था। मैंने इसे किसी को प्रकाशनार्थ दिया भी नहीं, अन्यथा यह सबसे पहले 'नवभारत' में निकलता; परन्तु टोह लगाने वालों को न जाने कैसे ऐसी चीजों का पता लग जाता है। कुछ पत्रकारों को पता लग गया और उन्होंने इसे अपने पत्रों में प्रकाशित भी कर दिया। वसीयतनामे मत्यु के बाद ही जाहिर होते हैं इसलिए इसका प्रकाशन कोई बहुत अच्छी बात नहीं हुई, पर जो होना था वह हो गया। क्या कहूँ!

आपके इस सन्देश के लिए धन्यवाद बहुत छोटी चीज है परन्तु कृतज्ञता ज्ञापन के लिए और कोई उपाय भी तो नहीं है। सधन्यवाद।

आपका ही
गोविन्ददास

श्री बी० गोपाल रेड्डी

Minister Information and Broadcasting, India

New Delhi,
April 18, 1963

Dear Friend,

May I seek your help in a task which, I know, will interest

you ?

A unit of our Ministry, "The collected works of Mahatma Gandhi" is engaged in collecting, editing and publishing all the writings, speeches and letters of Gandhiji. Eight volumes in English and seven in Hindi going up to the year 1908, have already been published. Further volumes are under active preparation. The programme is to complete the series of about 55 volumes by the centenary of Gandhiji's birth in 1969.

Among his unpublished writings are innumerable letters. whoever dropped a line to him about any problem howsoever personal, received a reply. On days of silence, he noted on pieces of papers his answers to questions. Such writings are scattered in many places.

Many institutions asked for and recived messages from him. He also spoke at innumerable institutions. Some of them have prese.ved his messages and reports of his speeches.

I appeal to you for prompt and active cooperation, within the area of your influence, which, I am sure, will be invaluable in enriching our collection. You could help by.

(i) Lending us any letter, report, message, etc. which may be in your own possession or on record in the institutions with which you are connected;

(ii) mentioning our need to persons whom you may meet and who are likely to have in their possession any letters, etc, from Gandhiji; and

(iii) informing us of the names and addresses of such persons.

All communications in response to this appeal may kindly be sent to the Chief Editor, collected works of Mahatma Gandhi, 56 Sunder Nagar, New Delhi 11. He will arrange to copy the material that my be received and return the original by registered post to the owner or have it preserved in the National Archives or the Gandhi Smarak Sangrahalaya, in accordance with the wishes of the owner. But it will be necessary for him to see the original and ensure the correctness of the copy.

By your kind help, I shall feel much obliged and the work of collection will gain in comprehensiveness and speed.

Yours Sincerely,
B. Gopal Reddi,
(B. Gopal Reddi)